2단계 완성 스케줄표

공부한 날	주	일	학습 내용
월 일	1주	도입	이번 주에는 무엇을 공부할까요?
		1일	여러 가지 도형
월 일		2일	평면도형의 변과 꼭짓점
월 일		3일	도형 찾기
월 일		4일	도형을 합치고 나누기
월 일		5일	도형을 겹치기
		평가/특강	누구나 100점 맞는 테스트/창의·융합·코딩
월 일	2주	도입	이번 주에는 무엇을 공부할까요?
		1일	찾을 수 있는 크고 작은 원의 개수
월 일		2일	잘린 도형의 개수
월 일		3일	찾을 수 있는 크고 작은 도형의 개수
월 일		4일	순서에서 규칙 찾기
월 일		5일	무늬에서 규칙 찾기
		평가/특강	누구나 100점 맞는 테스트/창의·융합·코딩
월 일	3주	도입	이번 주에는 무엇을 공부할까요?
		1일	칠교판 알아보기
월 일		2일	칠교로 도형 만들기
월 일		3일	칠교로 모양 만들기
월 일		4일	패턴 블록 알아보기
월 일		5일	패턴 블록으로 모양 만들기
		평가/특강	누구나 100점 맞는 테스트/창의·융합·코딩
월 일	4주	도입	이번 주에는 무엇을 공부할까요?
		1일	쌓기나무의 개수
월 일		2일	쌓은 모양에서 위치 알아보기
월 일		3일	쌓기나무 쌓기
월 일		4일	쌓기나무의 그림자 알아보기
월 일		5일	규칙 찾기
		평가/특강	누구나 100점 맞는 테스트/창의·융합·코딩

공부한 날을 표시하고 하루하루 학습 내용을 살펴보세요.

Chunjae Maketh Chunjae

▼

기획총괄 지유경
편집개발 정소현, 조선영, 원희정, 이정선, 최윤석, 김선주, 박선민
디자인총괄 김희정
표지디자인 윤순미, 안채리
내지디자인 박희춘, 이혜진
제작 황성진, 조규영

발행일 2020년 11월 15일 초판 2020년 11월 15일 1쇄
발행인 (주)천재교육
주소 서울시 금천구 가산로9길 54
신고번호 제2001-000018호
고객센터 1577-0902

※ 정답 분실 시에는 천재교육 홈페이지에서 내려받으세요.

※ KC 마크는 이 제품이 공통안전기준에 적합하였음을 의미합니다.

※ 주의
책 모서리에 다칠 수 있으니 주의하시기 바랍니다.
부주의로 인한 사고의 경우 책임지지 않습니다.
8세 미만의 어린이는 부모님의 관리가 필요합니다.

똑 똑 한

하루 도형

2단계

주별 Contents

이 책의 특징

이번 주에는 무엇을 공부할까요?

▶ **이번 주에 공부할 내용**을 만화로 재미있게!

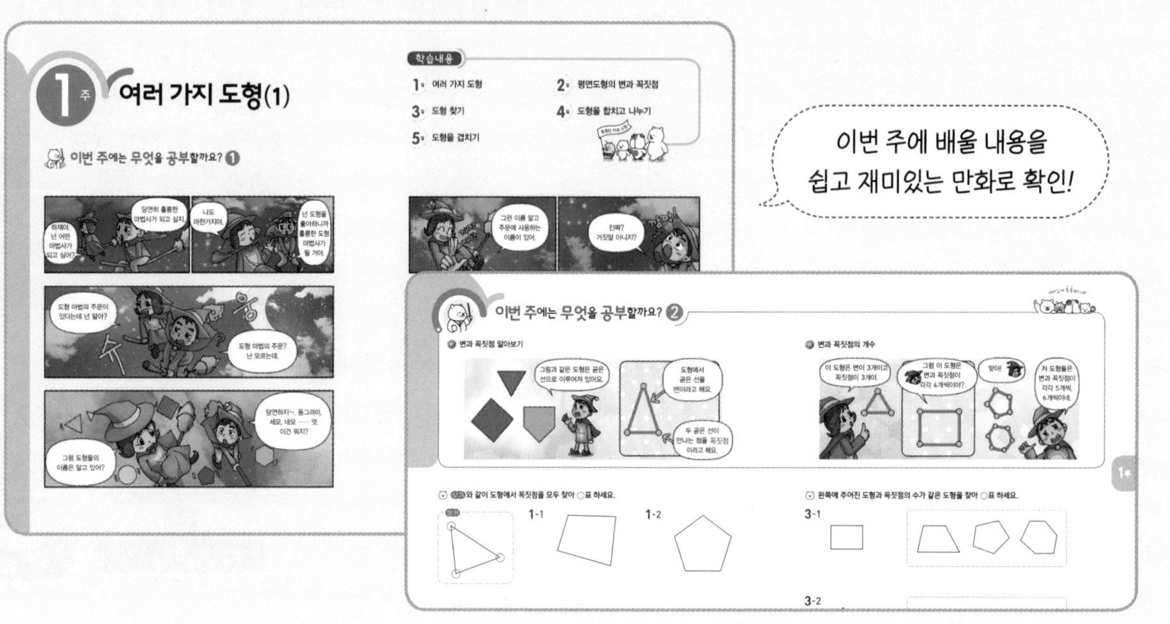

주 5일 학습

▶ **활동**을 통해 **도형 개념**을 쉽게 이해해요!

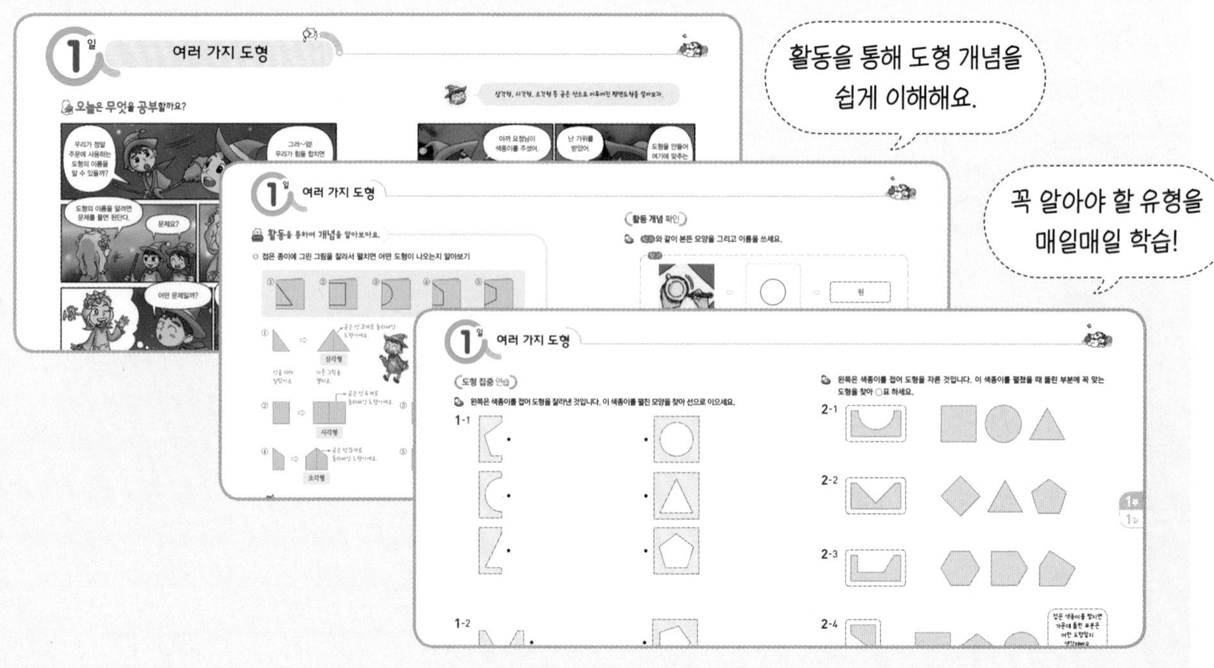

주별 평가

▶ **한 주간 배운 내용**을 확인해요.

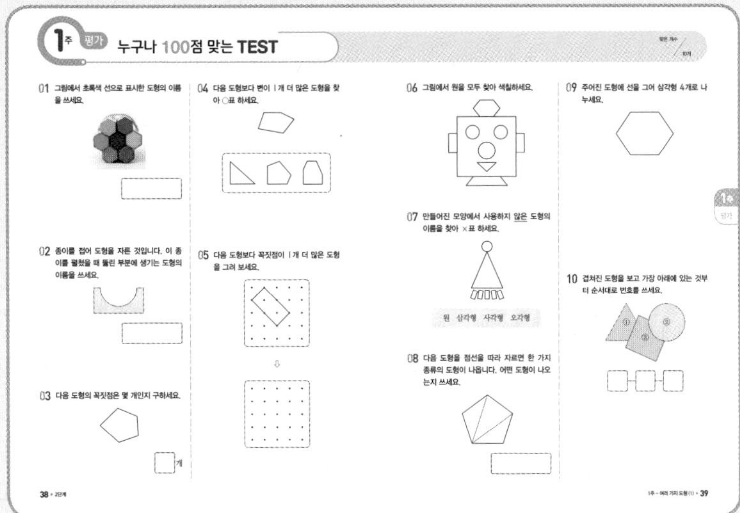

5일 동안 공부한 내용을 확인해요.

창의·융합·코딩

▶ **창의·융합·코딩** 문제로 창의력과 사고력이 길러져요!

특강 문제까지 해결하면 창의력과 사고력이 쑥쑥!

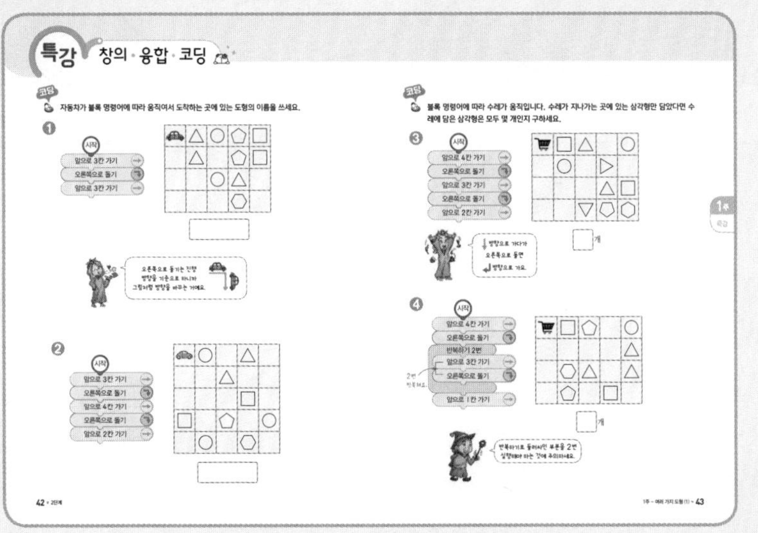

이 책에 나오는 인물

하재

자신만만 연습생
사고뭉치이지만 긍정적인 성격

지우

성실근면한 똑순이 연습생

마녀 할머니

하재, 지우를 아끼고 사랑하는 자상한 할머니
도형 마법 실력이 뛰어남

아리아

도형 숲의 요정
엉뚱발랄하지만 실체는 강력한 도형 마법사

1주 여러 가지 도형(1)

이번 주에는 무엇을 공부할까요? 1

학습내용

- 1일 여러 가지 도형
- 2일 평면도형의 변과 꼭짓점
- 3일 도형 찾기
- 4일 도형을 합치고 나누기
- 5일 도형을 겹치기

이번 주에는 무엇을 공부할까요? ②

변과 꼭짓점 알아보기

그림과 같은 도형은 곧은 선으로 이루어져 있어요.
도형에서 곧은 선을 변이라고 해요.
두 곧은 선이 만나는 점을 꼭짓점이라고 해요.

보기와 같이 도형에서 꼭짓점을 모두 찾아 ○표 하세요.

보기

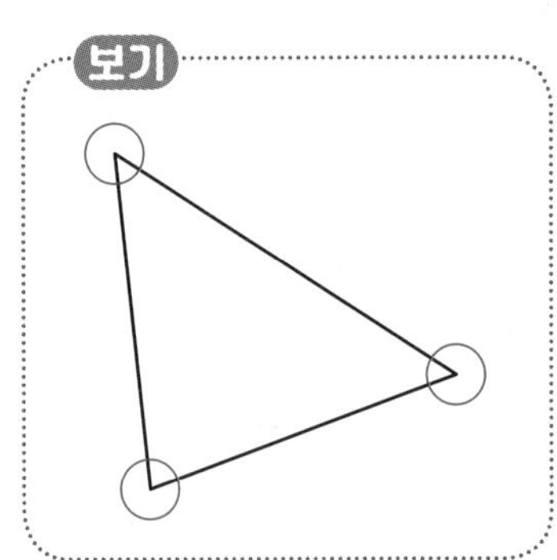

1-1

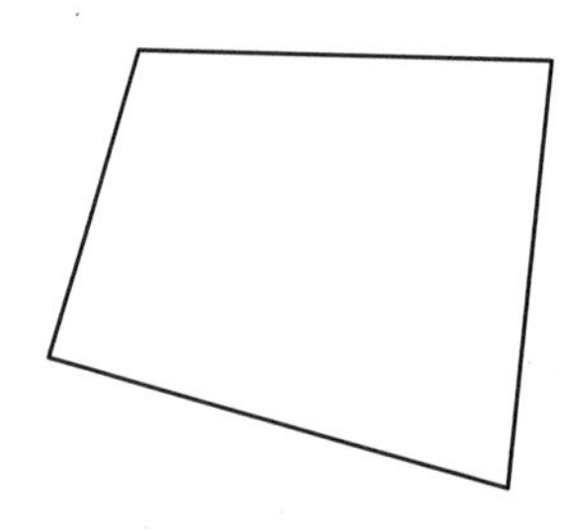

1-2

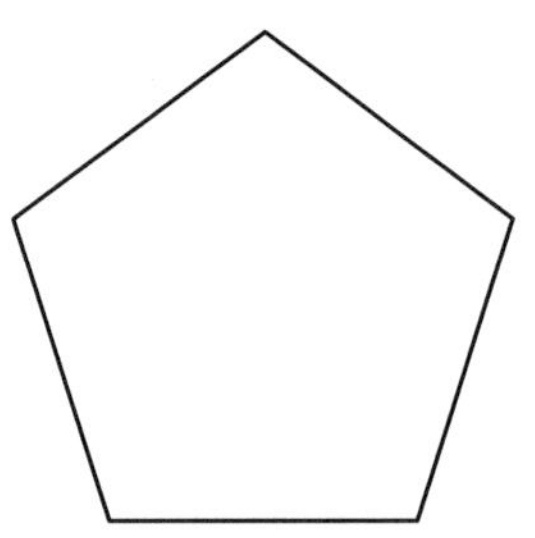

각 도형에서 변을 모두 찾아 △표 하세요.

2-1

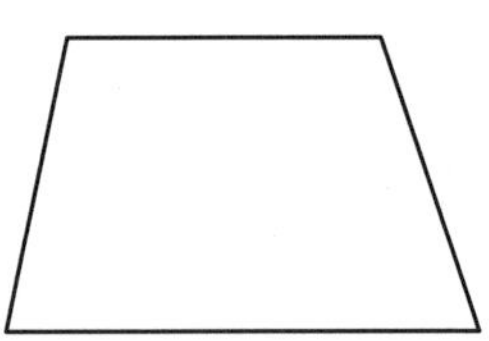

2-2

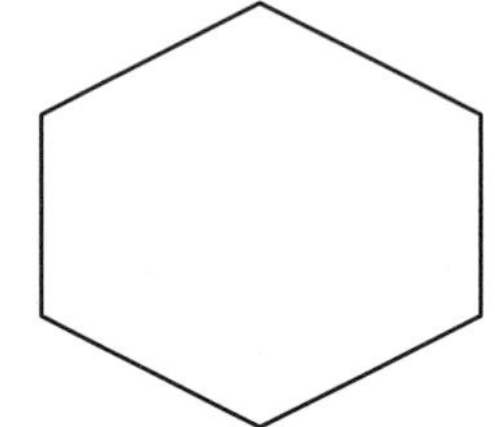

2-3

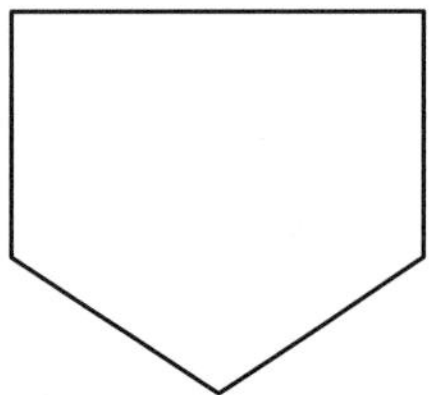

변과 꼭짓점의 개수

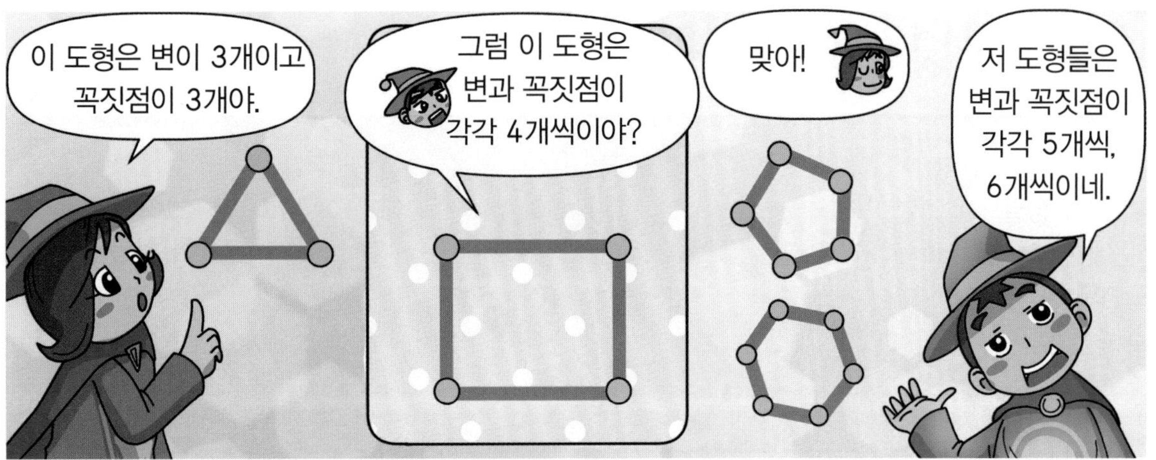

 왼쪽에 주어진 도형과 꼭짓점의 수가 같은 도형을 찾아 ○표 하세요.

3-1

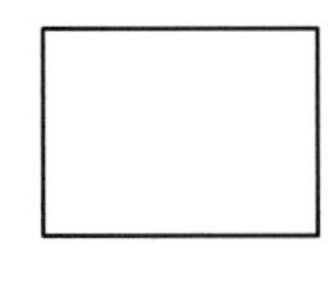

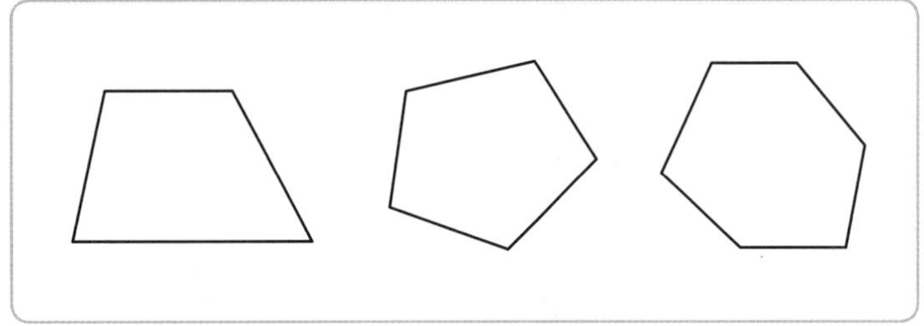

3-2

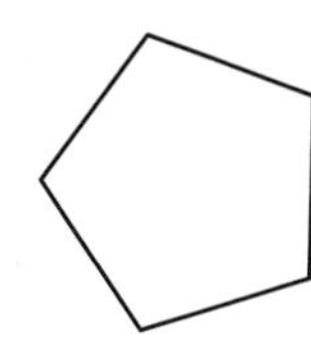

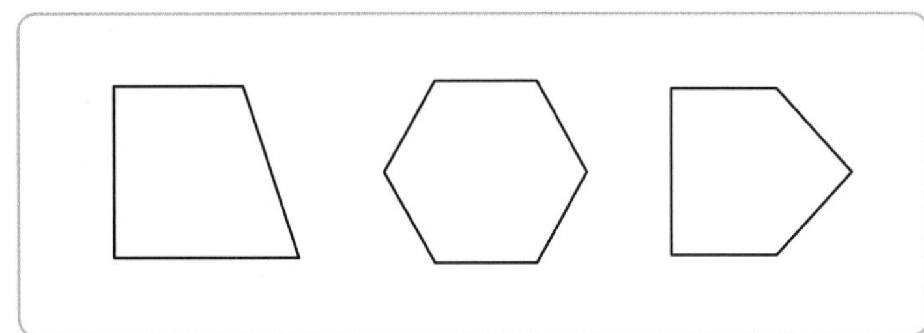

3-3

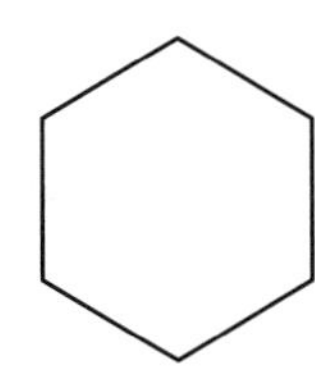

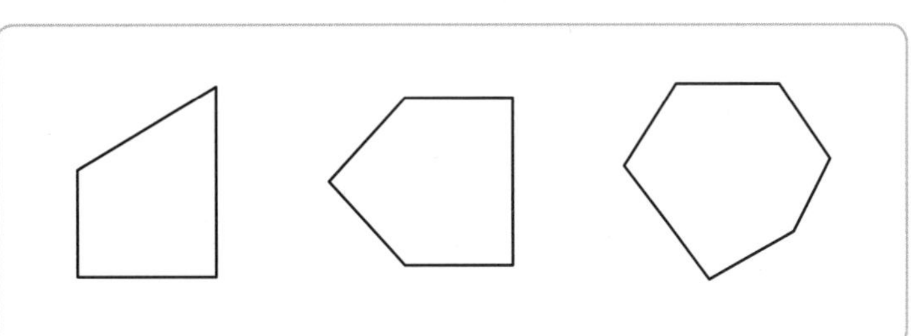

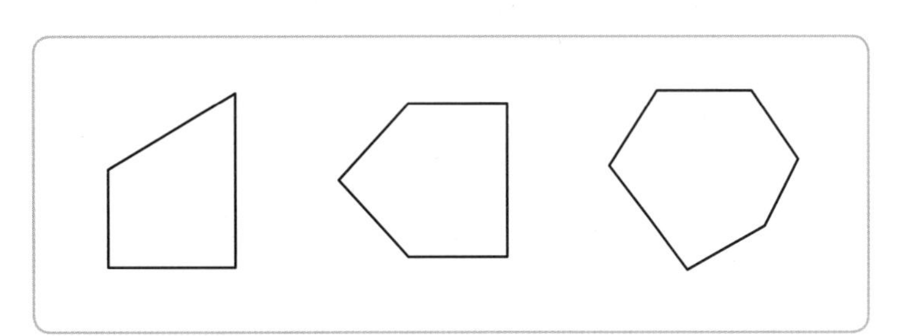

1일 여러 가지 도형

오늘은 무엇을 공부할까요?

우리가 정말 주문에 사용하는 도형의 이름을 알 수 있을까?

그러~엄! 우리가 힘을 합치면 가능할 거야!

도형의 이름을 알려면 문제를 풀면 된단다.

문제요?

숲 속에 있는 문제를 풀면 너희도 도형의 이름을 알 수 있지.

어떤 문제일까?

앗, 저긴가 봐.

슈웅

가 보자.

봐. 바닥에 도형이 있어.

모양이 똑같은 걸 맞춰 넣는 걸까?

삼각형, 사각형, 오각형 등 곧은 선으로 이루어진 평면도형을 알아보자.

1주
1일

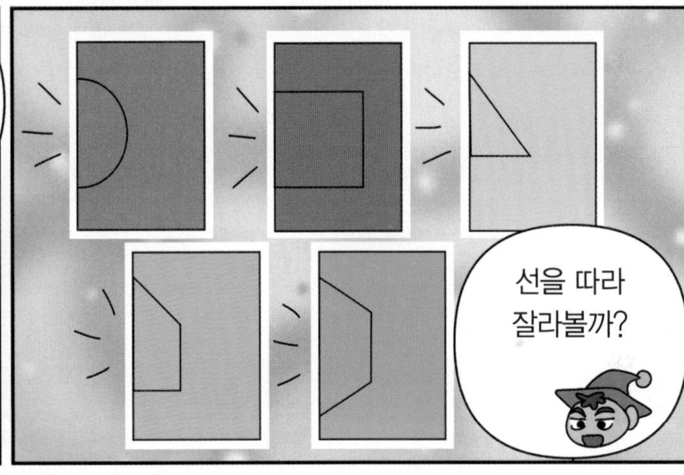

1일 여러 가지 도형

활동을 통하여 개념을 알아보아요.

접은 종이에 그린 그림을 잘라서 펼치면 어떤 도형이 나오는지 알아보기

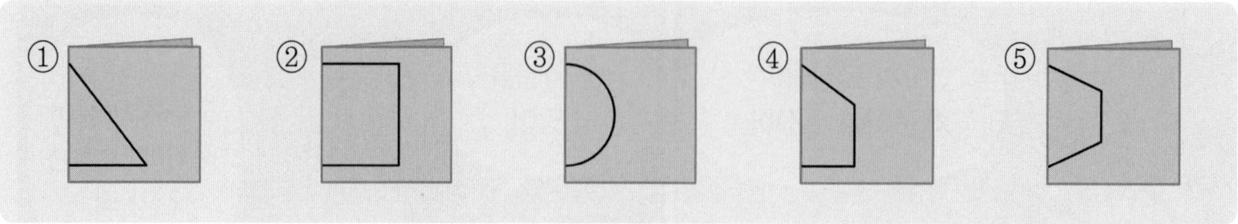

① ② ③ ④ ⑤

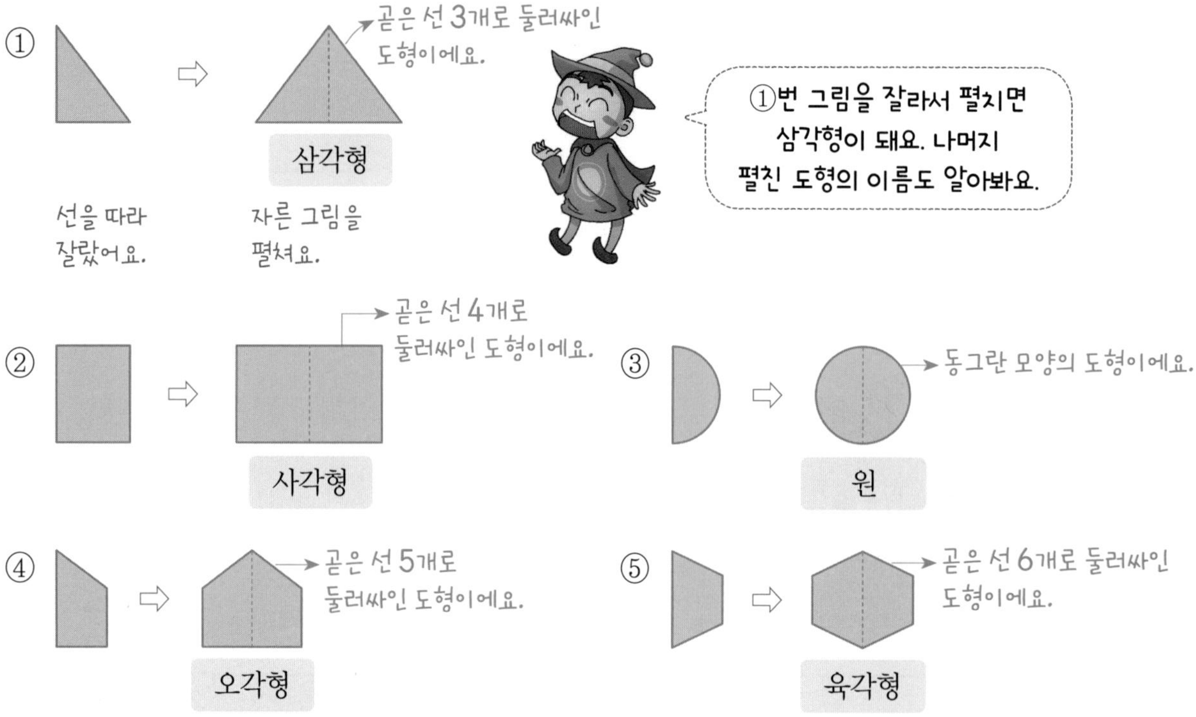

① 선을 따라 잘랐어요. ⇨ 자른 그림을 펼쳐요. → 곧은 선 3개로 둘러싸인 도형이에요.

삼각형

①번 그림을 잘라서 펼치면 삼각형이 돼요. 나머지 펼친 도형의 이름도 알아봐요.

② ⇨ 사각형 → 곧은 선 4개로 둘러싸인 도형이에요.

③ ⇨ 원 → 동그란 모양의 도형이에요.

④ ⇨ 오각형 → 곧은 선 5개로 둘러싸인 도형이에요.

⑤ ⇨ 육각형 → 곧은 선 6개로 둘러싸인 도형이에요.

곧은 선의 수에 따라 도형의 이름이 정해져요.

개념 짚어 보기

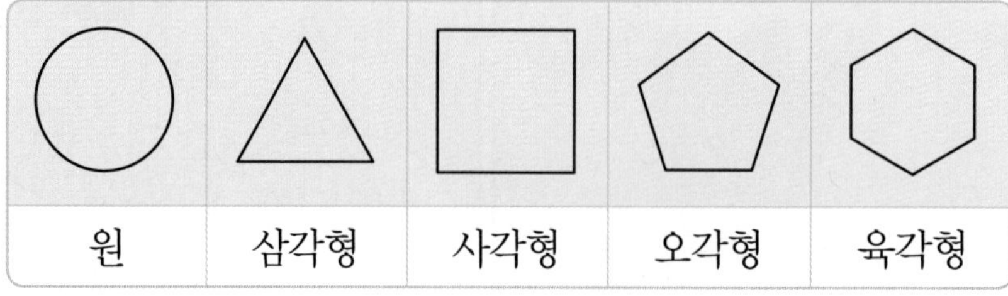

원	삼각형	사각형	오각형	육각형

- 원은 길쭉하거나 찌그러진 곳이 없이 똑같이 동그란 모양입니다.
- 삼각형, 사각형, 오각형, 육각형은 곧은 선으로 둘러싸여 있습니다.

활동 개념 확인

보기 와 같이 본뜬 모양을 그리고 이름을 쓰세요.

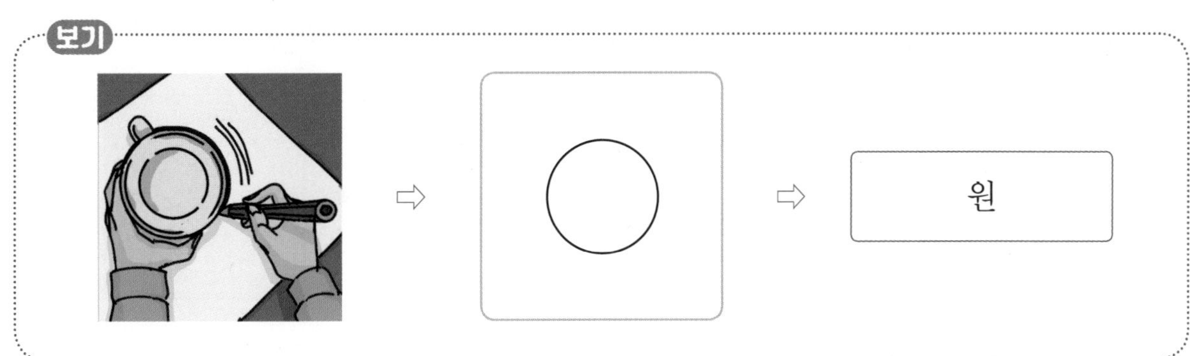

1-1

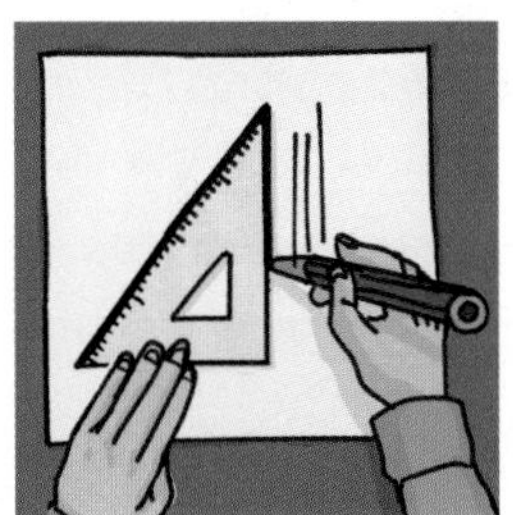

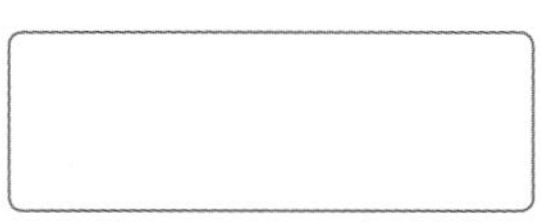

1-2

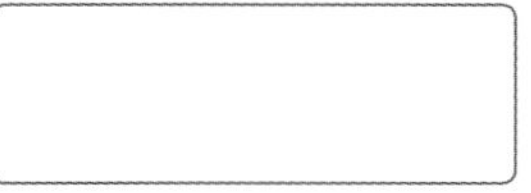

그림에서 빨간색 선으로 표시한 도형의 이름을 쓰세요.

2-1

2-2

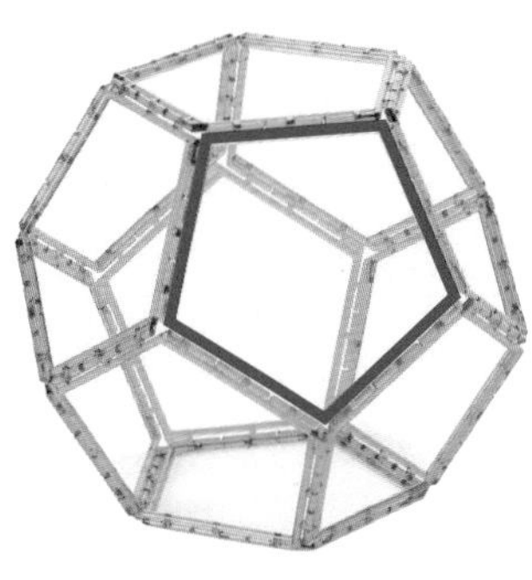

1일 여러 가지 도형

도형 집중 연습

왼쪽은 색종이를 접어 도형을 잘라낸 것입니다. 이 색종이를 펼친 모양을 찾아 선으로 이으세요.

1-1

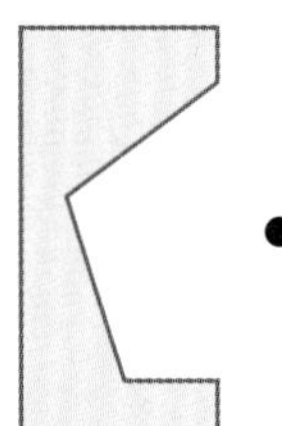

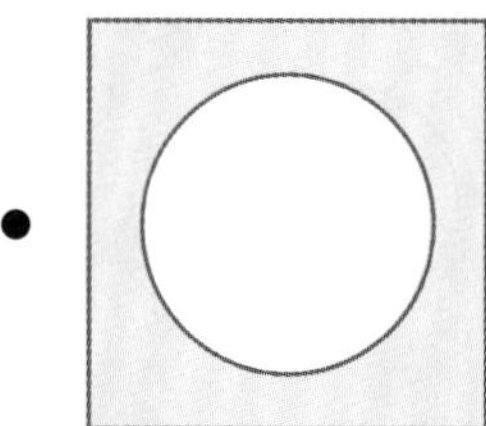

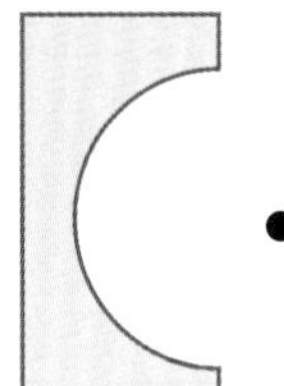

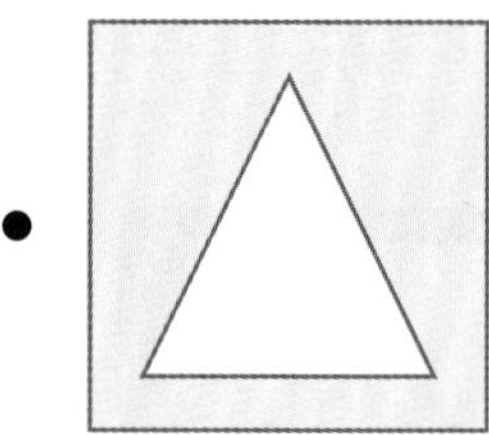

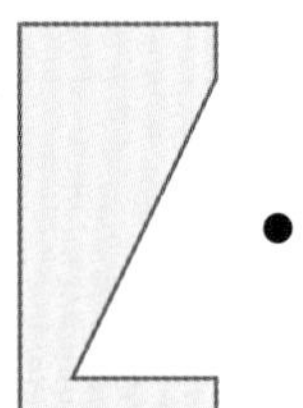

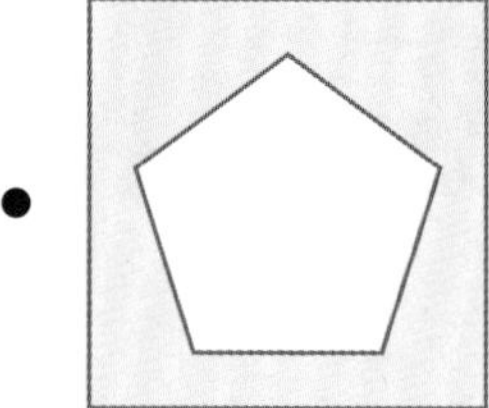

1-2

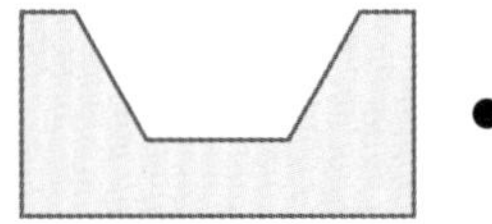

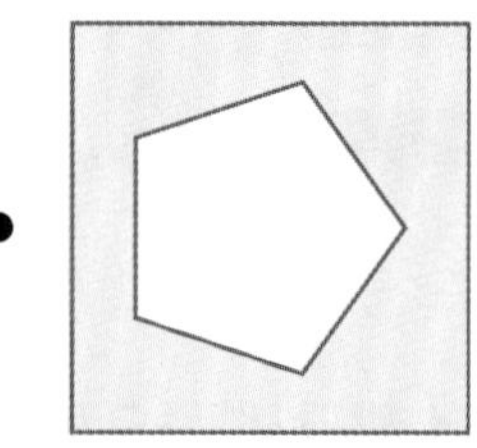

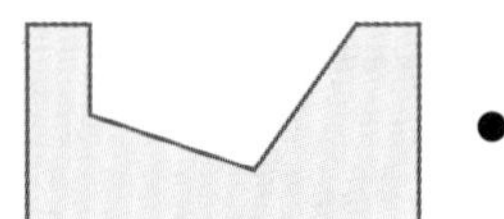

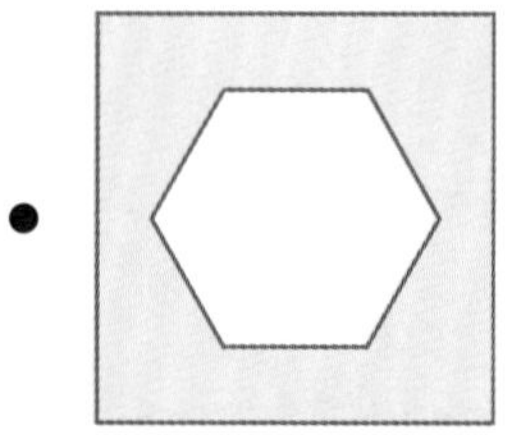

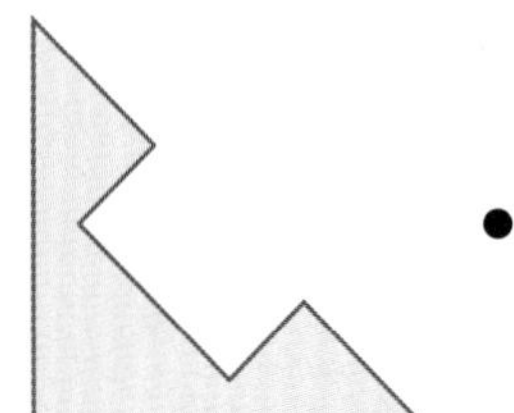

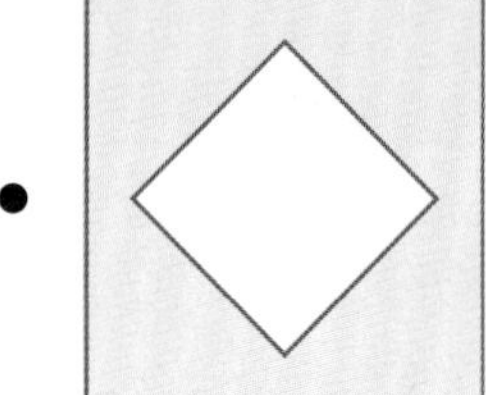

왼쪽은 색종이를 접어 도형을 자른 것입니다. 이 색종이를 펼쳤을 때 뚫린 부분에 꼭 맞는 도형을 찾아 ○표 하세요.

2-1

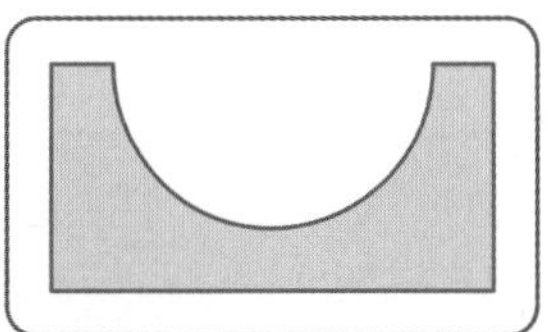   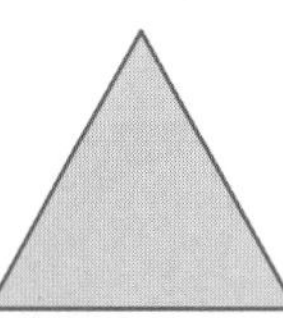

2-2

  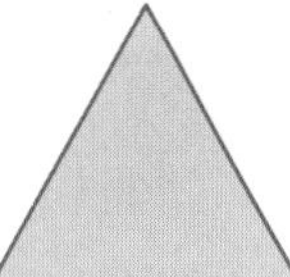 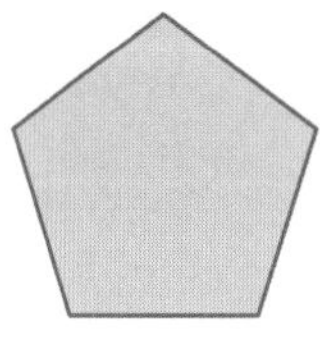

2-3

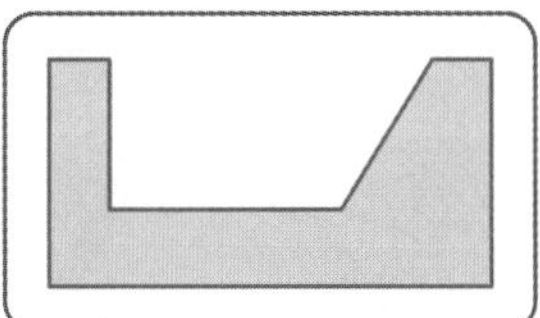 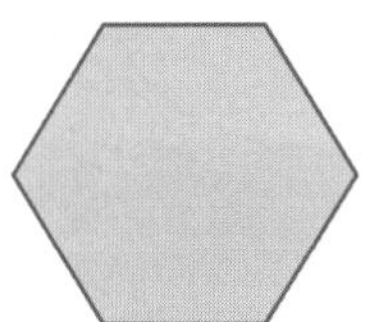 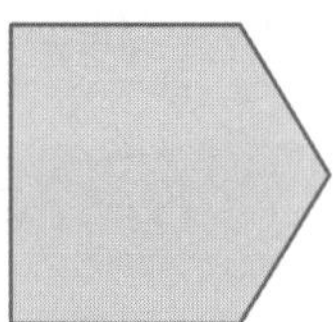 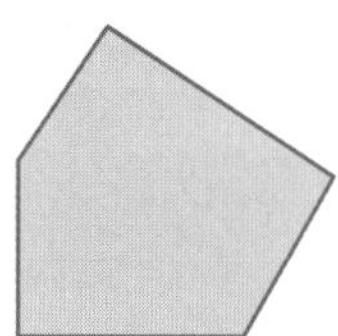

2-4

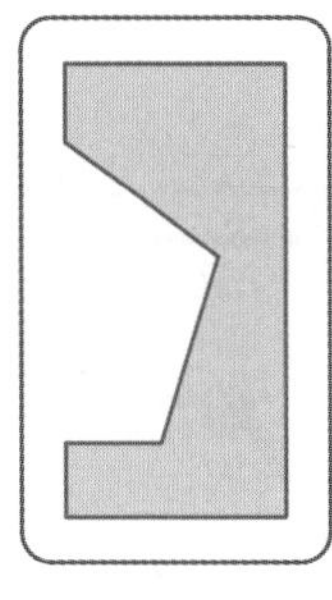  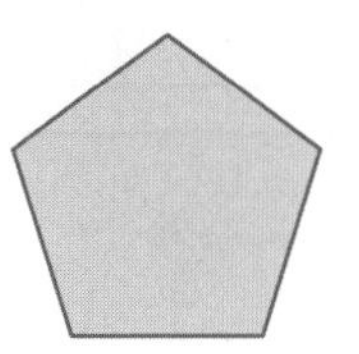 

접은 색종이를 펼치면 가운데 뚫린 부분은 어떤 도형일지 생각해봐요.

2-5

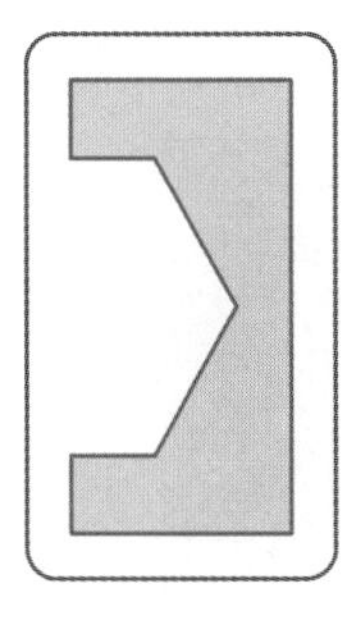  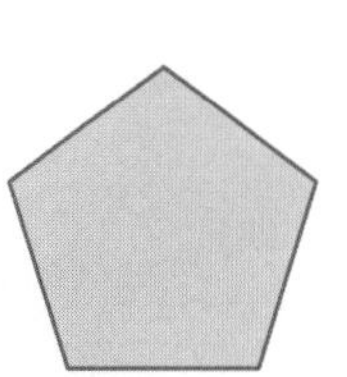 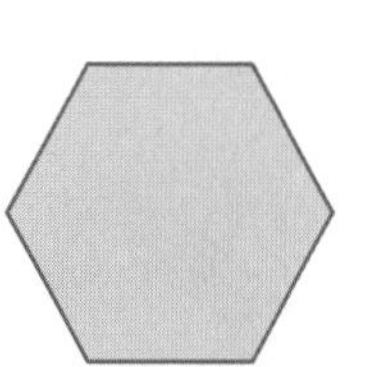

1주
1일

2일 평면도형의 변과 꼭짓점

오늘은 무엇을 공부할까요?

우리 귀여운 아이들이 왔구나.

할머니!

다다다

할머니, 지금 뭐 하시는 거예요?

도토리로 마법 도형을 만들고 있단다.

숑

슈웅

평면도형의 변과 꼭짓점에 대해 알아보자.

얘들아, 사용한 도토리가 몇 개인지 맞혀 볼래?

흥! 그 정도는 문제없어요!

맞아 맞아

번쩍

이건 세 개!

요건 네 개!

이건 여섯 개야!

요거는 다섯 개!

평면도형의 변과 꼭짓점

활동을 통하여 개념을 알아보아요.

점을 이어 삼각형, 사각형 그리기

활동 1 점 3개를 곧은 선으로 이어서 삼각형 그리기

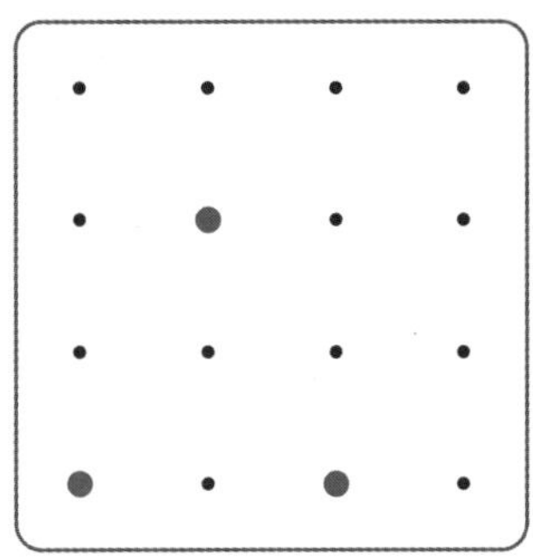

점 3개를 골라 파란색으로 표시해요.

⇨

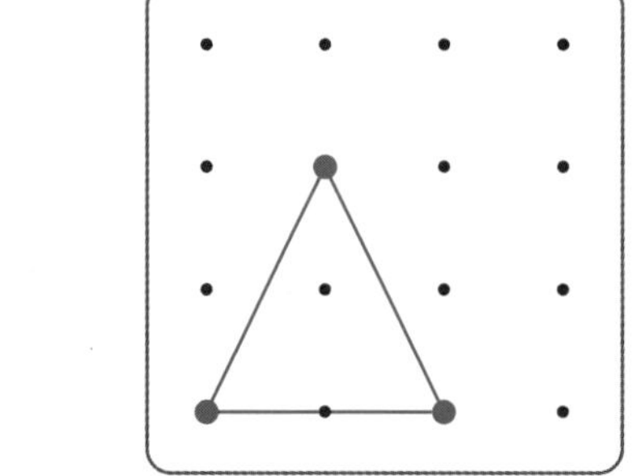

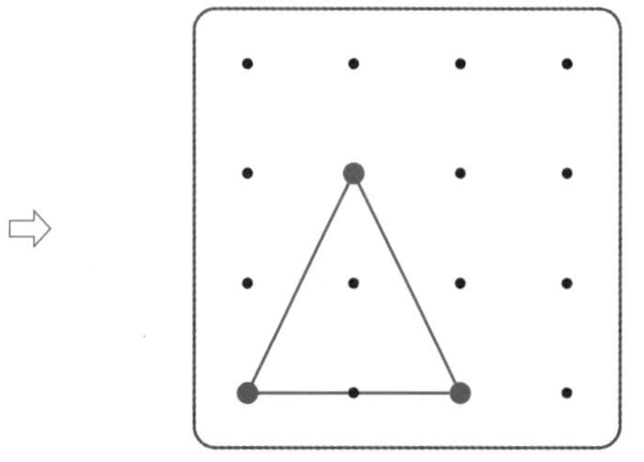

점 3개를 곧은 선으로 이어요.

활동 2 점 4개를 곧은 선으로 이어서 사각형 그리기

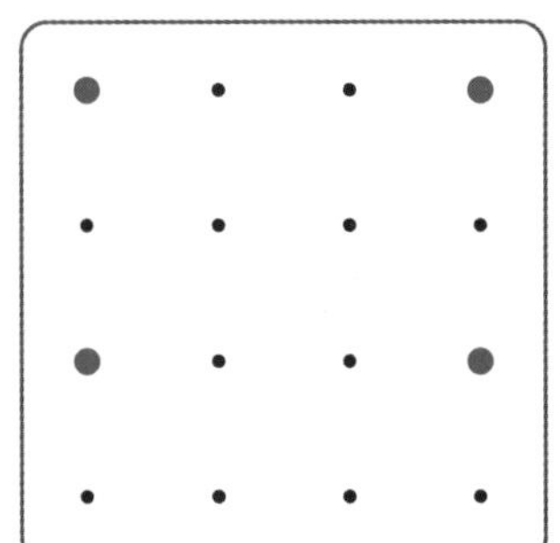

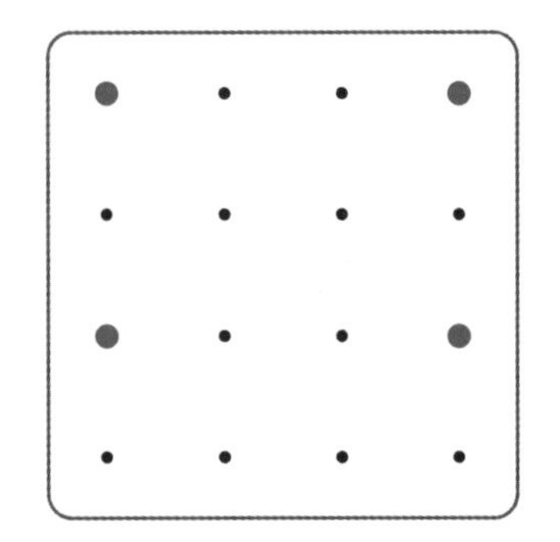

점 4개를 골라 파란색으로 표시해요.

⇨

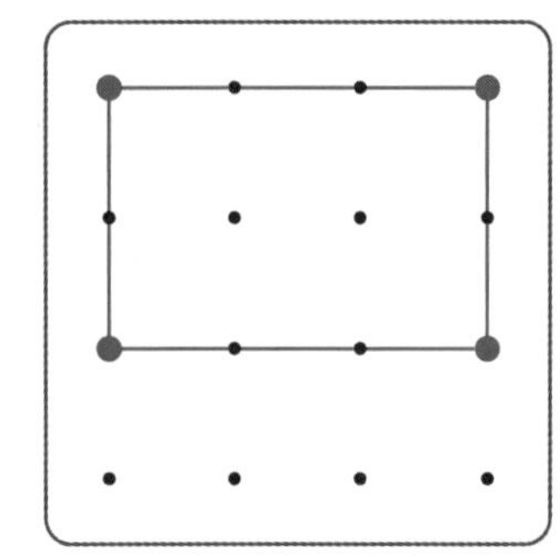

점 4개를 곧은 선으로 이어요.

주의

점 4개를 곧은 선으로 이을 때 그림처럼 이으면 사각형을 그릴 수 없습니다.

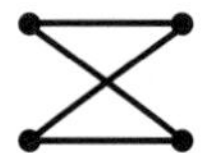

개념 짚어 보기

도형	(삼각형)	(사각형)	(오각형)	(육각형)
꼭짓점	3개	4개	5개	6개
변	3개	4개	5개	6개

활동 개념 확인

1 □ 안에 알맞은 말을 써넣으세요.

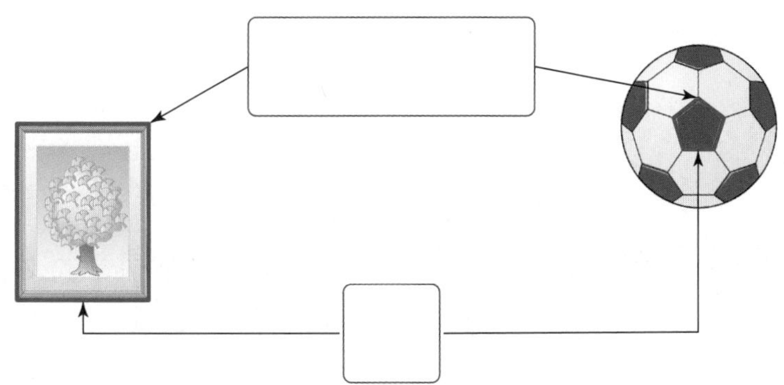

점판에 만든 도형의 이름을 쓰고, 변과 꼭짓점 개수를 각각 구하세요.

2-1

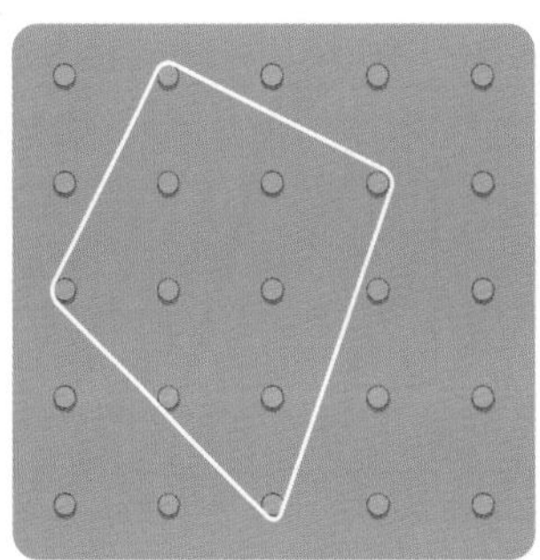

이름 □

변의 수 □개

꼭짓점의 수 □개

2-2

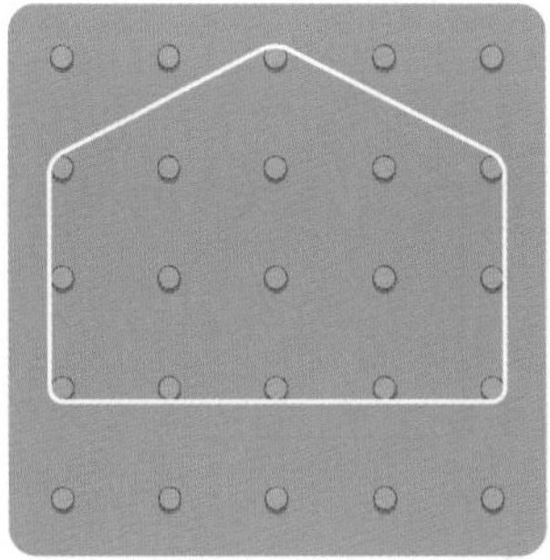

이름 □

변의 수 □개

꼭짓점의 수 □개

2-3

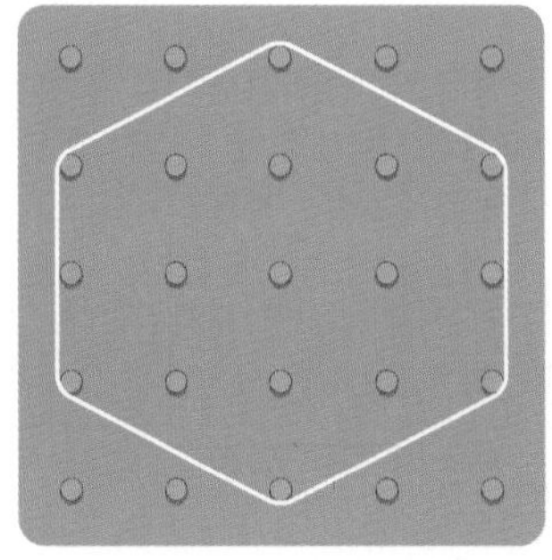

이름 □

변의 수 □개

꼭짓점의 수 □개

1주 2일

2일 평면도형의 변과 꼭짓점

도형 집중 연습

왼쪽 도형보다 변이 1개 더 많은 도형을 찾아 ○표 하세요.

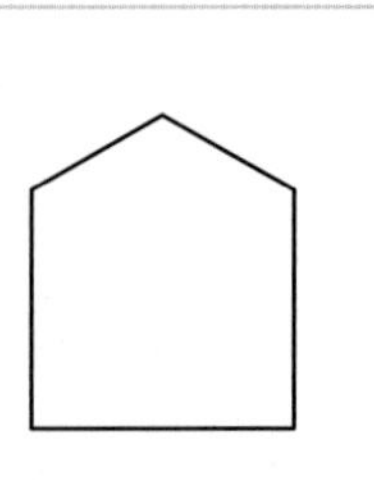

1-1

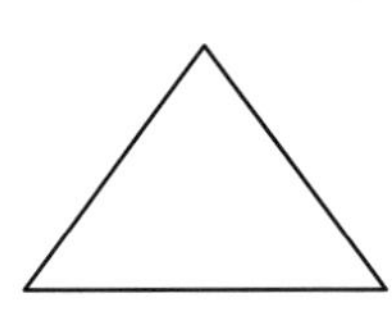

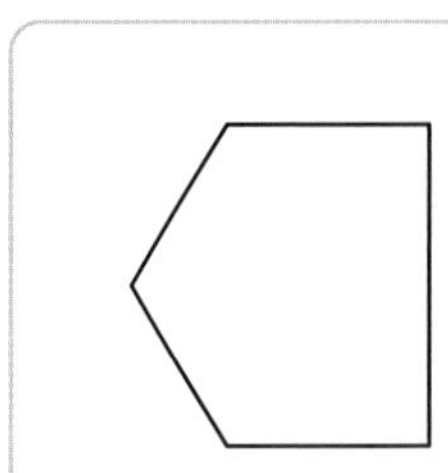

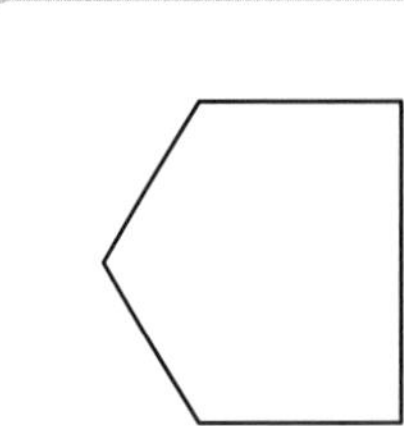 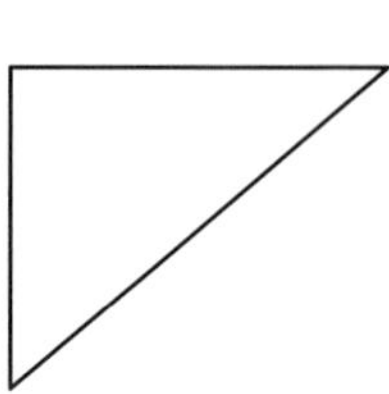 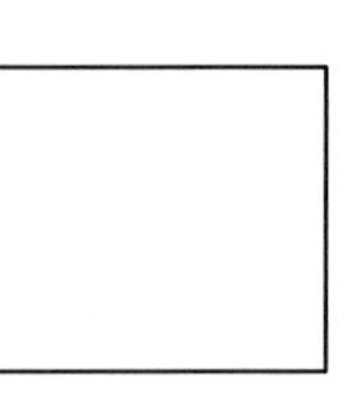

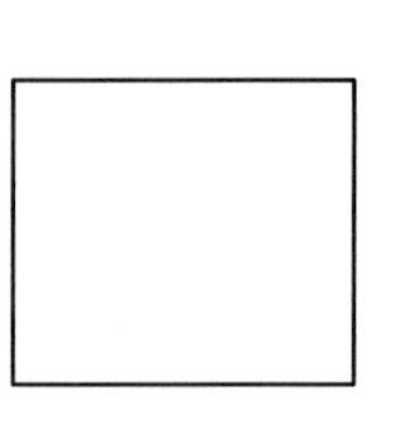

1-2

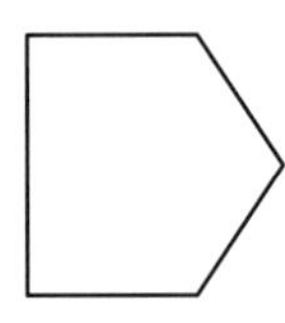

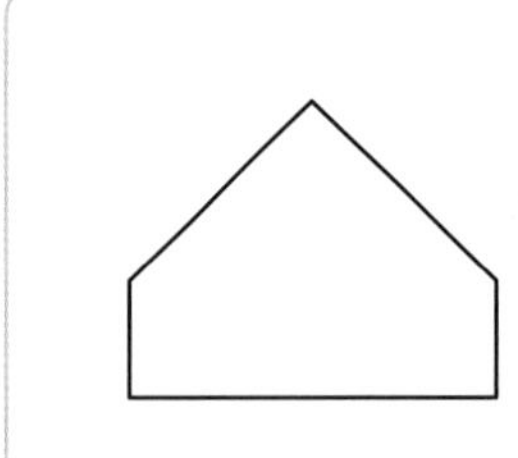

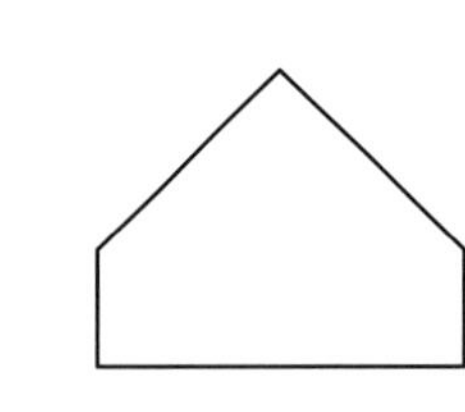 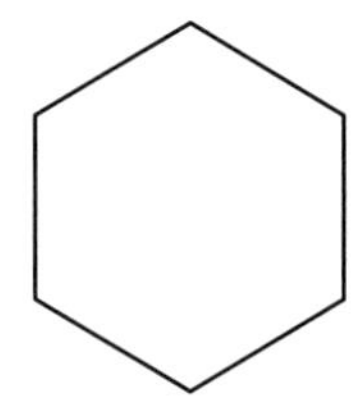 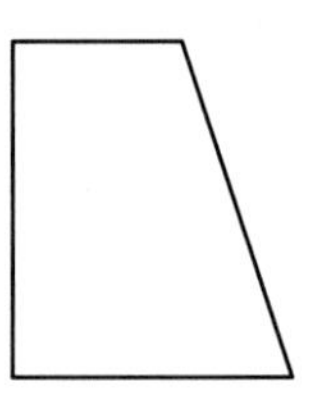

1-3

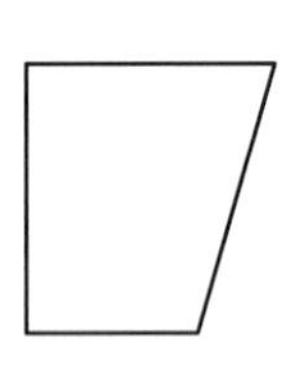

 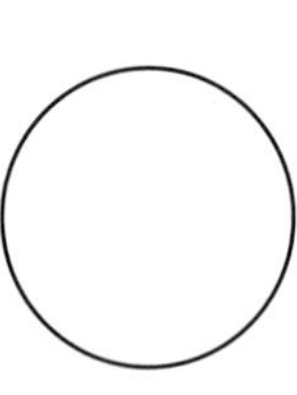 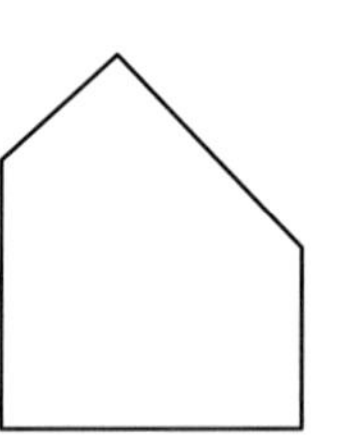

1-4

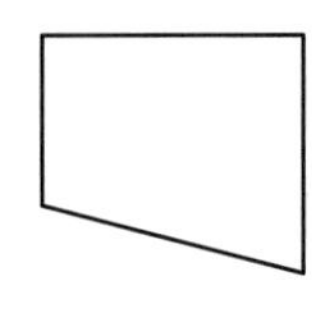

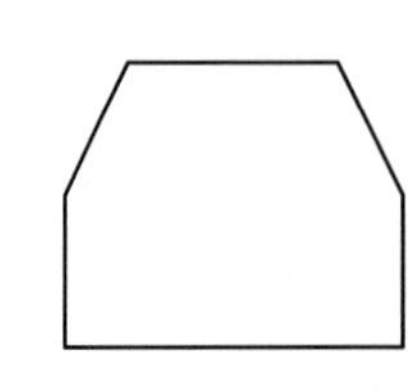 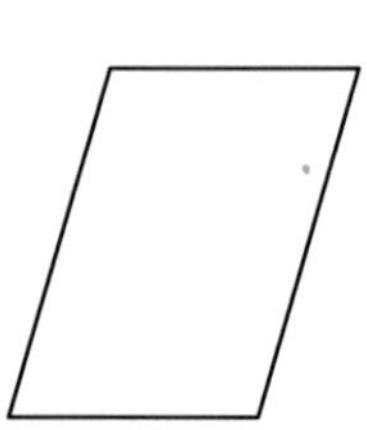 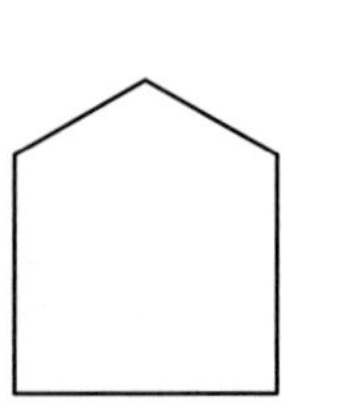

왼쪽 도형보다 꼭짓점이 1개 더 많은 도형을 그려 보세요.

2-1

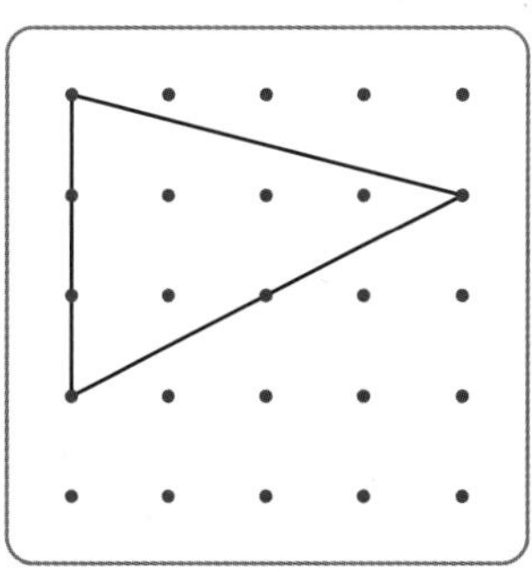

⇨

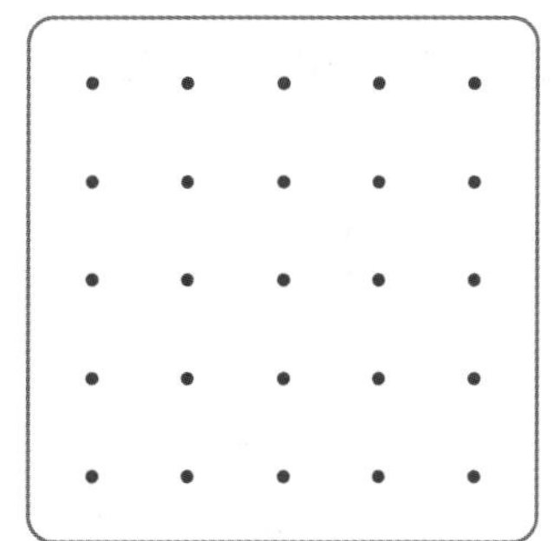

2-2

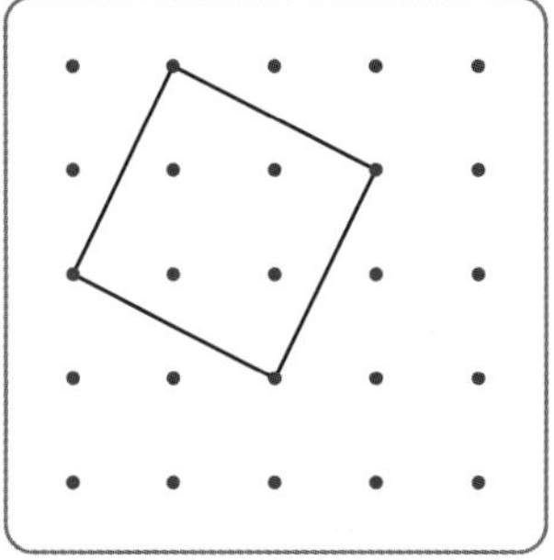

⇨

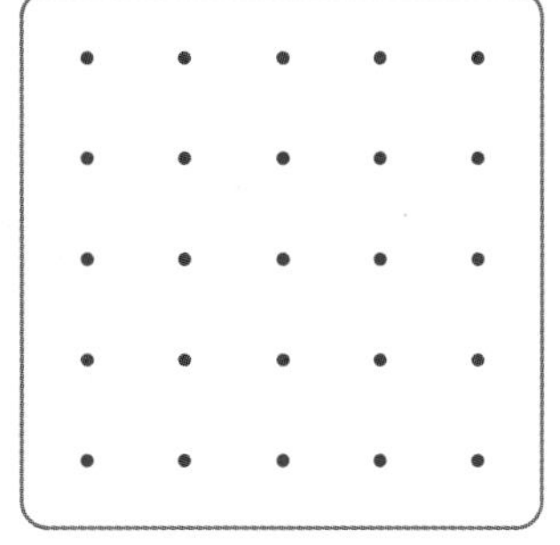

2-3

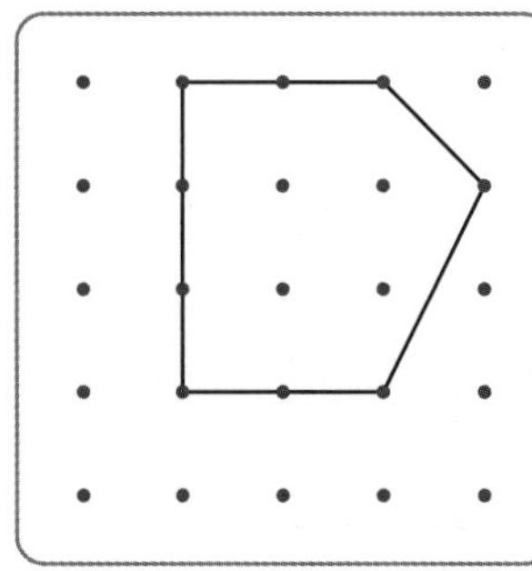

⇨

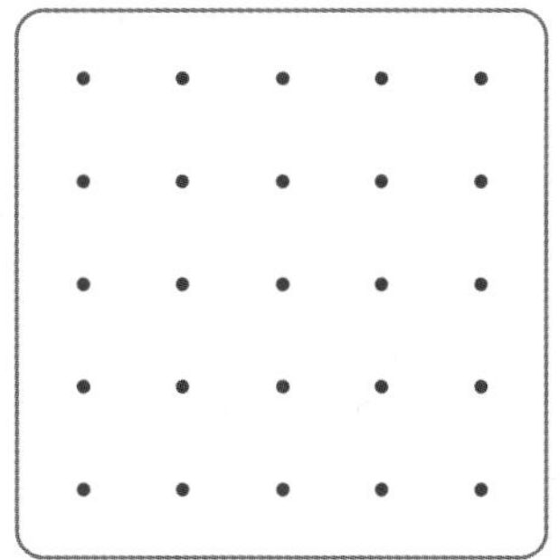

2-4

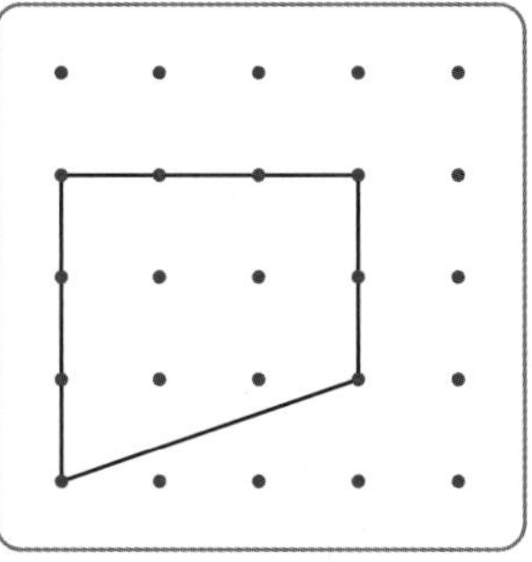

⇨

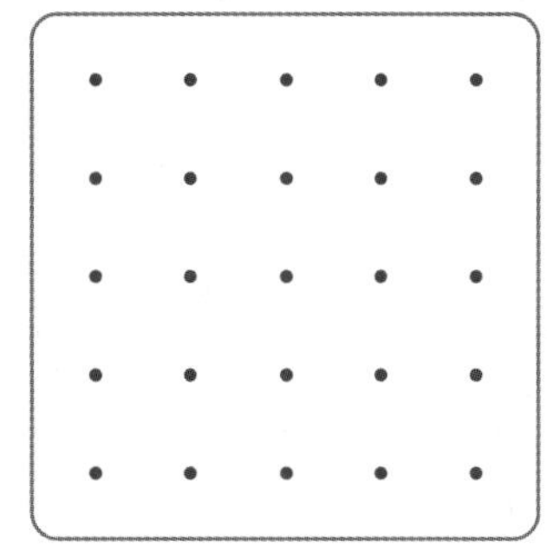

도형 찾기

오늘은 무엇을 공부할까요?

원, 삼각형, 사각형, 오각형, 육각형을 찾아보자.

1주 3일

3일 도형 찾기

활동을 통하여 해결 방법을 알아보아요.

주어진 도형으로 꾸미고 도형을 찾아보기

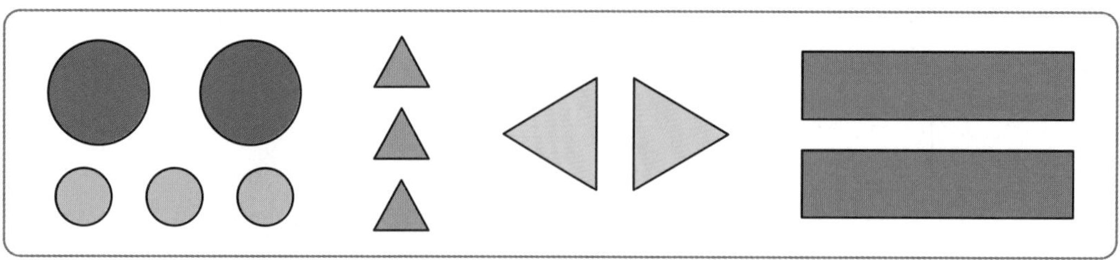

얼굴 모양으로 할 사각형을 먼저 그렸어요.

⇨

주어진 모양으로 눈, 코, 입, 귀를 꾸몄어요.

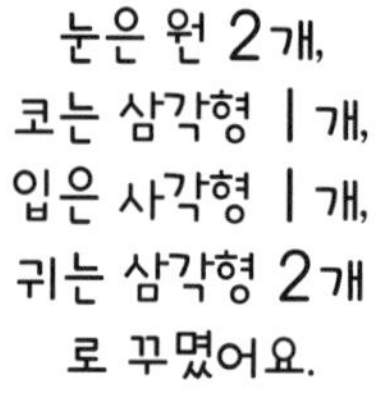

눈은 원 2개,
코는 삼각형 1개,
입은 사각형 1개,
귀는 삼각형 2개
로 꾸몄어요.

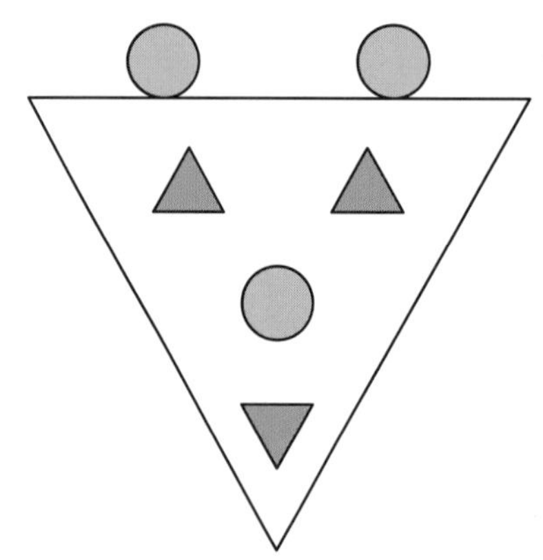

개념 짚어 보기

- 우리 주변에서 찾을 수 있는 원: 동전, 훌라후프, 반지, 바퀴 등
- 우리 주변에서 찾을 수 있는 삼각형: 삼각자, 옷걸이, 삼각김밥 등
- 우리 주변에서 찾을 수 있는 사각형: 액자, 책, 텔레비전 등

해결 방법 확인

그림에서 삼각형을 모두 찾아 색칠하세요.

1-1

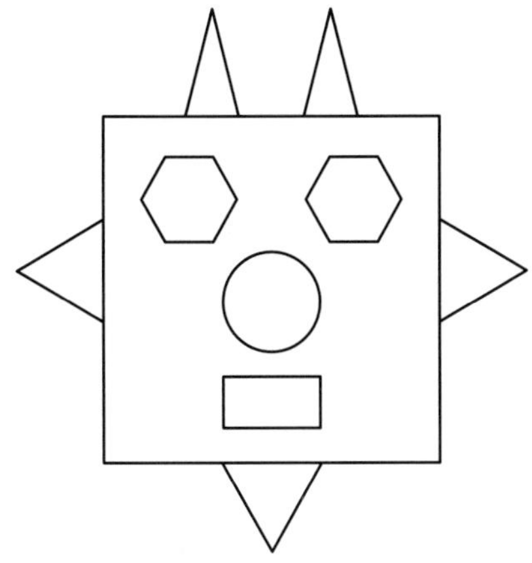

1-2

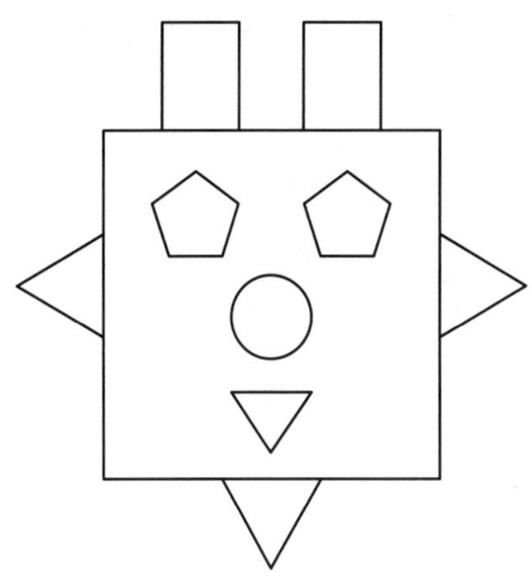

그림에서 사각형을 모두 찾아 색칠하세요.

2-1

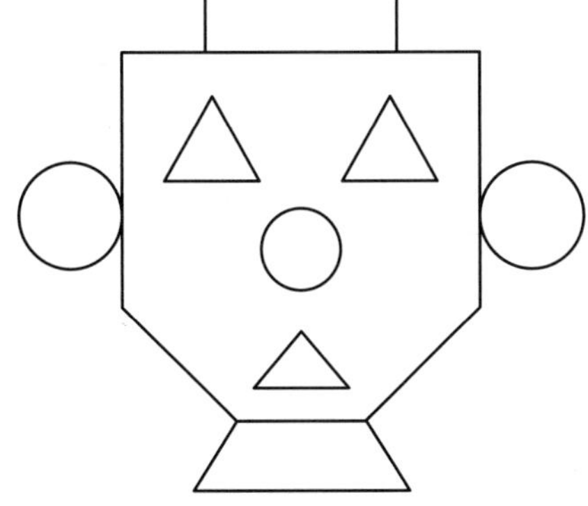

2-2

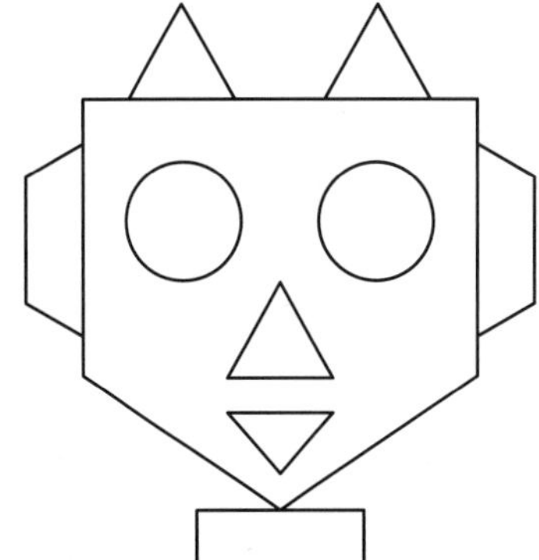

그림에서 원을 모두 찾아 색칠하세요.

3-1

3-2

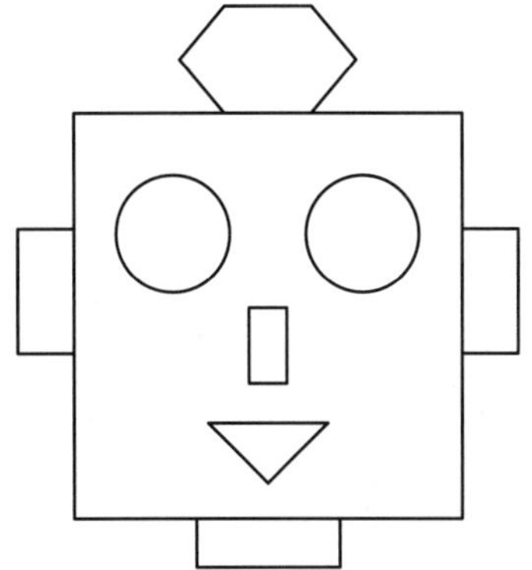

3일 도형 찾기

도형 집중 연습

만들어진 모양에서 사용하지 않은 도형의 이름을 찾아 ×표 하세요.

1-1

삼각형 사각형 원 오각형

1-2

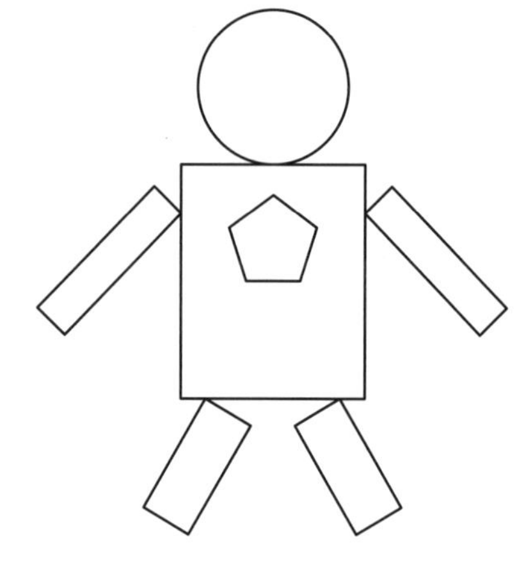

삼각형 사각형 원 오각형

1-3

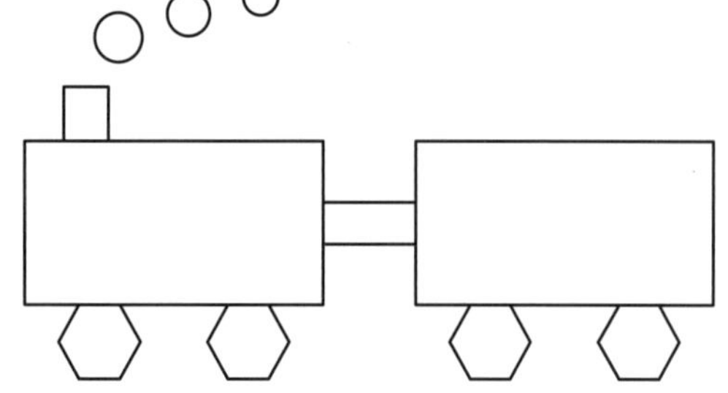

사각형 원 오각형 육각형

1-4

삼각형 사각형 오각형 원

그림에서 삼각형, 사각형을 모두 찾아 색칠하면 어떤 숫자가 만들어지는지 쓰세요.

2-1

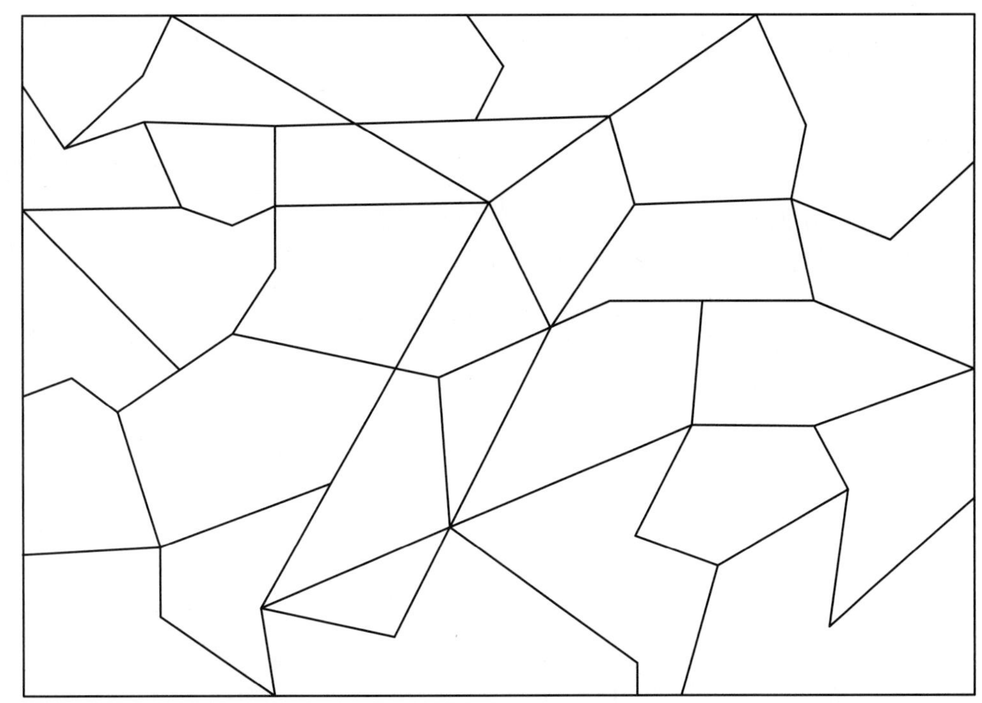

2-2

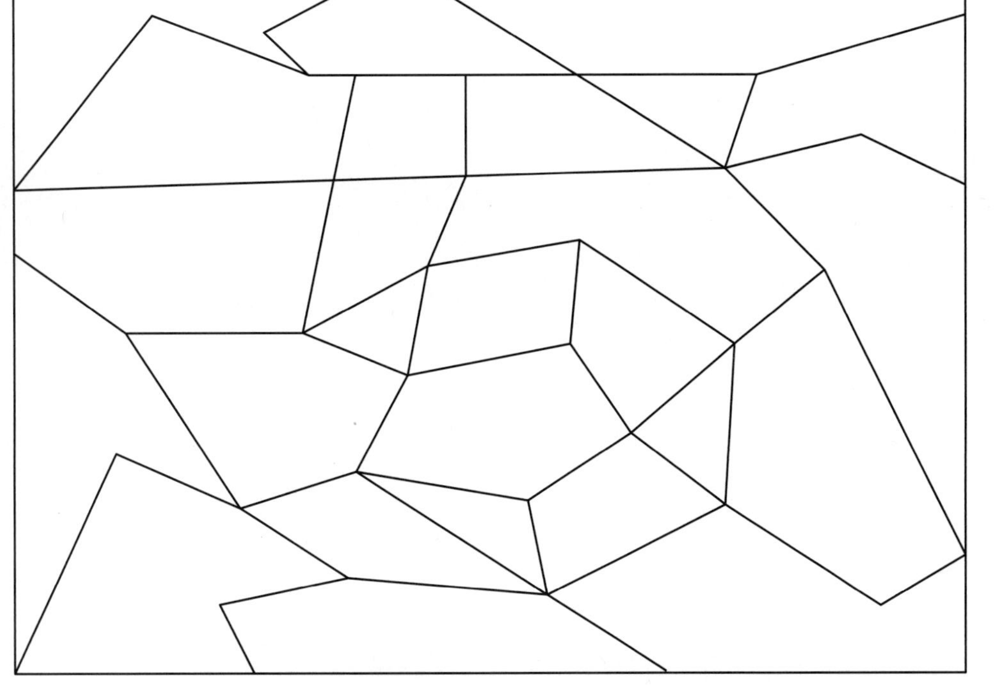

4일 도형을 합치고 나누기

오늘은 무엇을 공부할까요?

조각을 합하여 도형을 완성하거나
도형을 잘라서 나오는 모양을 알아보자.

1주
4일

4일 도형을 합치고 나누기

활동을 통하여 해결 방법을 알아보아요.

조각 2개를 이용하여 사각형 만들기

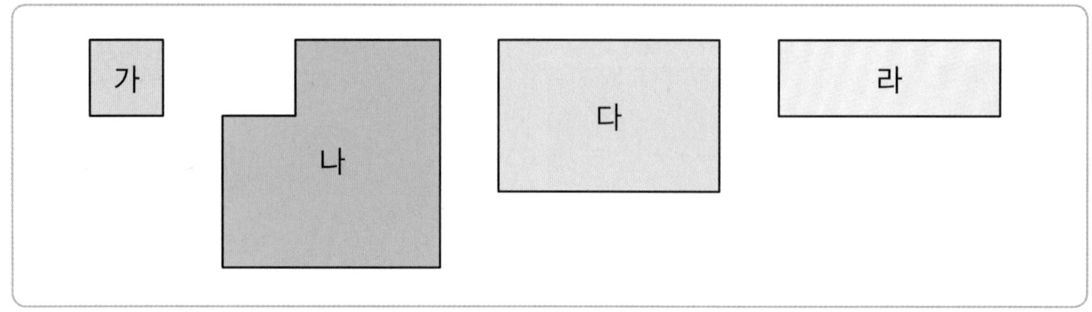

활동 1 가와 나 조각을 이용하여 사각형 만들기

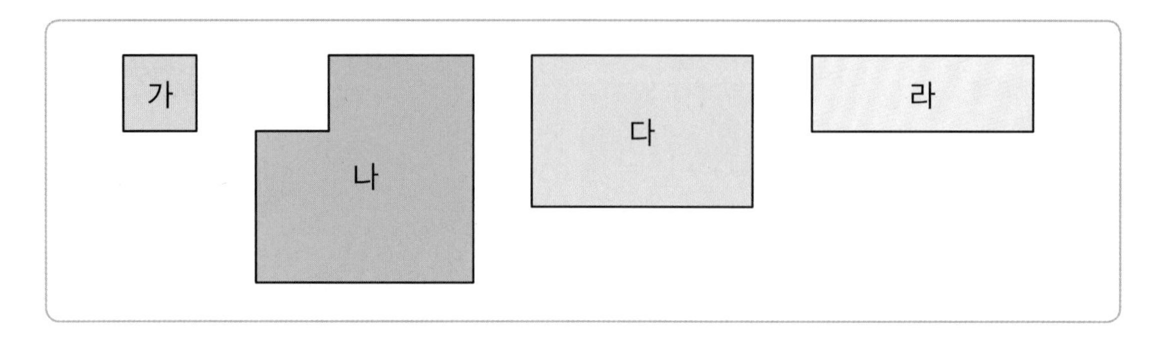

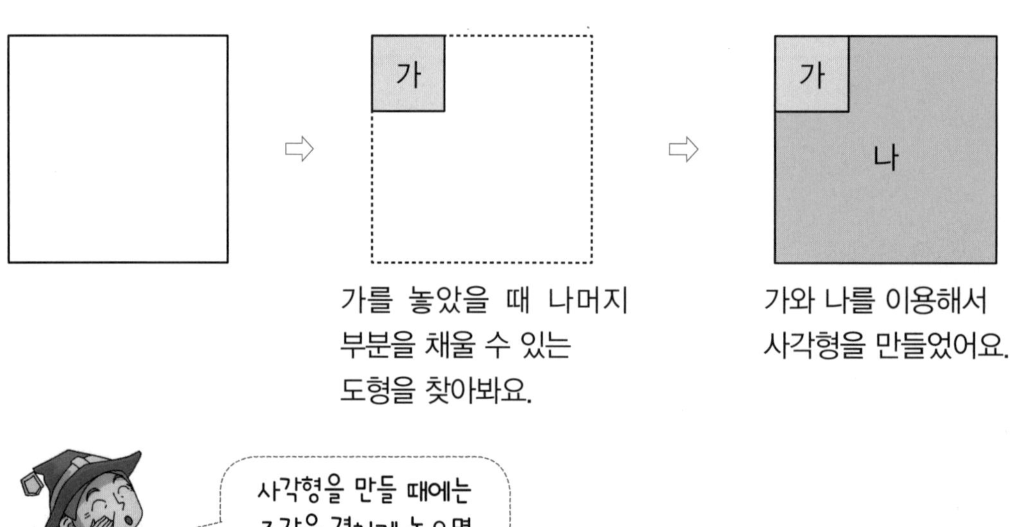

가
가
나
가를 놓았을 때 나머지 부분을 채울 수 있는 도형을 찾아봐요.
가와 나를 이용해서 사각형을 만들었어요.
사각형을 만들 때에는 조각을 겹치게 놓으면 안 돼요.

활동 2 다와 라 조각을 이용하여 사각형 만들기

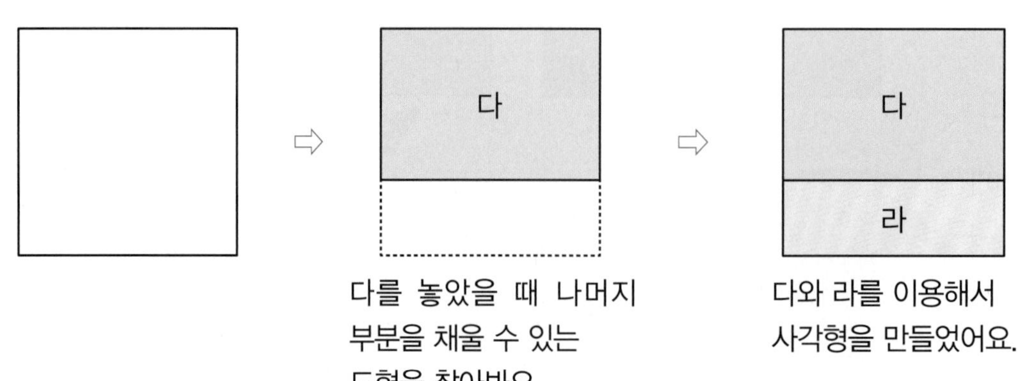

다
다
라
다를 놓았을 때 나머지 부분을 채울 수 있는 도형을 찾아봐요.
다와 라를 이용해서 사각형을 만들었어요.

해결 방법 확인

왼쪽 도형을 만들 수 있는 조각 2개를 찾아 ○표 하세요.

1-1

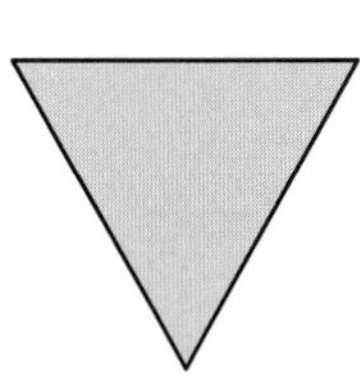

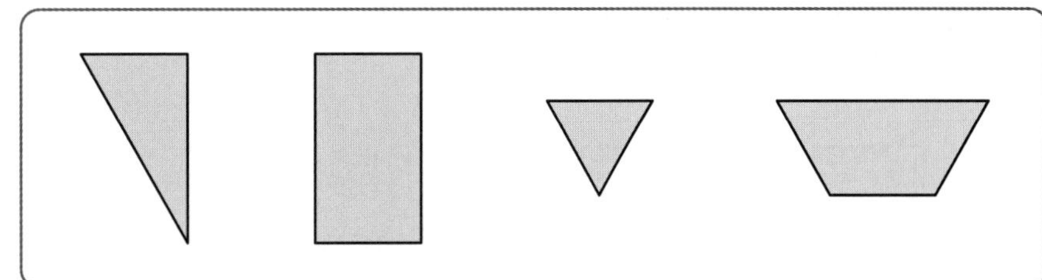

1-2

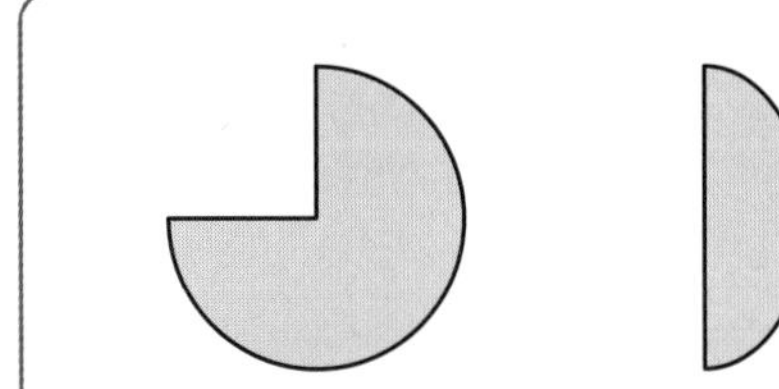

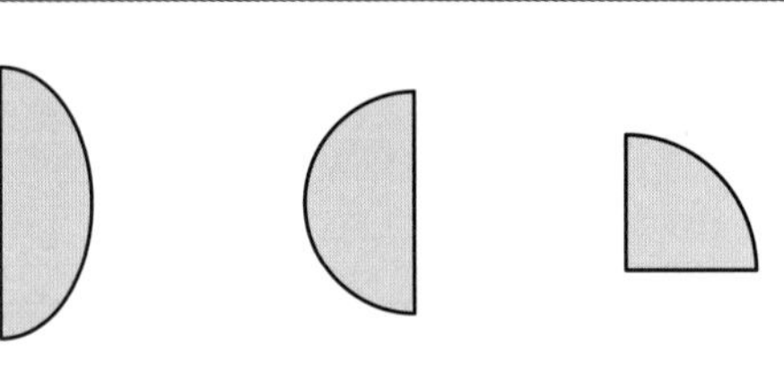

1-3

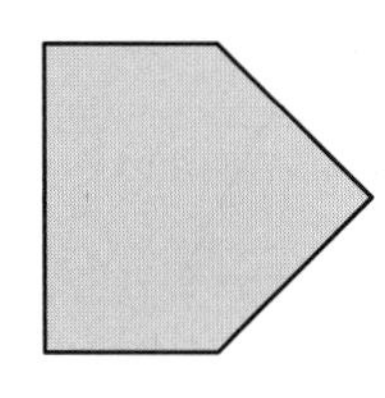

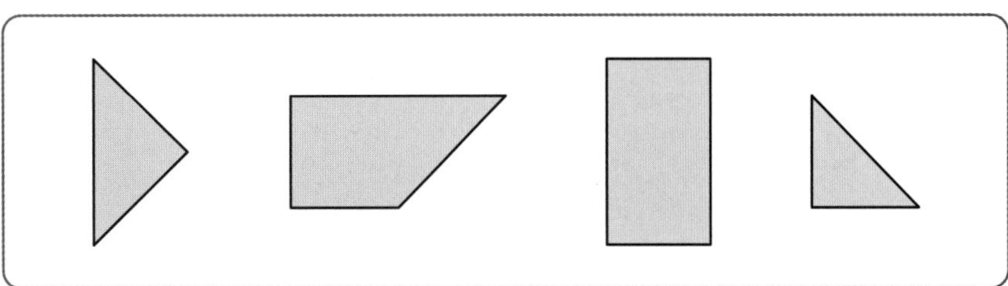

1-4

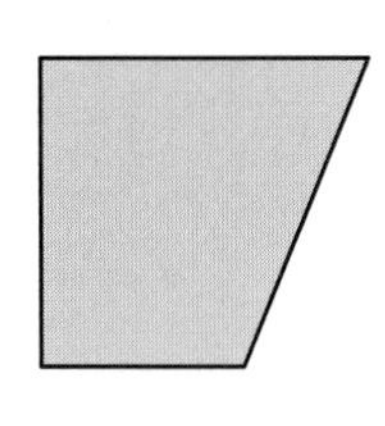

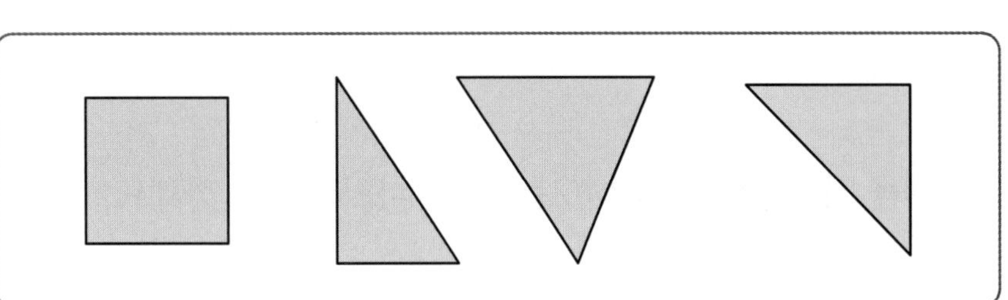

1-5

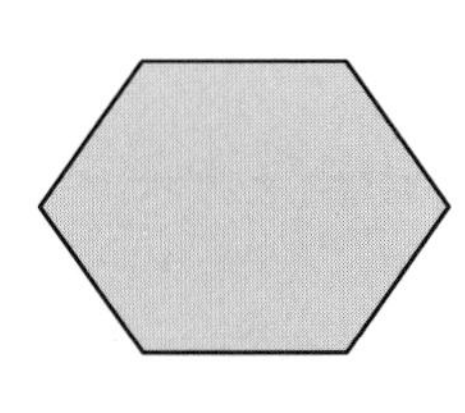

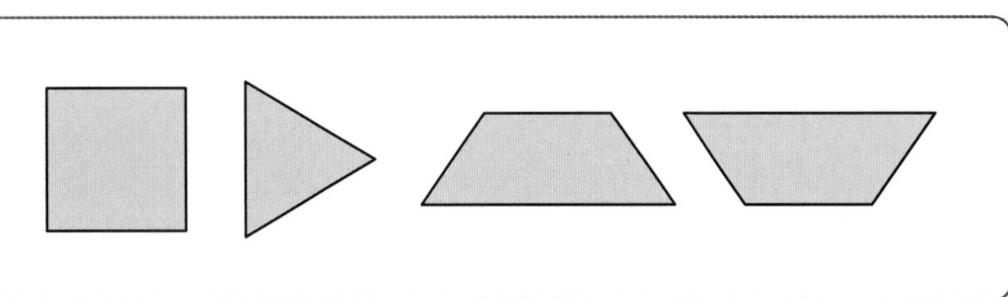

1주 4일

4일 도형을 합치고 나누기

도형 집중 연습

다음 도형을 점선을 따라 자르면 한 가지 종류의 도형이 나옵니다. 어떤 도형이 나오는지 쓰세요.

1-1

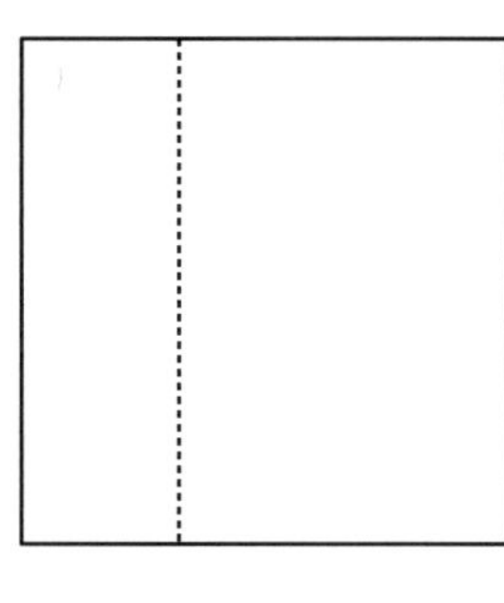

1-2

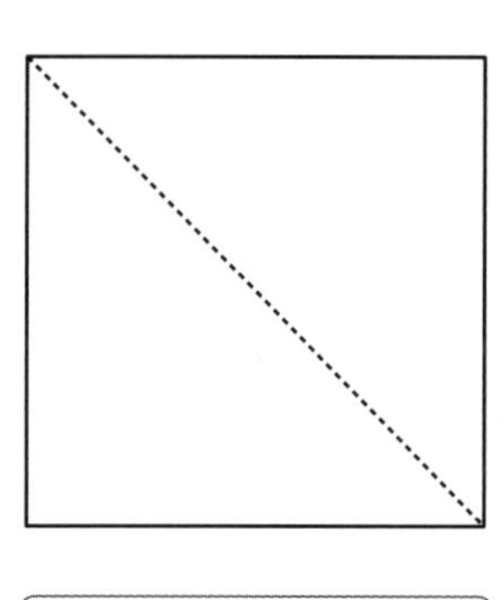

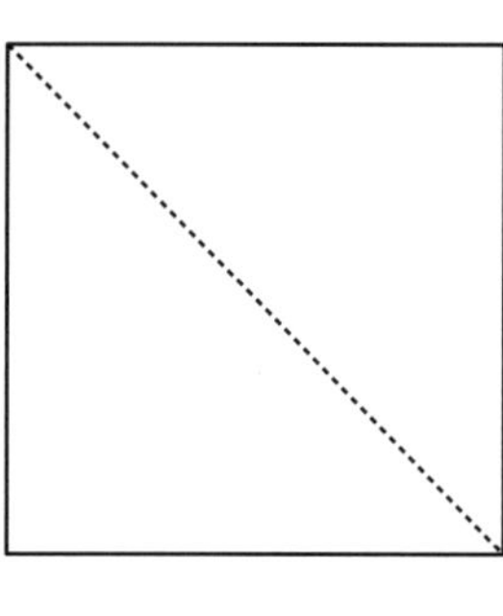

1-3

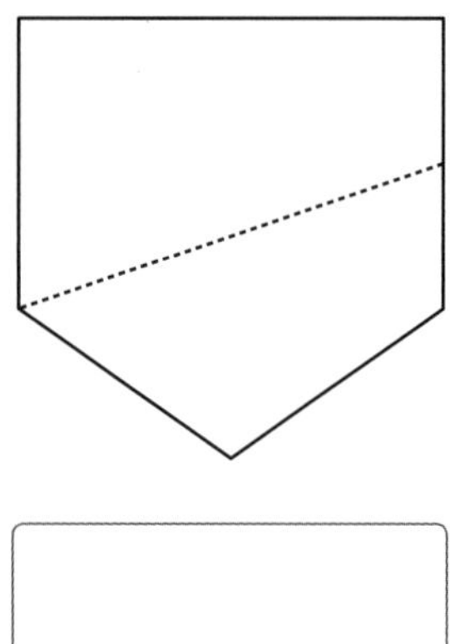

1-4

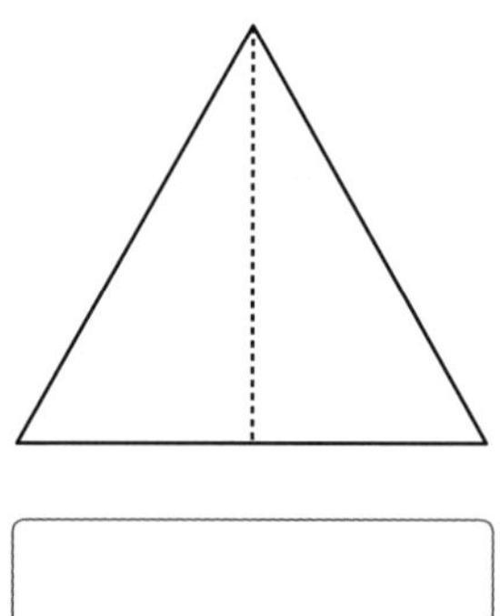

점선을 따라 잘랐을 때 나오는 도형에 모두 ○표 하세요.

2-1

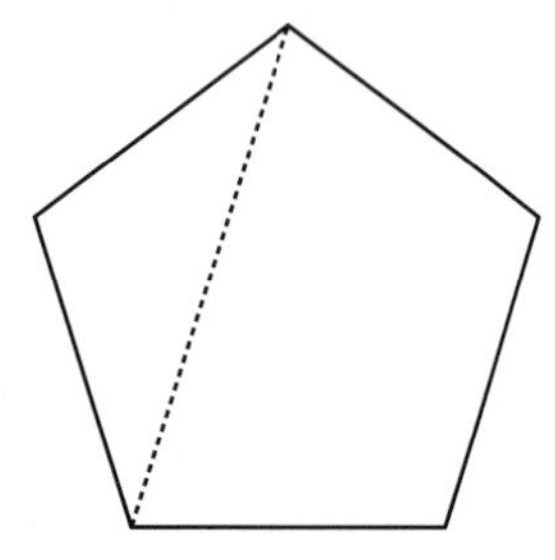

삼각형 사각형 오각형

2-2

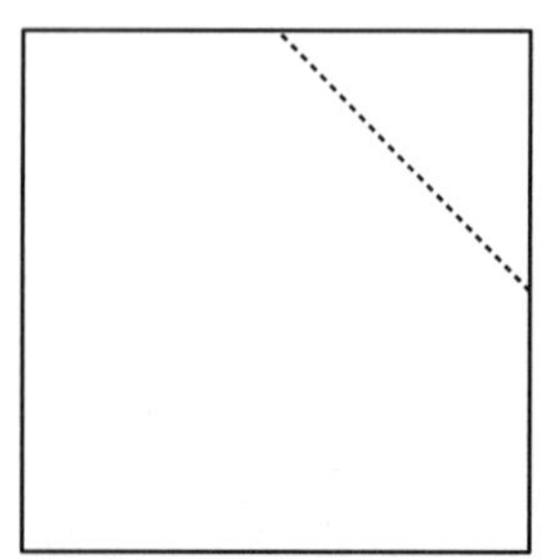

삼각형 사각형 오각형

주어진 도형에 선을 한 번 그어 조건에 맞게 나누세요.

3-1 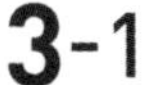

삼각형 I개와 사각형 I개로 나누세요.

3-2 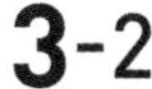

사각형 2개로 나누세요.

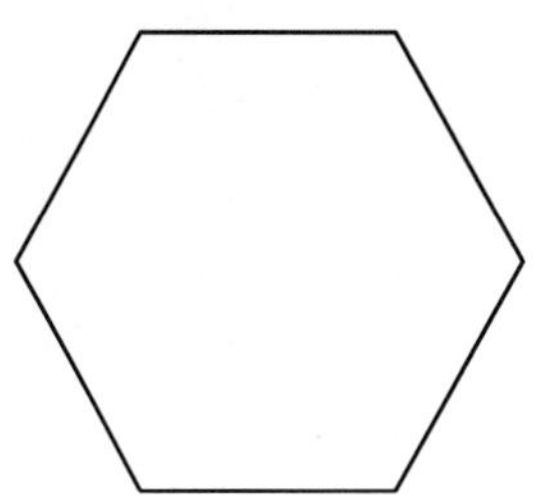

3-3

사각형 I개와 삼각형 I개로 나누세요.

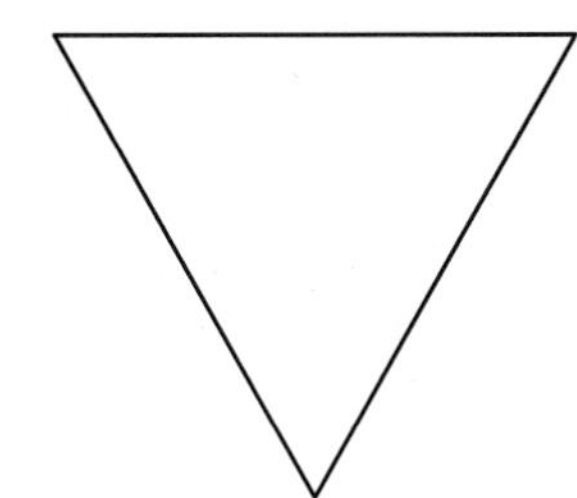

3-4

오각형 2개로 나누세요.

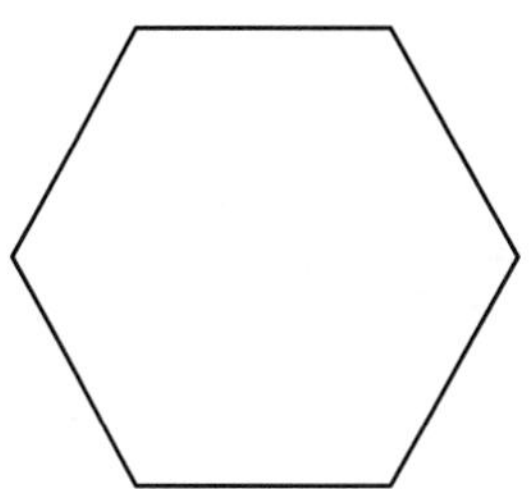

나눈 도형에 토끼가 한 마리씩 들어가도록 주어진 도형에 선을 2번 그어 조건에 맞게 나누세요.

4-1

사각형 I개와 삼각형 2개로 나누세요.

4-2

삼각형 3개로 나누세요.

5일 도형을 겹치기

오늘은 무엇을 공부할까요?

소식
들었어?
무슨 소식?
오늘 밤에 언덕 너머 호수에서
요정님이 신기한 걸 만드신대!
번
쩍
난 너무너무 기대돼!
신기한 게
뭘까?
그래서 어디로
가야 하는데?
언덕 너머 수정호수야.
어서 가보자!
맞아, 대신
색종이를 가지고
오라고 하셨어.
거기는 아무것도
없는 곳이잖아?

도형을 겹쳐서 여러 가지 모양을 만들어보자.

1주
5일

도형을 겹치기

활동을 통하여 해결 방법을 알아보아요.

◎ 삼각형 2개를 겹쳐서 모양 만들기

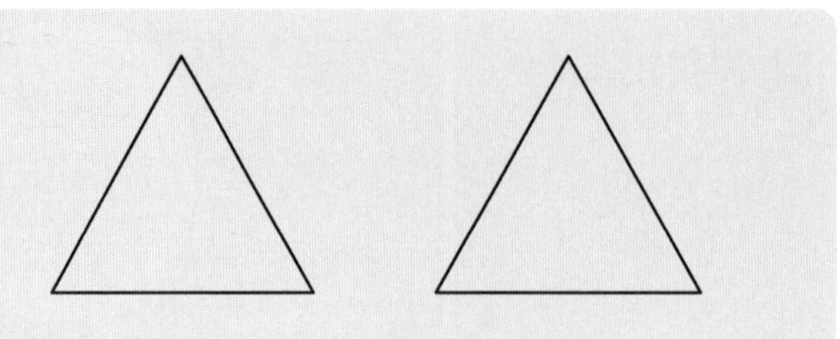

나는 별을 만들었어요.

나는 나무를 만들었어요.

나는 산을 만들었어요.

나는 나비를 만들었어요.

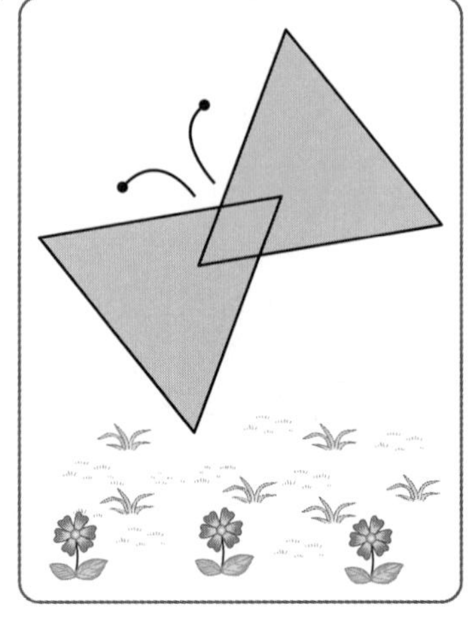

해결 방법 확인

주어진 도형을 겹쳐서 만든 모양에 ○표 하세요.

1-1

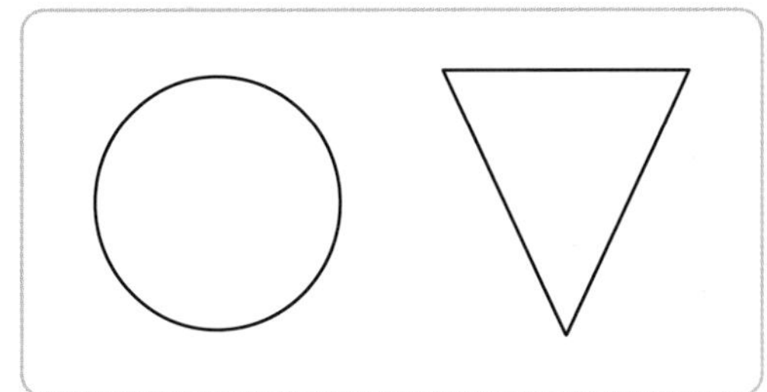

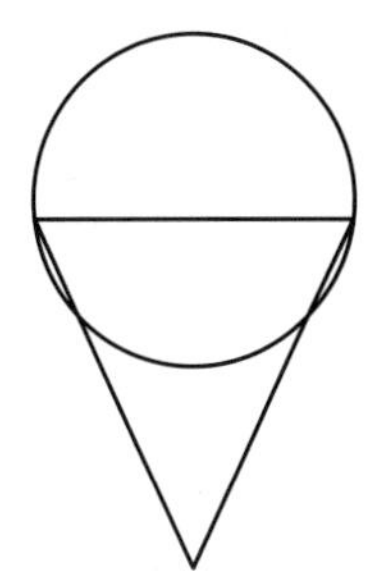

1-2

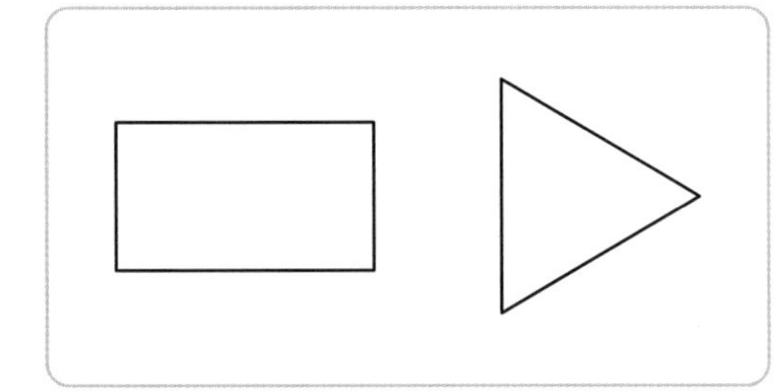

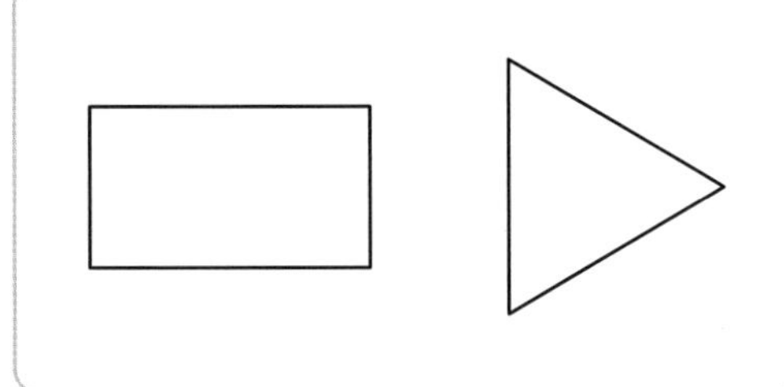

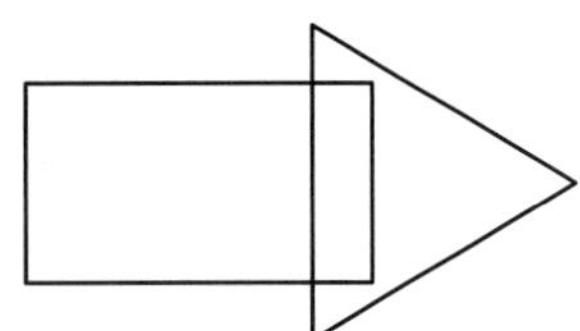

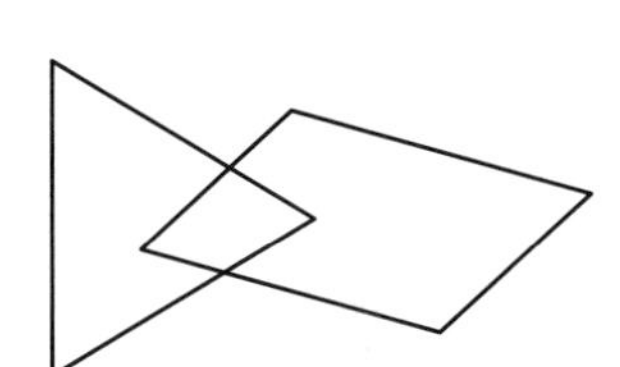

1주
5일

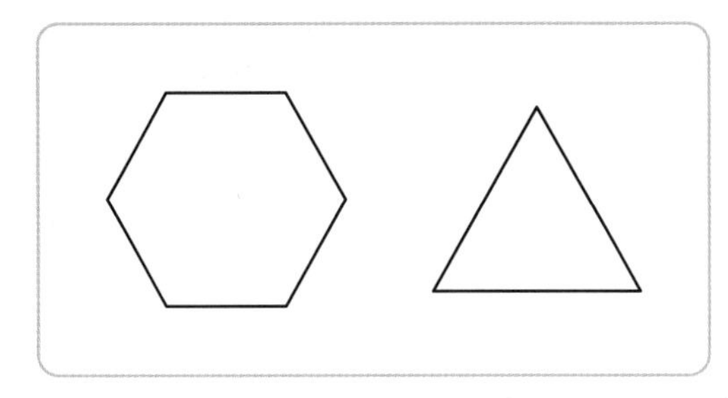

1-3

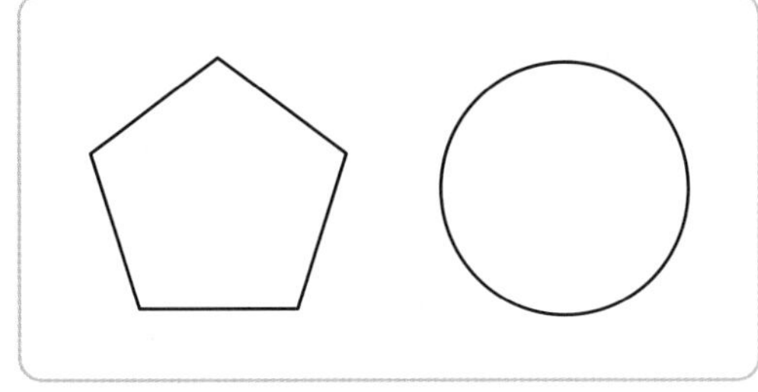

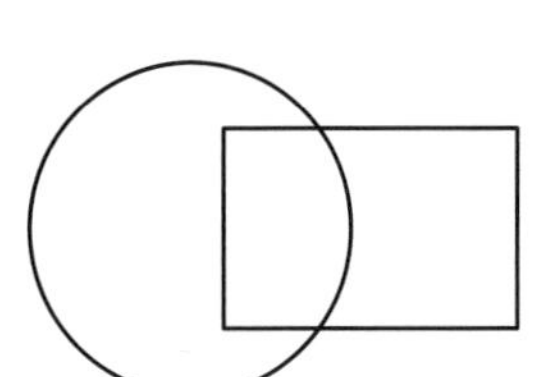

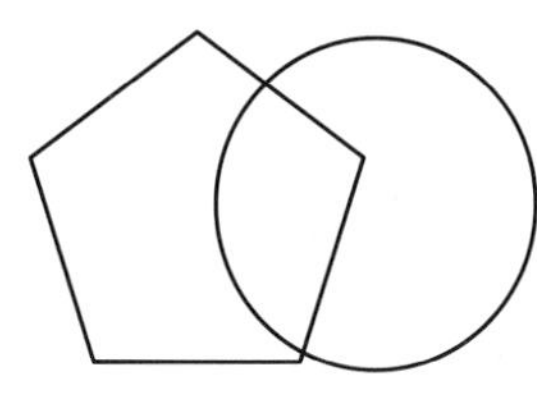

1-4

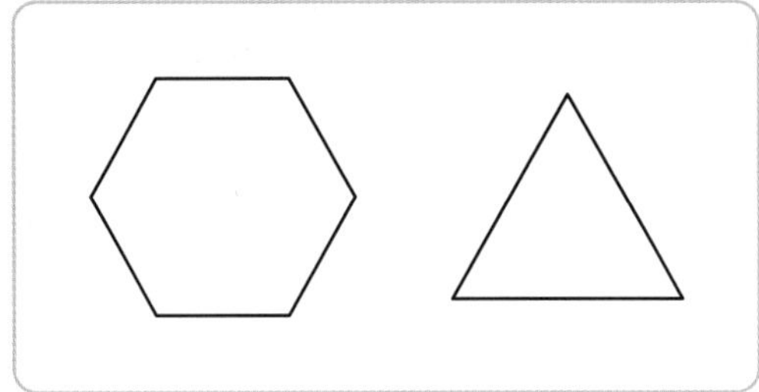

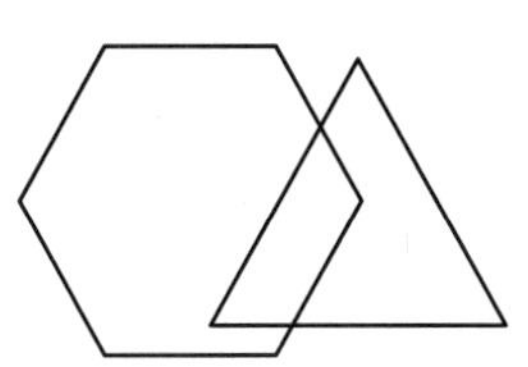

1-5

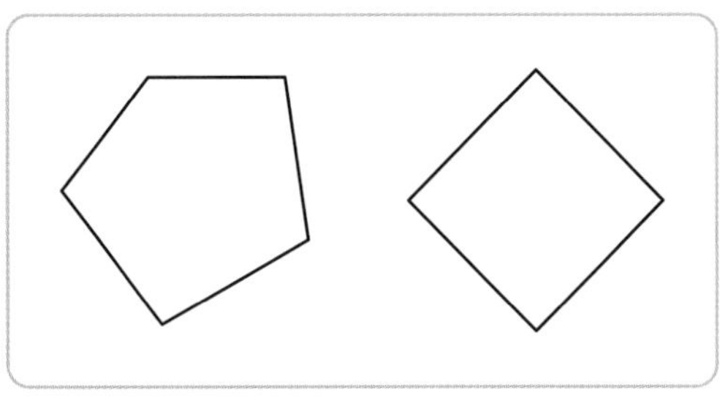

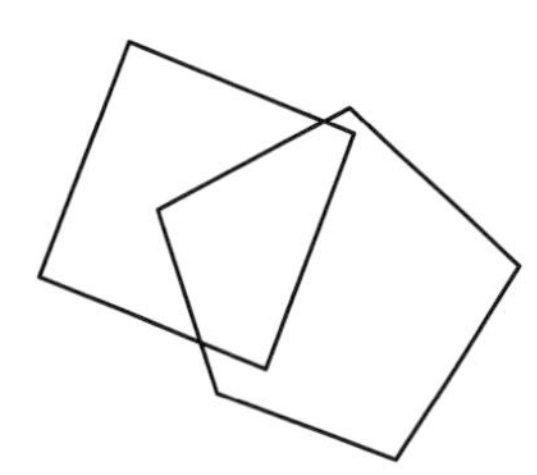

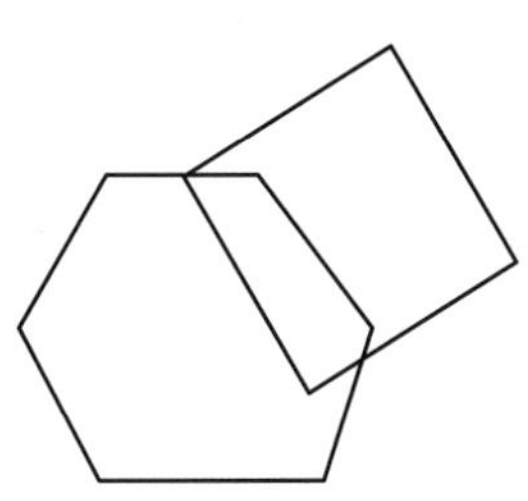

5일 도형을 겹치기

도형 집중 연습

삼각형, 사각형, 원 중에서 2개를 겹쳐놓았습니다. 위에 있는 도형의 이름을 쓰세요.

1-1

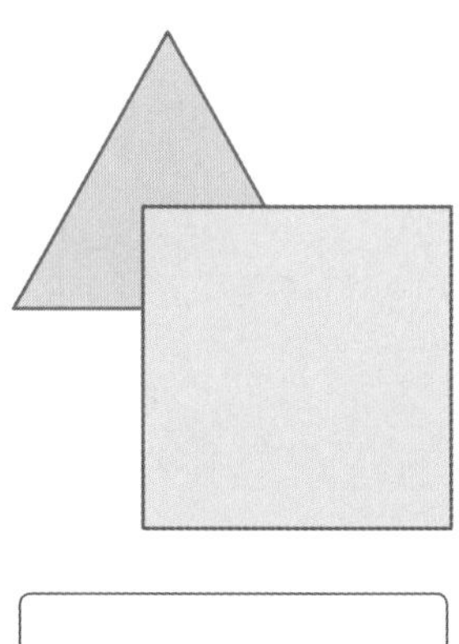

1-2

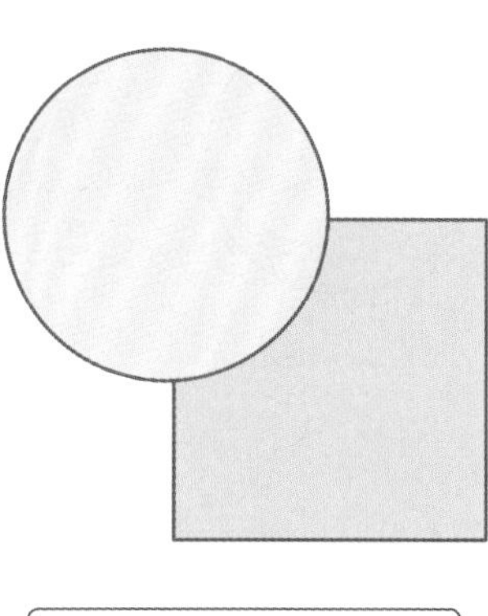

1-3

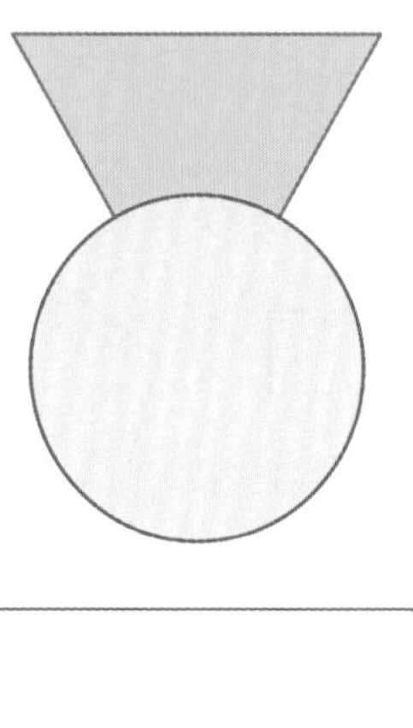

1-4

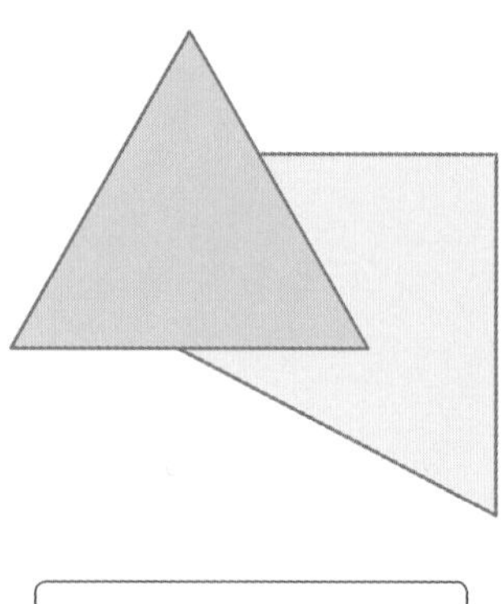

삼각형, 사각형, 원을 겹쳐 놓았습니다. 가장 아래에 있는 도형의 이름을 쓰세요.

2-1

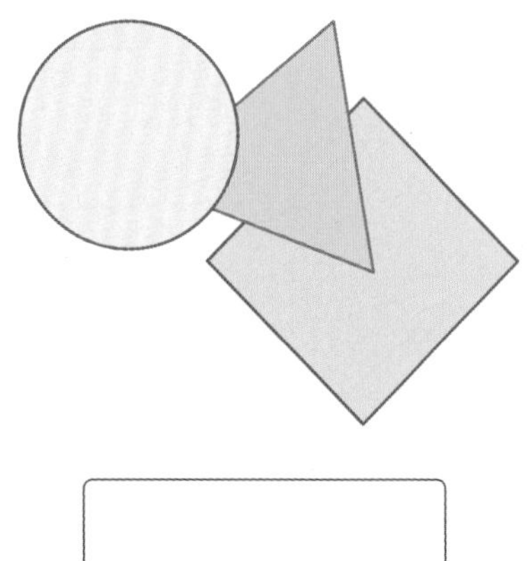

2-2

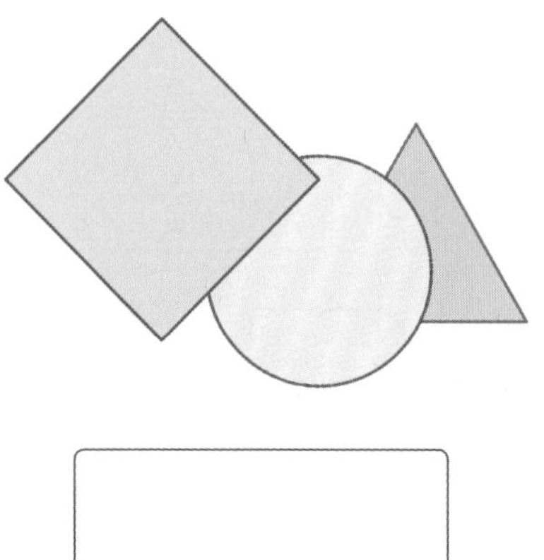

겹쳐진 도형을 보고 가장 아래에 있는 것부터 순서대로 번호를 쓰세요.

3-1

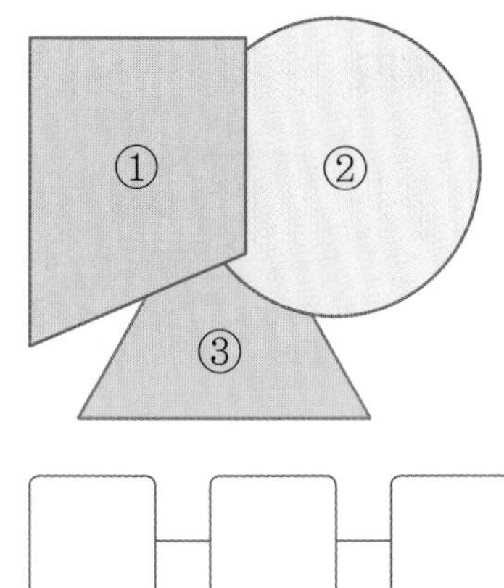

3-2

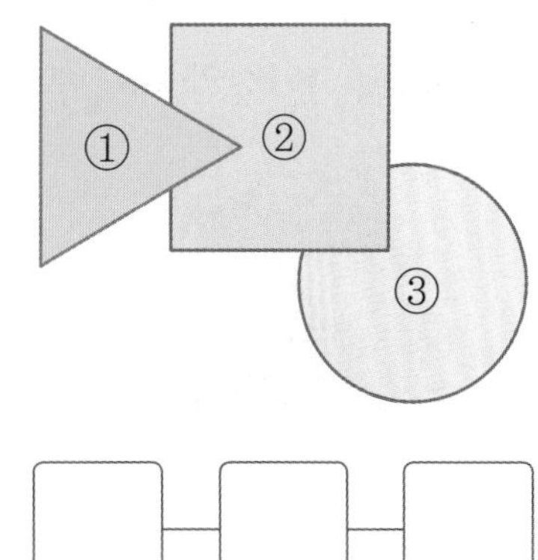

1주
5일

3-3

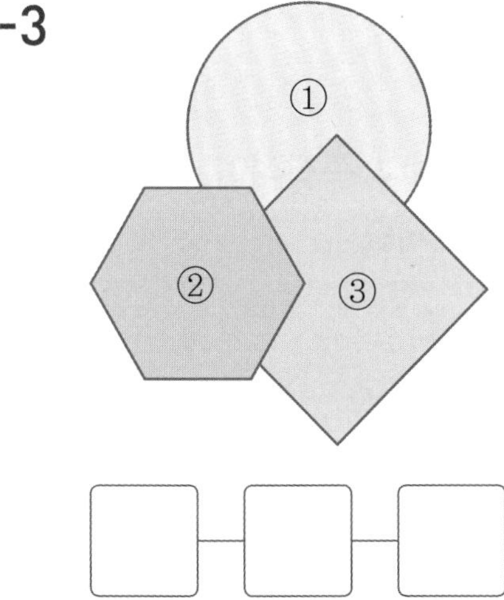

3-4

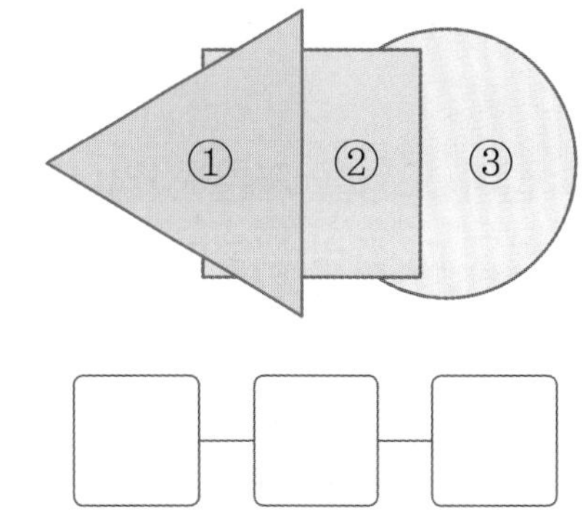

3-5

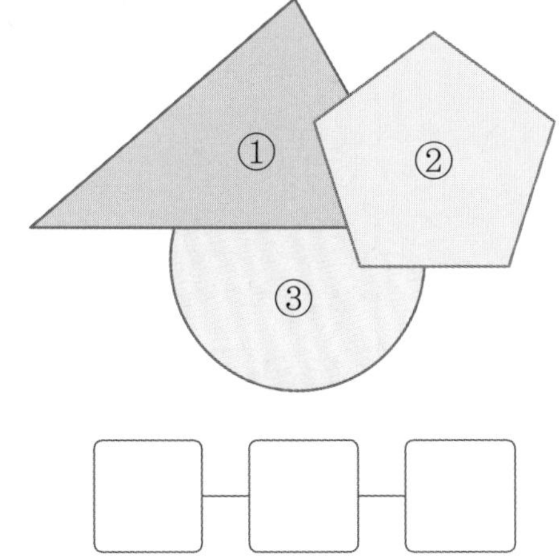

3-6

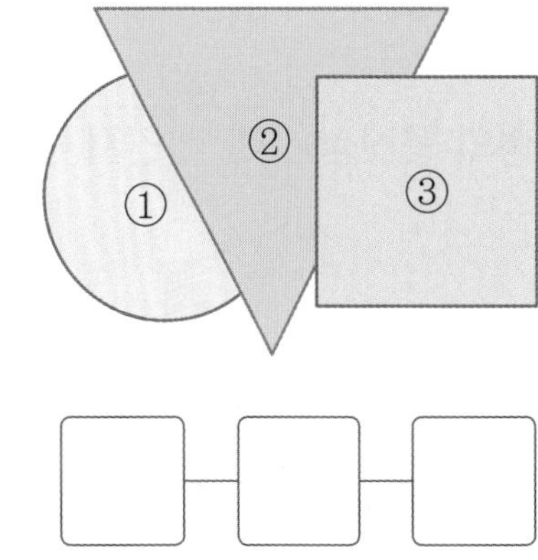

누구나 100점 맞는 TEST

01 그림에서 초록색 선으로 표시한 도형의 이름을 쓰세요.

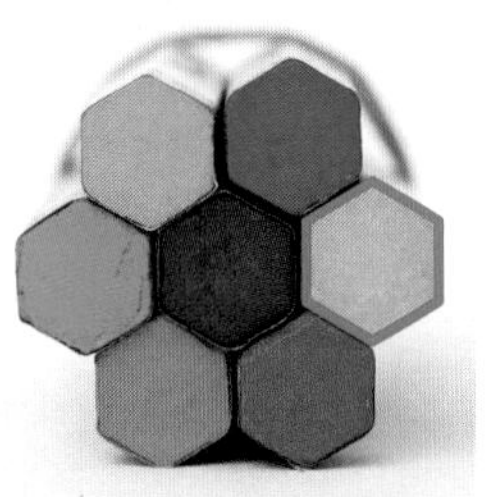

02 종이를 접어 도형을 자른 것입니다. 이 종이를 펼쳤을 때 뚫린 부분에 생기는 도형의 이름을 쓰세요.

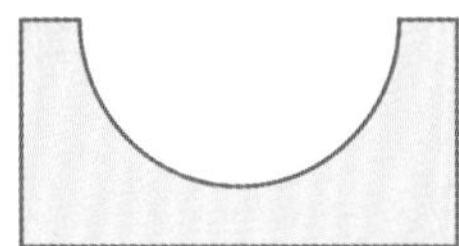

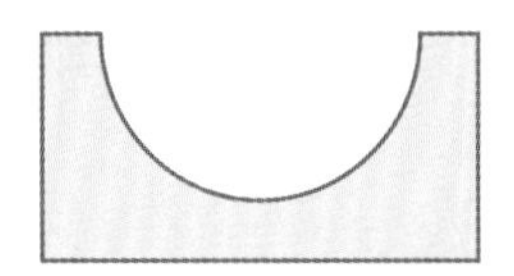

03 다음 도형의 꼭짓점은 몇 개인지 구하세요.

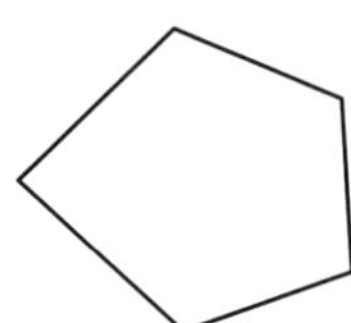

개

04 다음 도형보다 변이 1개 더 많은 도형을 찾아 ○표 하세요.

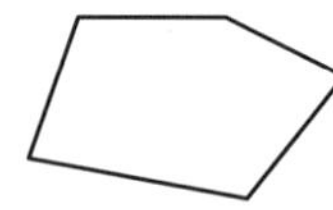

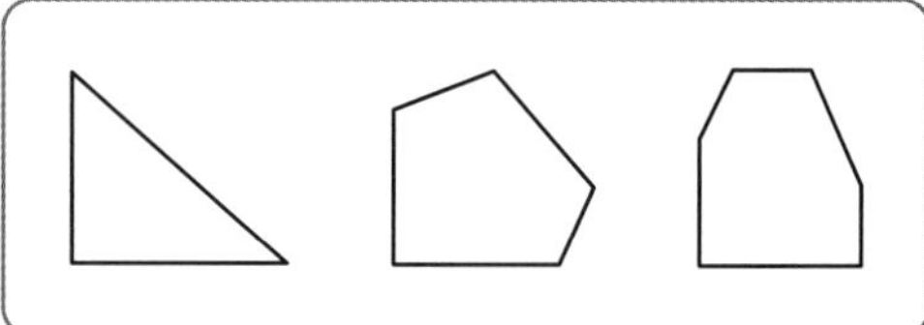

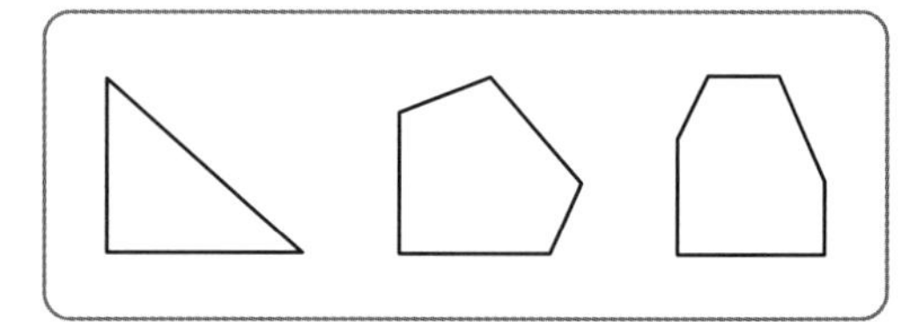

05 다음 도형보다 꼭짓점이 1개 더 많은 도형을 그려 보세요.

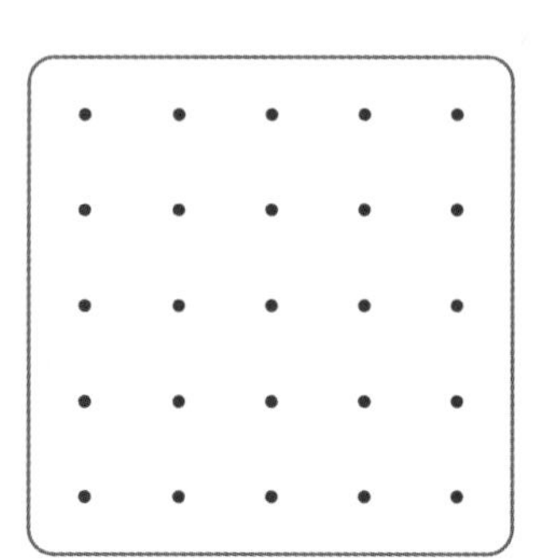

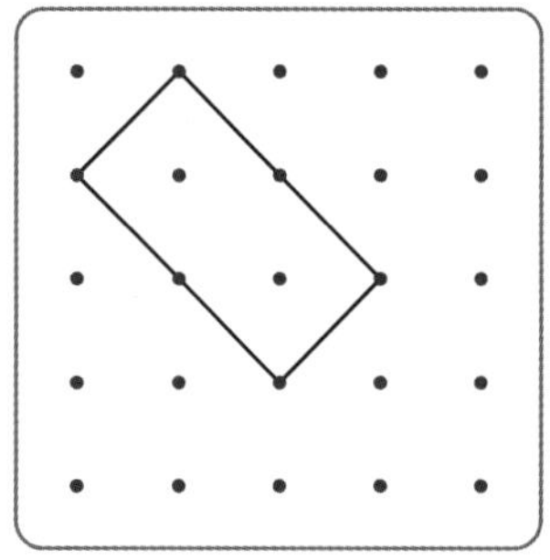

⇩

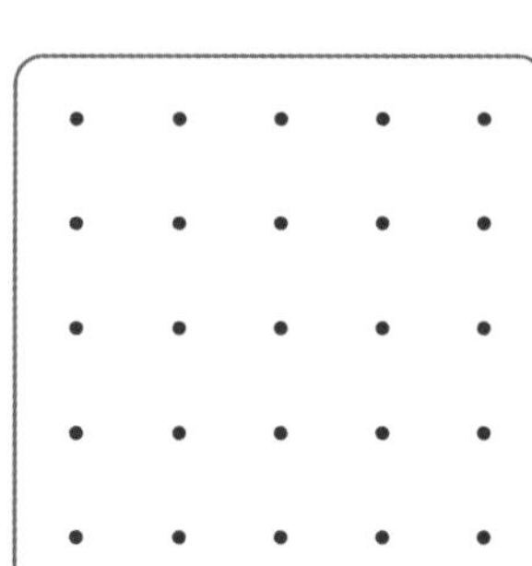

06 그림에서 원을 모두 찾아 색칠하세요.

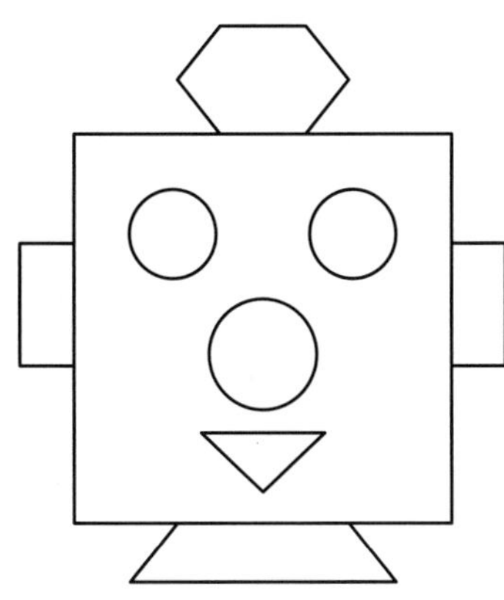

07 만들어진 모양에서 사용하지 않은 도형의 이름을 찾아 ×표 하세요.

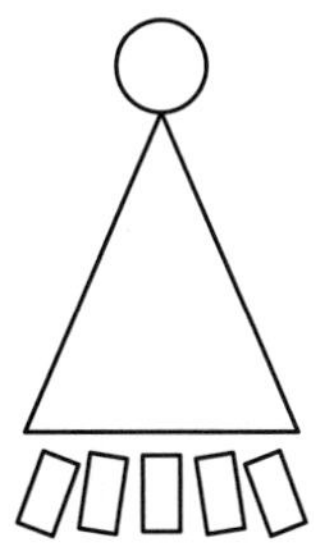

원 삼각형 사각형 오각형

08 다음 도형을 점선을 따라 자르면 한 가지 종류의 도형이 나옵니다. 어떤 도형이 나오는지 쓰세요.

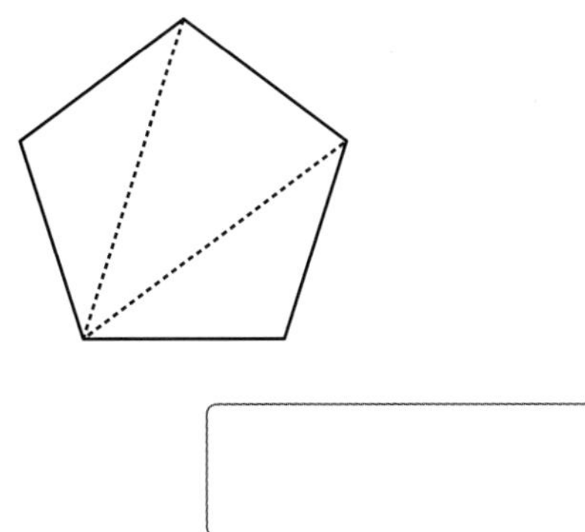

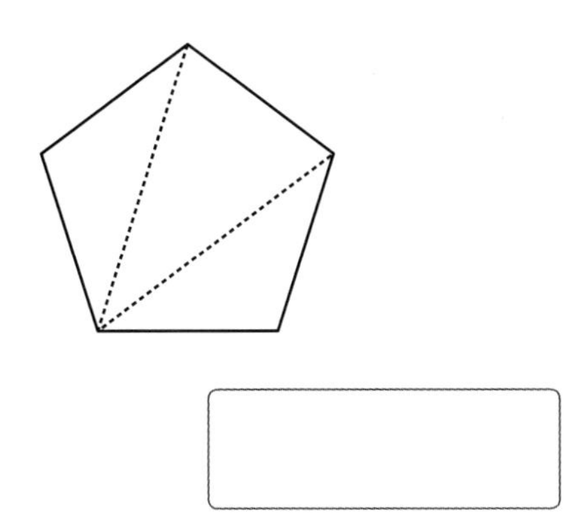

09 주어진 도형에 선을 그어 삼각형 4개로 나누세요.

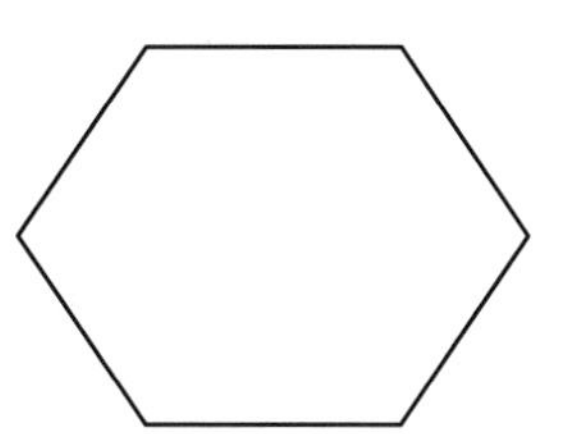

10 겹쳐진 도형을 보고 가장 아래에 있는 것부터 순서대로 번호를 쓰세요.

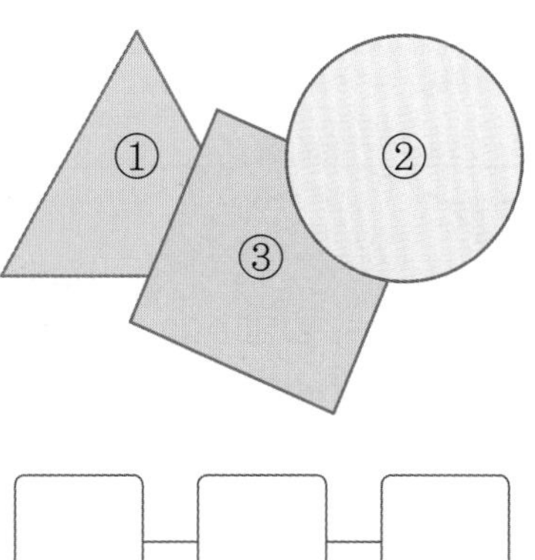

블록 명령어를 알아볼까요?

각 블록 명령어가 어느 쪽으로 얼마만큼 가라는 뜻인지
명령어와 그림을 잘 살펴보자.

특강 창의·융합·코딩

코딩

자동차가 블록 명령어에 따라 움직여서 도착하는 곳에 있는 도형의 이름을 쓰세요.

1

시작
앞으로 3칸 가기
오른쪽으로 돌기
앞으로 3칸 가기

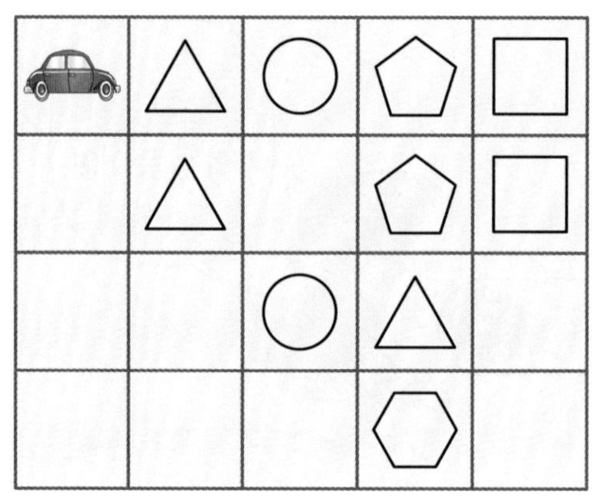

오른쪽으로 돌기는 진행
방향을 기준으로 하니까
그림처럼 방향을 바꾸는 거예요.

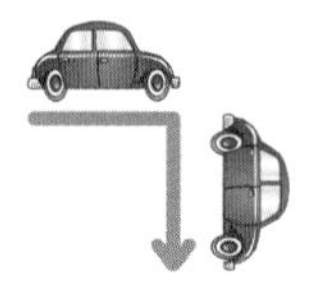

2

시작
앞으로 3칸 가기
오른쪽으로 돌기
앞으로 4칸 가기
오른쪽으로 돌기
앞으로 2칸 가기

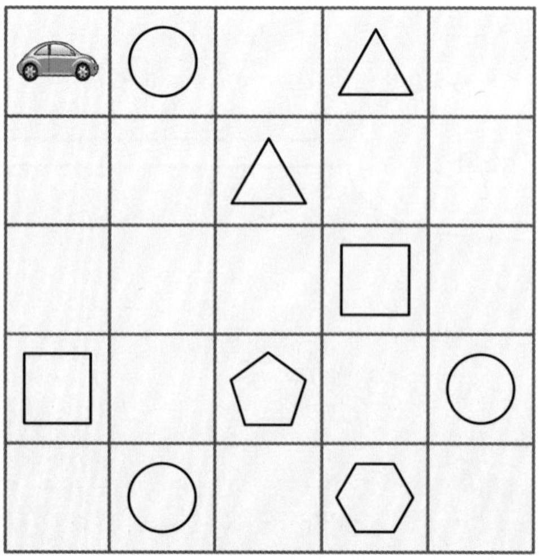

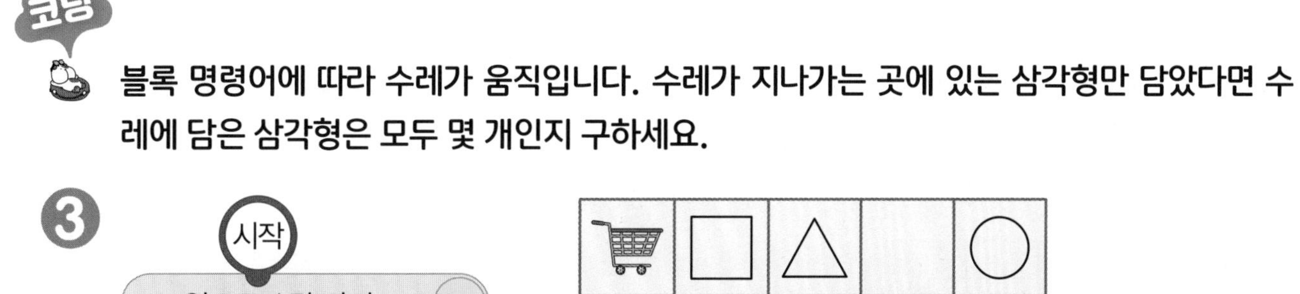

코딩

블록 명령어에 따라 수레가 움직입니다. 수레가 지나가는 곳에 있는 삼각형만 담았다면 수레에 담은 삼각형은 모두 몇 개인지 구하세요.

3

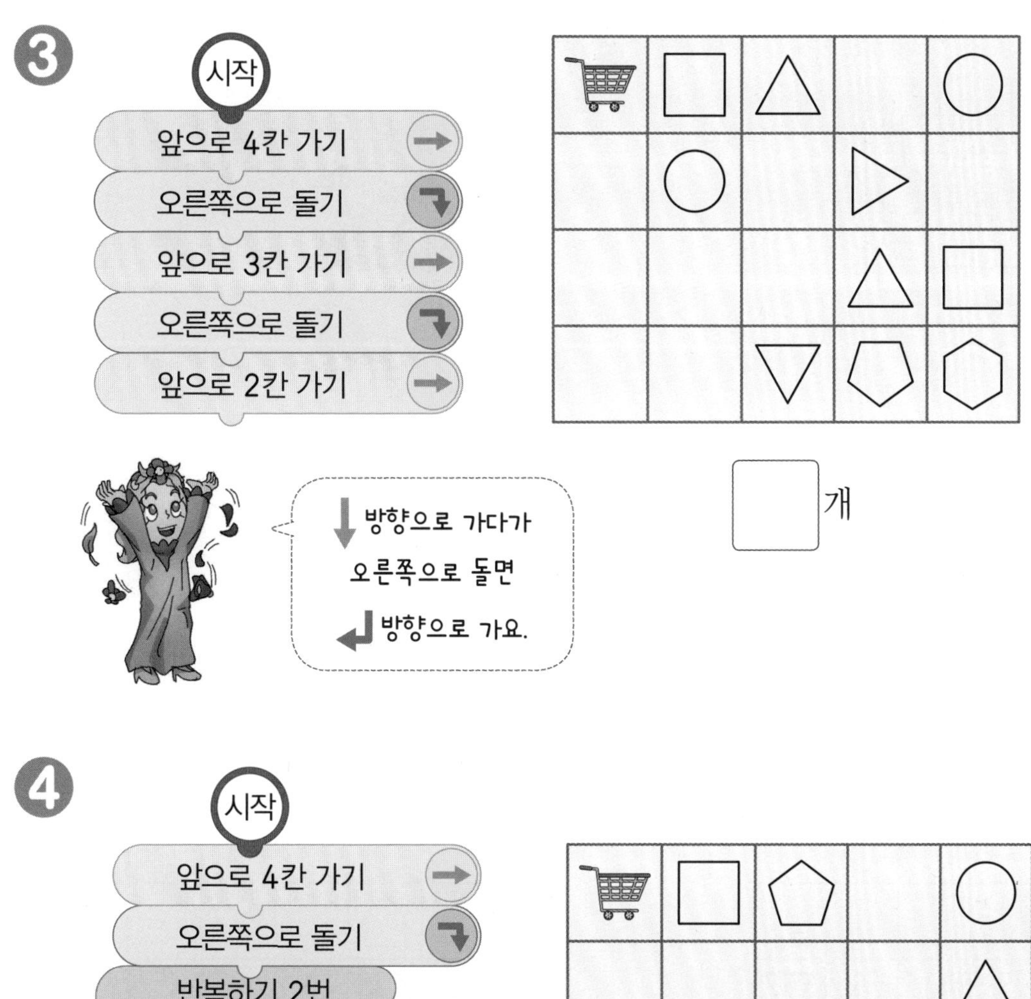
시작
앞으로 4칸 가기
오른쪽으로 돌기
앞으로 3칸 가기
오른쪽으로 돌기
앞으로 2칸 가기
방향으로 가다가
오른쪽으로 돌면
방향으로 가요.

□개

4

시작
앞으로 4칸 가기
오른쪽으로 돌기
반복하기 2번
앞으로 3칸 가기
오른쪽으로 돌기
2번
반복해요.
앞으로 1칸 가기

□개

반복하기로 둘러싸인 부분을 2번 실행해야 하는 것에 주의하세요.

1주
특강

특강 창의 · 융합 · 코딩

창의

보기와 같이 같은 모양의 도형을 선으로 이으세요. (단, 한 번 선을 그은 칸에는 다시 선을 그을 수 없고 빈칸이 없이 모든 칸에 선을 그어야 합니다.)

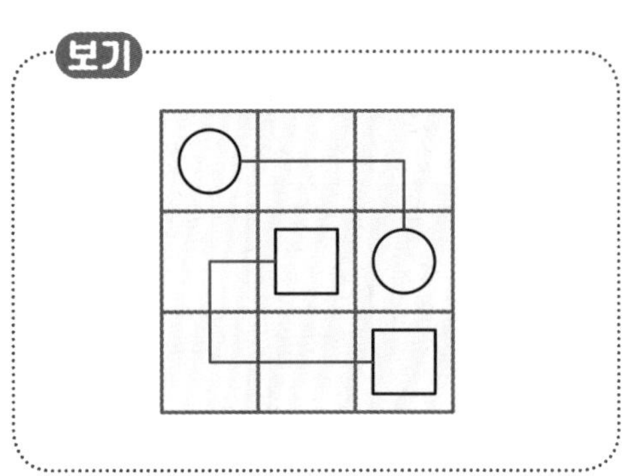

모든 칸을 지나가지만
선끼리 겹치지 않아야 해요.

5

6

빈칸이 없어야
한다는 점에 주의해요.

 구멍난 종이 2장을 오른쪽 도형이 그려진 종이 위로 겹쳤을 때 보이는 도형에 모두 ○표 하세요.

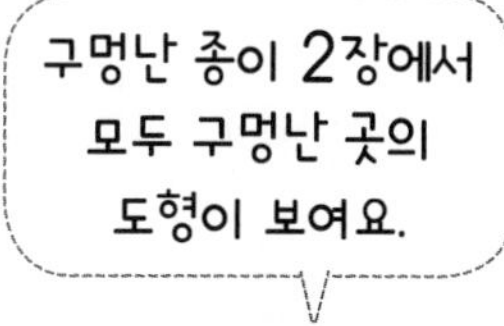

7 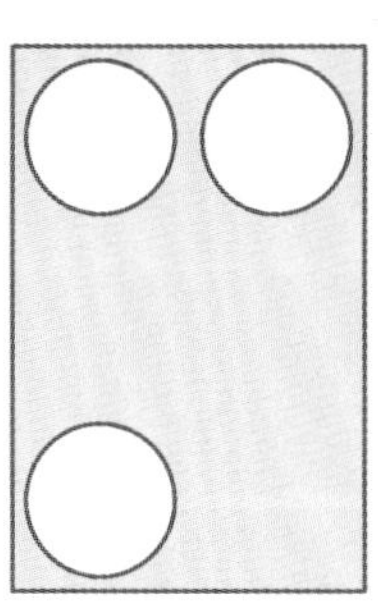 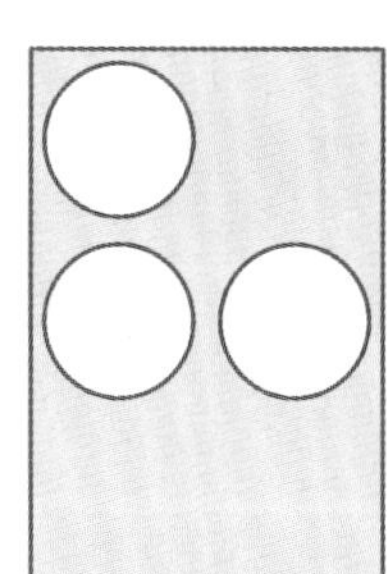  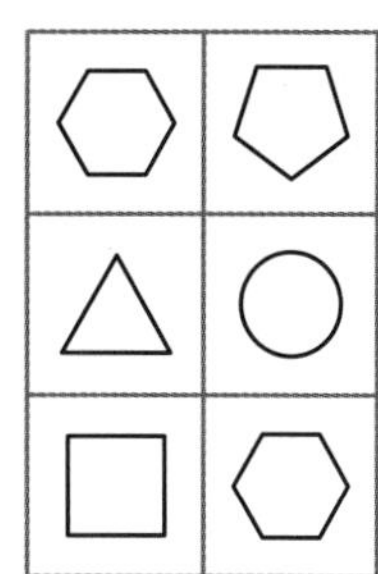

8 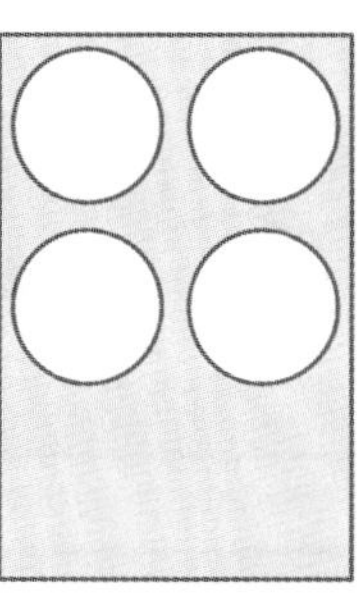 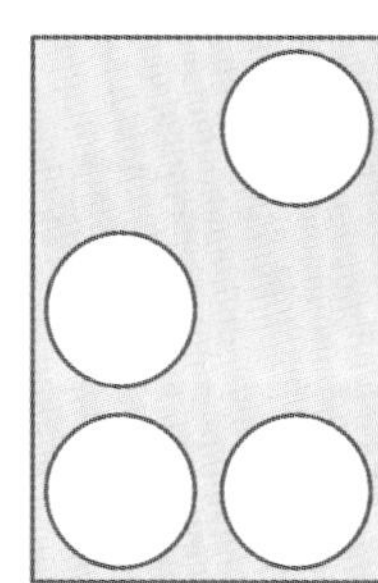  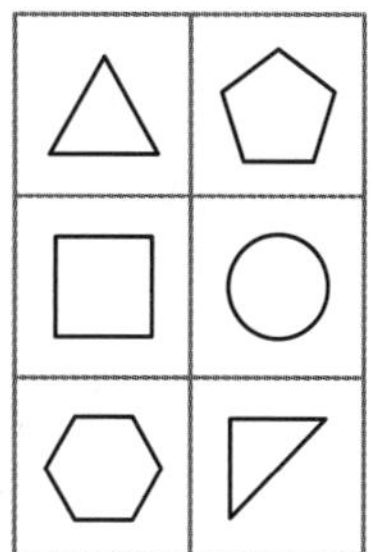

9 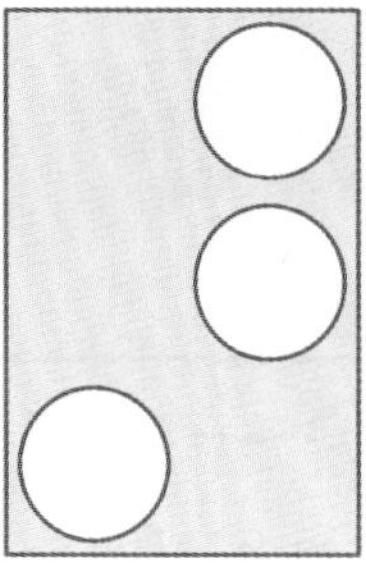 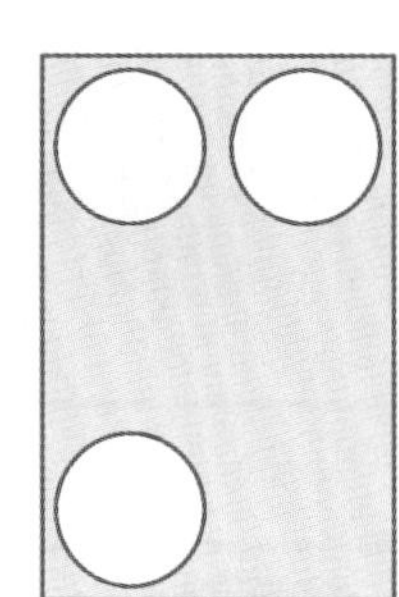 ⇨ 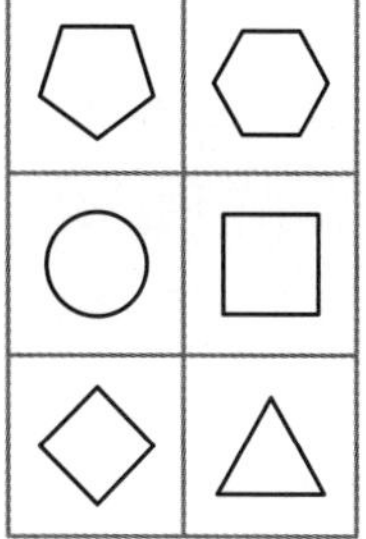

10 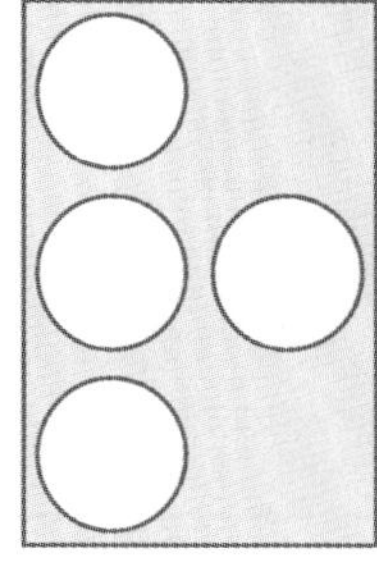 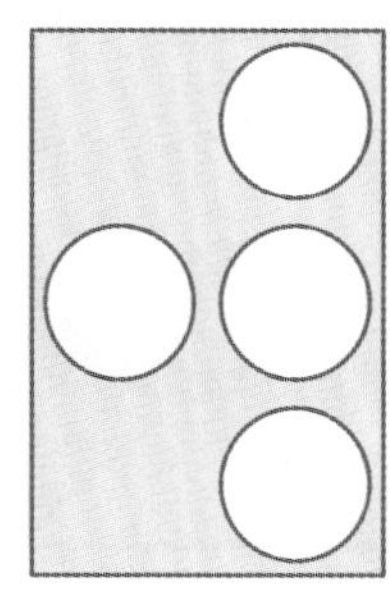 ⇨ 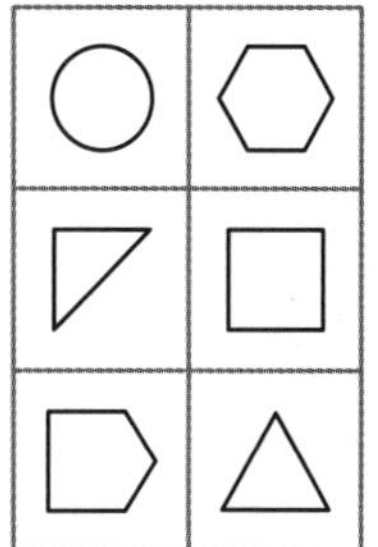

1주
특강

2주 여러 가지 도형(2)

이번 주에는 무엇을 공부할까요? 1

슈웅—
야호, 신난다~ 드디어 오늘 소풍날이야.
지우야, 너 도시락 싸 왔어?
응, 우리 저쪽으로 내려가서 도시락 먹자.
오우!
할머니가 싸주신 김밥이야.
우아~ 맛있겠다!
그럼, 이제 먹어볼까?
짜잔

학습내용

1일 찾을 수 있는 크고 작은 원의 개수

2일 잘린 도형의 개수

3일 찾을 수 있는 크고 작은 도형의 개수

4일 순서에서 규칙 찾기

5일 무늬에서 규칙 찾기

이번 주에는 무엇을 공부할까요? ②

여러 가지 모양의 삼각형

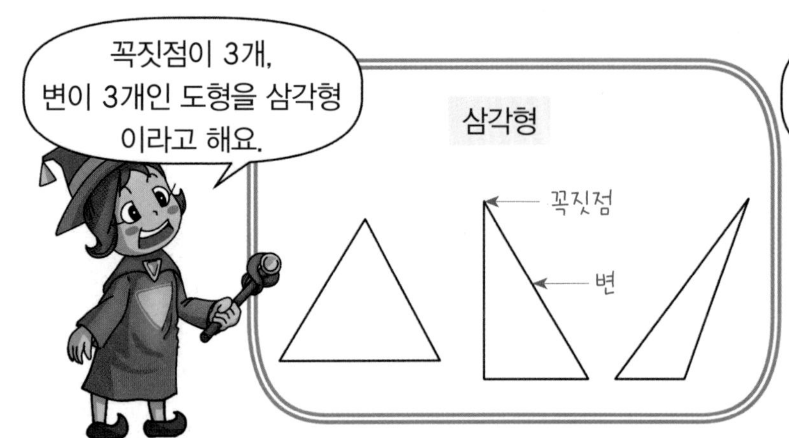

꼭짓점이 3개,
변이 3개인 도형을 삼각형
이라고 해요.
삼각형
꼭짓점
변

삼각형은 모양이
여러 가지구나.

삼각형을 모두 찾아 ○표 하세요.

1-1

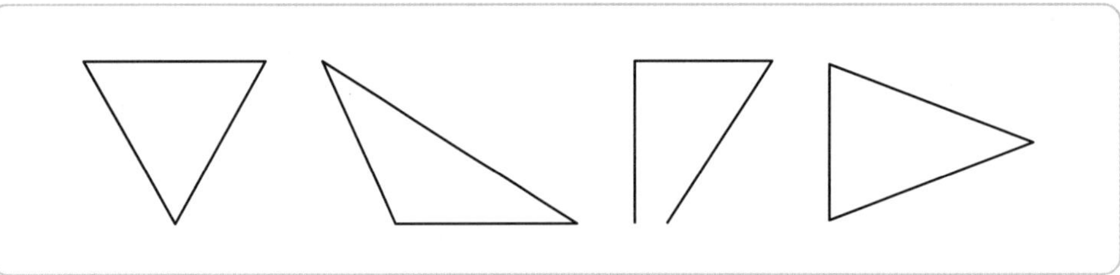

1-2

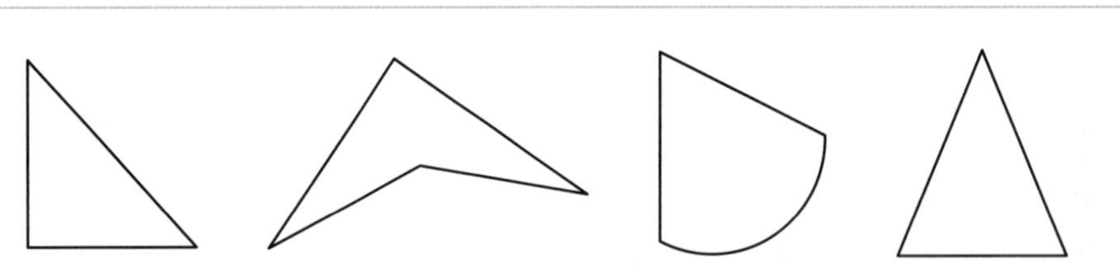

1-3

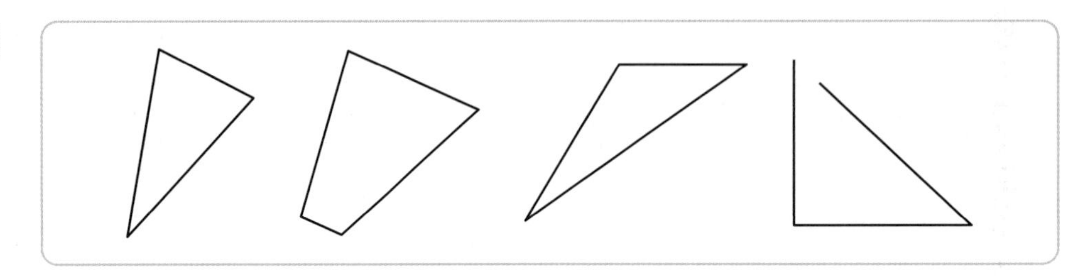

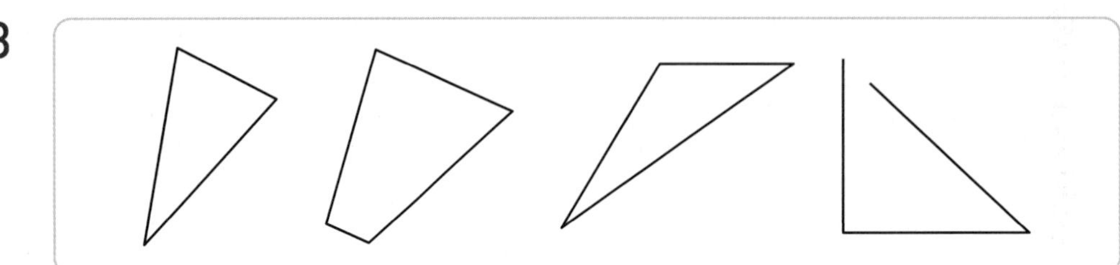

여러 가지 모양의 사각형

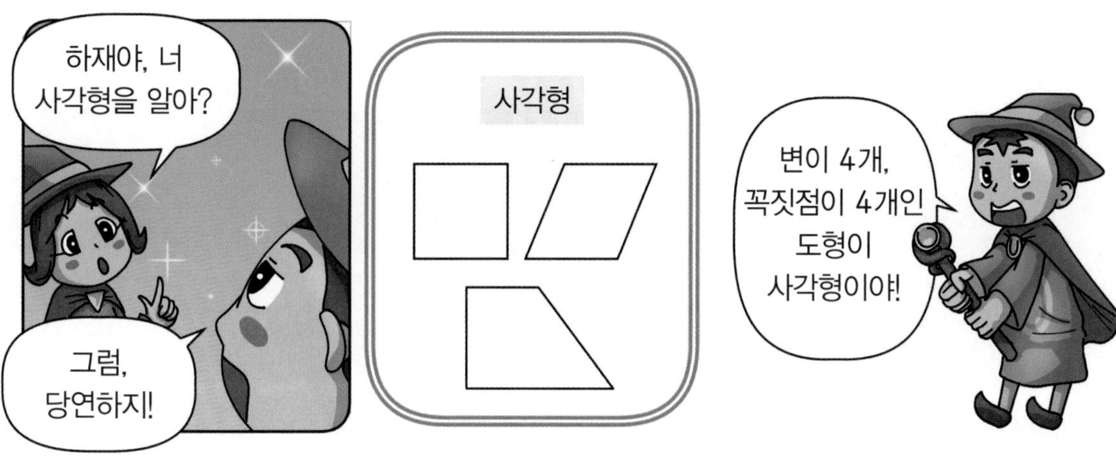
하재야, 너
사각형을 알아?
그럼,
당연하지!
사각형
변이 4개,
꼭짓점이 4개인
도형이
사각형이야!

사각형을 모두 찾아 ○표 하세요.

2-1

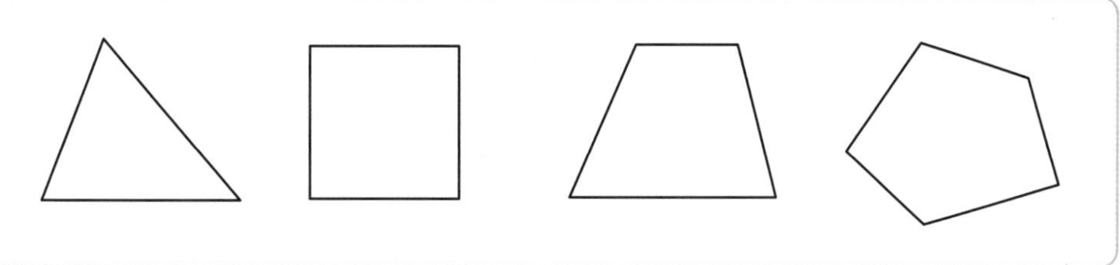

2-2

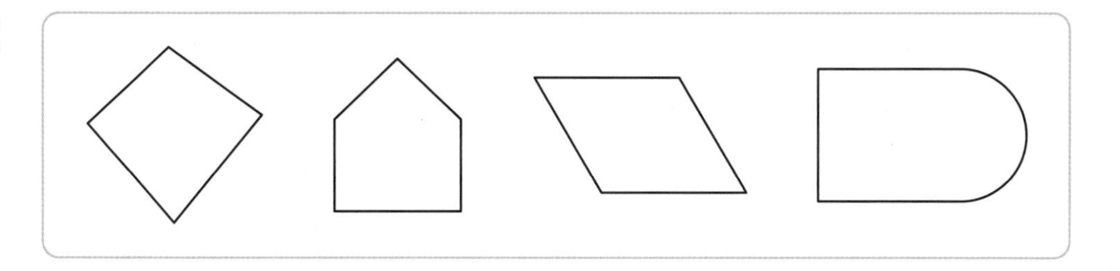

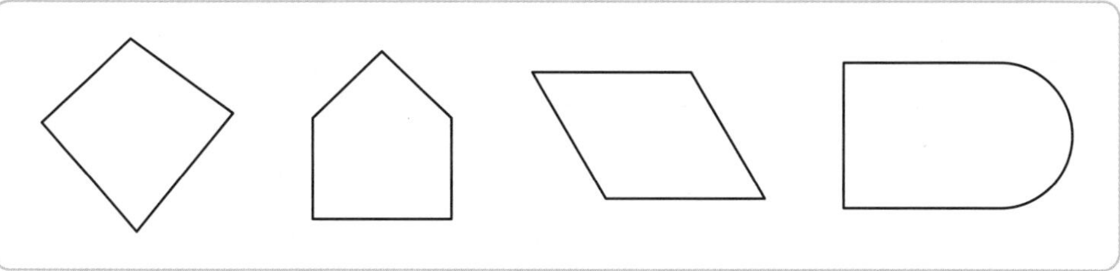

2-3

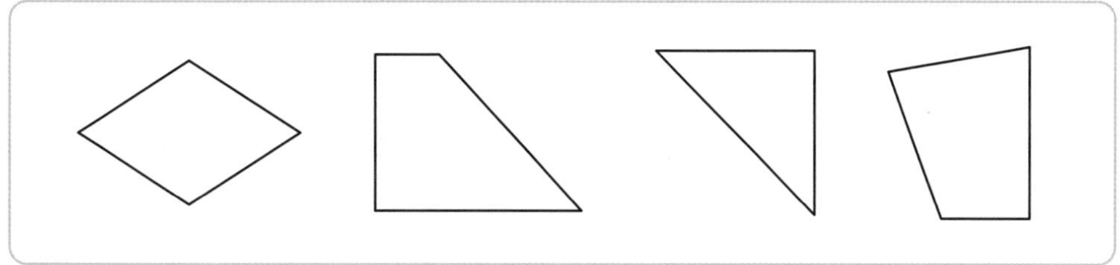

1일 찾을 수 있는 크고 작은 원의 개수

오늘은 무엇을 공부할까요?

찾을 수 있는 크고 작은 원을 알아보자.

2주
1일

찾을 수 있는 크고 작은 원의 개수

활동을 통하여 해결 방법을 알아보아요.

◎ 찾을 수 있는 크고 작은 원의 개수 알아보기

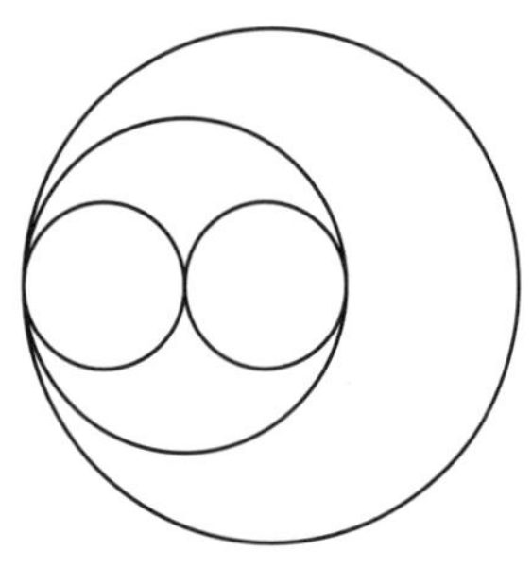

그림에서 찾을 수 있는
크고 작은 원은 모두
몇 개일까요?

(방법) 크기별로 찾아보기

① 가장 작은 원

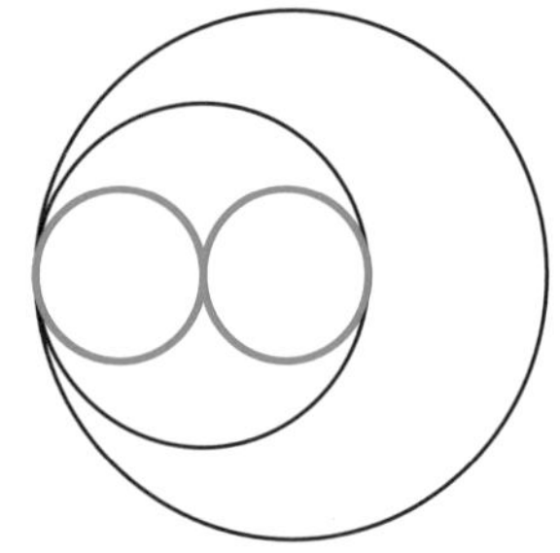

⇨ 2개

② 중간 크기 원

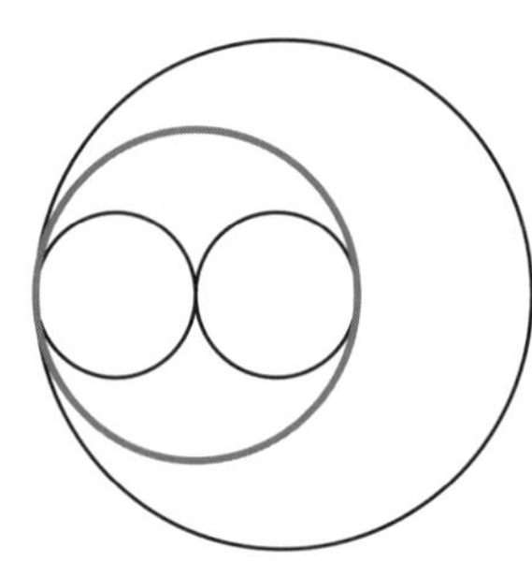

⇨ 1개

③ 가장 큰 원

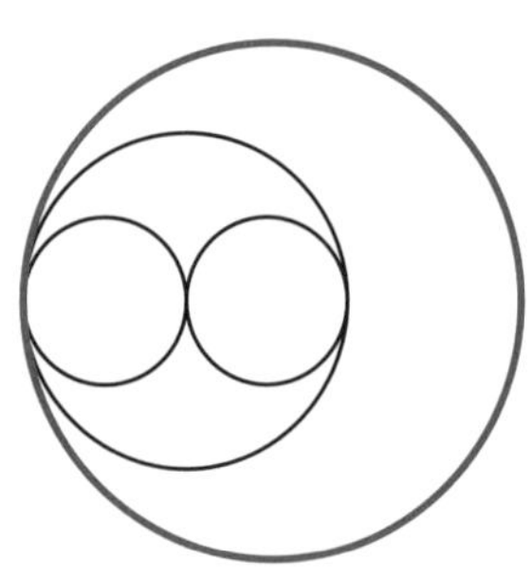

⇨ 1개

크고 작은 원은
모두 4개예요.

해결 방법 짚어 보기

• 크고 작은 원을 찾을 때에는 크기별로 각각 세어 봅니다.

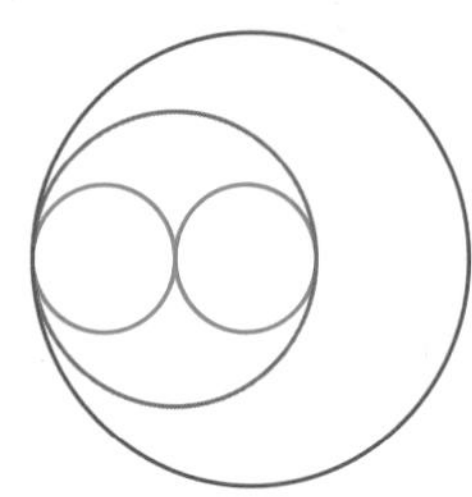

- 가장 작은 원(초록색 원) 2개
- 중간 크기 원(파란색 원) 1개
- 가장 큰 원(빨간색 원) 1개

⇨ 찾을 수 있는 크고 작은 원은 모두 4개입니다.

해결 방법 확인

그림에서 찾을 수 있는 크고 작은 원은 모두 몇 개인지 구하세요.

1-1

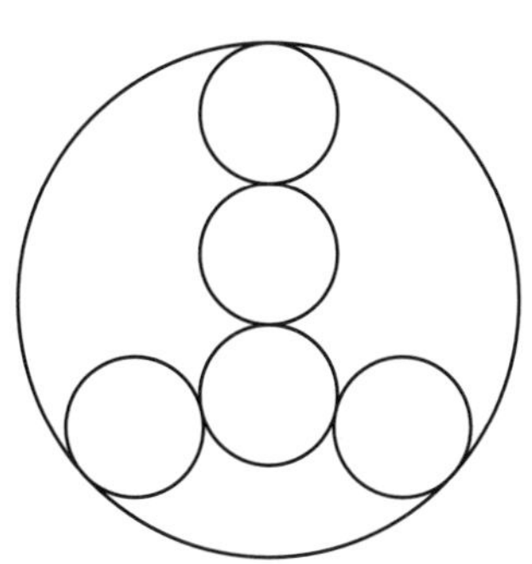

작은 원 : ☐개
큰 원 : ☐개
⇨ 찾을 수 있는 크고 작은 원은 모두 ☐개

1-2

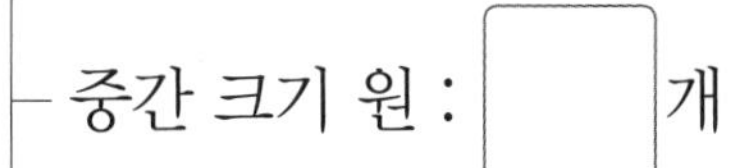

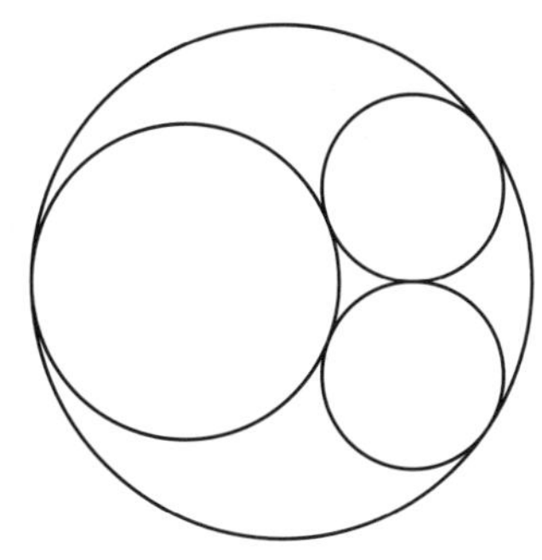

가장 작은 원 : ☐개
중간 크기 원 : ☐개
가장 큰 원 : ☐개
⇨ 찾을 수 있는 크고 작은 원은 모두 ☐개

1-3

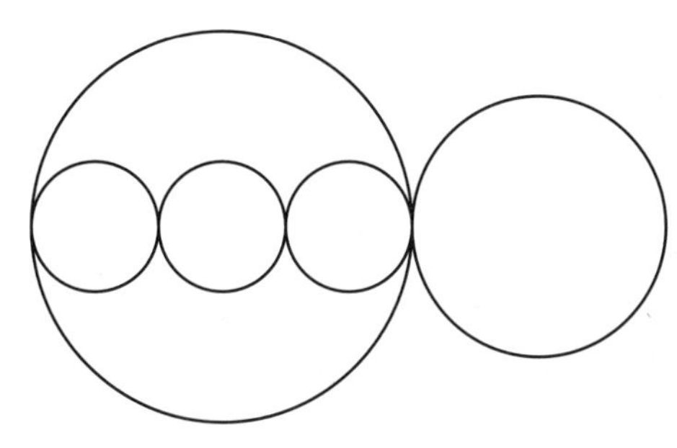

가장 작은 원 : ☐개
중간 크기 원 : ☐개
가장 큰 원 : ☐개
⇨ 찾을 수 있는 크고 작은 원은 모두 ☐개

1일 찾을 수 있는 크고 작은 원의 개수

도형 집중 연습

그림에서 찾을 수 있는 크고 작은 원은 모두 몇 개인지 구하세요.

1-1

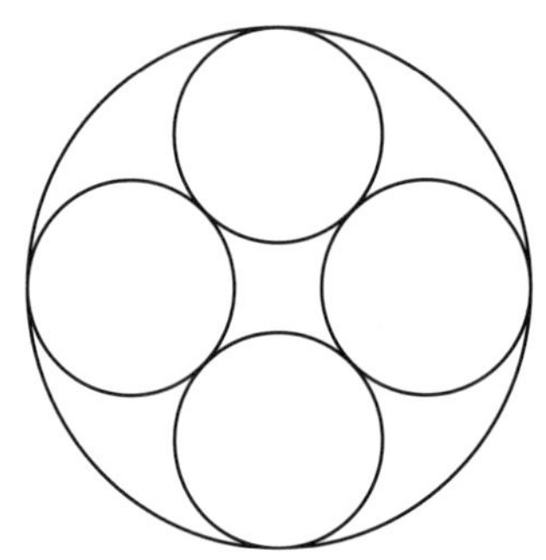

□개

1-2

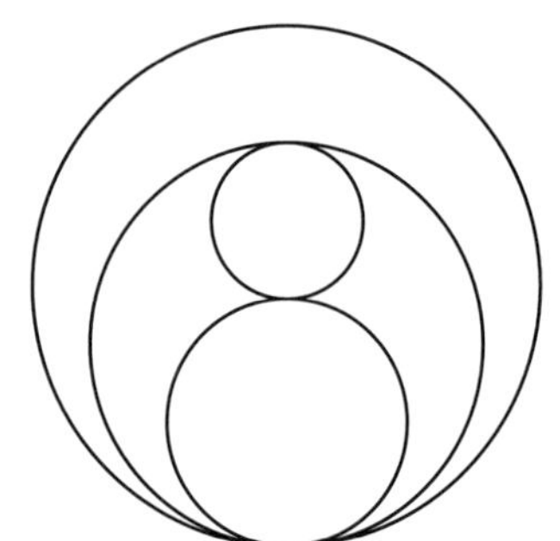

□개

1-3

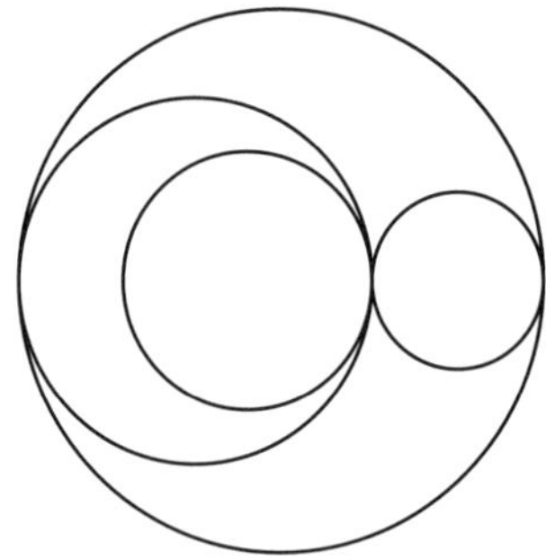

□개

1-4

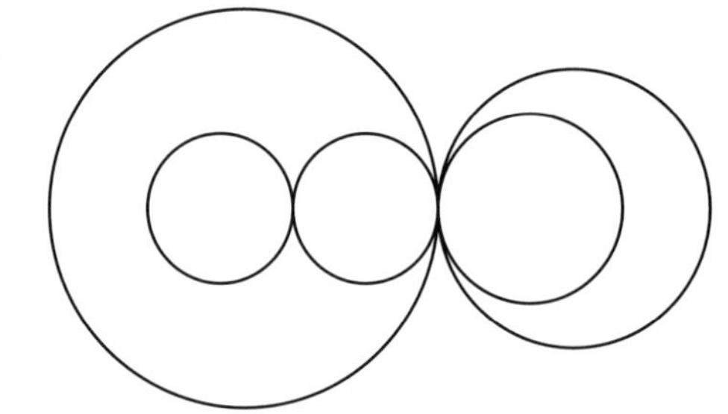

□개

1-5

□개

1-6

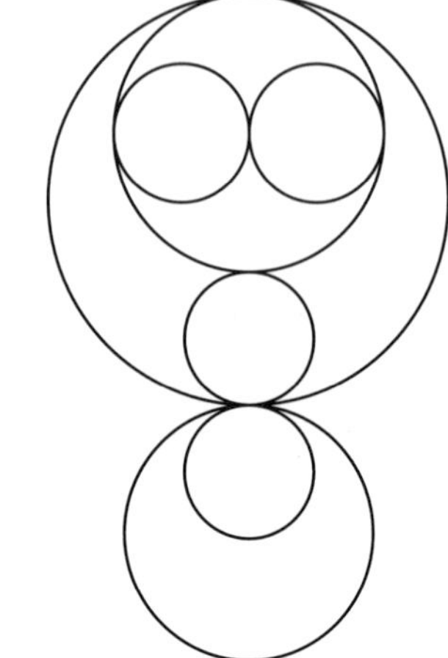

□개

다음에서 찾을 수 있는 크고 작은 원은 모두 몇 개인지 구하세요.

2-1

☐개

2-2

☐개

3 그림에서 찾을 수 있는 크고 작은 원은 모두 몇 개인지 구하세요.

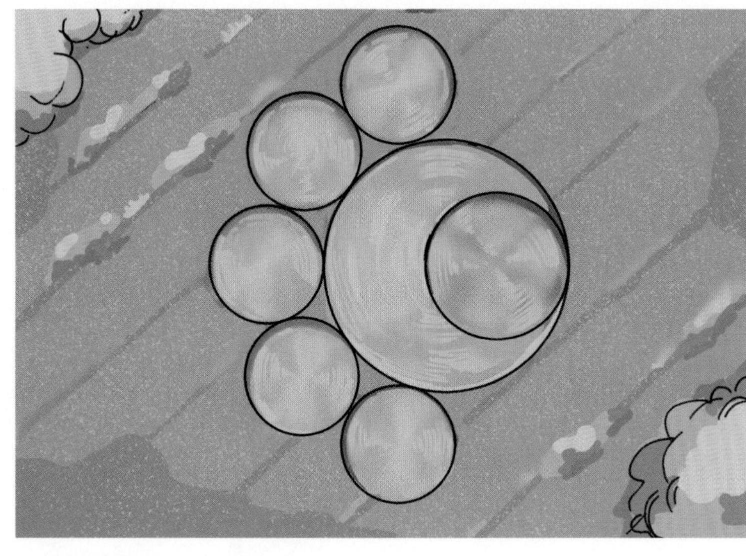

곡물이 일정한 방향으로 눕혀져 원 모양이 되었어요.

그걸 미스터리 서클이라고 부른단다.

☐개

2일 잘린 도형의 개수

오늘은 무엇을 공부할까요?

선을 따라 잘랐을 때 만들어지는 도형을 알아보자.

2주
2일

2일 잘린 도형의 개수

활동을 통하여 해결 방법을 알아보아요.

선을 따라 자를 때 만들어지는 도형과 개수 알아보기

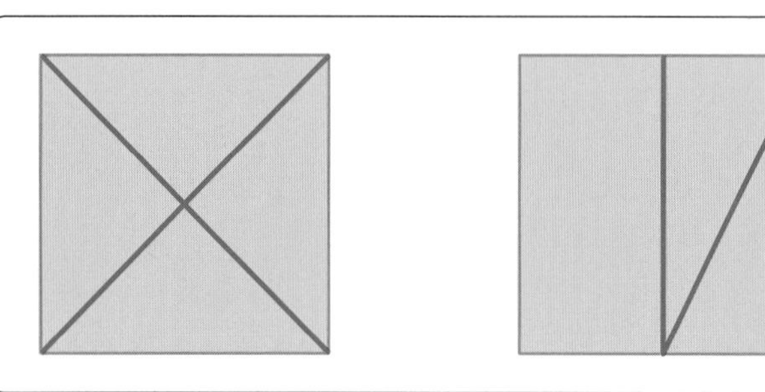

(방법) 선을 따라 잘라서 알아보기

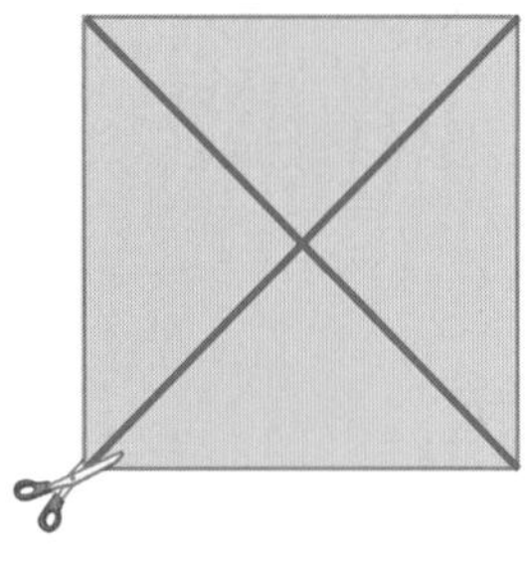

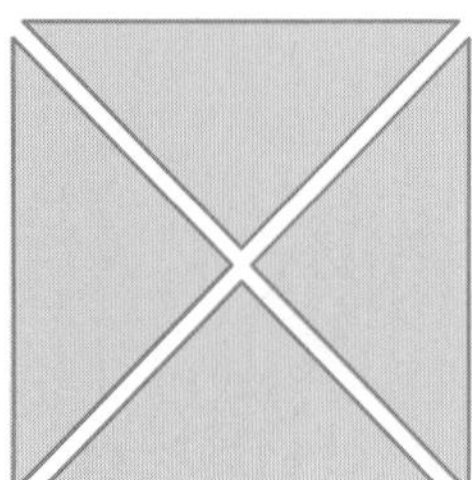

선을 따라 모두 자르면 삼각형 4개가 만들어집니다.

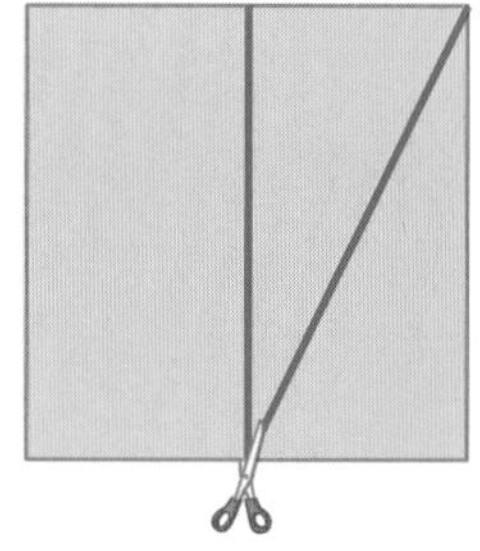

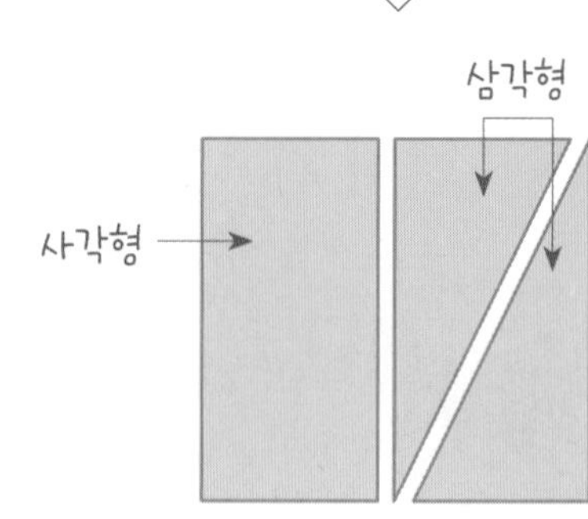

선을 따라 모두 자르면 삼각형 2개, 사각형 1개가 만들어집니다.

해결 방법 확인

파란색 선을 따라 모두 자를 때 만들어지는 도형의 개수를 구하세요.

1-1

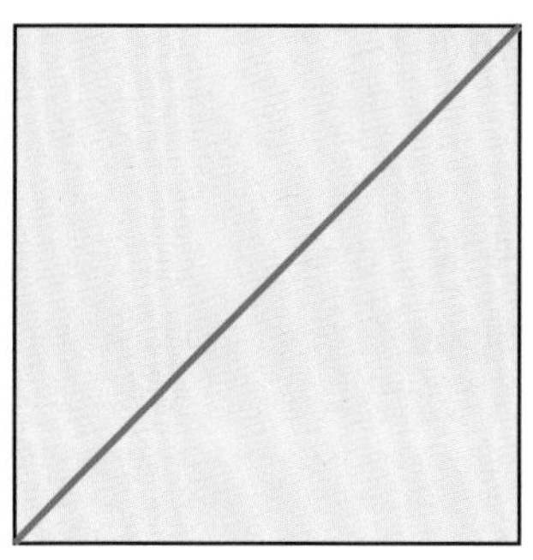

삼각형 ☐개

1-2

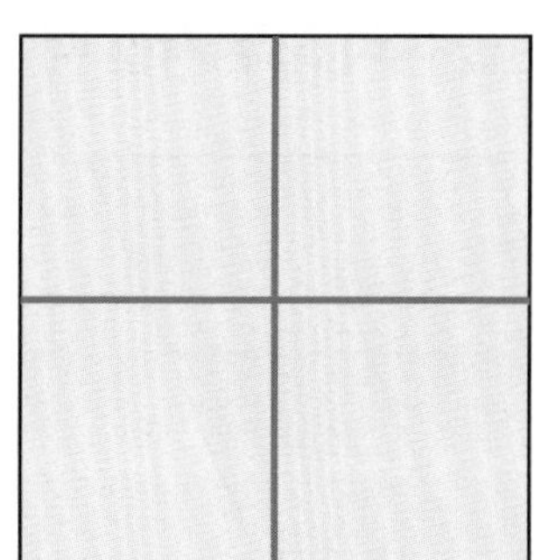

사각형 ☐개

1-3

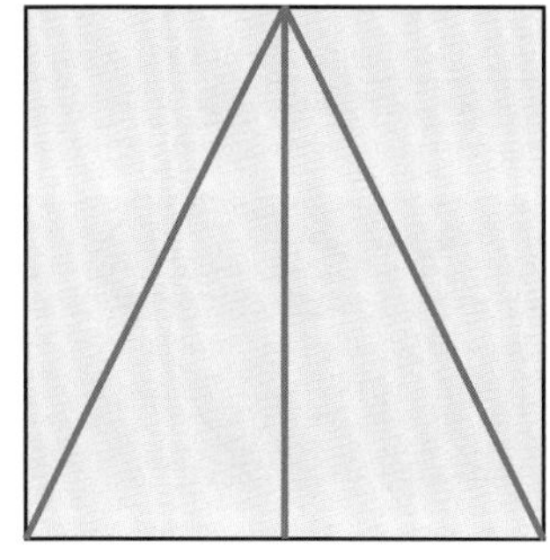

삼각형 ☐개

1-4

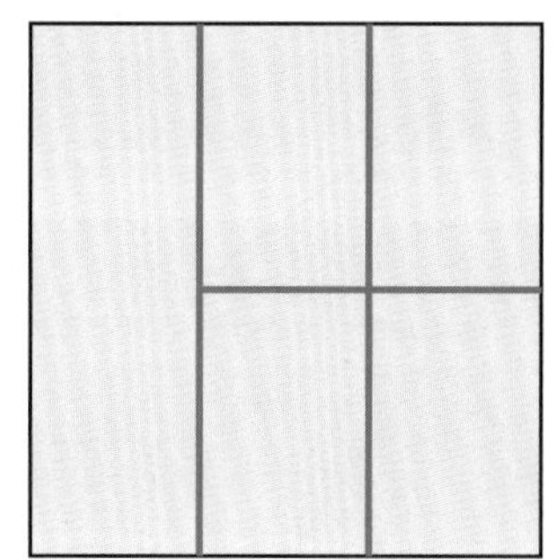

사각형 ☐개

1-5

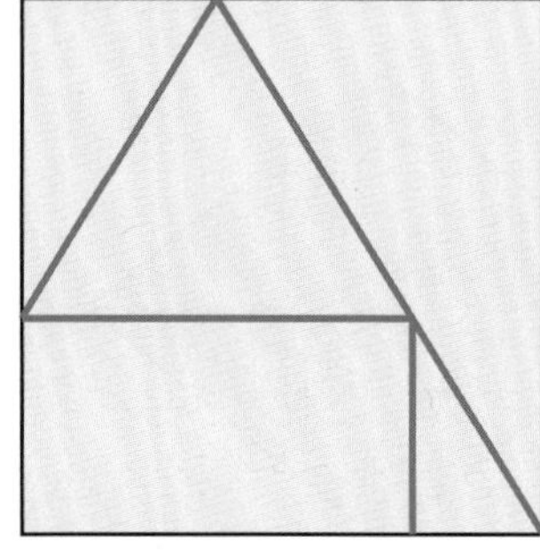

삼각형 ☐개, 사각형 ☐개

1-6

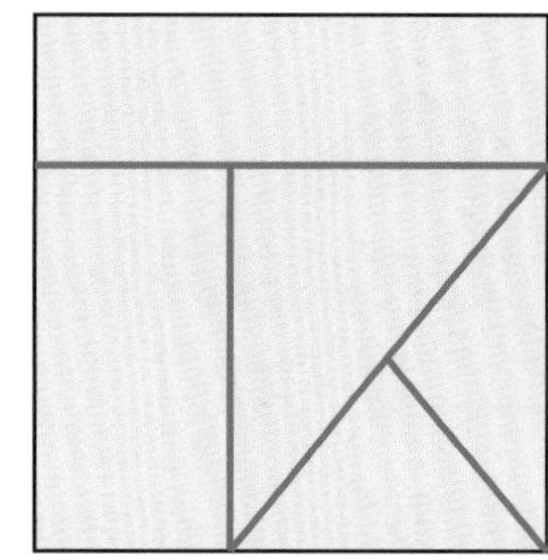

삼각형 ☐개, 사각형 ☐개

2일 잘린 도형의 개수

도형 집중 연습

파란색 선을 따라 모두 자를 때 만들어지는 도형의 개수를 구하세요.

1-1

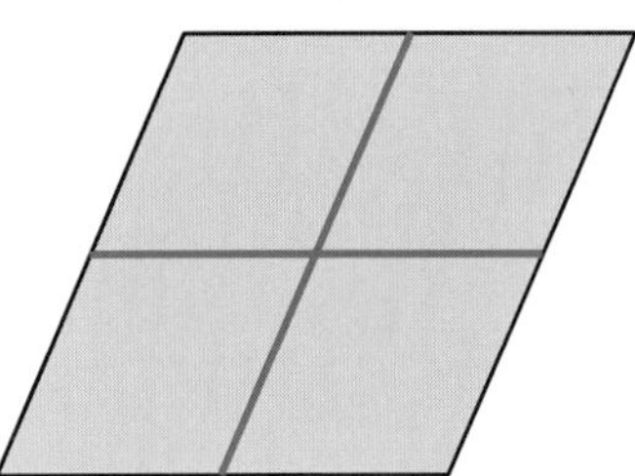

모양은 변이 4개, 꼭짓점이 4개인 사각형이에요.

사각형 □개

1-2

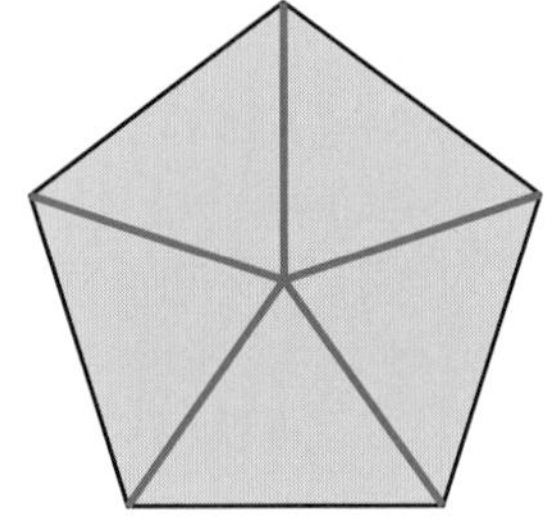

삼각형 □개

1-3

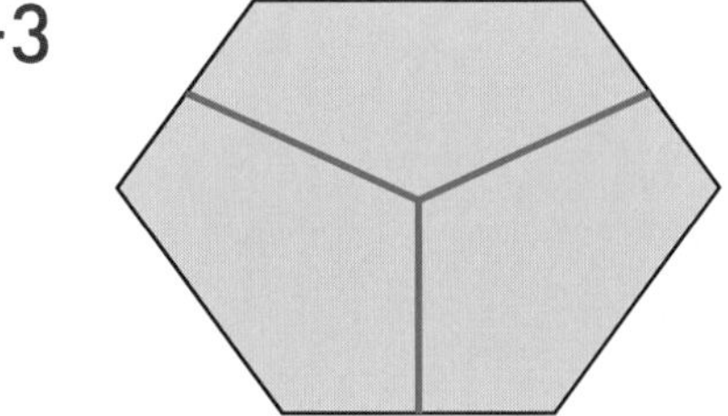

오각형 □개

1-4

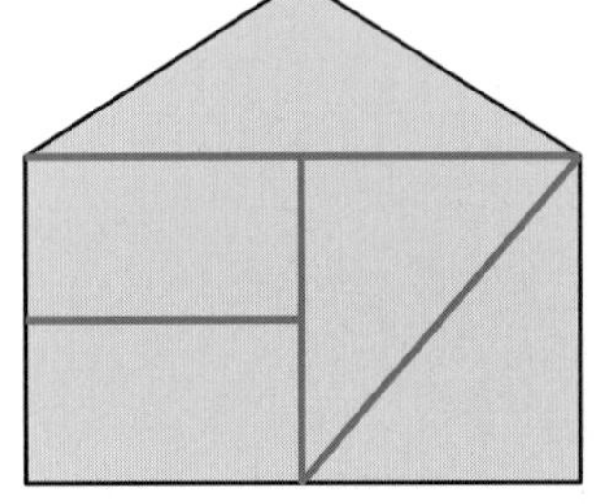

삼각형 □개, 사각형 □개

1-5

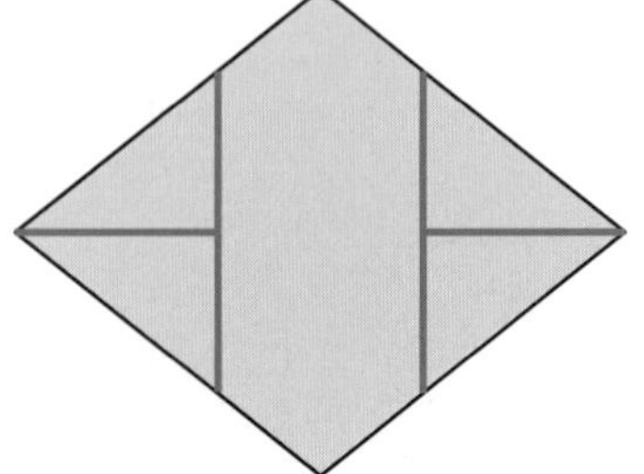

삼각형 □개, 육각형 □개

파란색 선을 따라 모두 자를 때 만들어지는 도형의 이름과 개수를 구하세요.

2-1

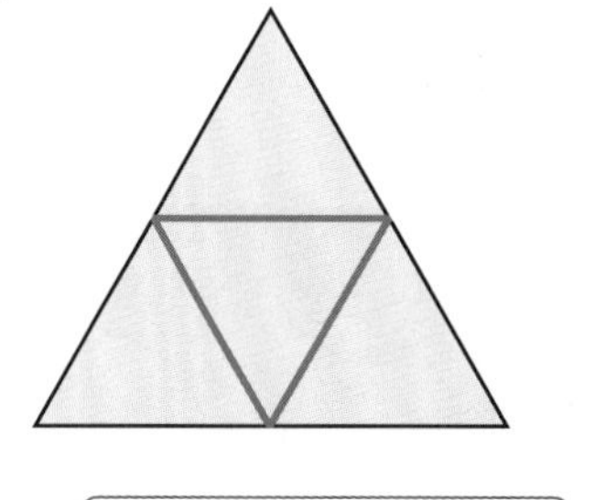

[ ] — [ ]개

2-2

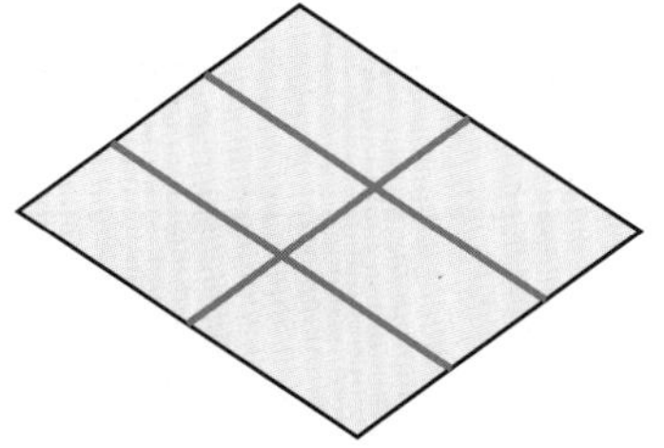

[ ] — [ ]개

2-3

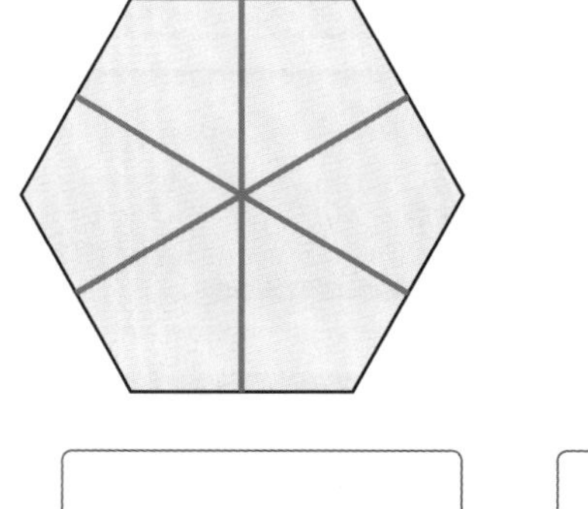

[ ] — [ ]개

2-4

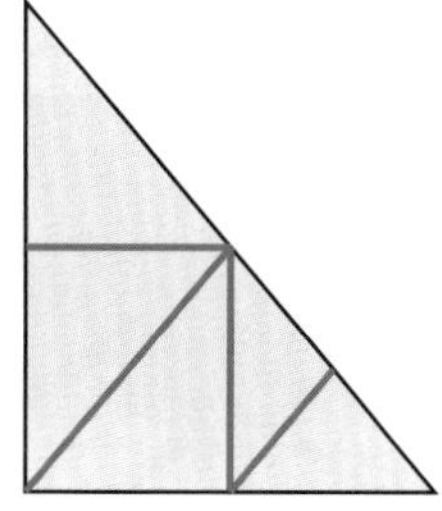

[ ] — [ ]개

3 친구들이 각자 가지고 있는 색종이를 선을 따라 모두 자를 때, 삼각형 6개가 만들어지는 사람은 누구인지 이름을 쓰세요.

[ ]

찾을 수 있는 크고 작은 도형의 개수

오늘은 무엇을 공부할까요?

찾을 수 있는 크고 작은 사각형의 개수를 알아보자.

2주
3일

찾을 수 있는 크고 작은 도형의 개수

활동을 통하여 해결 방법을 알아보아요.

찾을 수 있는 크고 작은 사각형의 개수 알아보기

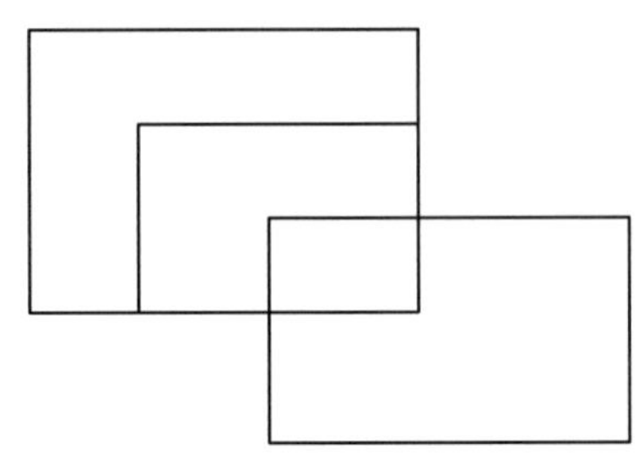

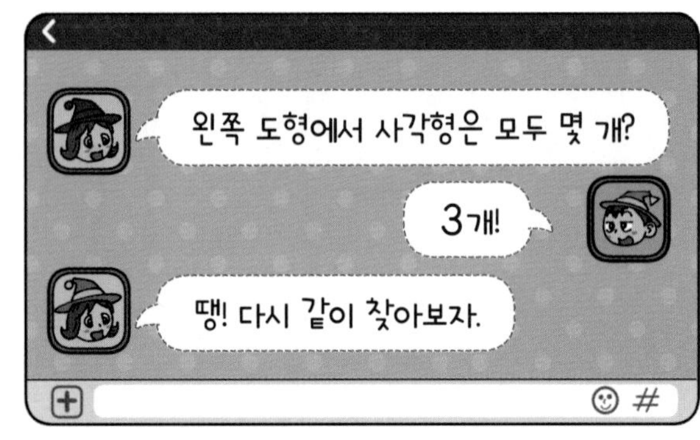

왼쪽 도형에서 사각형은 모두 몇 개?
3개!
땡! 다시 같이 찾아보자.

(방법) 크기별로 찾아보기

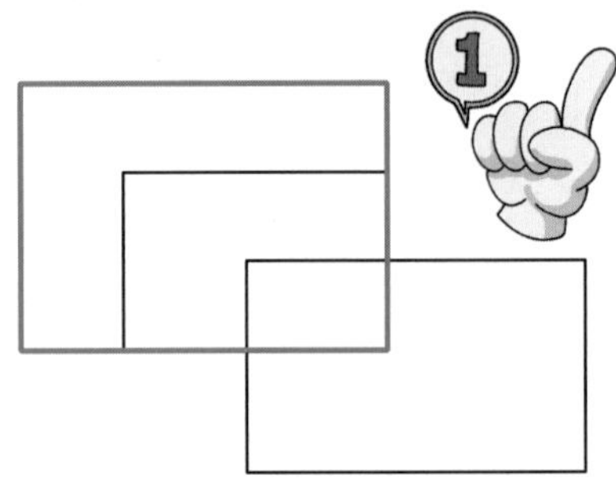

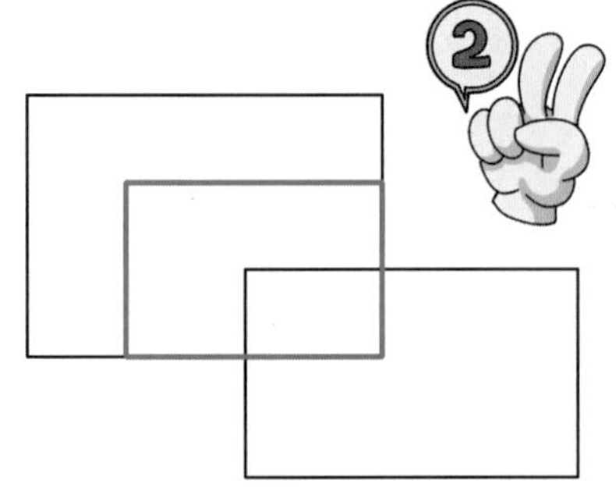

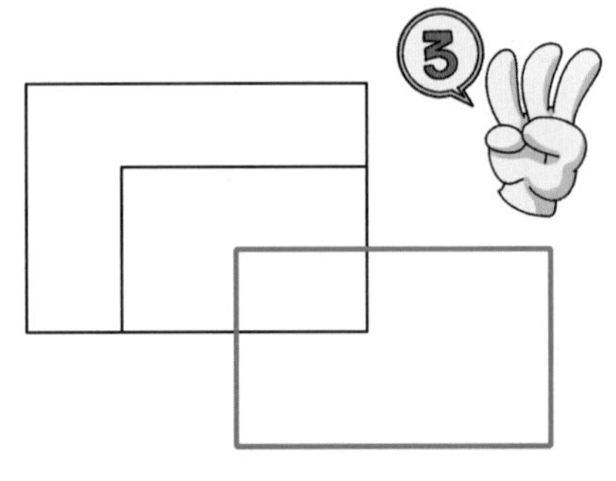

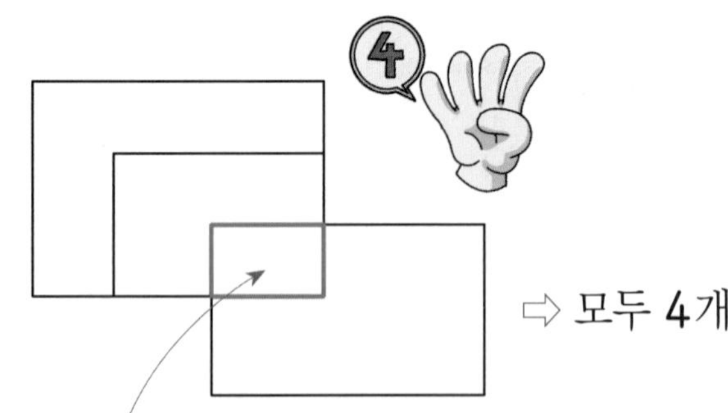

⇨ 모두 4개

겹쳐진 부분의 사각형도 잊지 말고 찾아요.

해결 방법 확인

그림에서 찾을 수 있는 크고 작은 사각형은 모두 몇 개인지 구하세요.

1-1

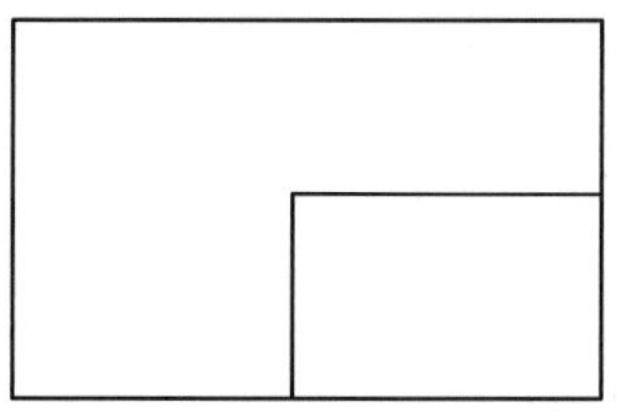

□개

1-2

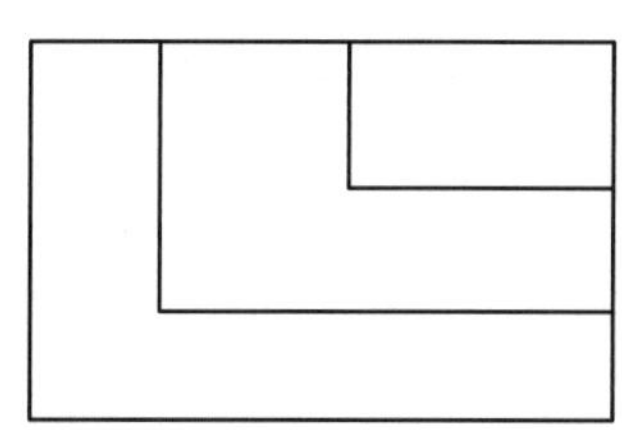

□개

1-3

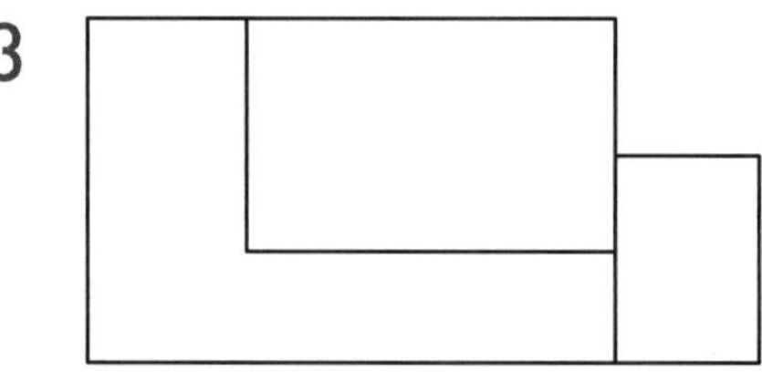

□개

1-4

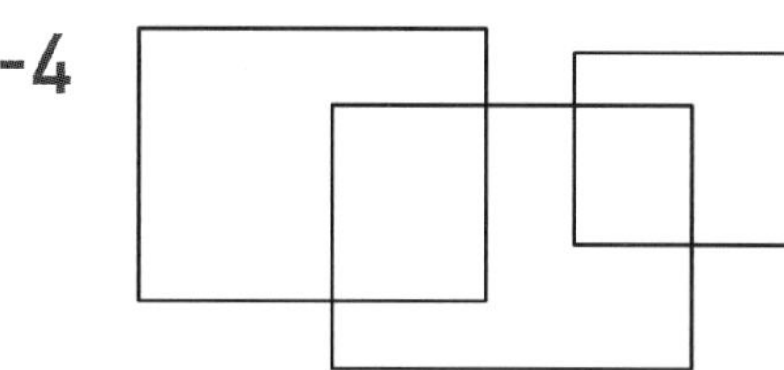

□개

그림에서 찾을 수 있는 크고 작은 삼각형은 모두 몇 개인지 구하세요.

2-1

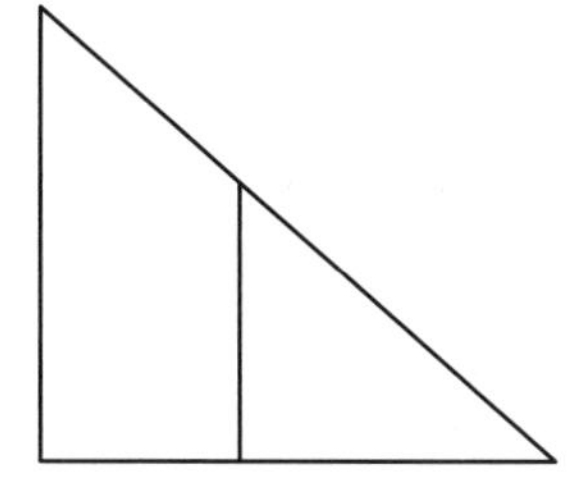

□개

2-2

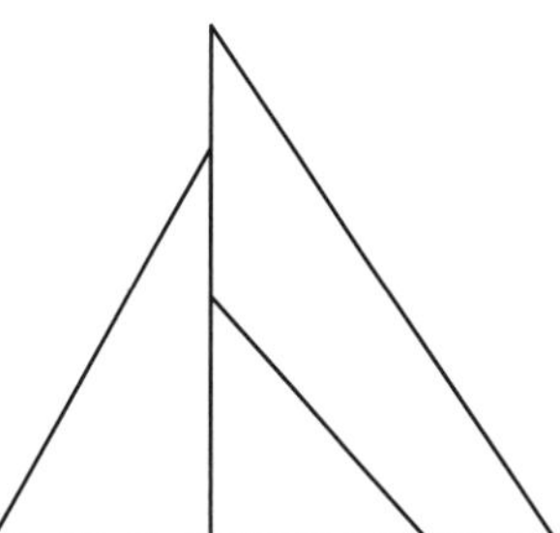

□개

2-3

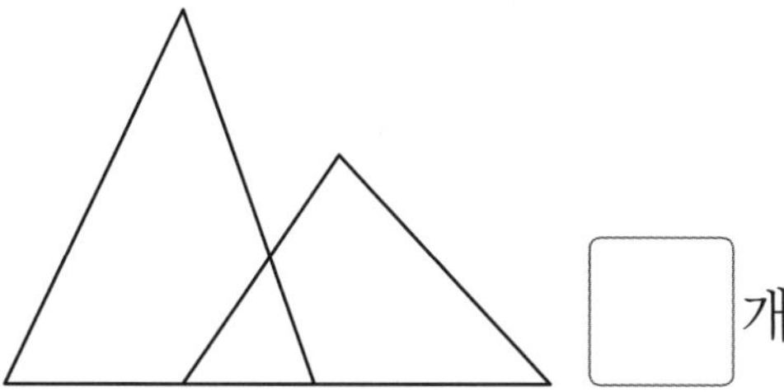

□개

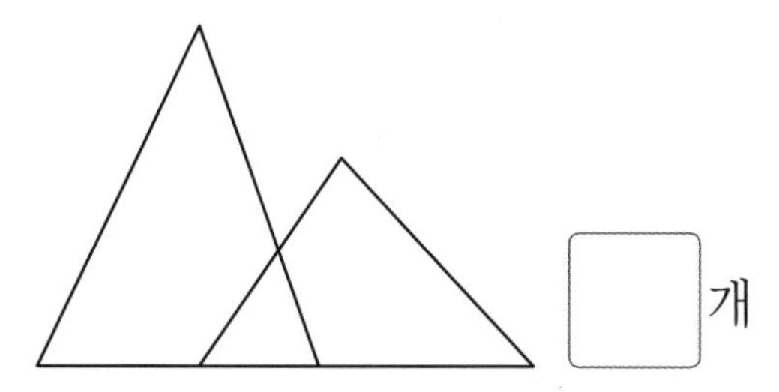

두 삼각형이 겹쳐서 생긴 도형도 삼각형이에요.

3일 찾을 수 있는 크고 작은 도형의 개수

도형 집중 연습

그림에서 찾을 수 있는 크고 작은 사각형은 모두 몇 개인지 구하세요.

1-1

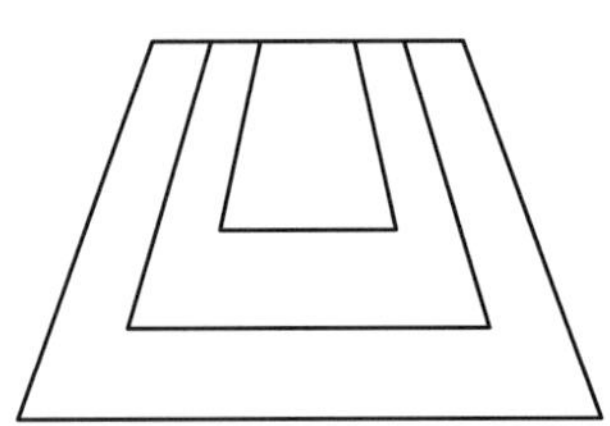

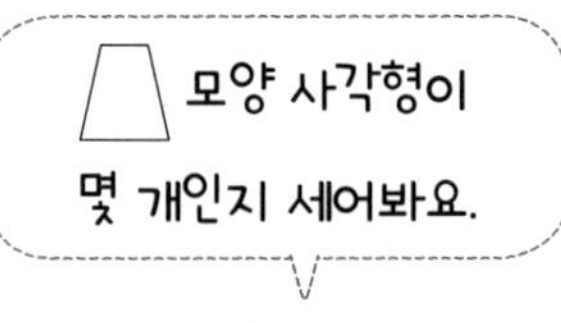

모양 사각형이 몇 개인지 세어봐요.

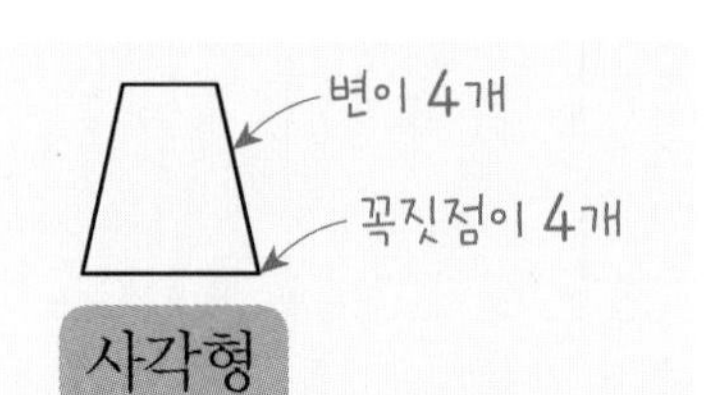

☐개

1-2

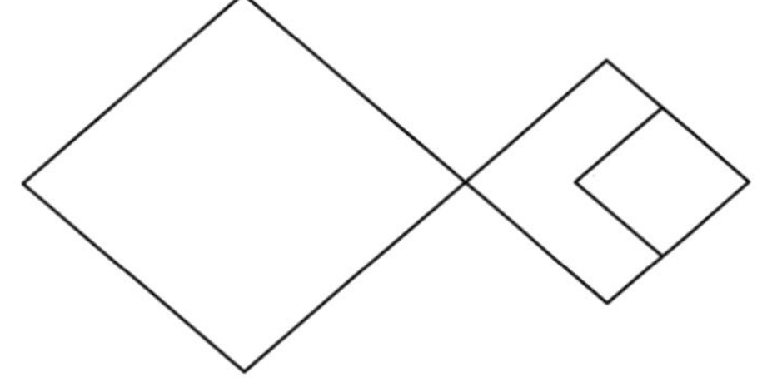

☐개

1-3

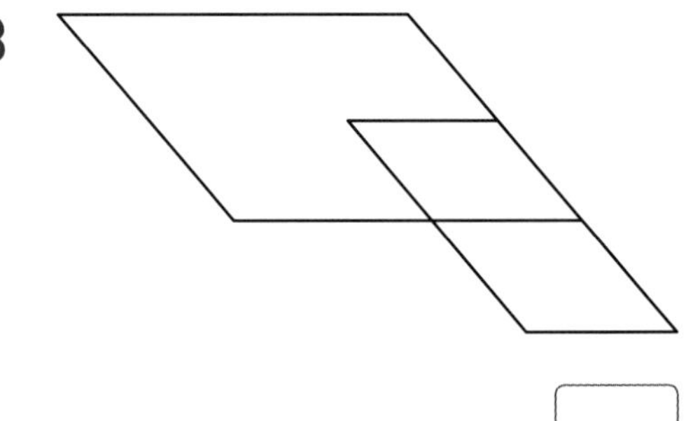

☐개

1-4

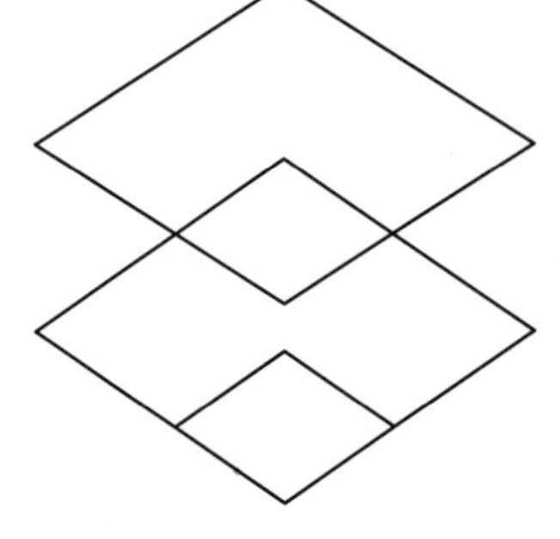

☐개

1-5

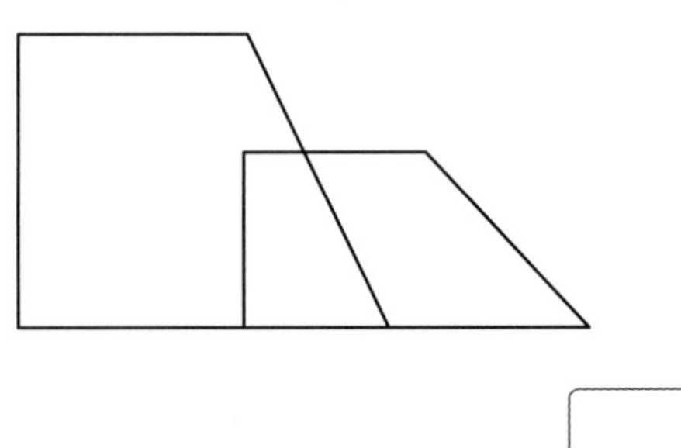

☐개

그림에서 찾을 수 있는 크고 작은 삼각형과 사각형은 각각 몇 개인지 구하세요.

2-1

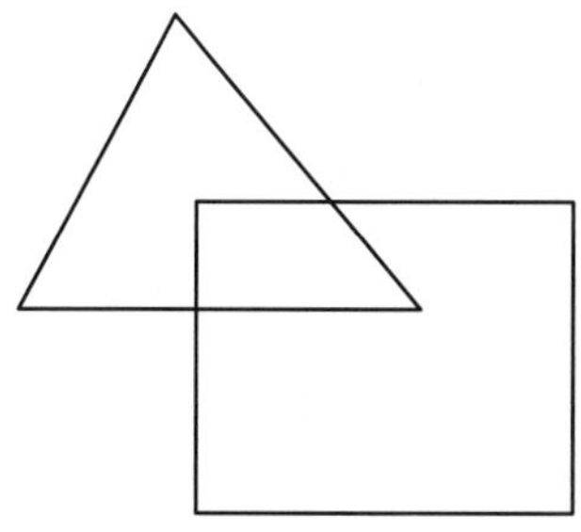

삼각형 [ ]개, 사각형 [ ]개

2-2

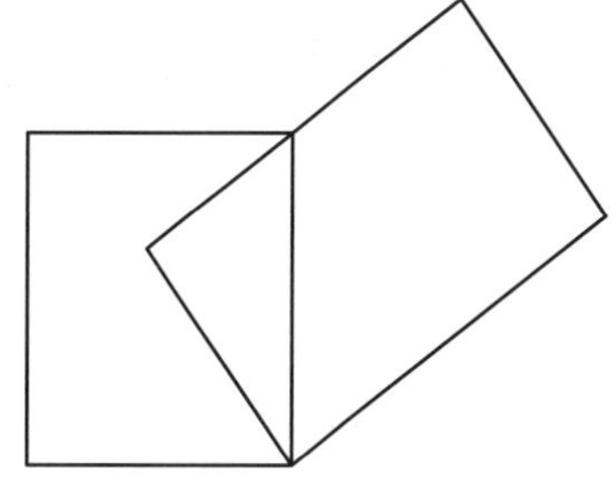

삼각형 [ ]개, 사각형 [ ]개

각 나라의 국기에서 찾을 수 있는 크고 작은 삼각형과 사각형은 각각 몇 개인지 구하세요.

3-1

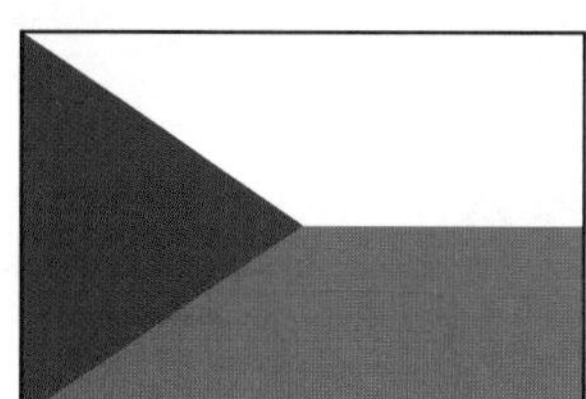

체코 국기

삼각형 [ ]개, 사각형 [ ]개

도브리덴!
체코어로 안녕이라는
인사예요.

체코의 수도는
프라하예요.

3-2

콩고 국기

삼각형 [ ]개, 사각형 [ ]개

콩고는 아프리카에
있는 나라예요.

콩고의 수도는
브라자빌이에요.

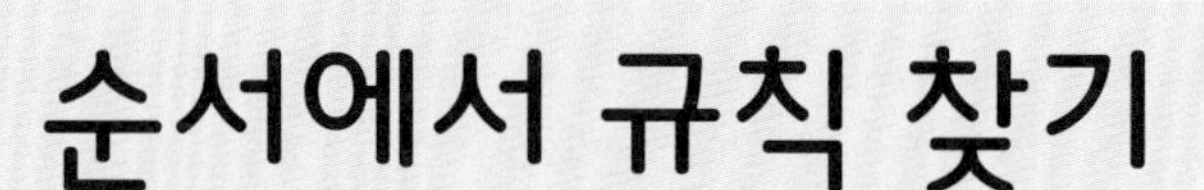

순서에서 규칙 찾기

오늘은 무엇을 공부할까요?

규칙을 찾아 마지막에 알맞은 모양을 알아보자.

2주
4일

순서에서 규칙 찾기

활동을 통하여 개념을 알아보아요.

규칙에 따라 마지막에 알맞은 모양 알아보기

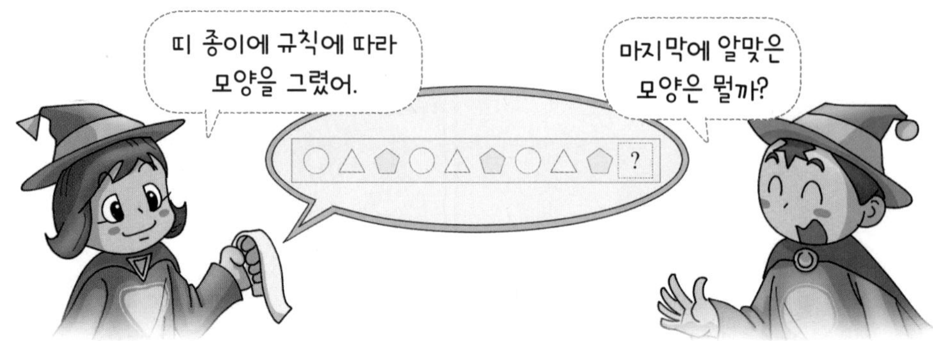

활동 1 어떤 규칙으로 그렸는지 알아보기

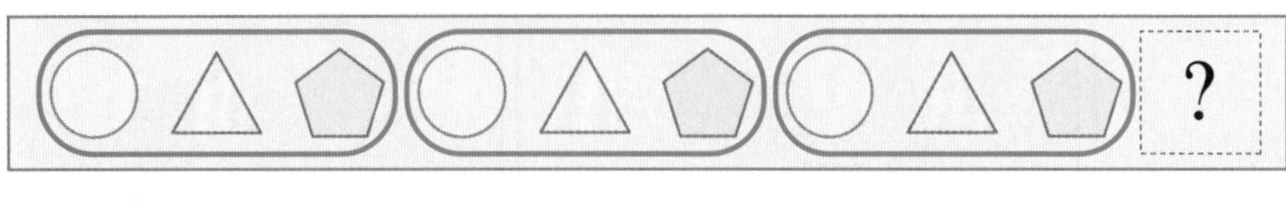

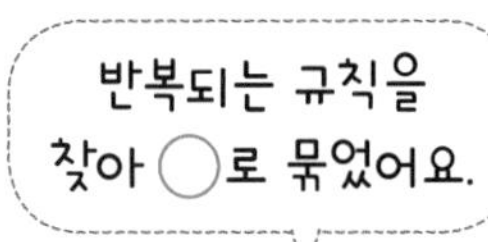

규칙 ◯ △ ⬠이 반복되는 규칙입니다.

활동 2 마지막에 알맞은 모양 그리기

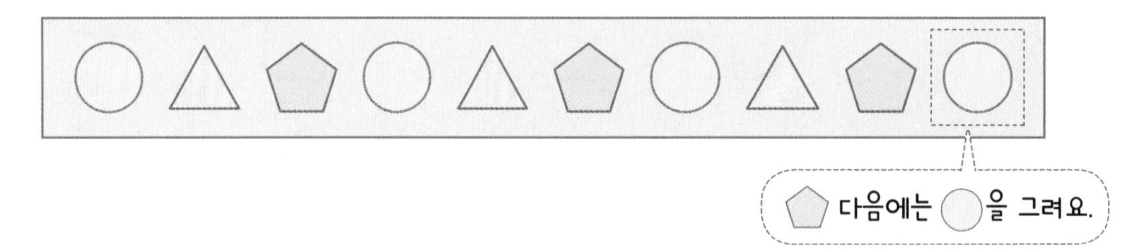

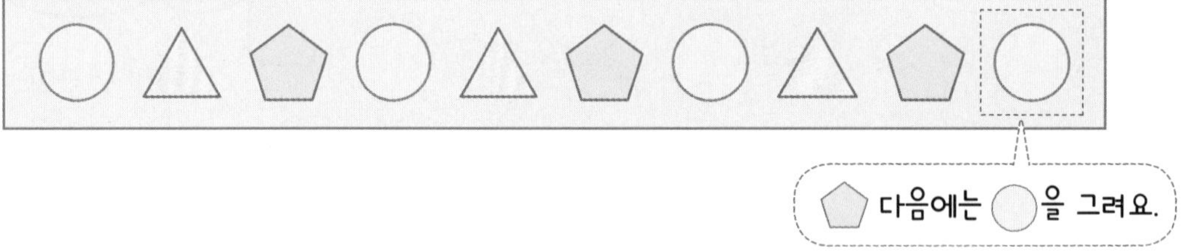

⬠ 다음에는 ◯을 그려요.

개념 짚어 보기

• **순서에서 규칙 찾기**

규칙을 찾을 때에는 반복되는 규칙을 먼저 알아봅니다.

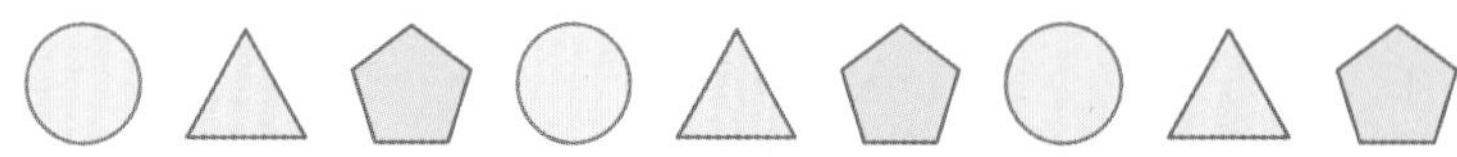

규칙 ◯ △ ⬠이 반복되는 규칙입니다.

활동 개념 확인

보기 와 같이 반복되는 규칙을 찾아 ◯로 묶어 보세요.

보기

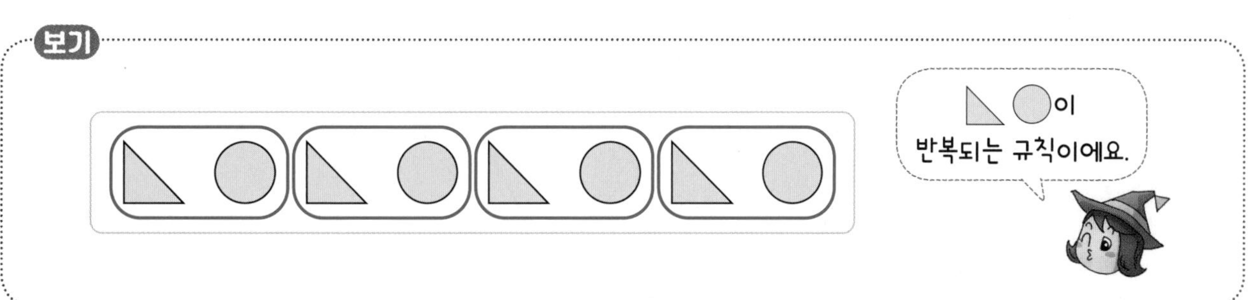

1-1

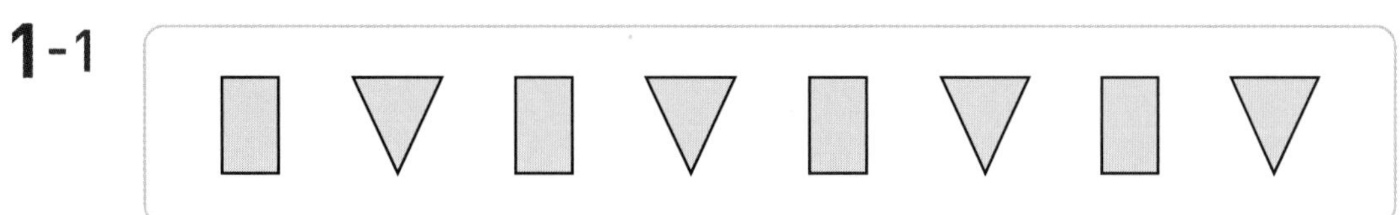

1-2

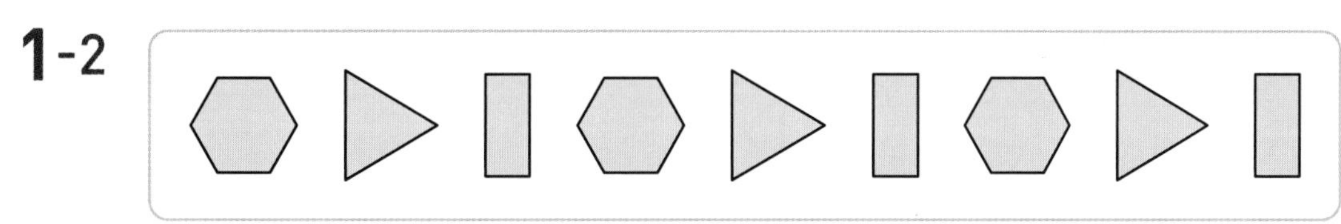

1-3

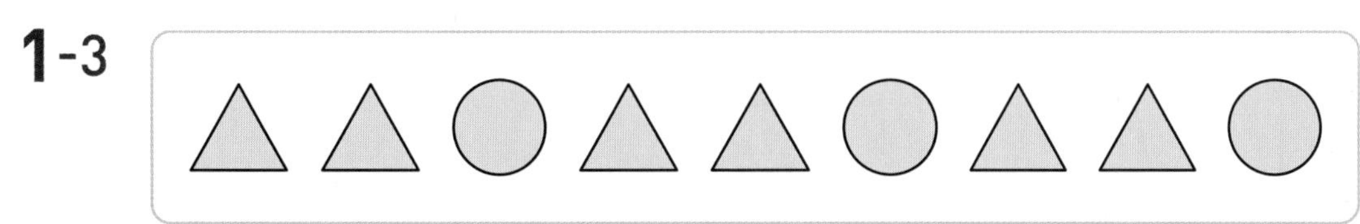

1-4

1-5

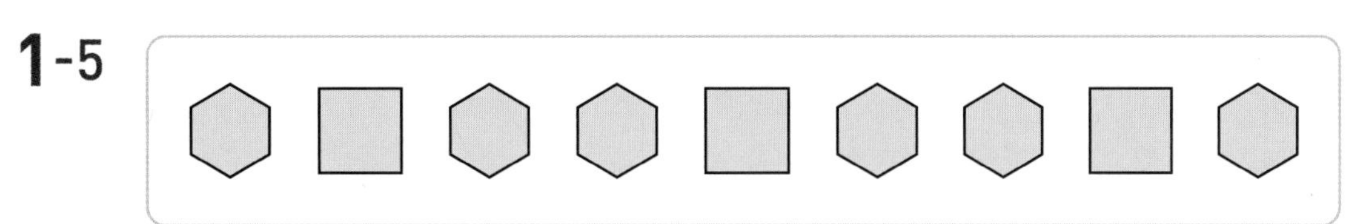

2주 4일

4일 순서에서 규칙 찾기

도형 집중 연습

규칙을 찾아 □ 안에 알맞은 모양을 그려 넣으세요.

1-1

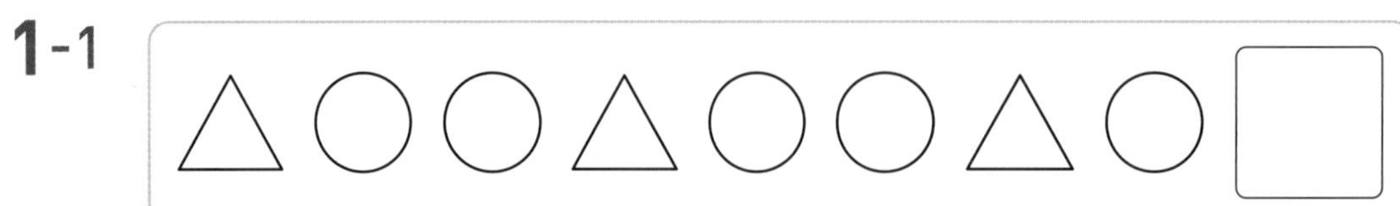

1-2

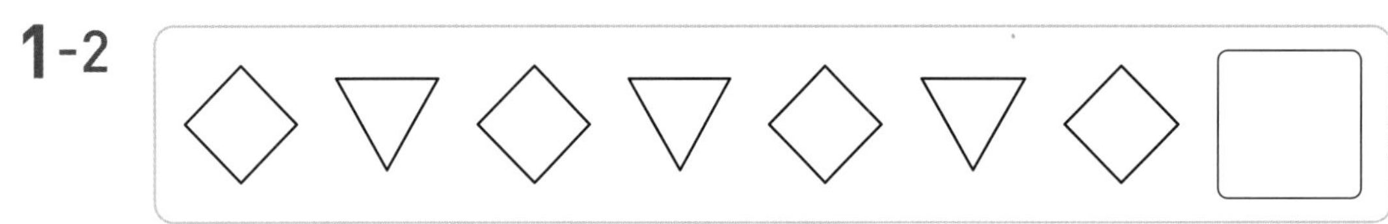

1-3

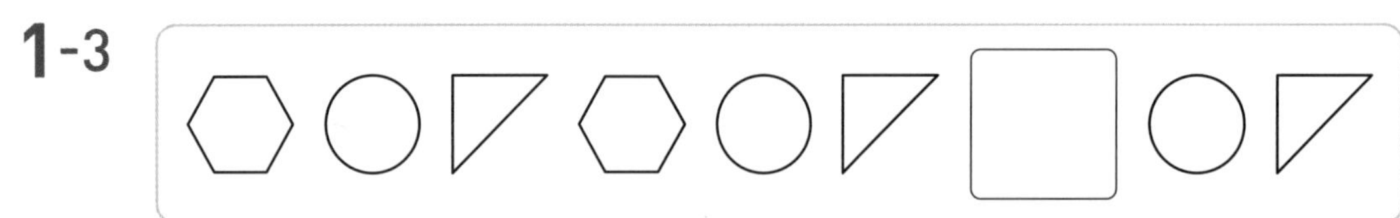

1-4

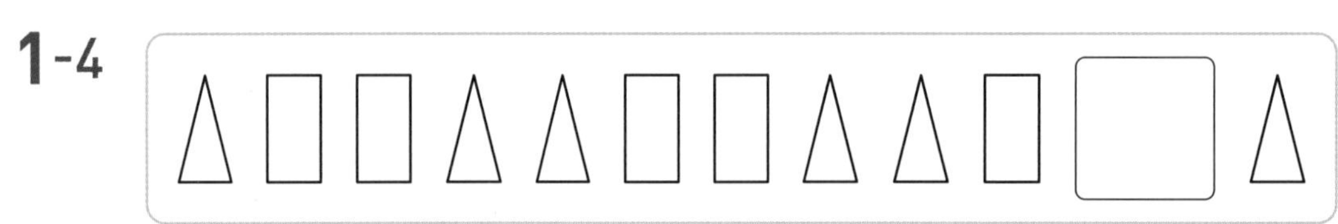

1-5

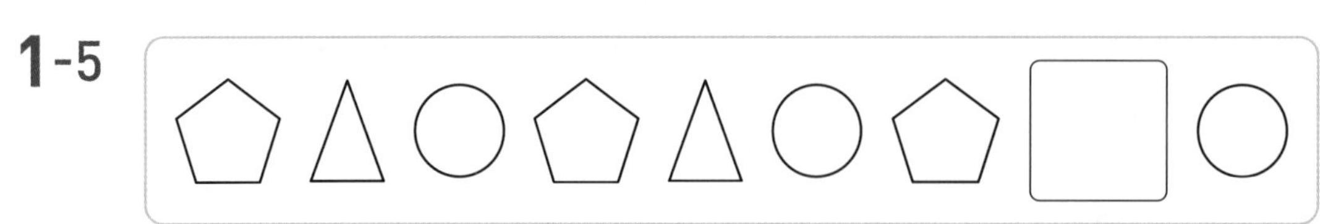

1-6

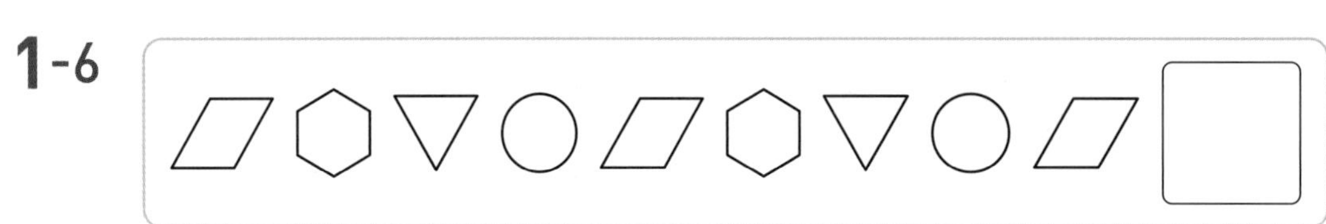

규칙을 찾아 보기 와 같이 마지막 모양에 알맞게 색칠해 보세요.

보기

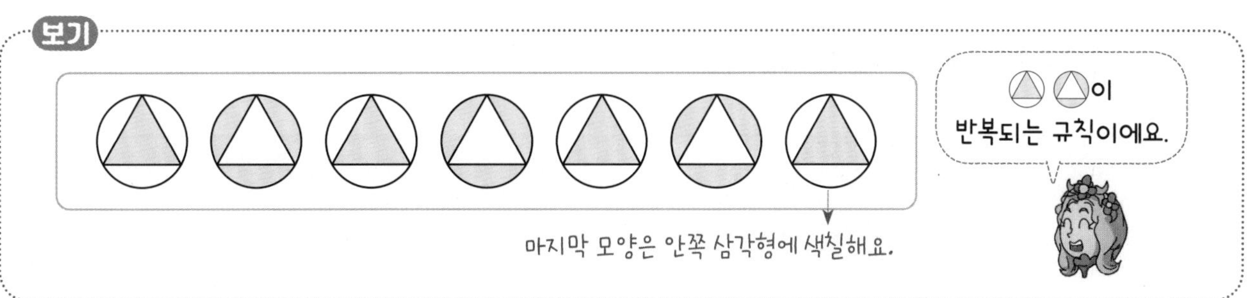

2-1

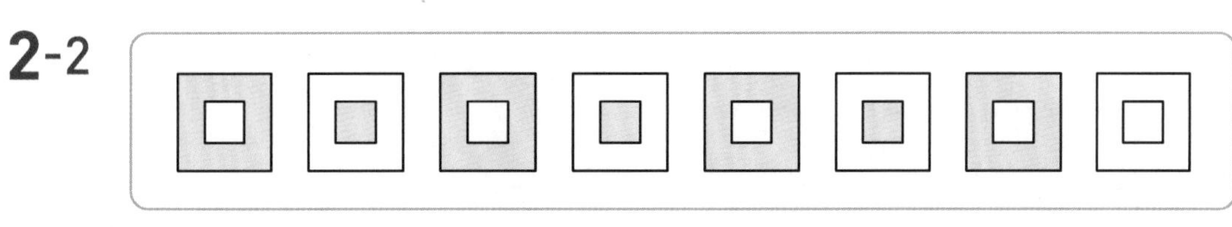

2-2

2-3

2-4

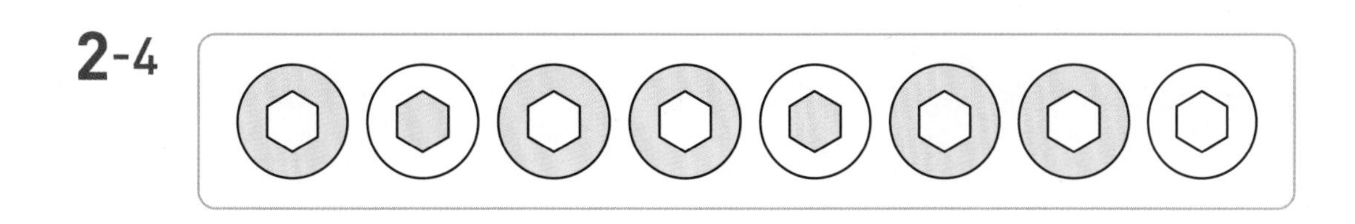

5일 무늬에서 규칙 찾기

오늘은 무엇을 공부할까요?

규칙에 따라 무늬를 만들어 보자.

2주
5일

무늬에서 규칙 찾기

활동을 통하여 개념을 알아보아요.

규칙에 따라 무늬를 꾸며 완성하기

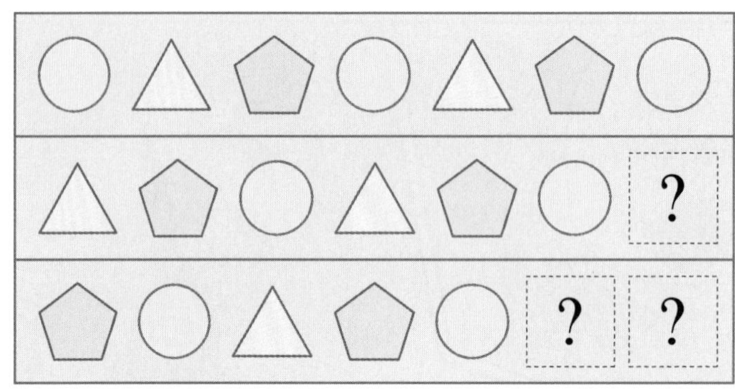

활동 1 무늬를 어떤 규칙으로 만들었는지 알아보기

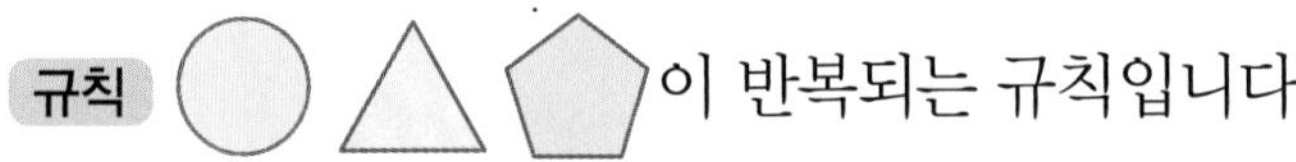

이 반복되는 규칙입니다.

활동 2 빈 곳에 알맞은 모양 그리기

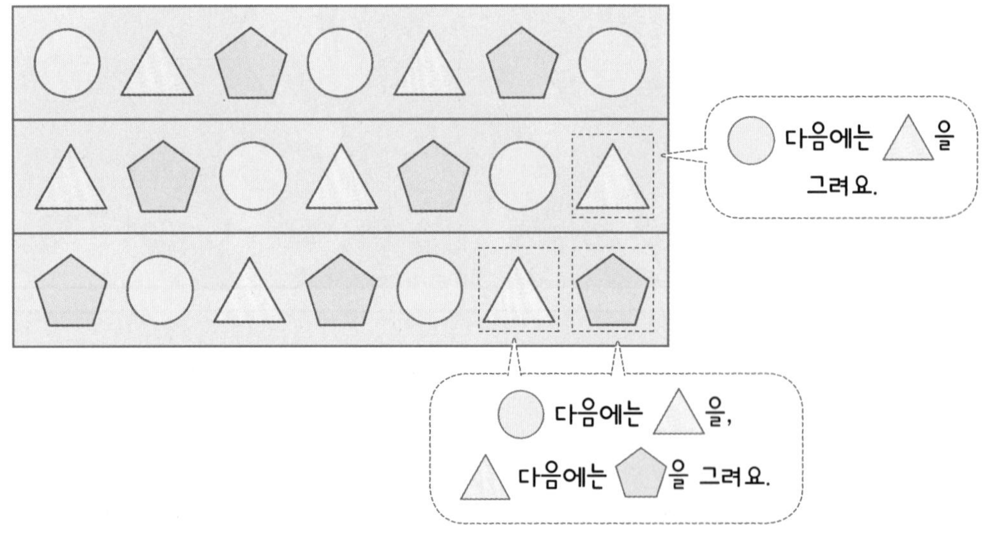

개념 짚어 보기

• 무늬에서 규칙 찾기

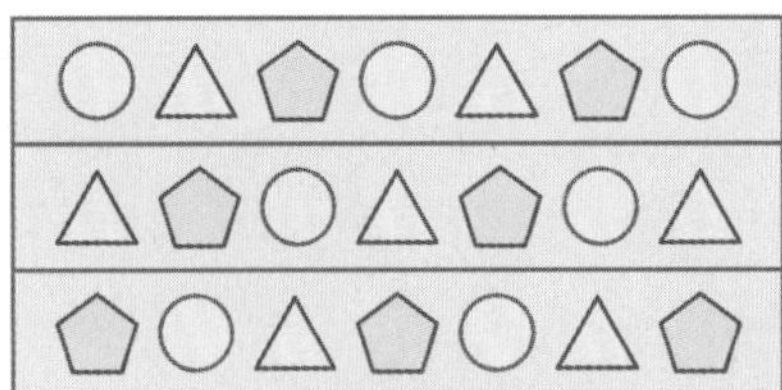

규칙 ○ △ ⬠이 반복되는 규칙입니다.

규칙을 찾아 무늬를 완성하려고 합니다. 빈 곳에 알맞은 모양을 그려 넣으세요.

1-1

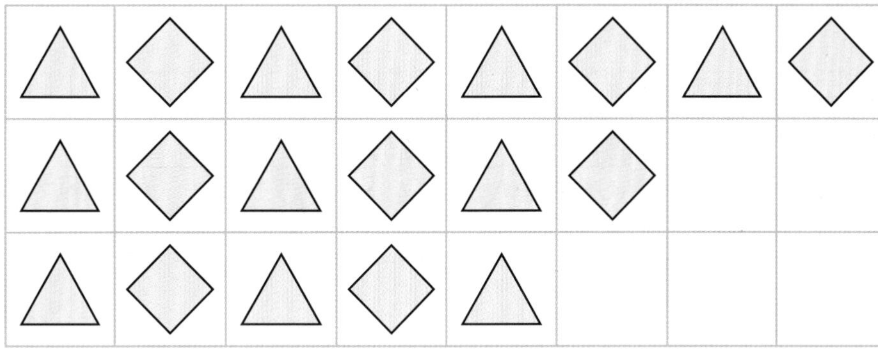

1-2

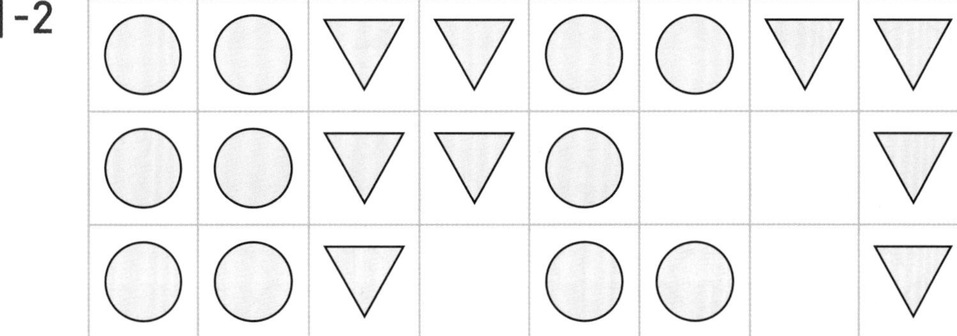

1-3

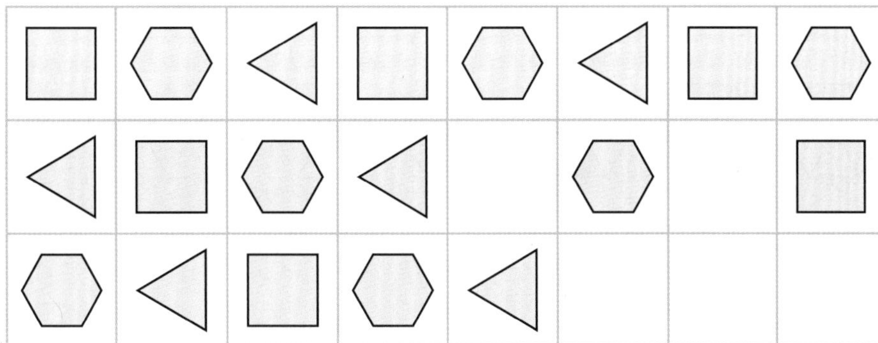

1-4

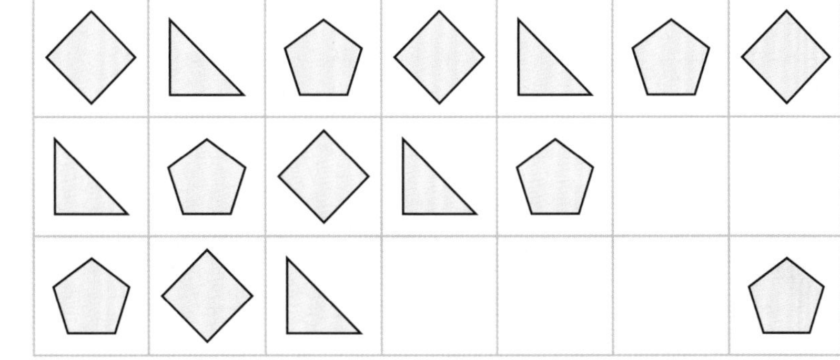

2주 5일

5일 무늬에서 규칙 찾기

도형 집중 연습

규칙을 찾아 마지막 모양에 알맞게 색칠해 보세요.

1-1

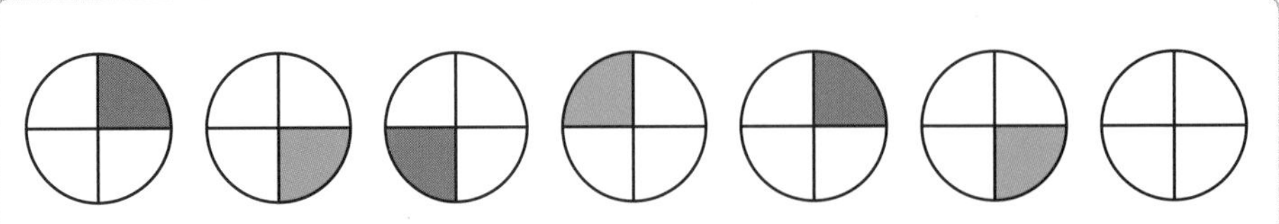

파랑, 초록이 반복되고 시계 방향으로 이동하며 색칠되는 규칙이에요.

1-2

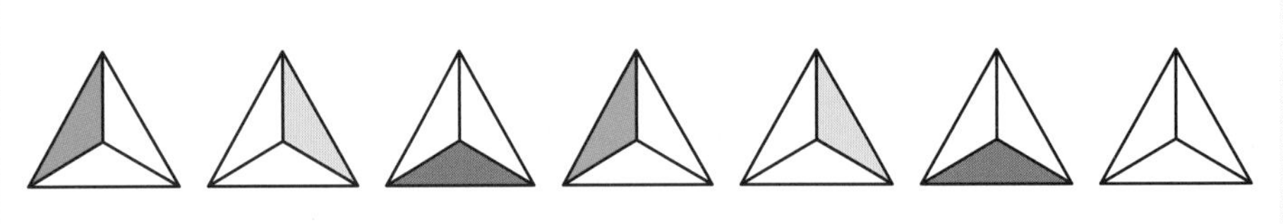

1-3

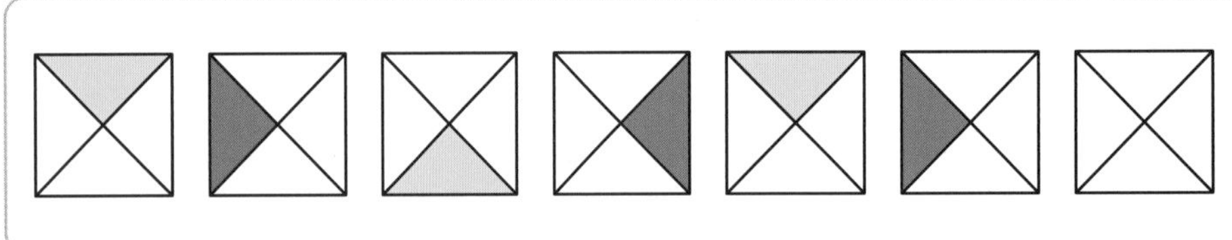

1-4

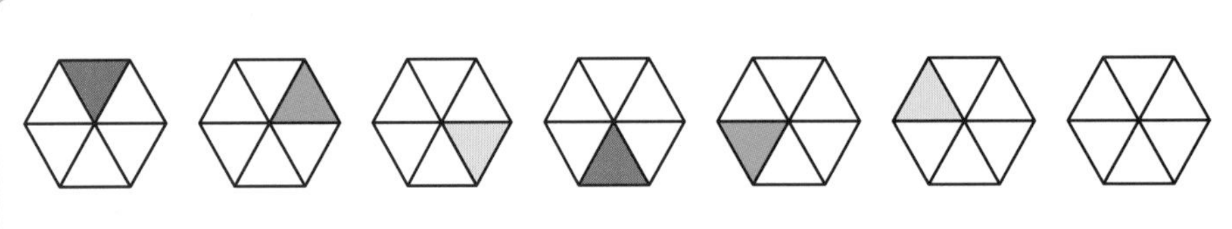

1-5

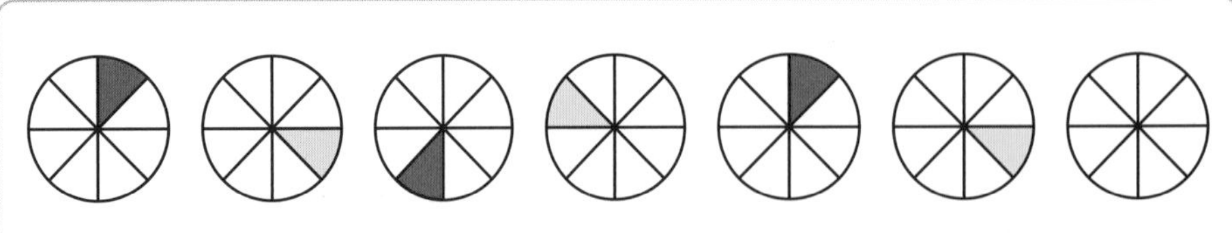

1-6

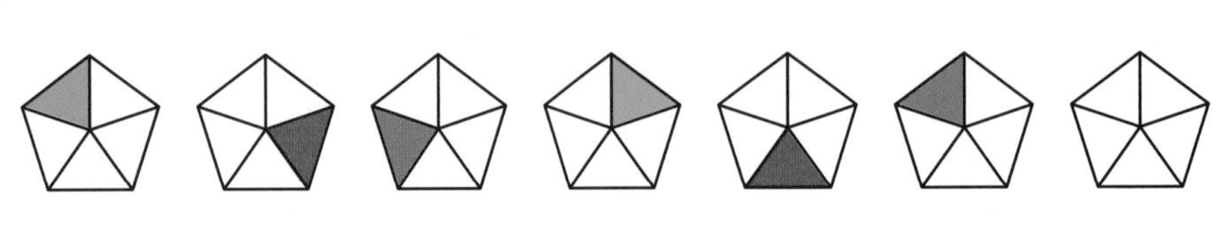

보기 와 같이 규칙을 찾아 □ 안에 알맞은 모양을 그려 넣으세요.

보기

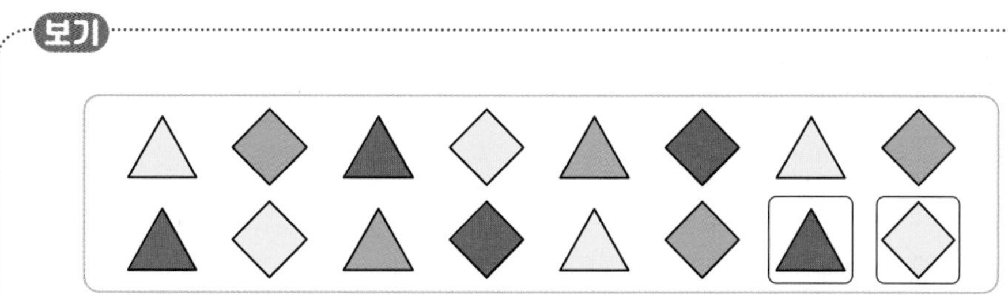

△ ◇이 반복되고 노랑, 초록, 빨강이 반복되는 규칙이에요.

2-1

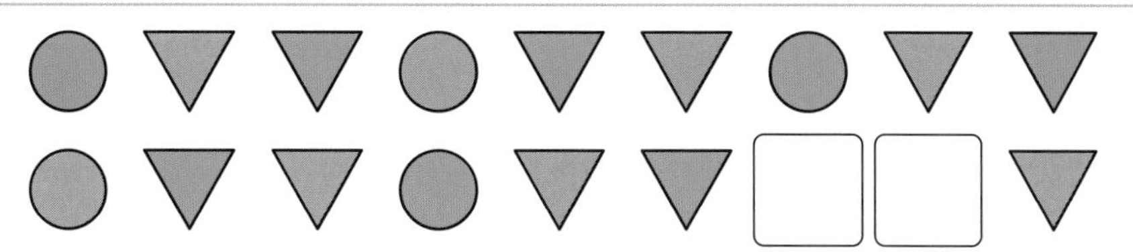

2-2

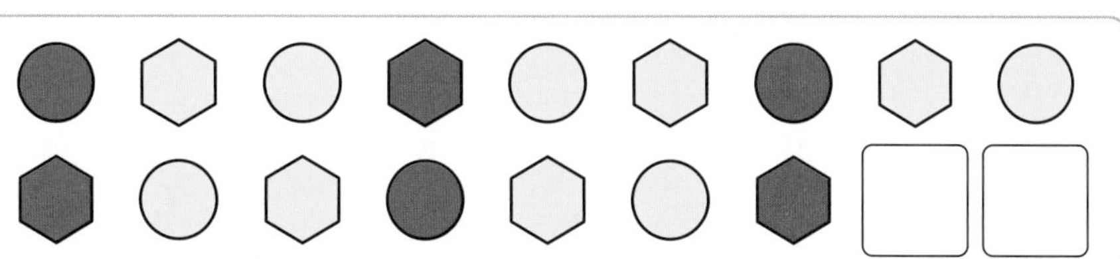

2-3

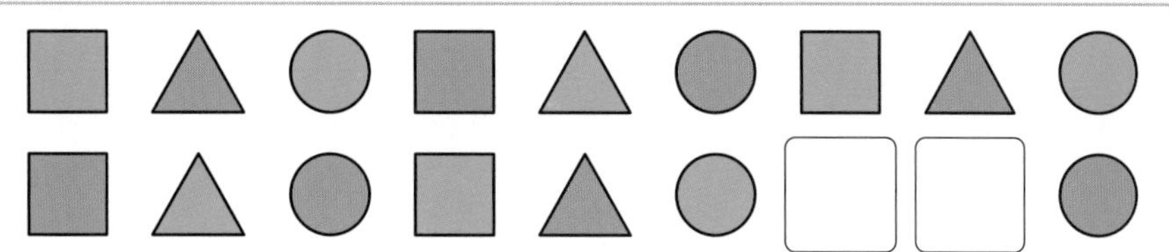

규칙을 찾아 모양을 그리고 반복되는 색깔 규칙에 따라 색을 칠해요.

2-4

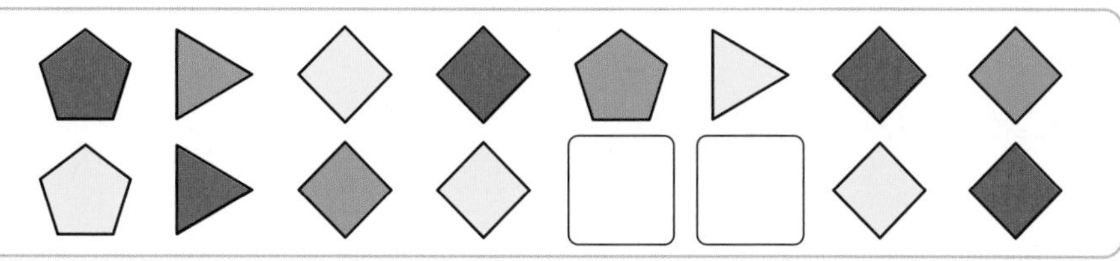

2주
5일

누구나 100점 맞는 TEST

01 그림에서 찾을 수 있는 크고 작은 원은 모두 몇 개인지 구하세요.

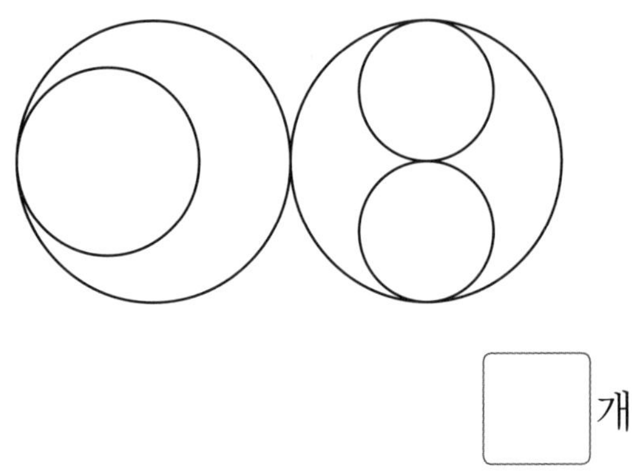

☐개

[02~03] 파란색 선을 따라 모두 자를 때 만들어지는 도형의 이름과 개수를 구하세요.

02

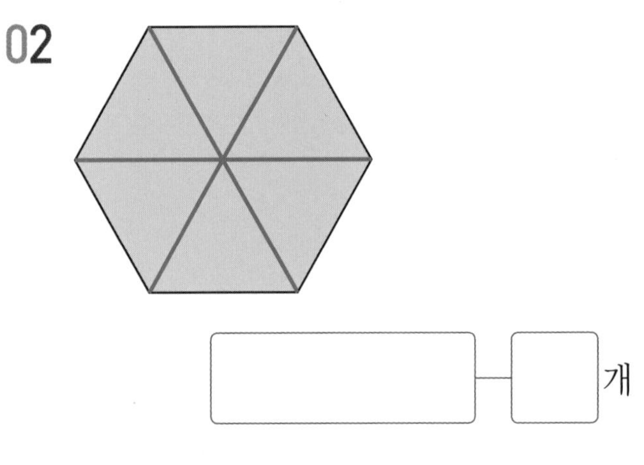

☐ ― ☐개

03

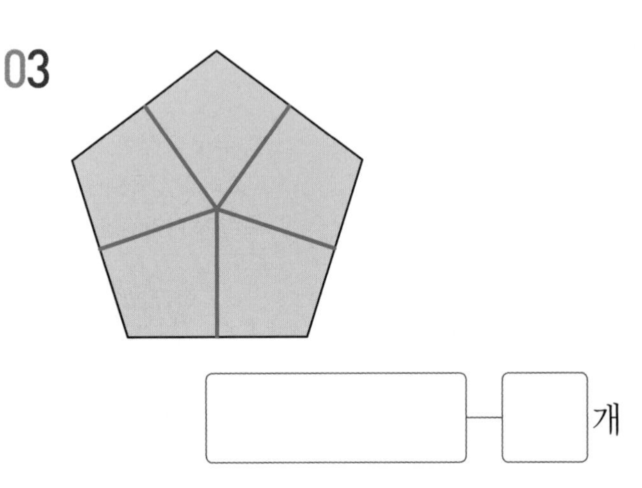

☐ ― ☐개

[04~05] 그림에서 찾을 수 있는 크고 작은 삼각형과 사각형은 각각 몇 개인지 구하세요.

04

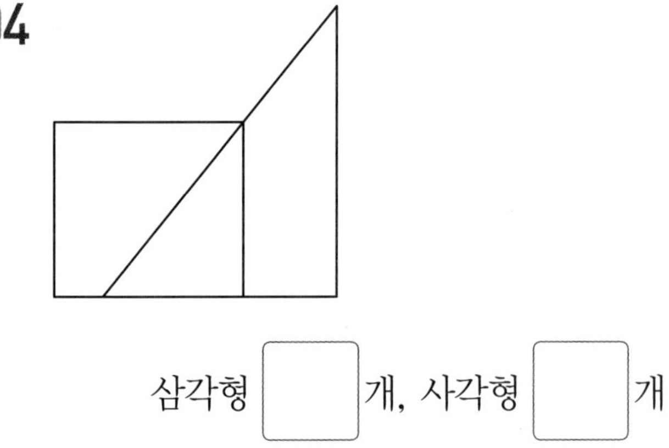

삼각형 ☐개, 사각형 ☐개

05

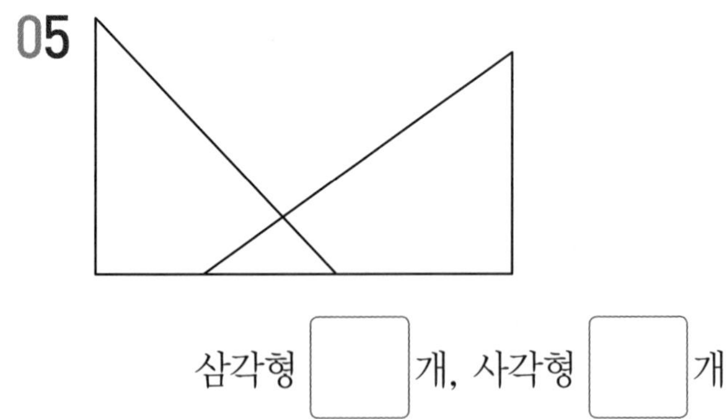

삼각형 ☐개, 사각형 ☐개

[06~07] 규칙을 찾아 □ 안에 알맞은 모양을 그려 넣으세요.

06

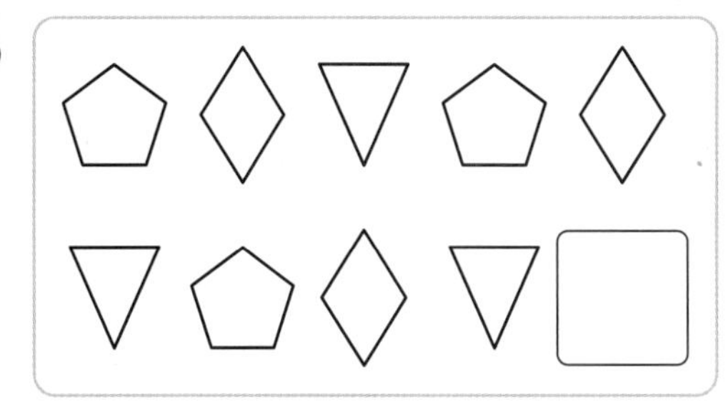

07

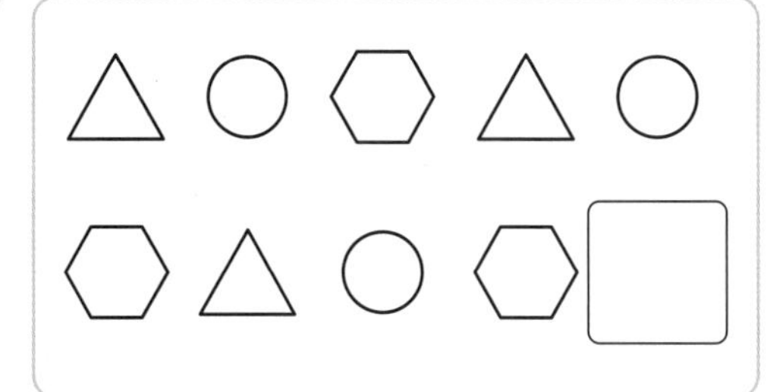

08 규칙을 찾아 마지막 모양에 알맞게 색칠해 보세요.

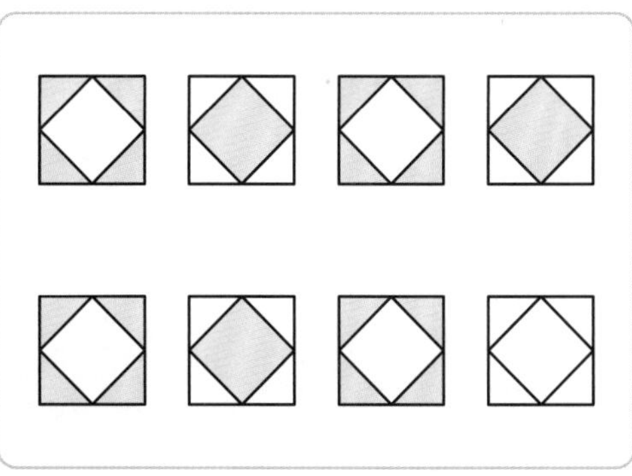

09 규칙을 찾아 마지막 모양에 알맞게 색칠해 보세요.

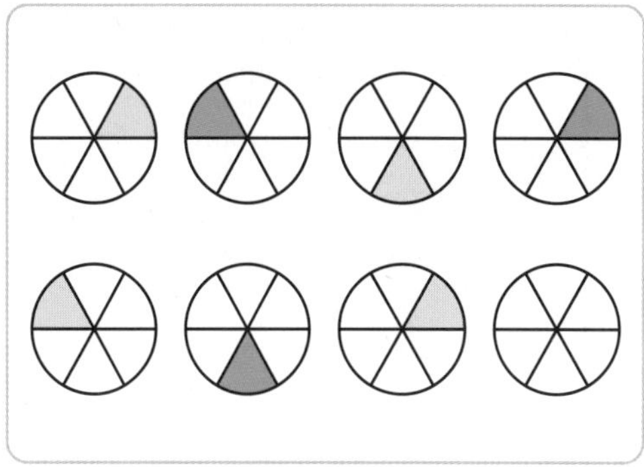

10 규칙을 찾아 □ 안에 알맞은 모양을 그려 넣으세요.

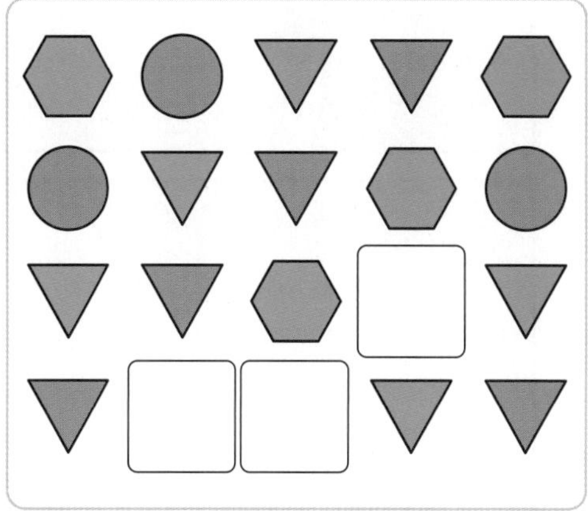

특강 창의·융합·코딩

새로운 도형 만들기

왼쪽 사각형 모양의 종이를
자르고 다시 합쳐 오른쪽
삼각형처럼 만들어 보렴.

네~ 자,
사각형 모양의
종이를 준비해요.

먼저 종이에
선을 그어요.

선을 따라
잘라요.

잘린 모양에서
왼쪽 삼각형을
돌려서 이동
시키면…….

도형을 자르고 합쳐서 새로운 도형을 만들어 보자.

2주
특강

사각형 모양의 종이를 한 번 자르고 다시 합쳐 삼각형을 만들려고 합니다. 어떻게 자르면 좋을지 알아볼까요?

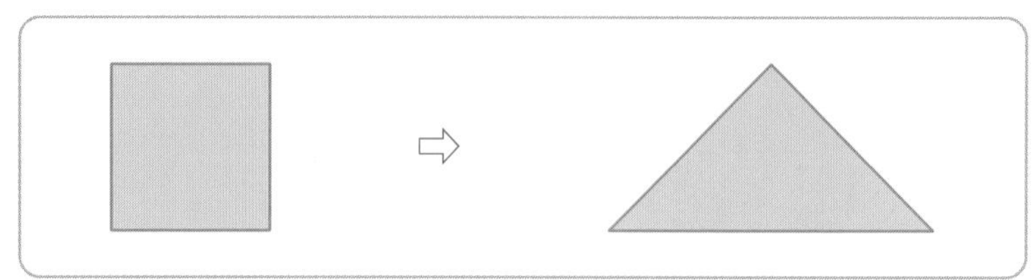

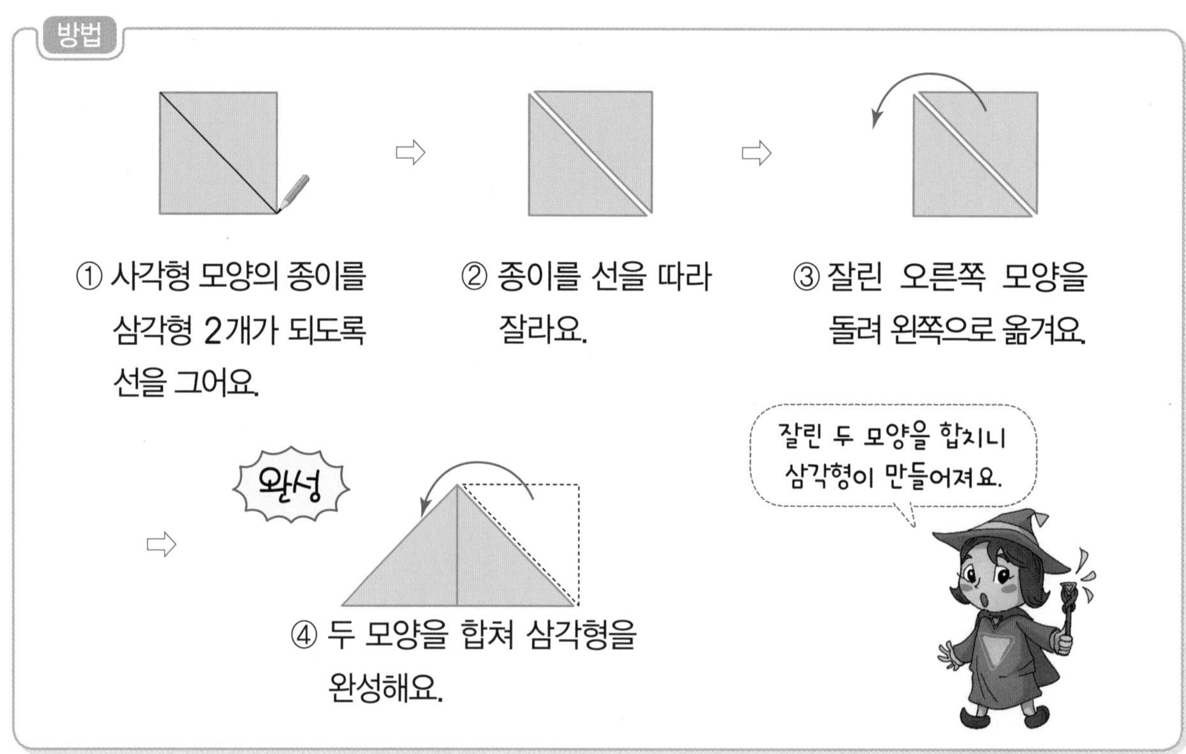

1 왼쪽 사각형을 한 번 자르고 다시 합쳐 오른쪽 도형을 만들었습니다. 다음 중 자를 선을 바르게 그은 것을 찾아 ○표 하세요.

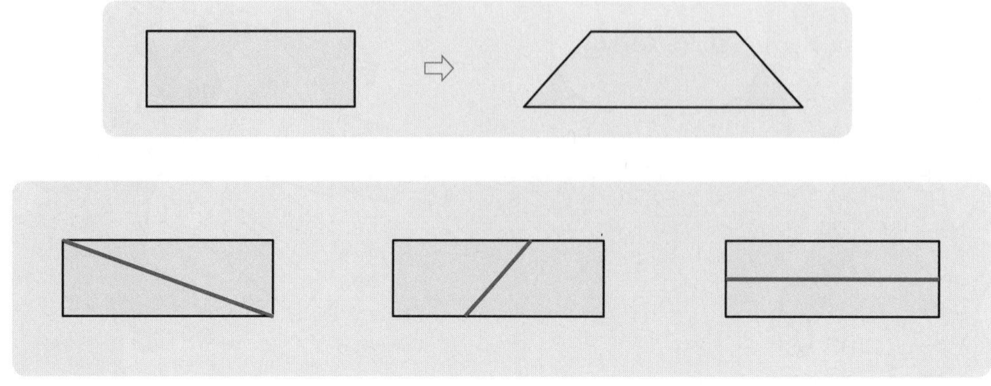

왼쪽 도형을 한 번 자르고 다시 합쳐 오른쪽 도형을 만들었습니다. 보기와 같이 왼쪽 도형에 자른 선을 그어 보세요.

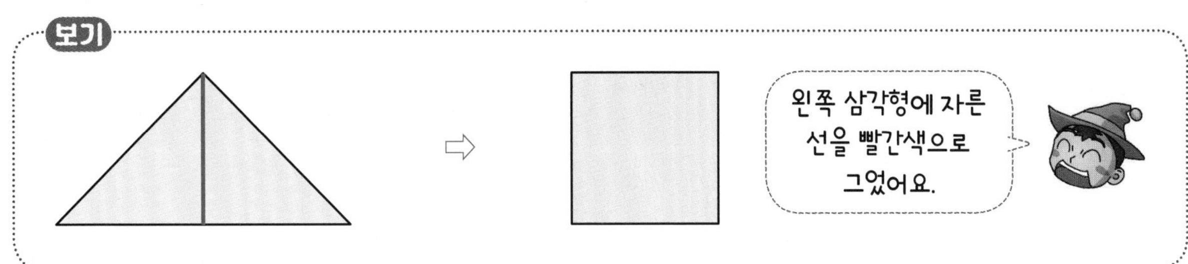

2

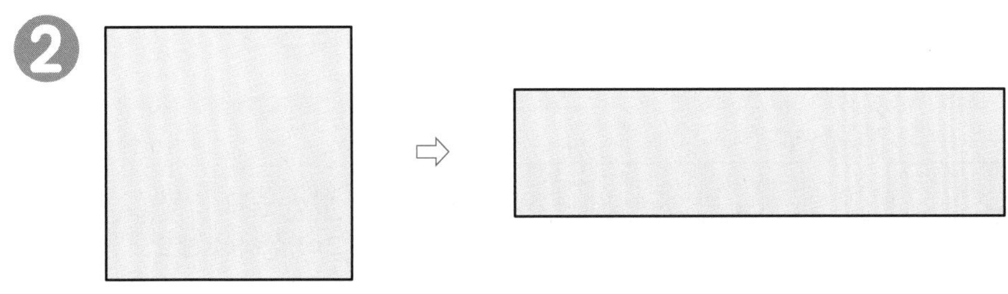

3

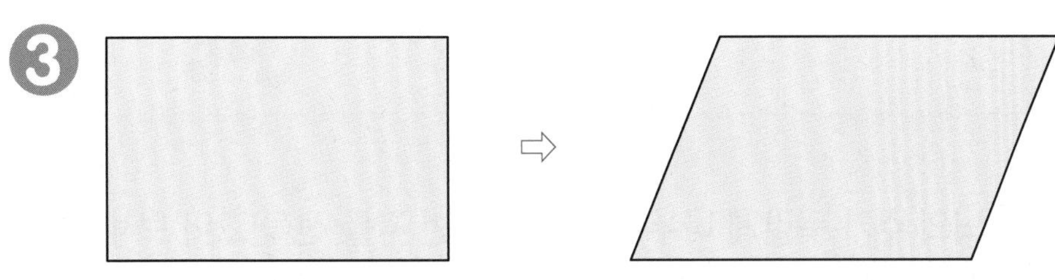

4

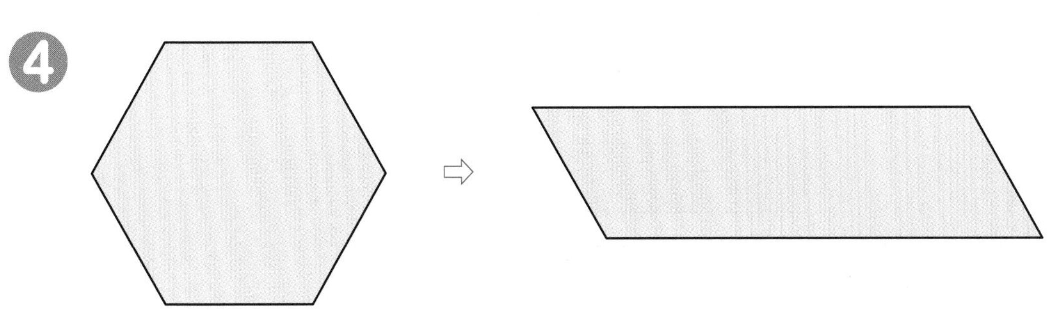

◎ 사각형 모양의 종이가 있습니다. 무늬의 수가 똑같게 나누어지도록 종이를 한 번 자르려고 합니다. 어떻게 잘라야 하는지 알아볼까요?

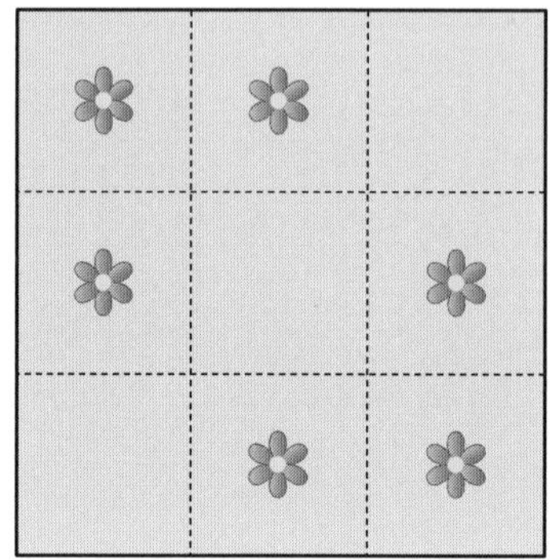

방법

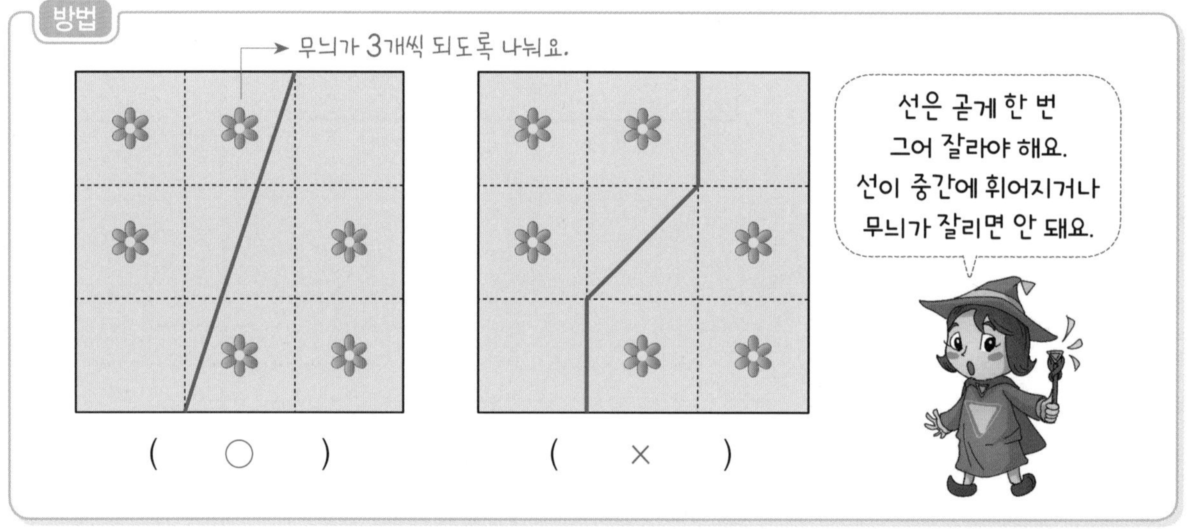

5 위 방법과 다른 방법으로 무늬의 수가 똑같게 나누어지도록 한 번 자를 선을 그어 보세요.
(단, 선이 중간에 휘어지지 않도록 곧은 선으로 긋습니다.)

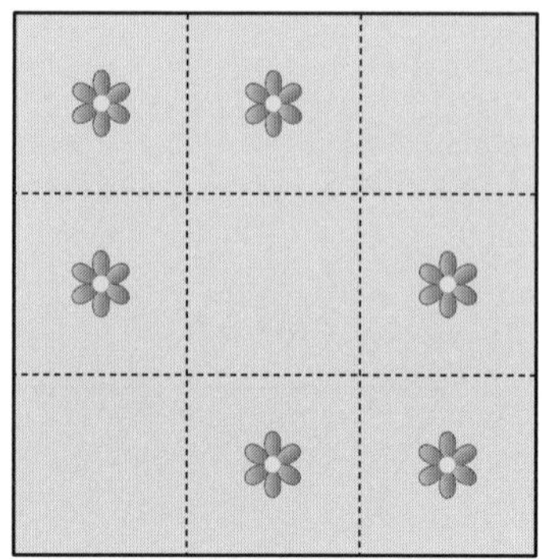

무늬가 그려진 종이가 있습니다. 종이를 한 번 잘라 무늬의 수가 똑같게 나누어지도록 선을 그어 보세요. (단, 선이 중간에 휘어지지 않도록 곧은 선으로 긋습니다.)

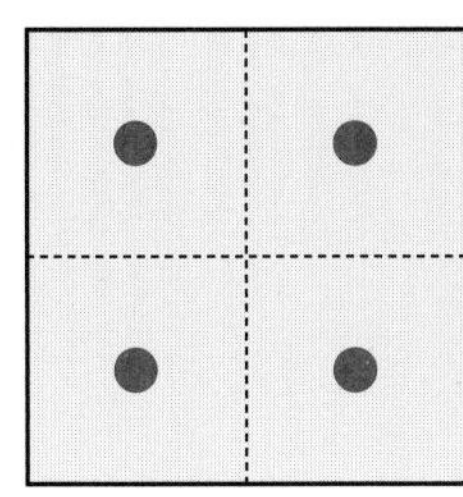

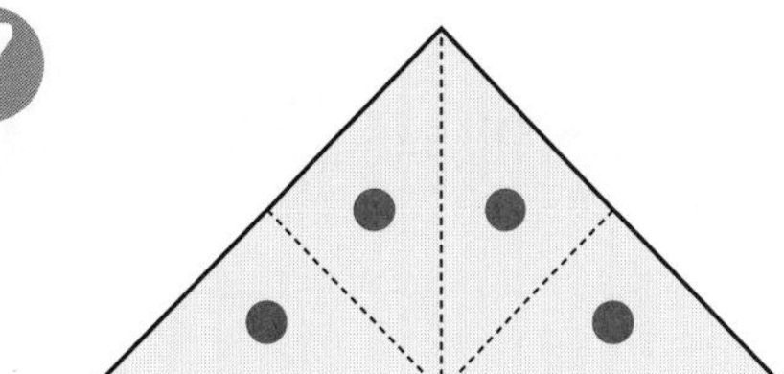

8
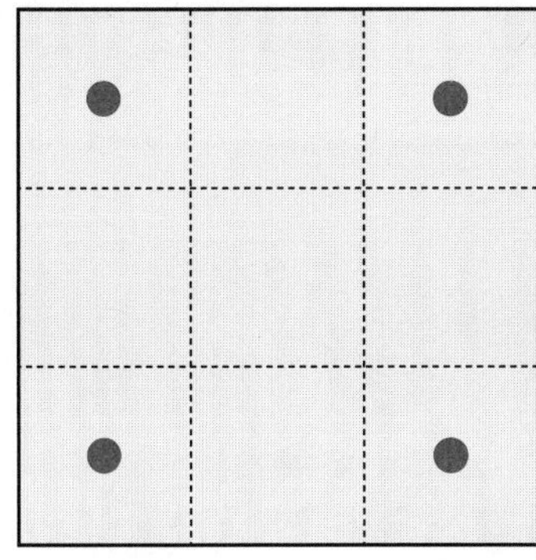

9
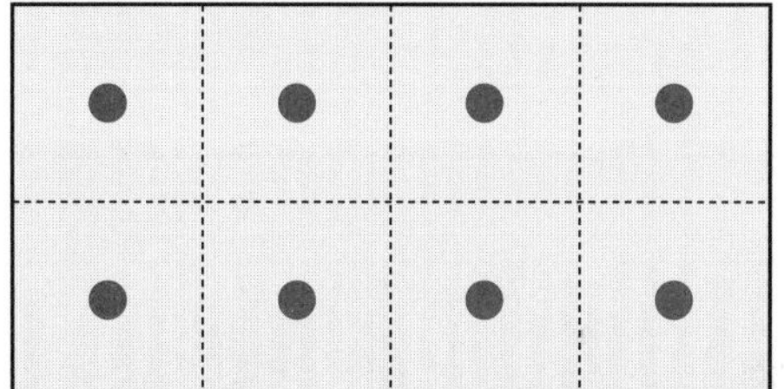

10
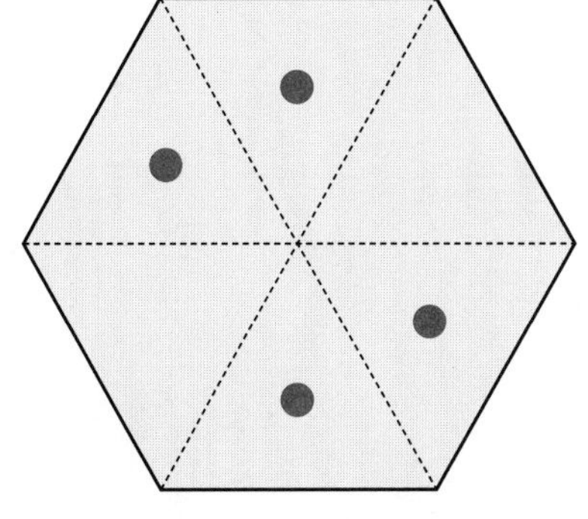

3주 칠교판·패턴 블록

이번 주에는 무엇을 공부할까요? 1

학습내용

1일 칠교판 알아보기

2일 칠교로 도형 만들기

3일 칠교로 모양 만들기

4일 패턴 블록 알아보기

5일 패턴 블록으로 모양 만들기

이번 주에는 무엇을 공부할까요? 2

칠교판

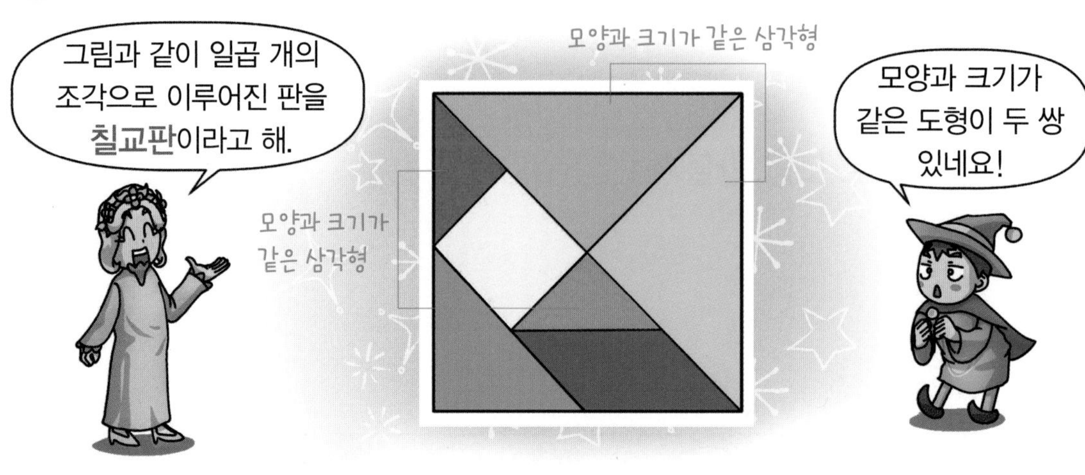

그림과 같이 일곱 개의 조각으로 이루어진 판을 칠교판이라고 해.
모양과 크기가 같은 삼각형
모양과 크기가 같은 삼각형
모양과 크기가 같은 도형이 두 쌍 있네요!

주어진 조각이 칠교판 조각 중 하나이면 ○표, 아니면 ×표 하세요.

〈칠교판〉

1-1

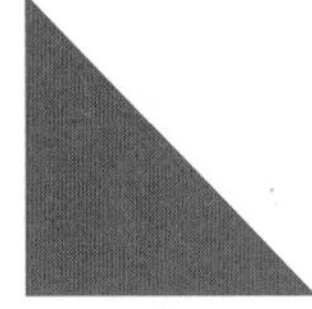

1-2

1-3

1-4

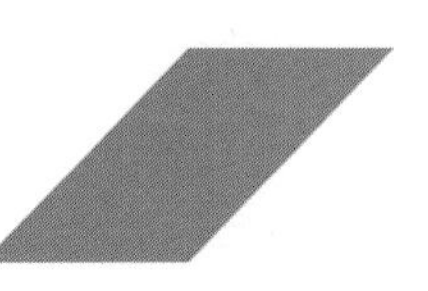

1-5

1-6

칠교판으로 모양 만들기

보기 의 칠교판 조각 중 모양을 만드는 데 이용한 조각을 찾아 번호를 쓰세요.

보기

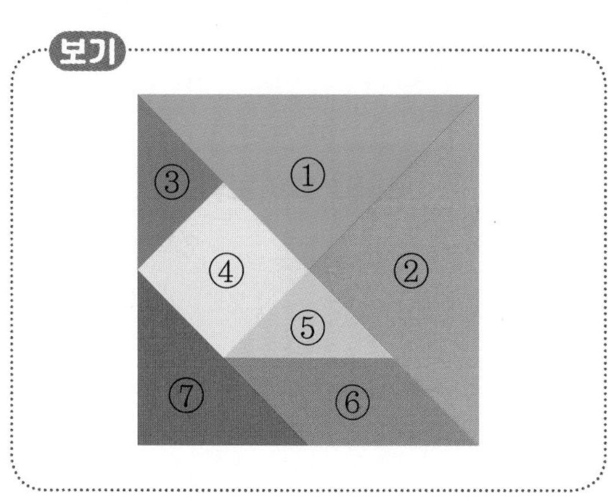

2-1

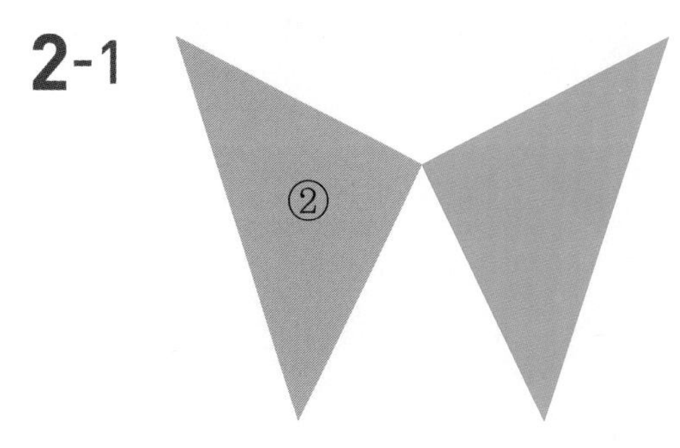

2-2

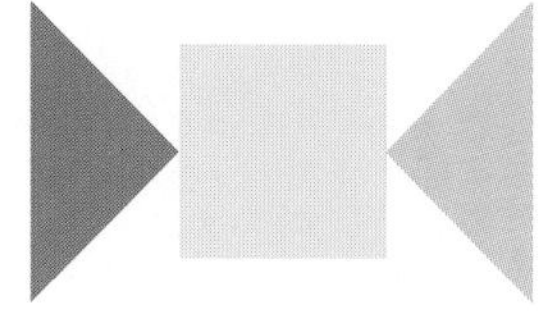

2-3

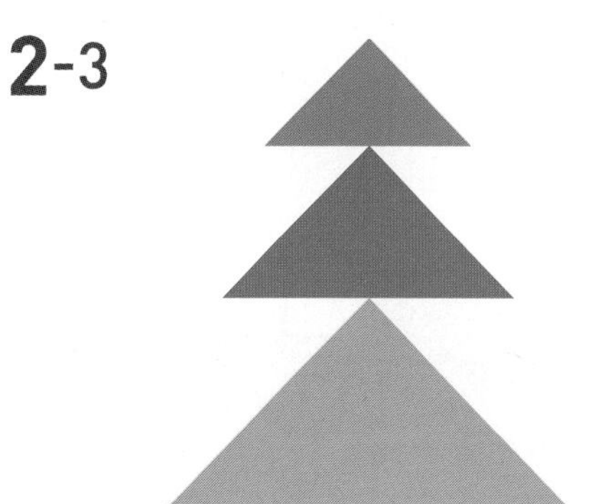

칠교판 알아보기

 오늘은 무엇을 공부할까요?

칠교판 조각의 모양을 알아보자.

3주
1일

1일 칠교판 알아보기

활동을 통하여 개념을 알아보아요.

색종이를 잘라서 칠교판 만들기

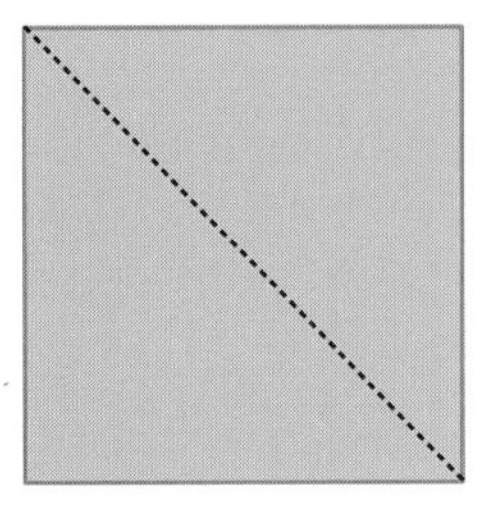

① 색종이를 점선을 따라 자릅니다.

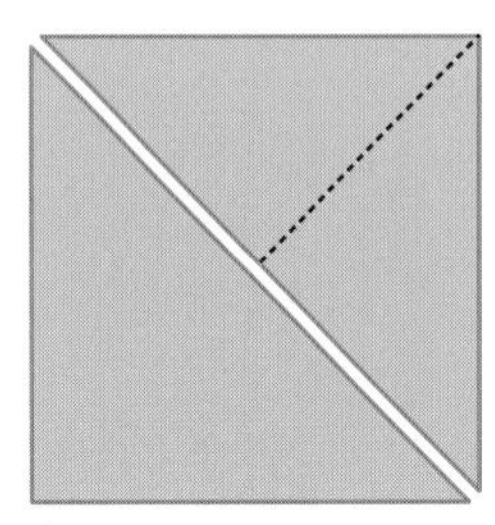

② ①에서 만든 삼각형 중 하나를 반으로 자릅니다.

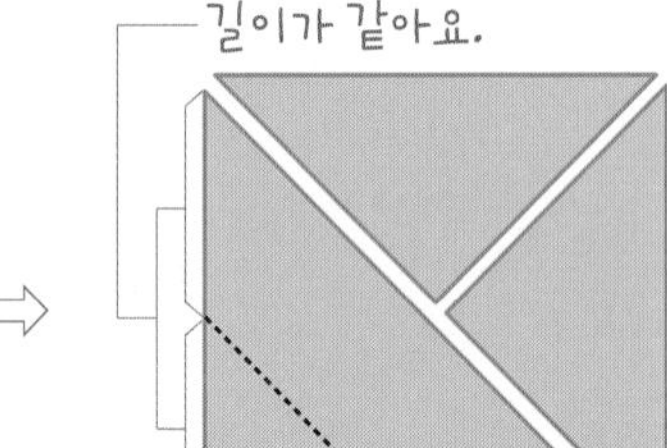

③ ①에서 만든 다른 삼각형 중 하나를 점선을 따라 자릅니다.

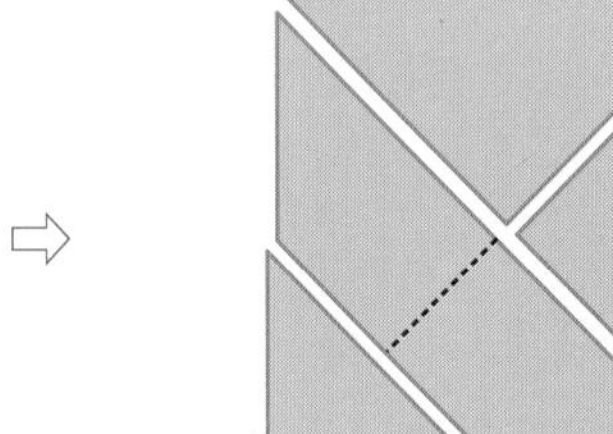

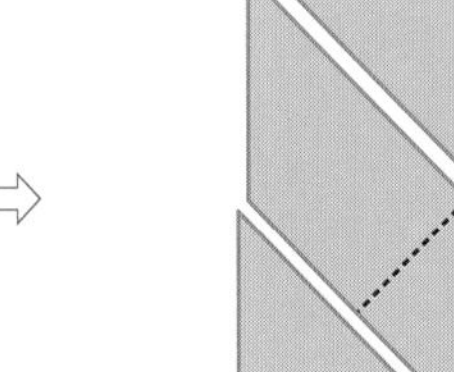

④ 사각형을 반으로 자릅니다.

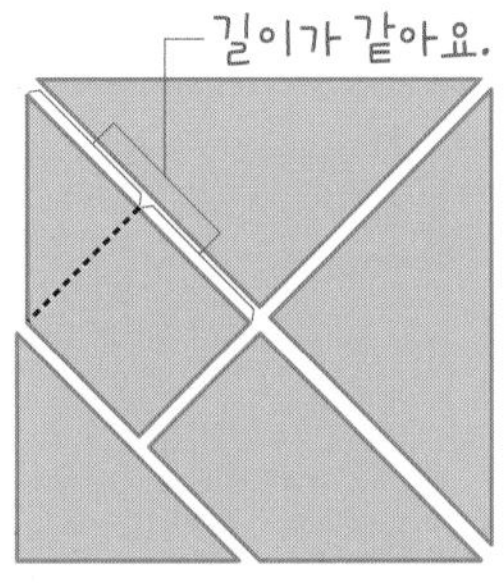

⑤ ④에서 만든 사각형 중 하나를 점선을 따라 자릅니다.

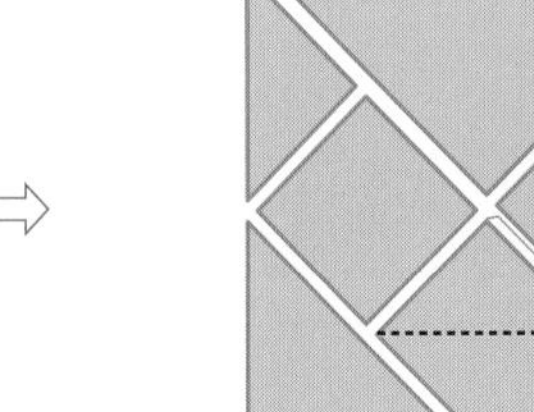

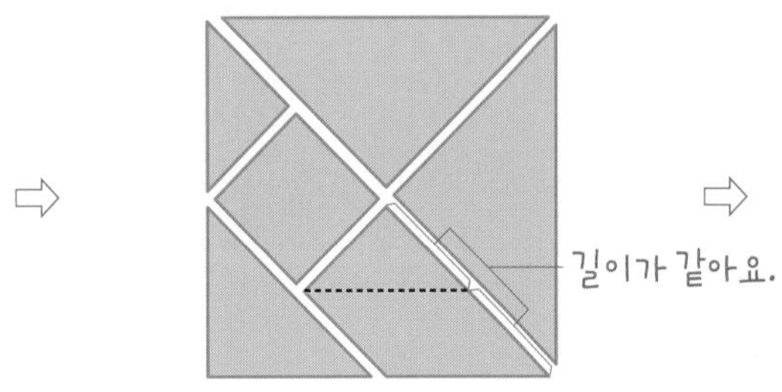

⑥ ④에서 만든 다른 사각형 중 하나를 점선을 따라 자릅니다.

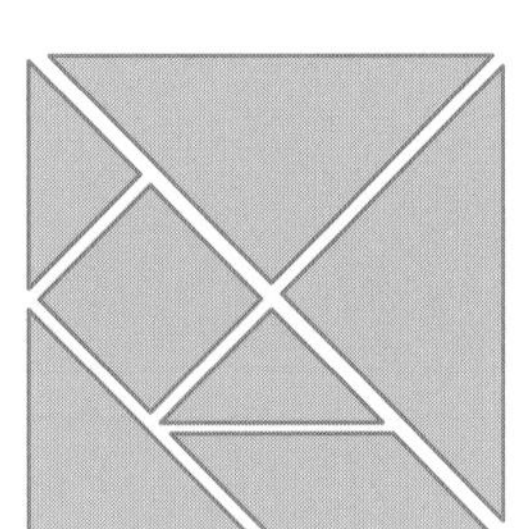

칠교판 완성!

개념 짚어 보기

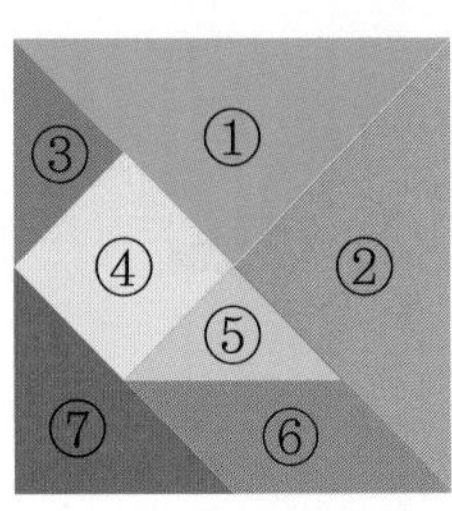

- 칠교판 조각은 모두 7개입니다.
- 삼각형: ①, ②, ③, ⑤, ⑦ ⇨ 5개
- 사각형: ④, ⑥ ⇨ 2개

칠교판에서 삼각형 조각 ①, ③, ⑦은 모양이 같지만 크기가 달라요.

활동 개념 확인

모양을 만드는 데 이용한 삼각형과 사각형 조각의 수를 각각 세어 보세요.

1-1

삼각형: □개

1-2

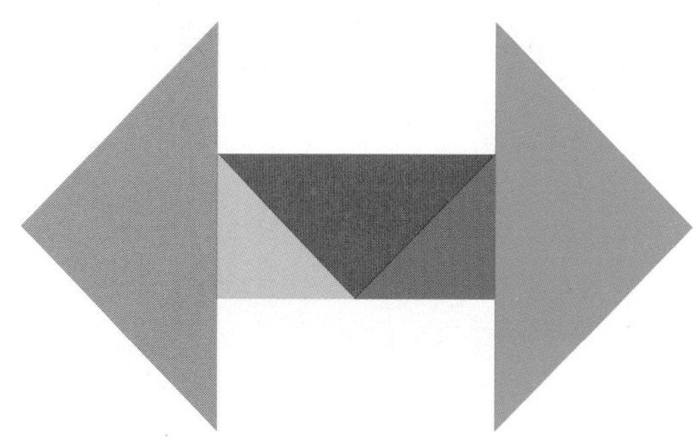

삼각형: □개

1-3

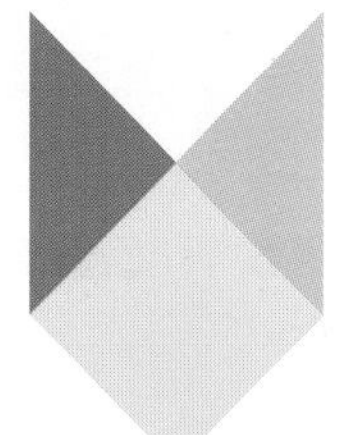

삼각형: □개 , 사각형: □개

1-4

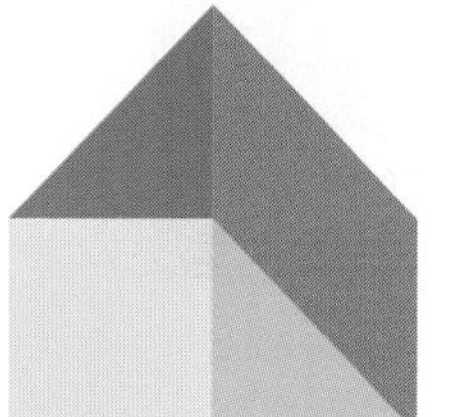

삼각형: □개, 사각형: □개

1-5

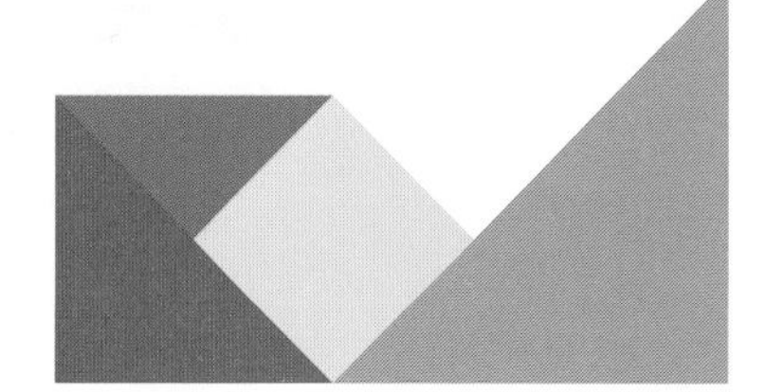

삼각형: □개, 사각형: □개

1-6

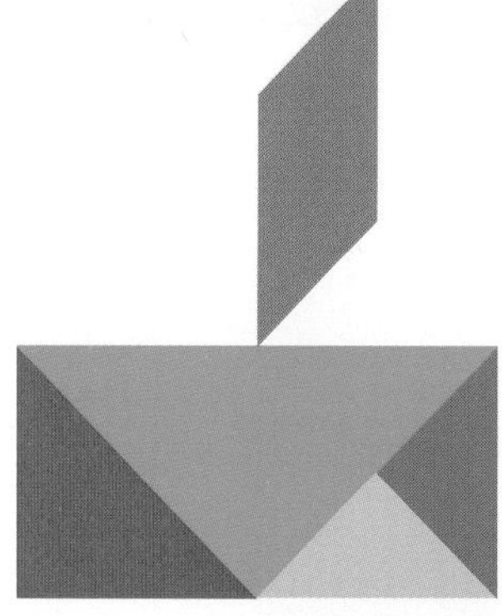

삼각형: □개, 사각형: □개

1일 칠교판 알아보기

도형 집중 연습

왼쪽 모양을 만드는 데 이용하지 않은 조각을 찾아 ×표 하세요.

1-1

1-2

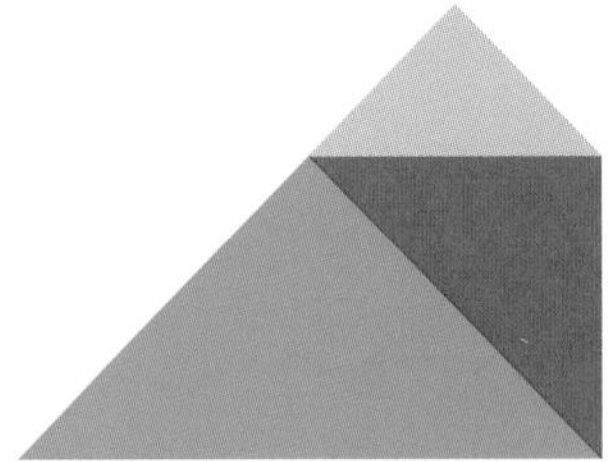

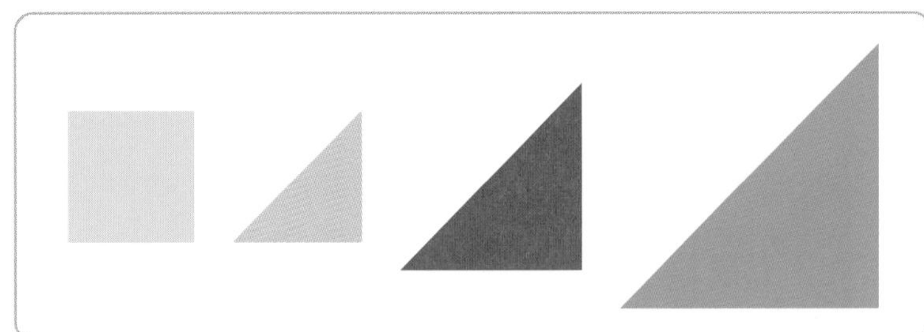

1-3

1-4

보기 의 칠교판 조각 중 모양을 만드는 데 이용하지 않은 조각을 찾아 번호를 쓰세요.

보기

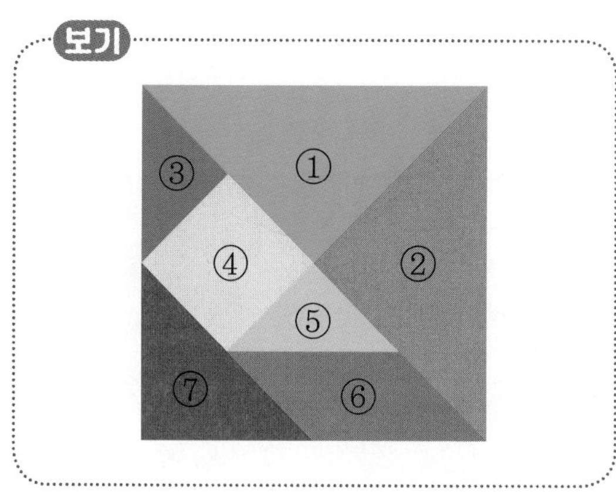

2-1

2-2

2-3

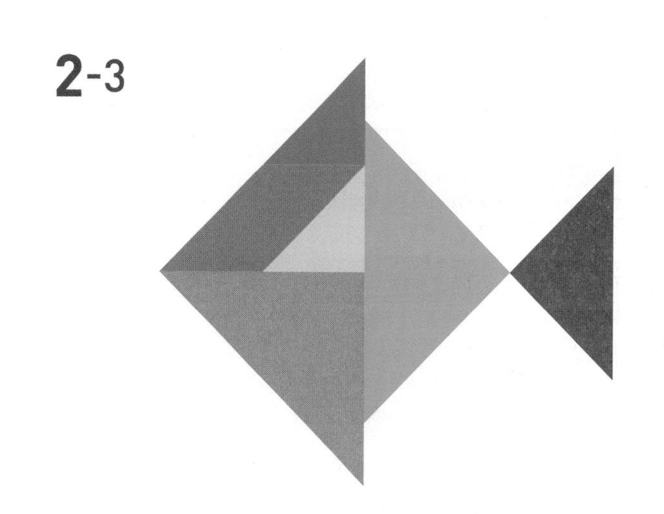

3주
1일

2-4

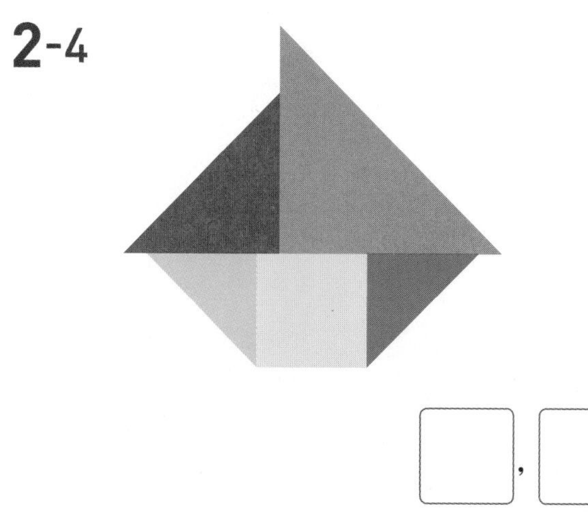

2-5

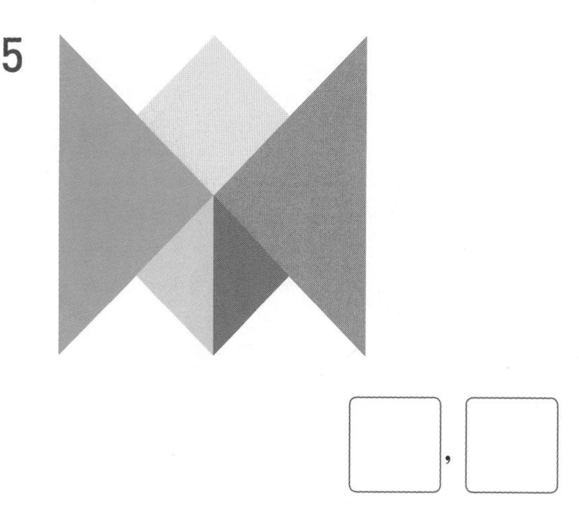

2일 칠교로 도형 만들기

오늘은 무엇을 공부할까요?

칠교판 조각을 이용하여 여러 가지 도형을 만들어 보자.

3주
2일

2일 칠교로 도형 만들기

활동을 통하여 개념을 알아보아요. 활동지

◎ 주어진 칠교판 조각으로 삼각형, 사각형 만들기

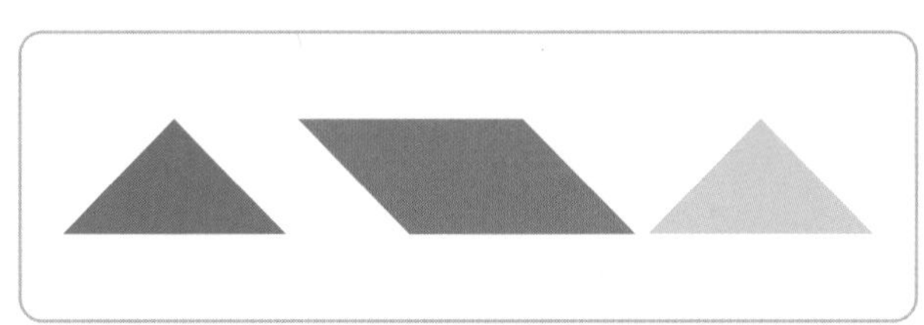

칠교판 조각 중 주어진 3조각을 이용해서 삼각형을 만들 거야.

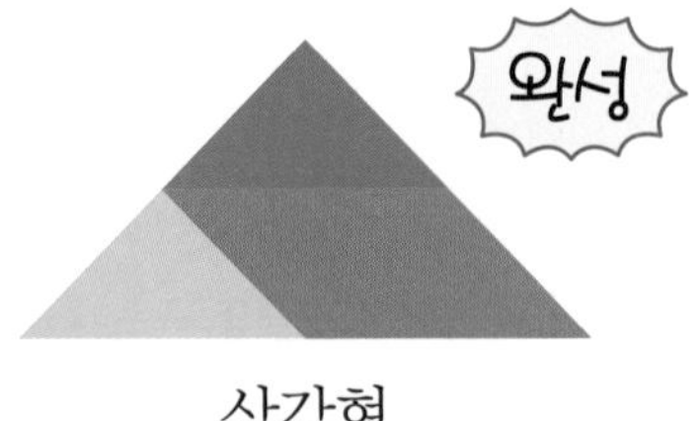

삼각형

난 3조각을 이용해서 사각형을 만들어야지~.

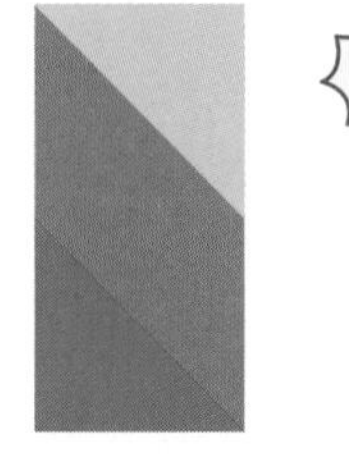

사각형

같은 칠교판 조각을 이용하여 삼각형과 사각형을 만들 수 있어요. 이 외에도 여러 가지 도형을 만들어 보세요.

개념 짚어 보기

• 같은 칠교판 조각을 이용하여 여러 가지 도형을 만들 수 있습니다.

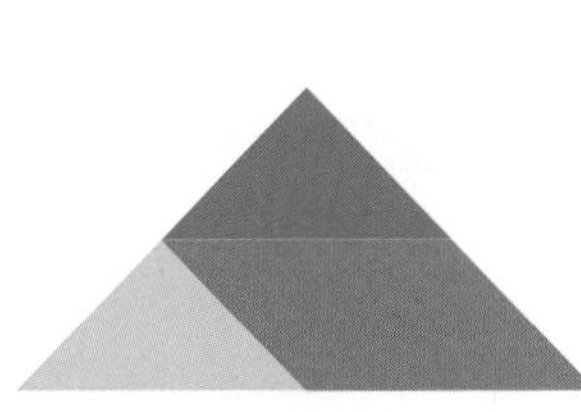

칠교판 조각을 이용하여 주어진 삼각형과 사각형을 완성하세요.

1-1

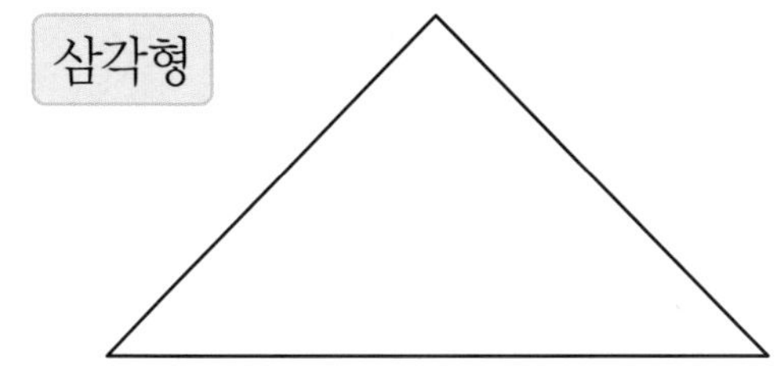

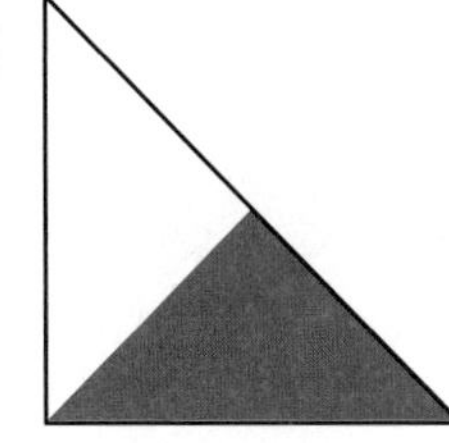

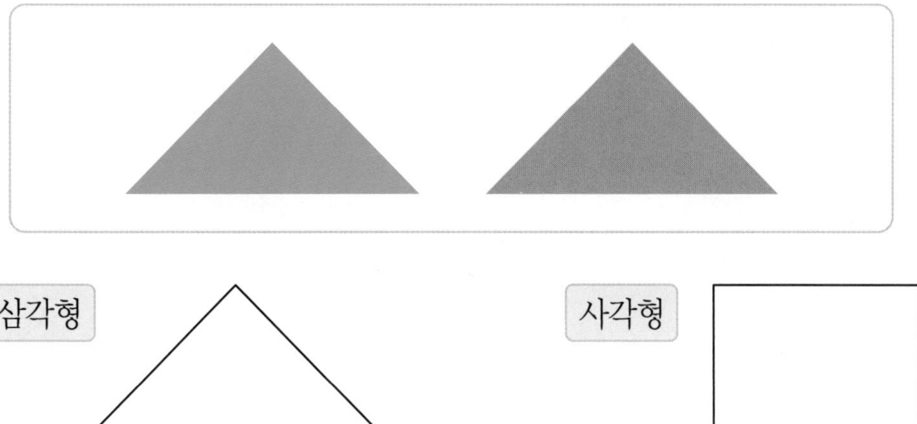

1-2

1-3

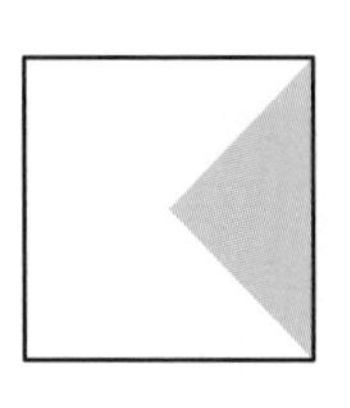

2일 칠교로 도형 만들기

도형 집중 연습

칠교판 조각을 이용하여 주어진 도형을 완성하세요.

1-1

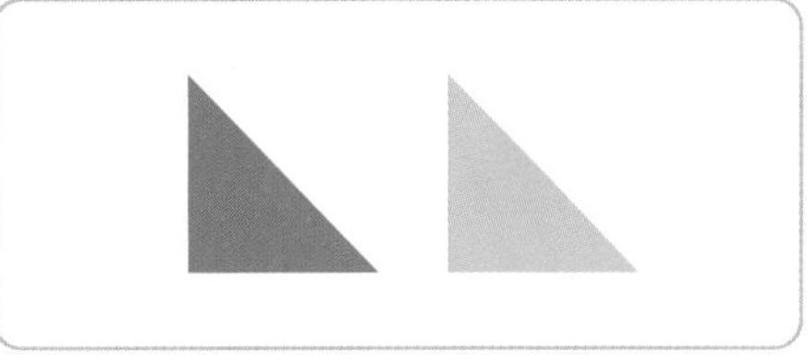

1-2

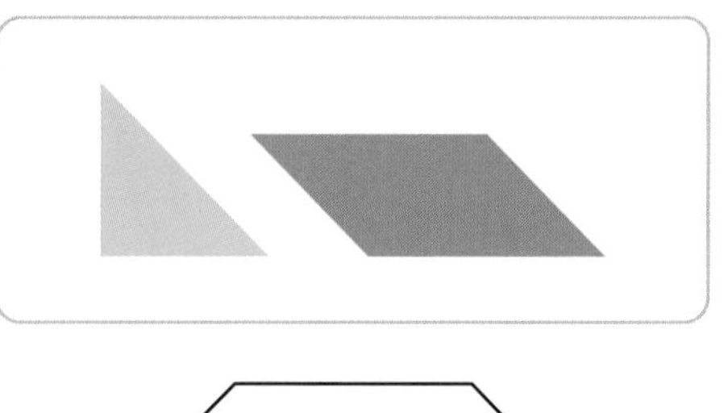

1-3

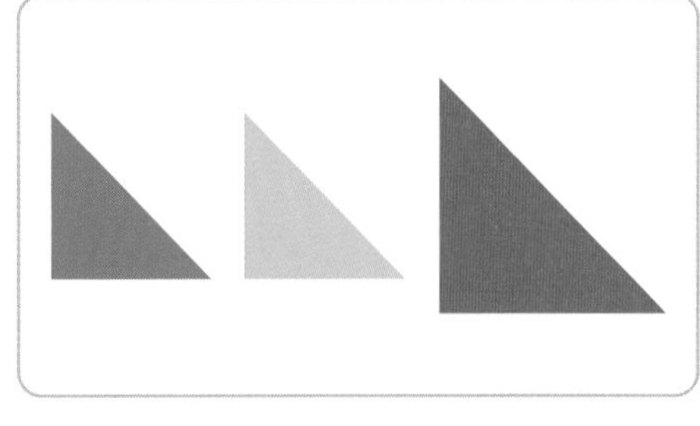

1-4

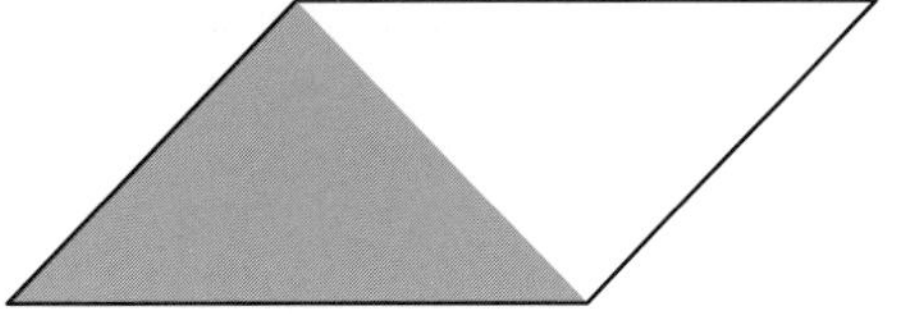

1-5

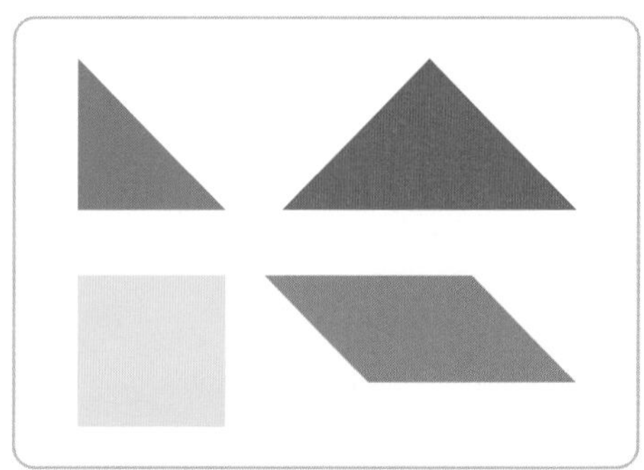

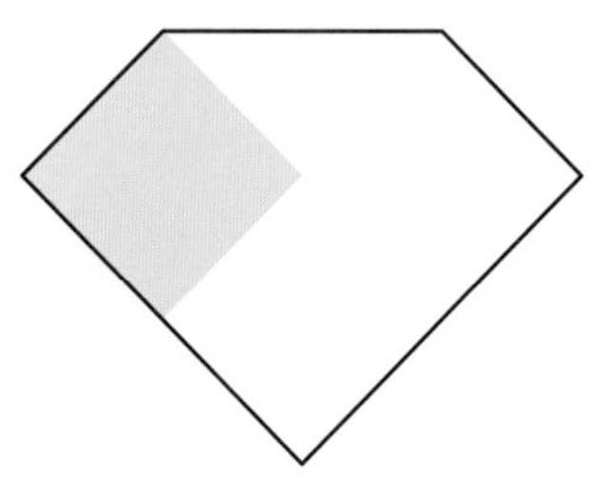

칠교판 조각을 모두 이용하여 주어진 도형을 완성하세요.

이 칠교판의 7조각을
모두 이용하여 주어진
도형을 완성해 보세요.

2-1

2-2

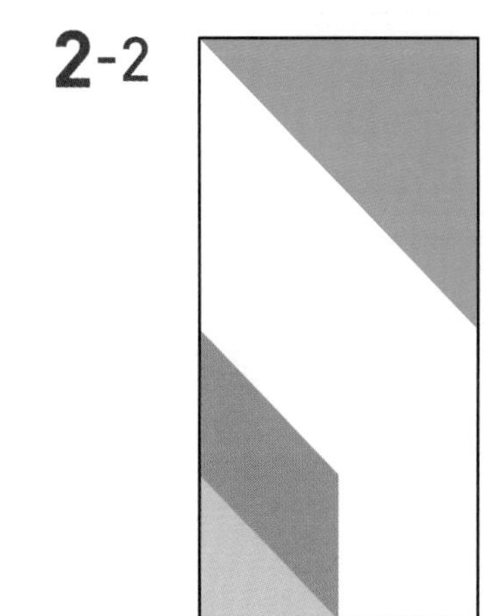

2-3

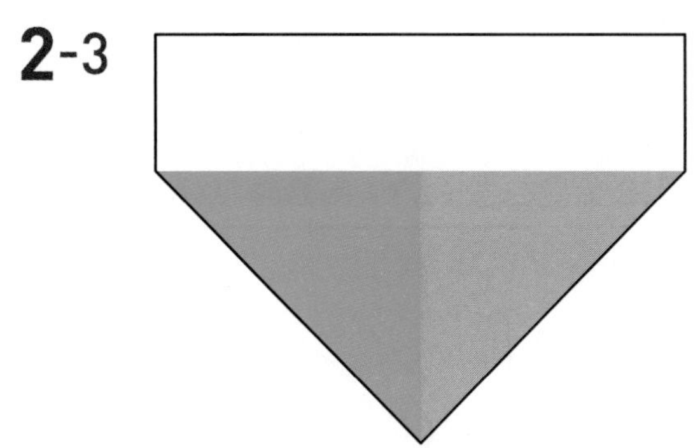

2-4

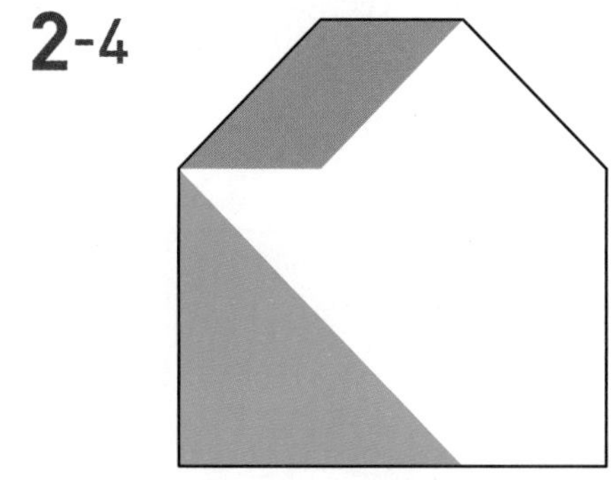

3일 칠교로 모양 만들기

 오늘은 무엇을 공부할까요?

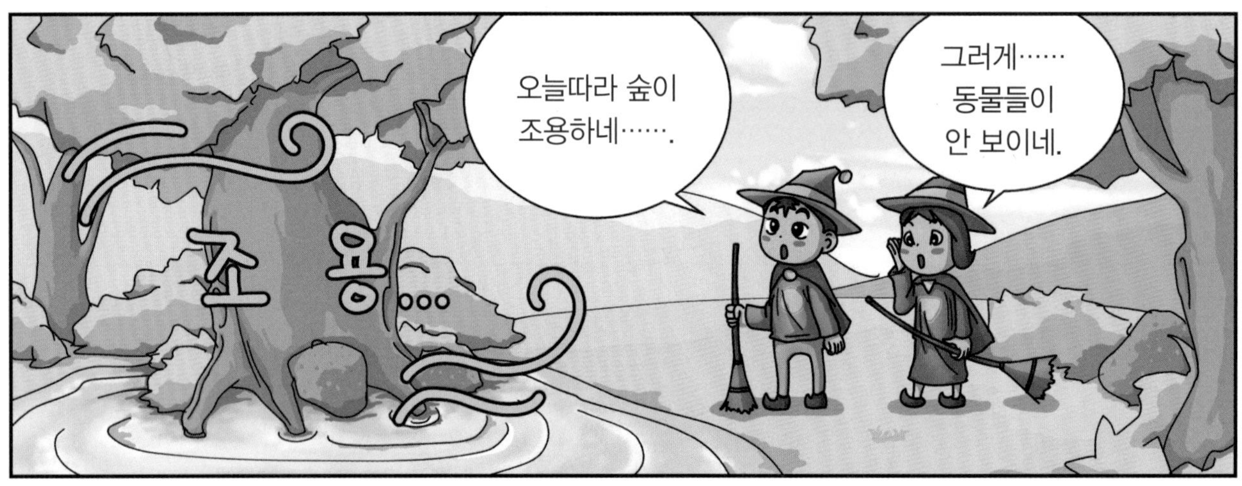

칠교판 조각을 이용하여 여러 가지 모양을 만들어 보자.

3주
3일

3일 칠교로 모양 만들기

활동을 통하여 개념을 알아보아요. 활동지

칠교판 조각으로 모양 만들기

공원에서 축구를 하는 친구들을 봤어. 공을 차는 모습을 칠교판 조각으로 만들어 보자.

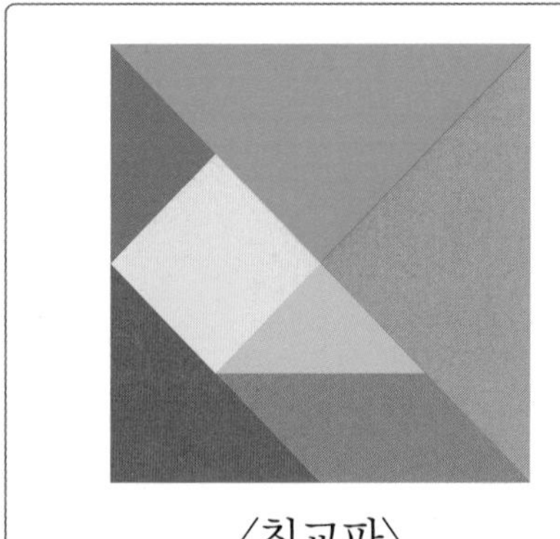

〈칠교판〉

7조각을 모두 사용해서 멋있게 만들었네~.
이제 다른 모양도 만들어 보자~.

활동 개념 확인

공원에서 본 나비, 토끼, 오리입니다. 왼쪽(106쪽) 칠교판 조각을 모두 이용하여 모양을 완성하세요.

1-1

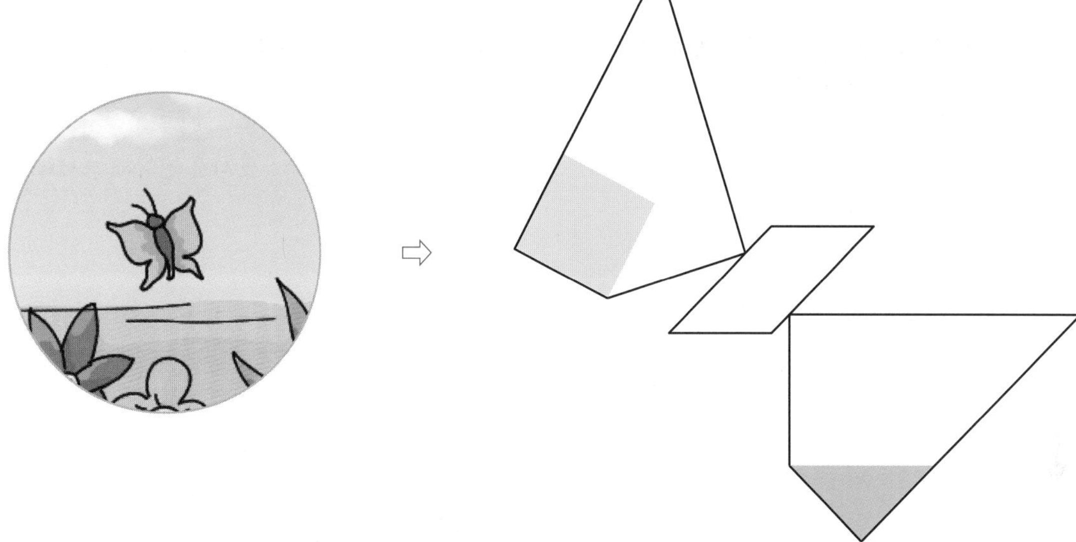

1-2

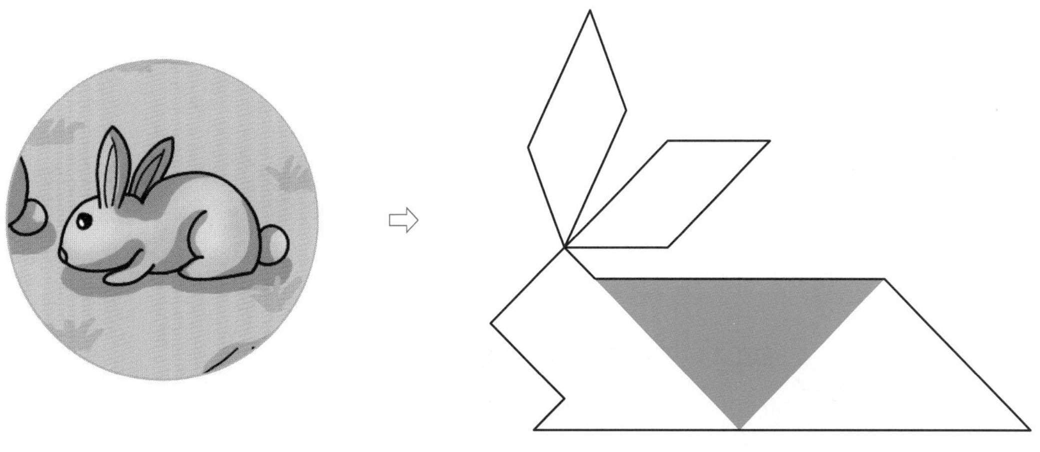

1-3

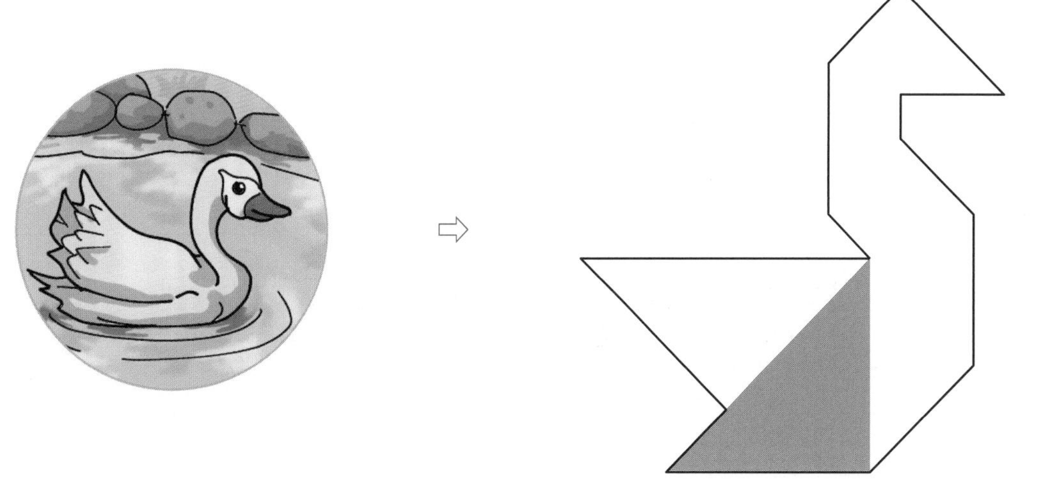

3일 칠교로 모양 만들기

도형 집중 연습

칠교판 조각을 모두 이용하여 숫자를 완성하세요.

이 칠교판의 7조각을
모두 이용하여 아래의
숫자를 완성해 보세요.

1-1

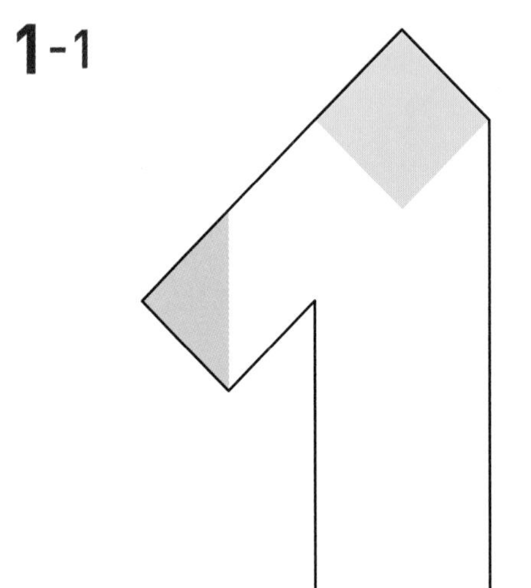

1-2

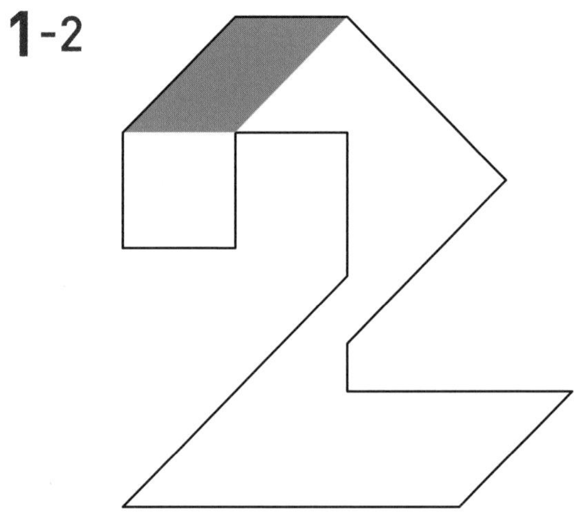

1-3

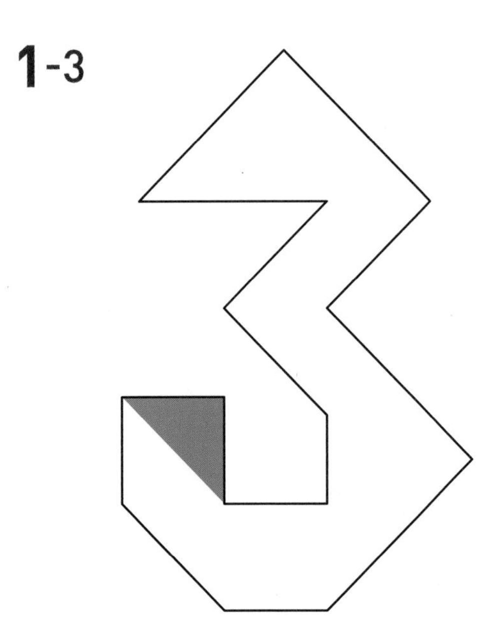

1-4

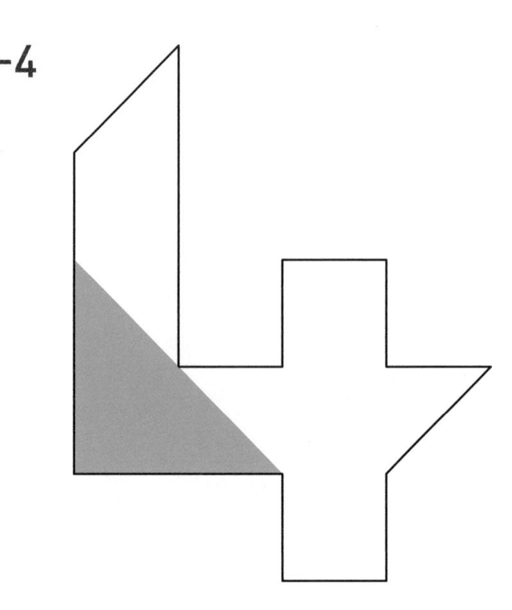

2 왼쪽(108쪽) 칠교판 조각을 모두 이용하여 바다를 꾸며 보세요.

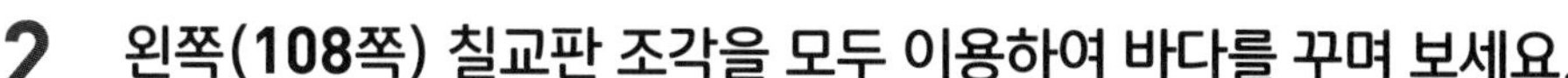

3주
3일

4일 패턴 블록 알아보기

오늘은 무엇을 공부할까요?

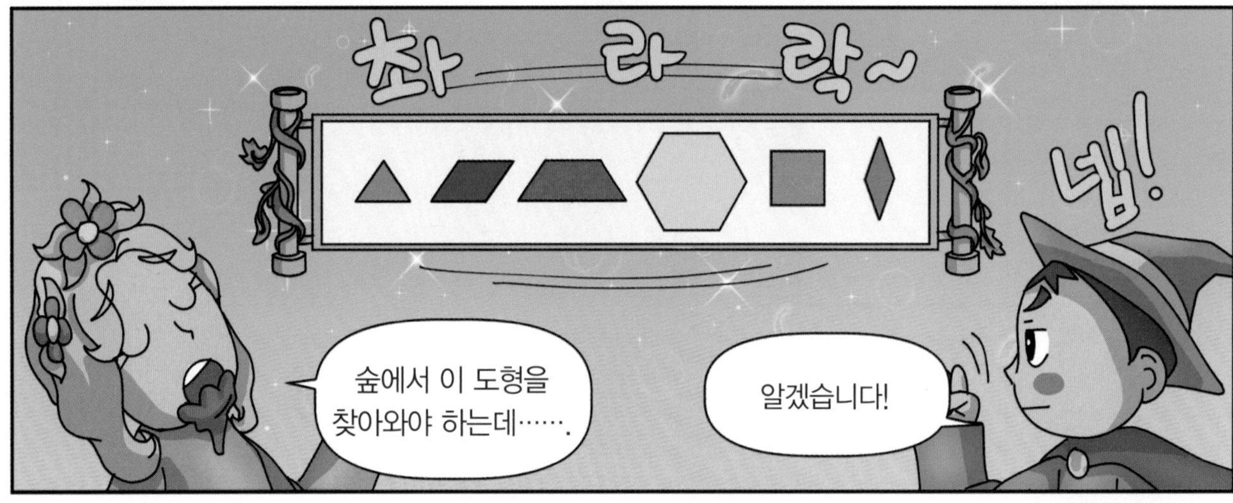

패턴 블록 조각의 모양을 알아보자.

4일 패턴 블록 알아보기

활동을 통하여 개념을 알아보아요.

○ 패턴 블록을 모양에 따라 분류하기

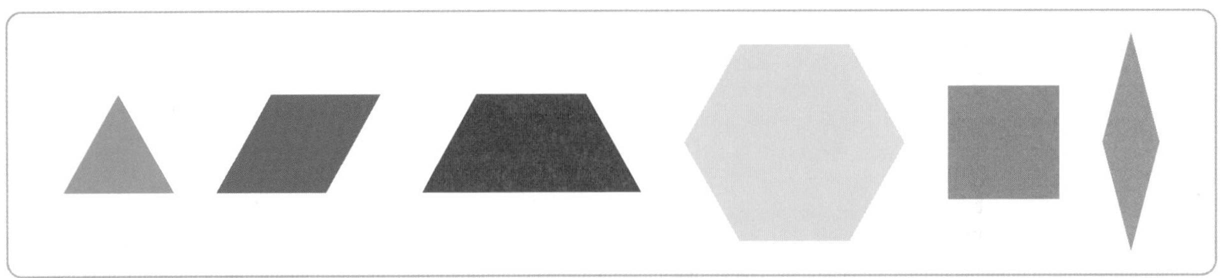

삼각형

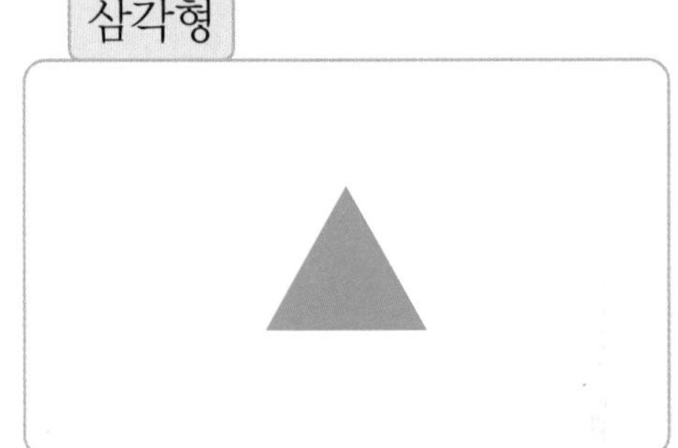

⇨ 1개

사각형

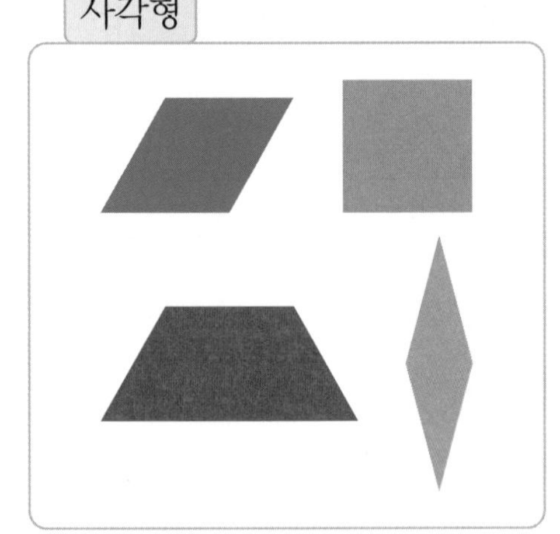

⇨ 4개

육각형

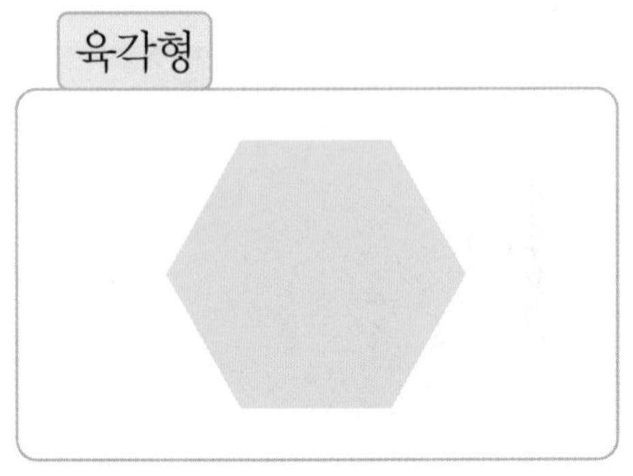

⇨ 1개

활동 개념 확인

왼쪽 모양을 만드는 데 이용한 패턴 블록을 모두 찾아 ○표 하세요.

1-1

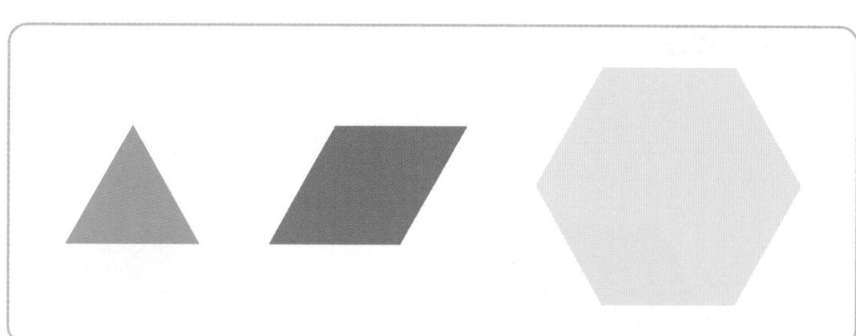

1-2

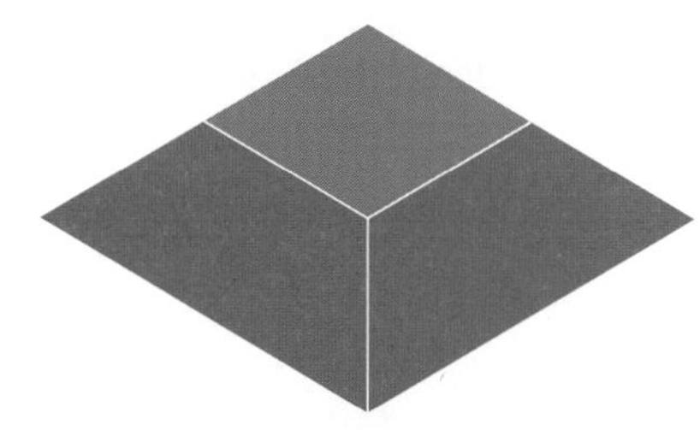

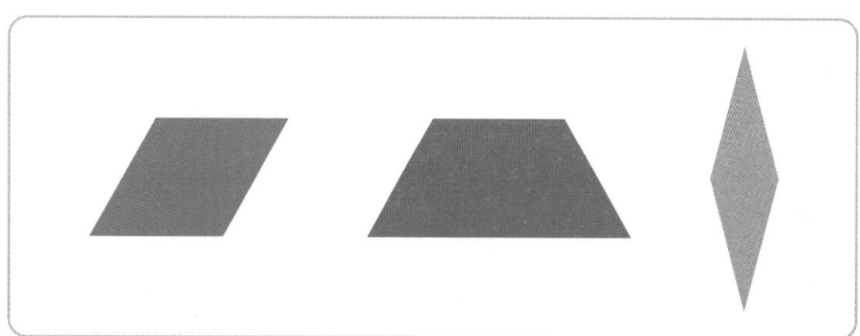

1-3

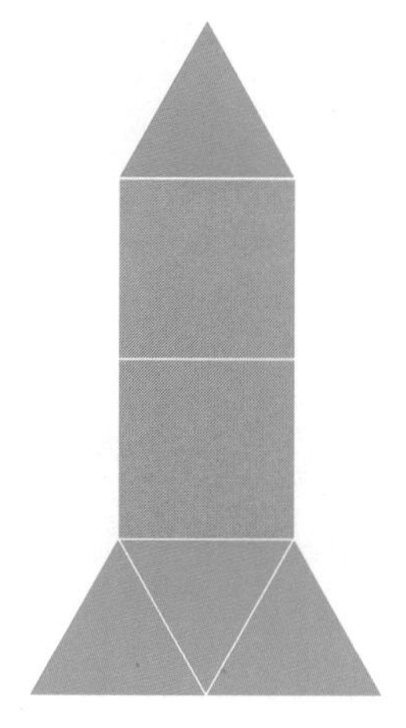

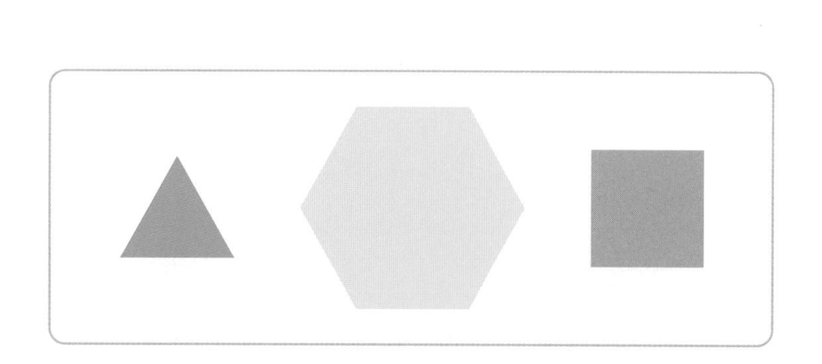

1-4

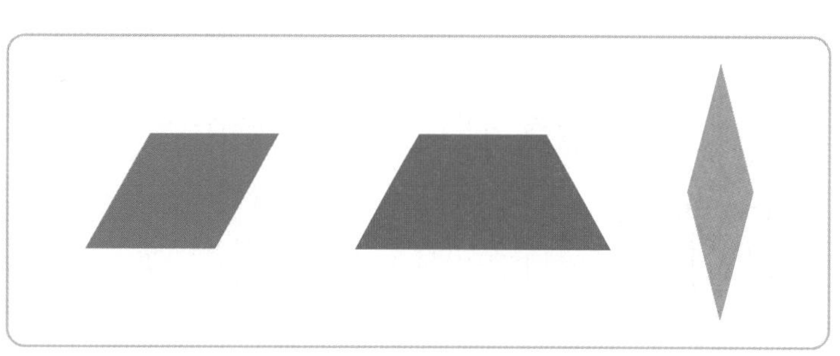

3주 4일

4일 패턴 블록 알아보기

도형 집중 연습

각 모양을 만드는 데 이용한 왼쪽 패턴 블록의 개수를 각각 쓰세요.

1-1

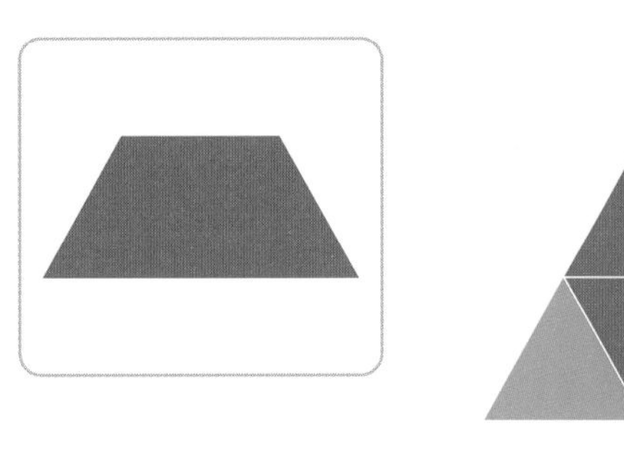

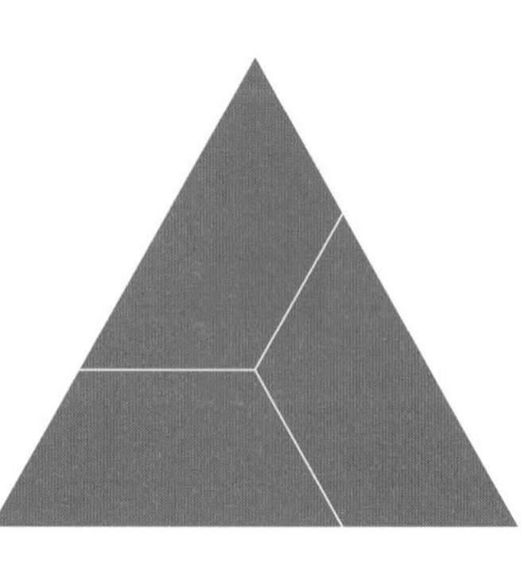

☐개　　☐개

1-2

☐개　　☐개

1-3

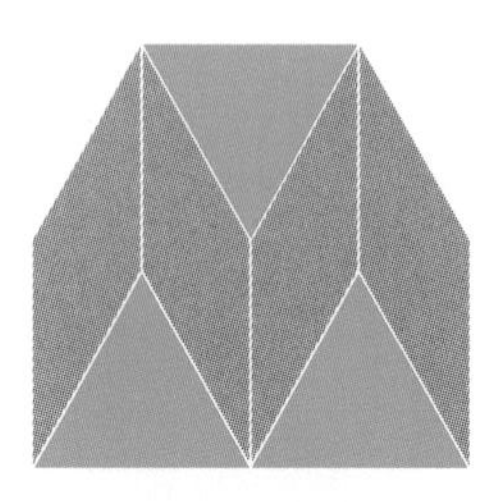

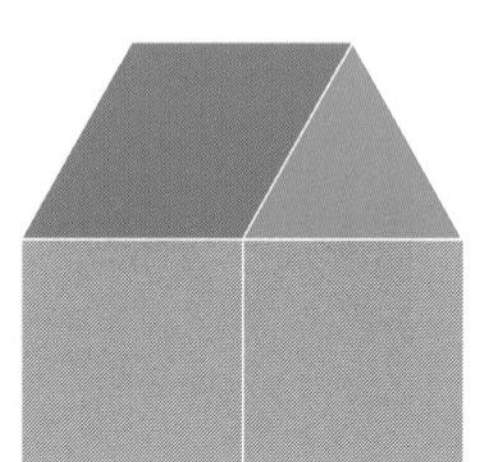

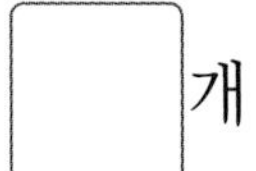

☐개　　☐개

주어진 모양을 만들려면 아래쪽 패턴 블록은 몇 개 필요한지 쓰세요.

2-1

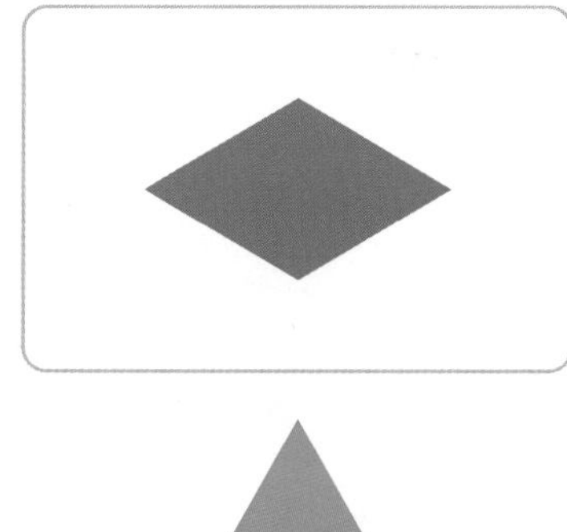

□개

2-2

□개

2-3

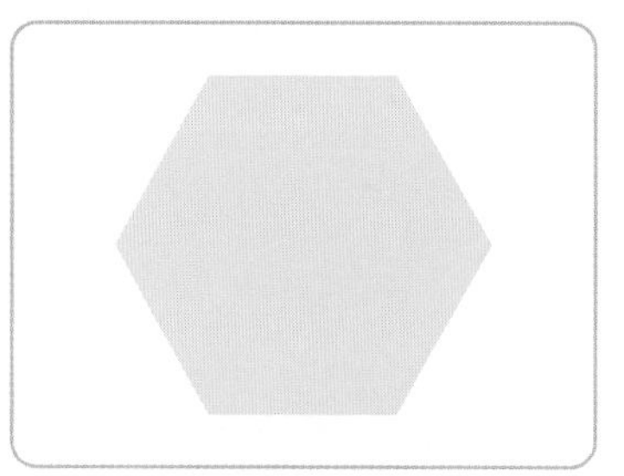

□개

2-4

□개

2-5

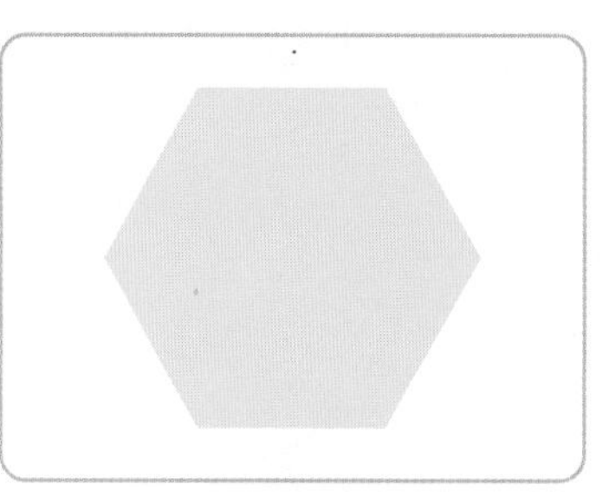

□개

3주 4일

5일 패턴 블록으로 모양 만들기

오늘은 무엇을 공부할까요?

패턴 블록을 이용하여 여러 가지 모양을 만들어 보자.

5일 패턴 블록으로 모양 만들기

활동을 통하여 개념을 알아보아요. 활동지

패턴 블록으로 벌집 모양 만들기

육각형으로
이루어진 벌집
모양을 만들어 봐.

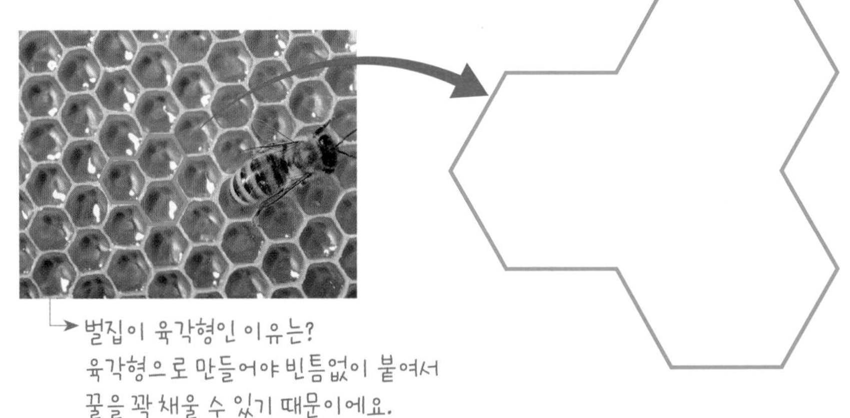

벌집이 육각형인 이유는?
육각형으로 만들어야 빈틈없이 붙여서
꿀을 꽉 채울 수 있기 때문이에요.

활동 1 으로 모양 만들기

활동 2 으로 모양 만들기

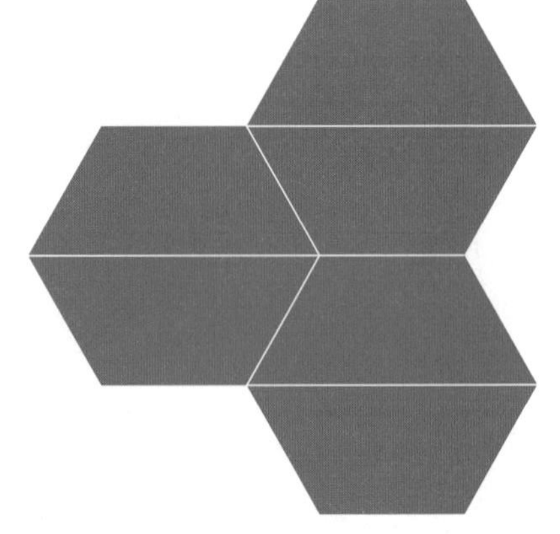

패턴 블록으로 모양을 만들 때에는
같은 패턴 블록을 여러 개 사용하여 만들 수 있어요.

활동 개념 확인

주어진 패턴 블록을 모두 이용하여 모양을 완성하세요.

1-1

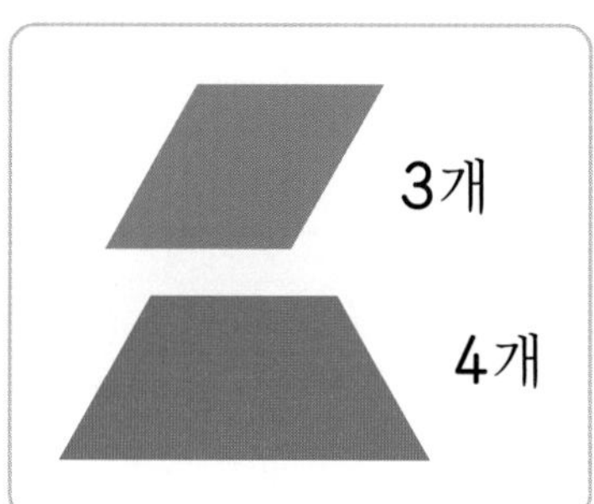

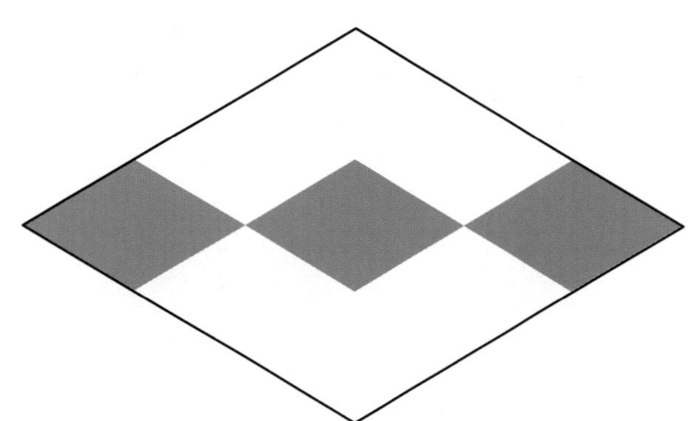

1-2

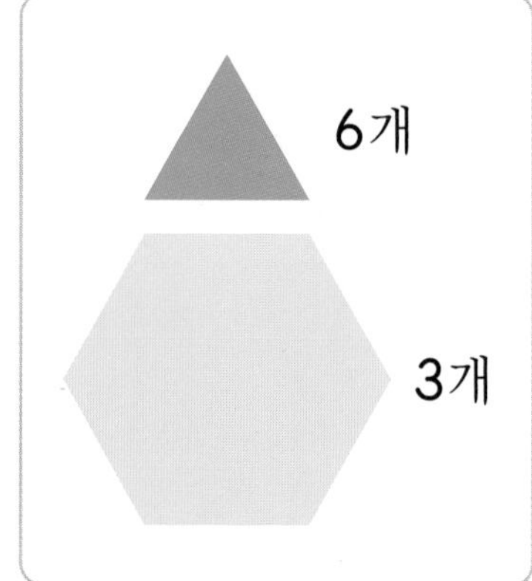

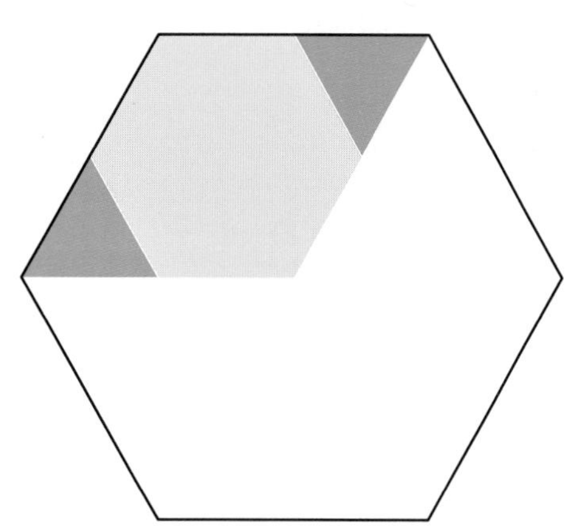

1-3

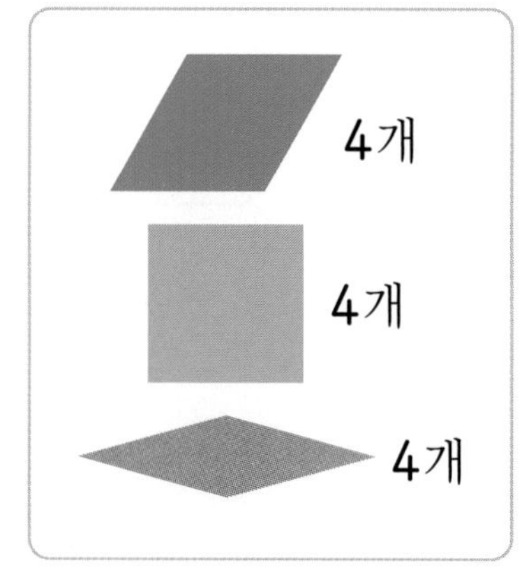

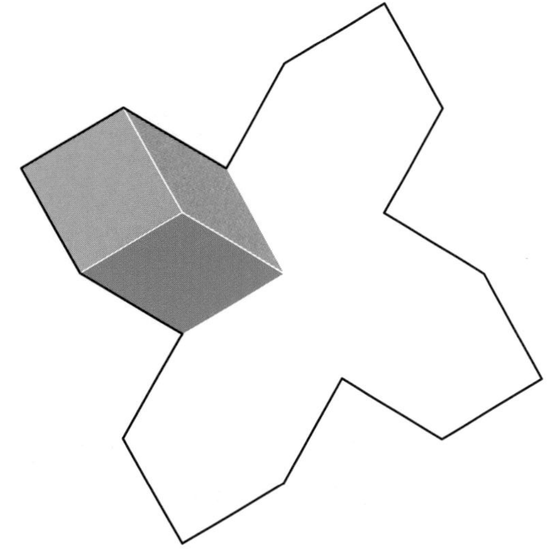

3주 5일

5일 패턴 블록으로 모양 만들기

도형 집중 연습

패턴 블록을 이용하여 모양을 완성하세요.

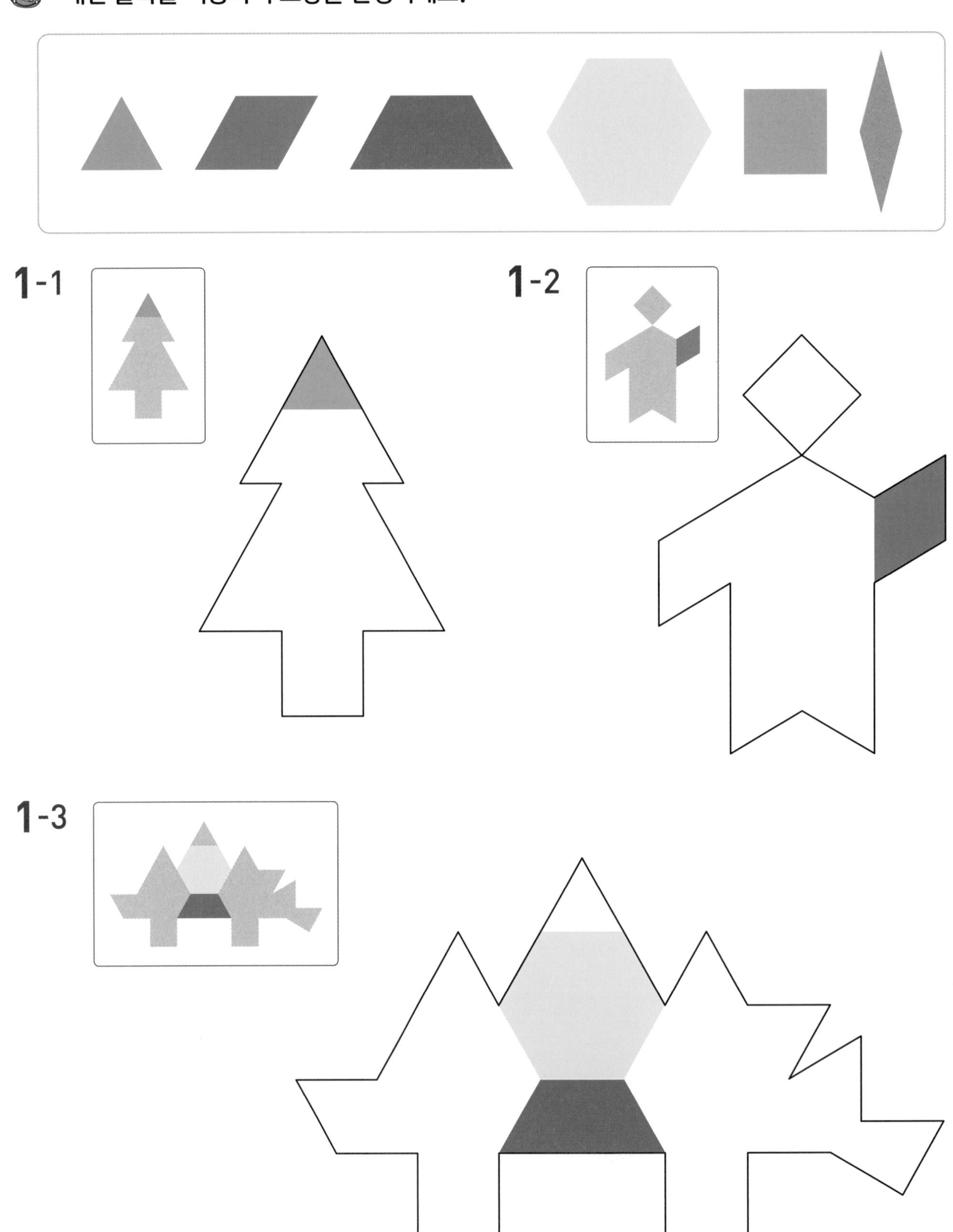

2 왼쪽(120쪽) 패턴 블록을 이용하여 하늘을 꾸며 보세요.

3주 평가 누구나 100점 맞는 TEST

[01~03] 모양을 만드는 데 이용한 삼각형과 사각형 조각의 수를 각각 세어 보세요.

01

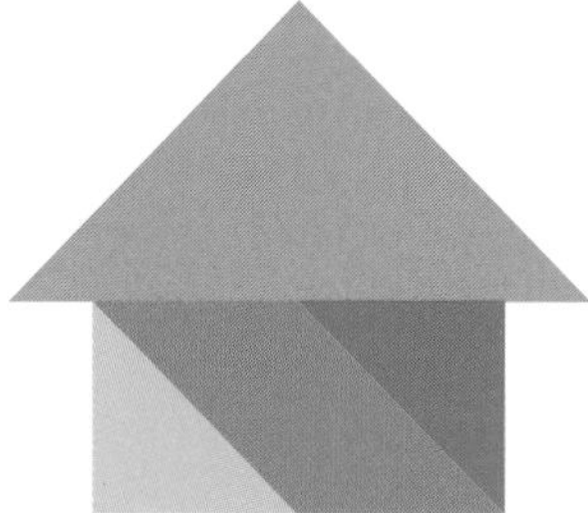

삼각형: ☐개, 사각형: ☐개

02

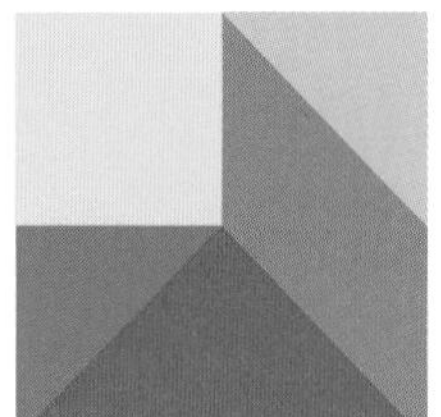

삼각형: ☐개, 사각형: ☐개

03

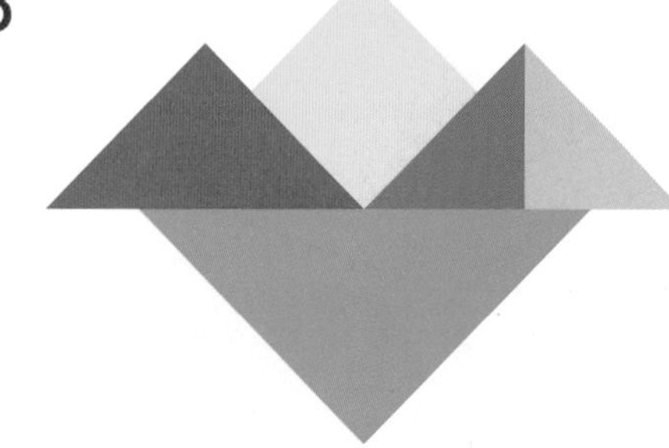

삼각형: ☐개, 사각형: ☐개

[04~05] 칠교판 조각을 모두 이용하여 주어진 모양을 완성하세요.

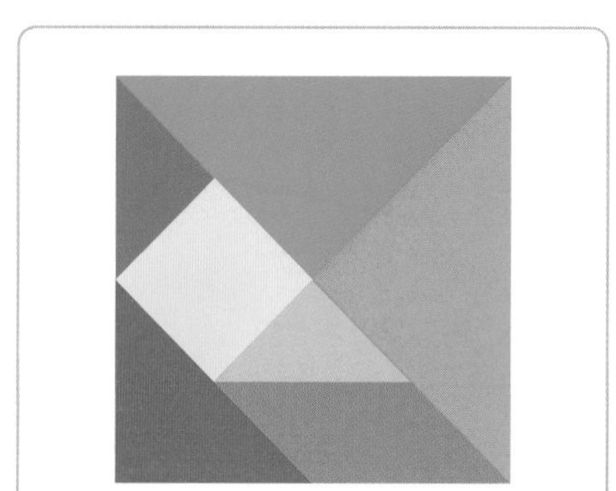

04

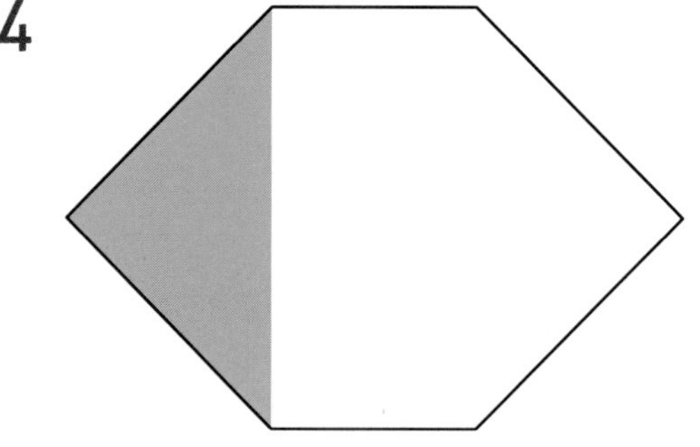

05

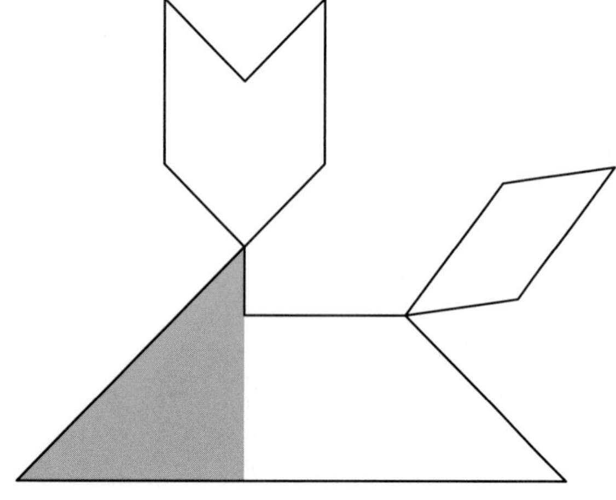

맞은 개수 / 10개

[06~08] 각 모양을 만드는 데 이용한 주어진 패턴 블록의 개수를 쓰세요.

06

□개

07

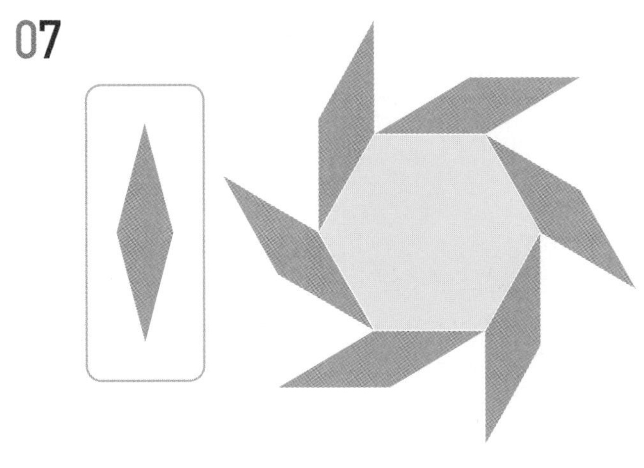

□개

08

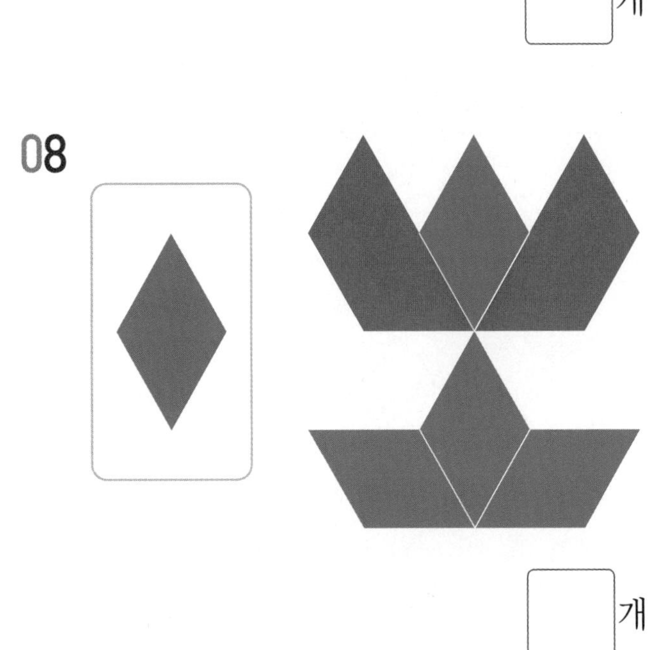

□개

[09~10] 패턴 블록을 이용하여 모양을 만들어 보세요.

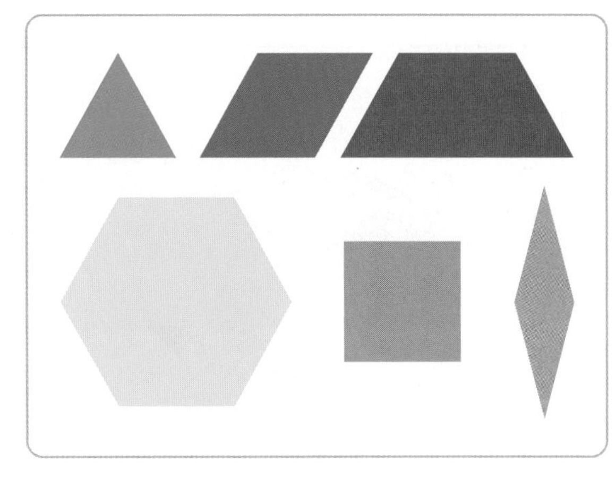

09

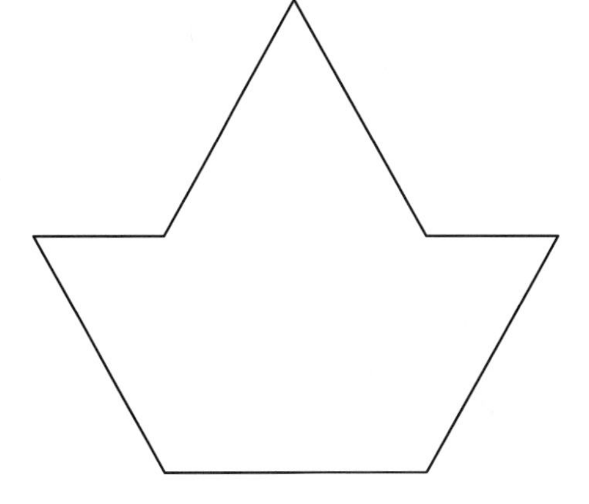

10

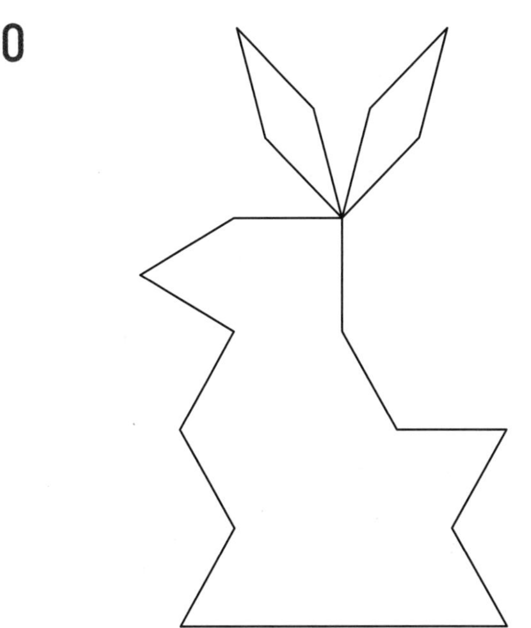

하트 퍼즐

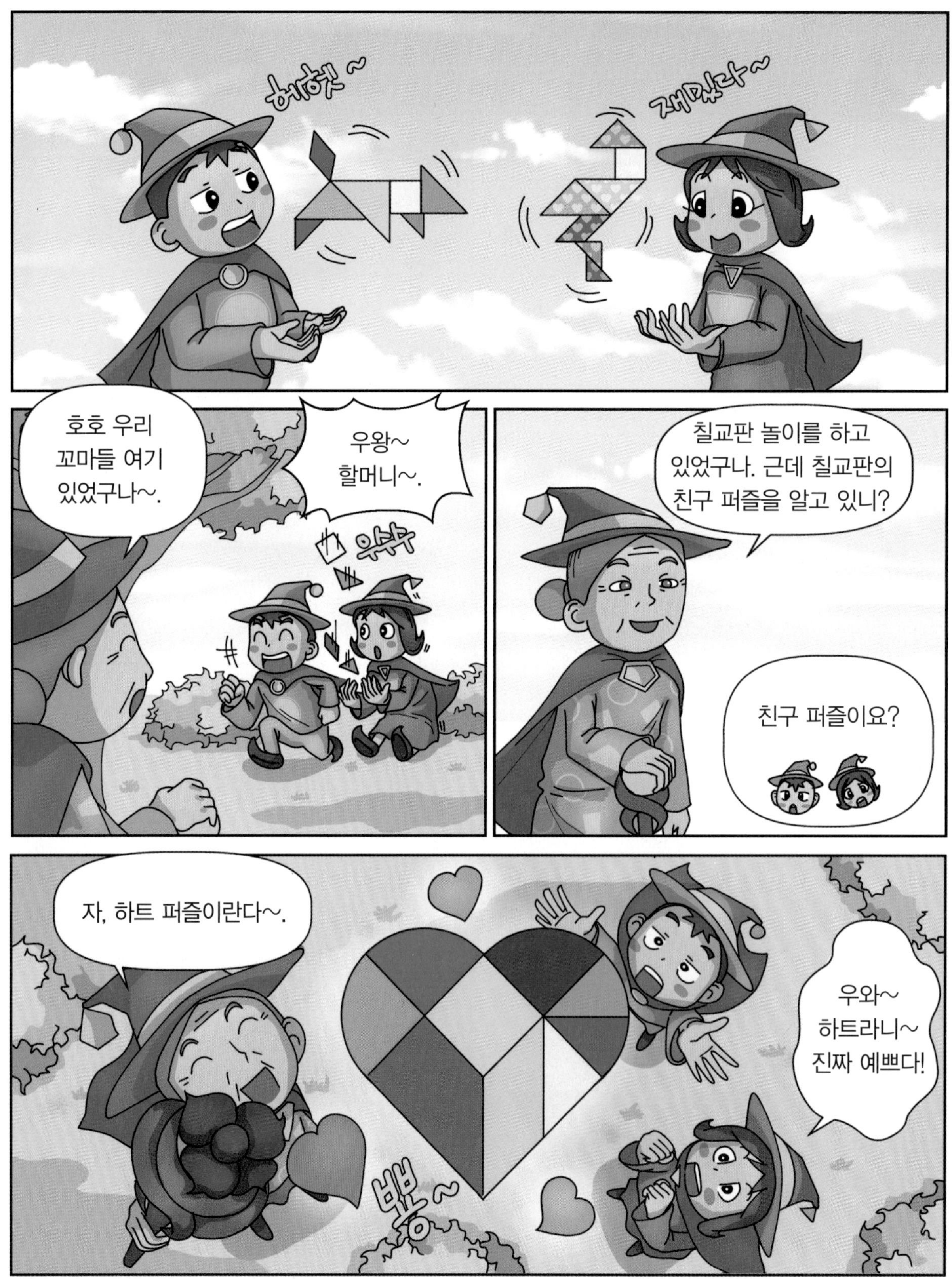
헤헷~
재밌다~
호호 우리 꼬마들 여기 있었구나~.
우왕~ 할머니~.
와와
칠교판 놀이를 하고 있었구나. 근데 칠교판의 친구 퍼즐을 알고 있니?
친구 퍼즐이요?
자, 하트 퍼즐이란다~.
우와~ 하트라니~ 진짜 예쁘다!
뿅~

하트 퍼즐 조각을 이용하여 여러 가지 모양을 만들어 보자.

3주 특강

색종이를 잘라서 하트 퍼즐 만들기

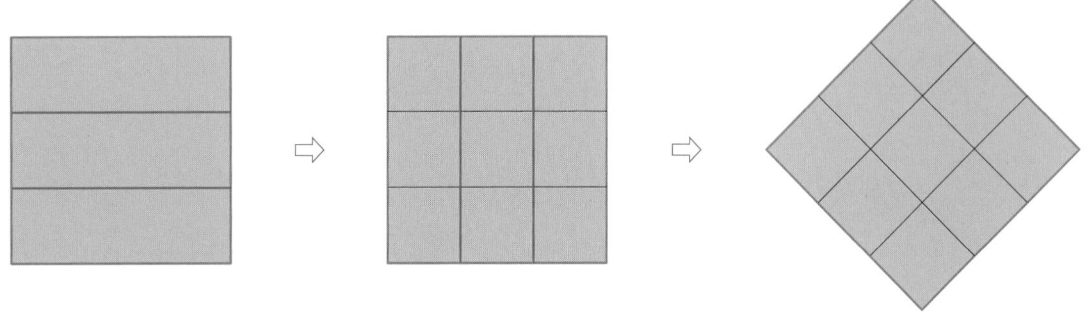

① 색종이를 똑같이 셋으로 나누어지도록 가로로 선을 긋습니다.

② ①과 같은 방법으로 똑같이 셋으로 나누어지도록 세로로 선을 긋습니다.

③ 색종이를 그림과 같이 돌립니다.

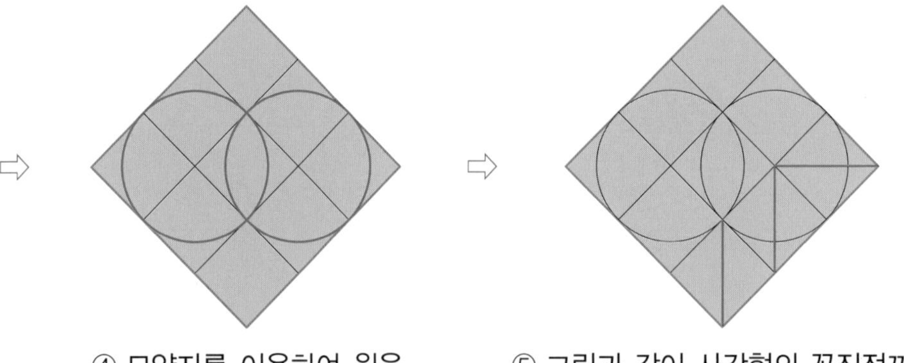

④ 모양자를 이용하여 원을 2개 그립니다.

⑤ 그림과 같이 사각형의 꼭짓점끼리 연결하여 3개의 선을 긋습니다.

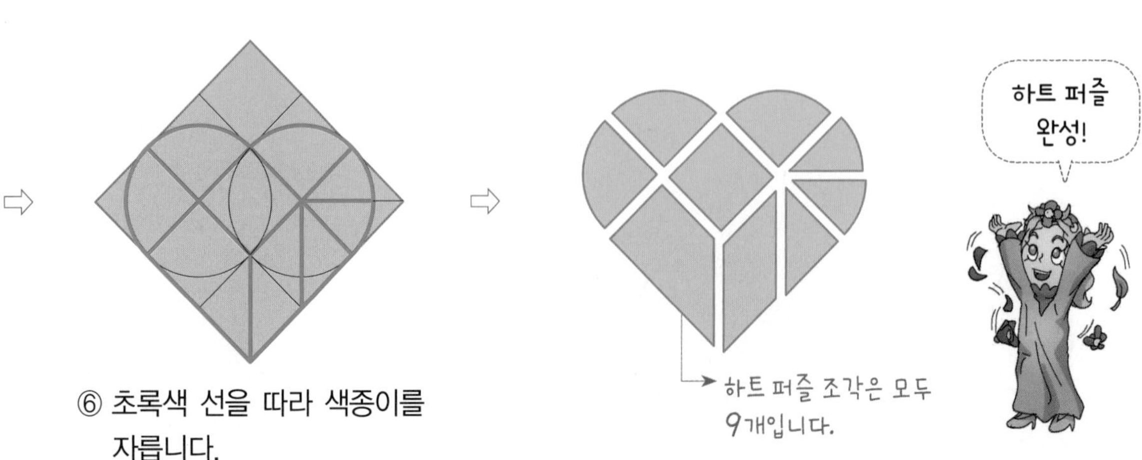

하트 퍼즐 완성!
하트 퍼즐 조각은 모두 9개입니다.

⑥ 초록색 선을 따라 색종이를 자릅니다.

하트 퍼즐 조각을 이용하여 모양을 완성하세요. 활동지

〈하트 퍼즐〉

❶

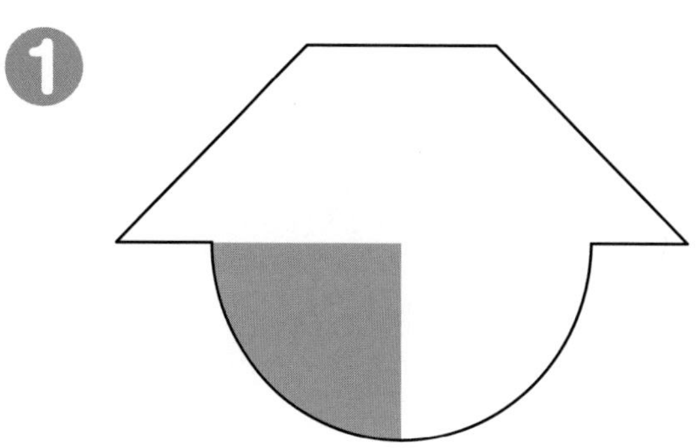

3주
특강

❷

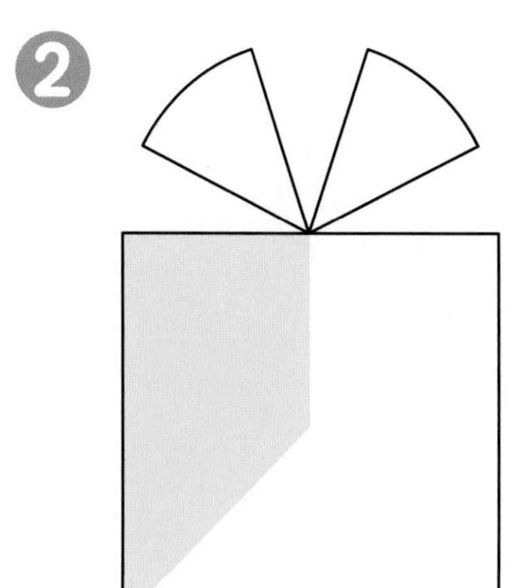

❸

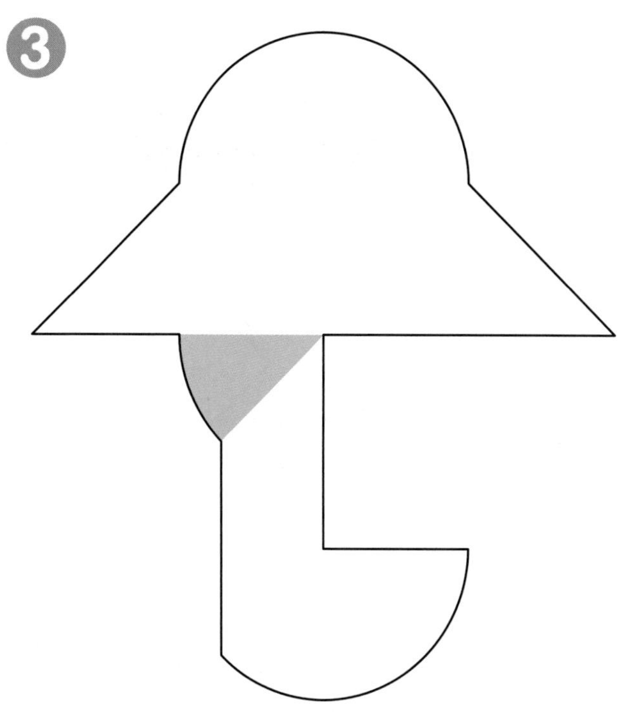

4 127쪽의 하트 퍼즐 조각을 이용하여 공원을 꾸며 보세요.

학습내용

1일 쌓기나무의 개수

2일 쌓은 모양에서 위치 알아보기

3일 쌓기나무 쌓기

4일 쌓기나무의 그림자 알아보기

5일 규칙 찾기

이번 주에는 무엇을 공부할까요? ②

똑같이 쌓은 모양 찾기

후훗,
나도 똑같이
쌓을 거야.
히끔
예쁘게 쌓아
보아요~~.

왼쪽과 똑같이 쌓은 모양을 찾아 ○표 하세요.

1-1

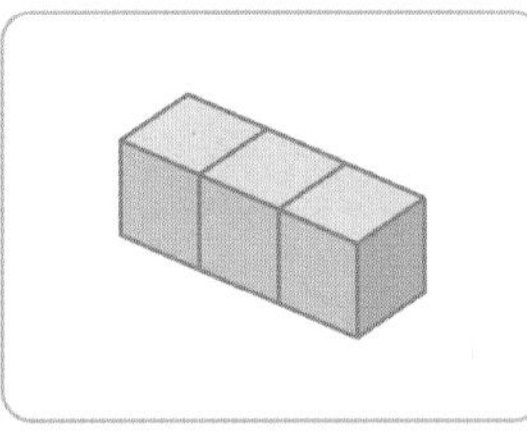
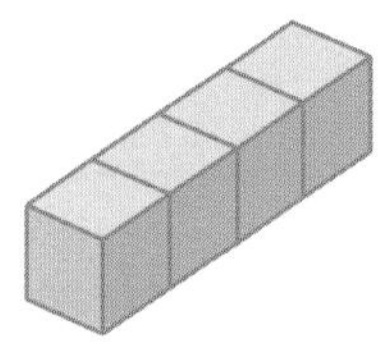
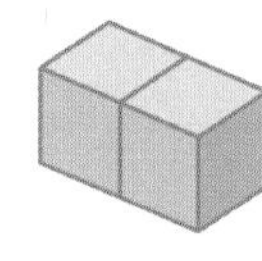
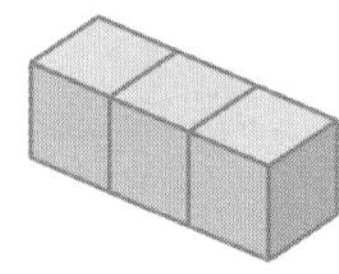

1-2

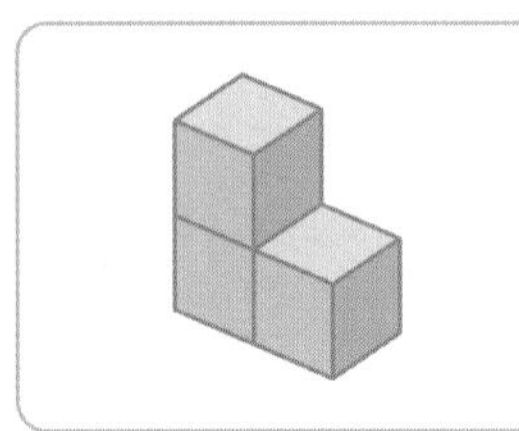
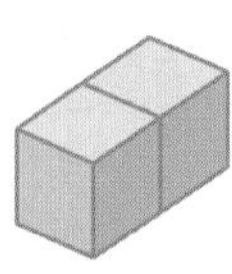
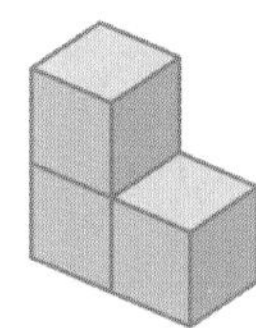
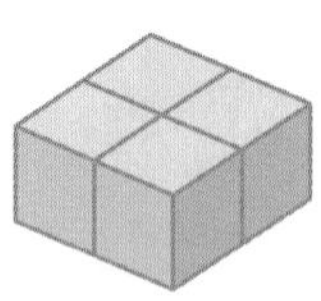

1-3

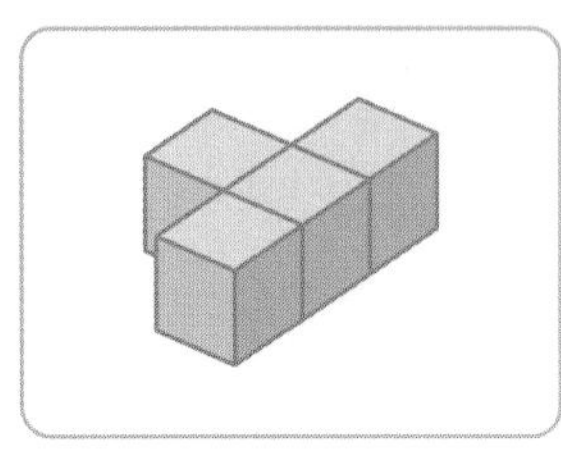
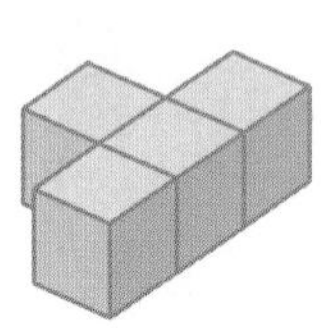
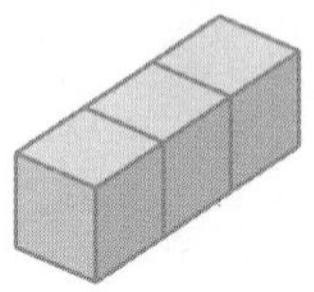
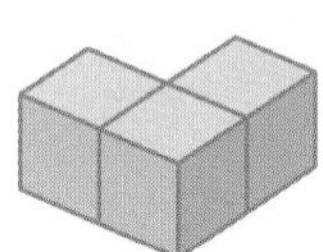

똑같이 색칠하기

나도 여기에
색칠을…….
야! 너 왜 자꾸
날 따라서 똑같이
색칠하는 거야!
캬악!

왼쪽과 똑같은 자리에 색칠하세요.

2-1

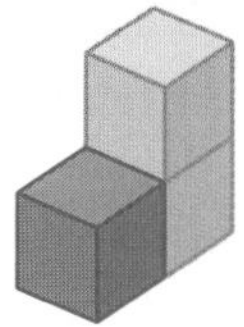

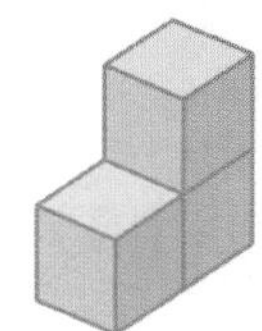

2-2

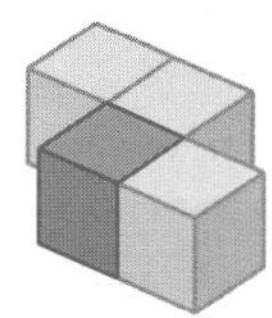
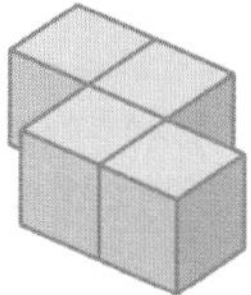

2-3

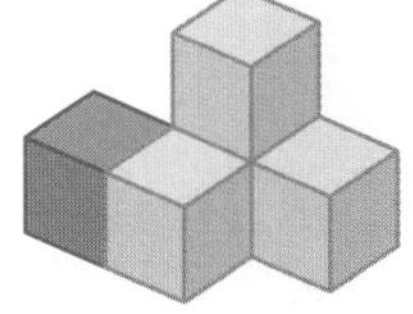
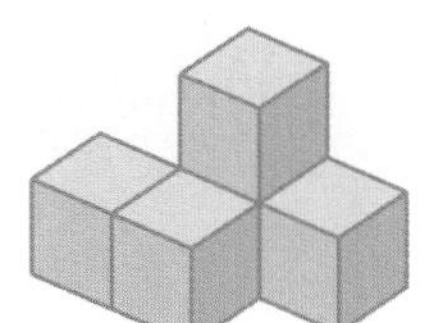

2-4

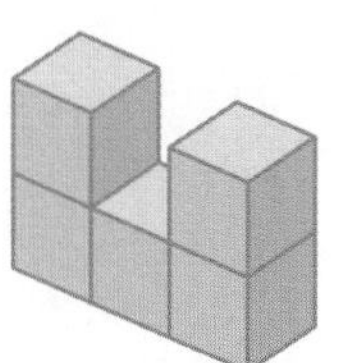

2-5

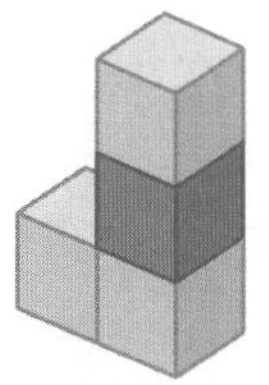
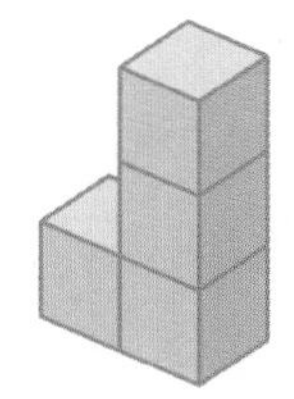

2-6

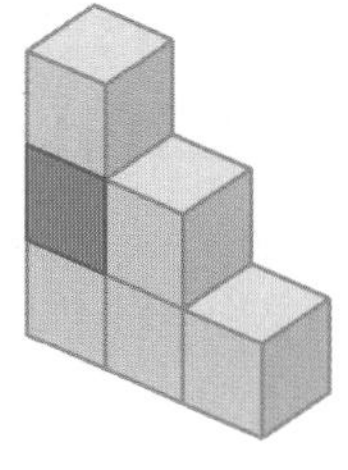
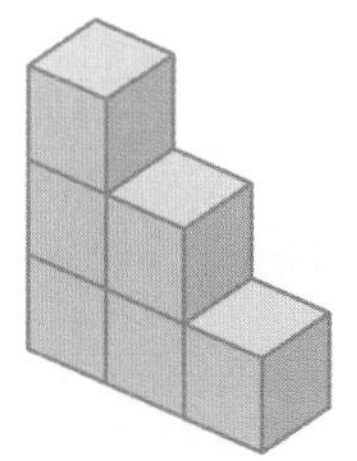

1일 쌓기나무의 개수

오늘은 무엇을 공부할까요?

비버 마을에서 도와달라는 연락이 왔단다.

저희가 다녀올게요.

가까운 연못가로 가면 만날 수 있을 게다.

아마도 이 블록을 사용하는 데 어려움이 있는 것 같구나.

와~ 오랫만에 출동이다!

후훗~. 재미있겠는 걸?

슝~

웅성 웅성

저긴가 봐.

무슨 문제가 있나 본데?

안녕? 어서와~.

한참을 기다리고 있었어.

우리 도움이 필요하다고 들었어.

똑같은 모양으로 쌓을 때 필요한 쌓기나무의 개수를 알아보자.

블록을 쌓고 있는 중이었나 봐.

맞아. 근데 똑같이 쌓으려면 블록이 몇 개 필요한지 자꾸 헷갈려.

방법은 간단해. 예를 들어 설명해줄게.

정말?

1
2 3 4

위에서부터 하나씩 세어 보거나~

어? 방법이 한 가지가 아니었어? 아이고 어지러워라.

각 층별로 세어서 더하는 방법도 있어.

← 2층 1개
← 1층 3개

3 + 1 = 4(개) 구나. 아! 난 이 방법이 좋은 걸?

그렇다면 둘다 똑같이 4개씩인 거네.

1
2
3 4
4개

← 2층 1개
← 1층 3개
4개

이제 알겠어. 큰 도움이 되었어.

고마워~

쌓기나무의 개수

활동을 통하여 개념을 알아보아요.

똑같은 모양으로 쌓을 때 필요한 쌓기나무의 개수 세어 보기

활동 1 한 개씩 세어 보기

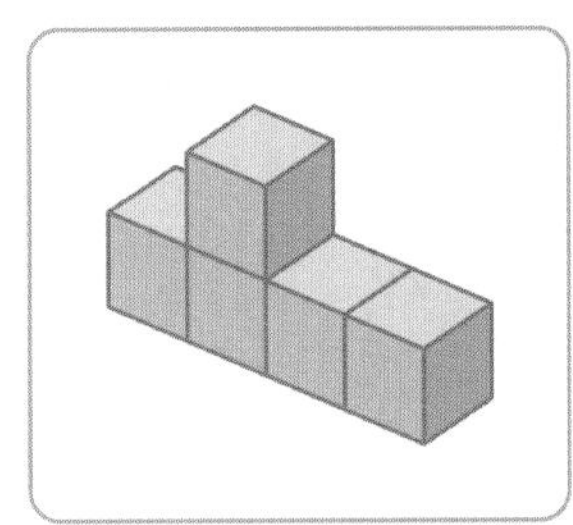

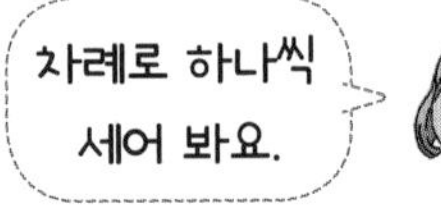

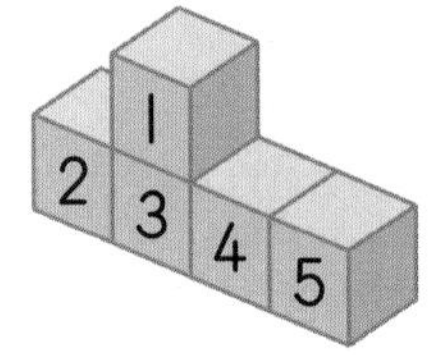

⇨ 필요한 쌓기나무는 5개입니다.

활동 2 층별로 나누어 세어 보기

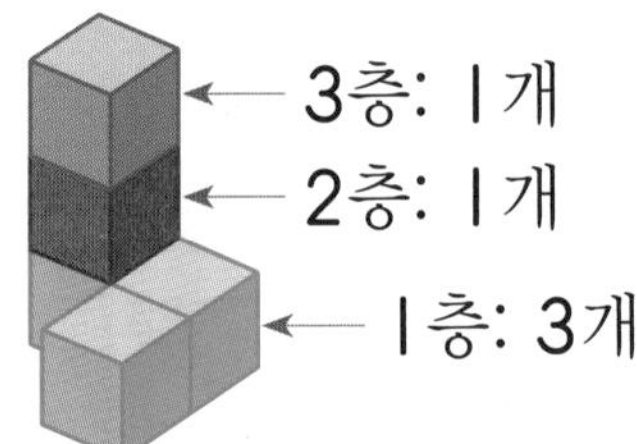

⇨ 필요한 쌓기나무는 $3+1+1=5$(개)입니다.

친구들도 각자 편리한 방법으로 쌓기나무를 세어 봐요.

개념 짚어 보기

• 한 개씩 세어 보기

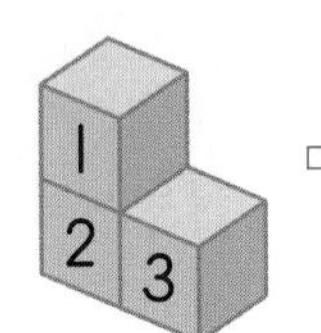

⇨ 3개

• 층별로 나누어 세어 보기

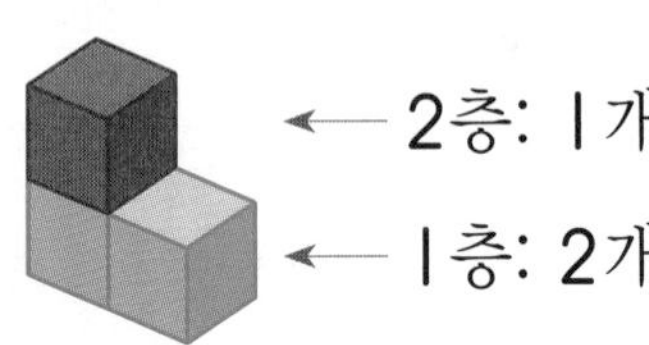

⇨ $2+1=3$(개)

활동 개념 확인

똑같은 모양으로 쌓으려면 쌓기나무가 몇 개 필요한지 구하세요.

1-1

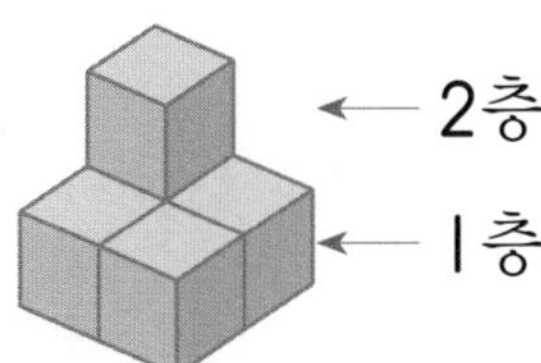

2층: □개
1층: □개
⇨ □개

1-2

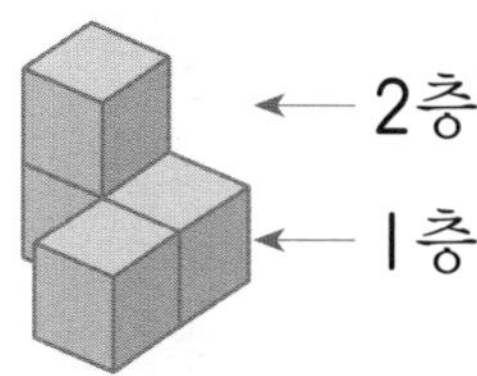

2층: □개
1층: □개
⇨ □개

1-3

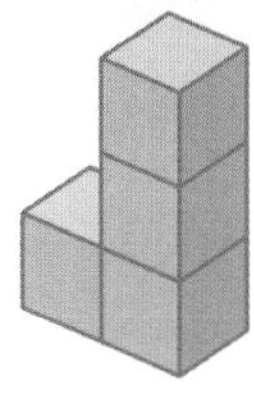

□개

1-4

□개

1-5

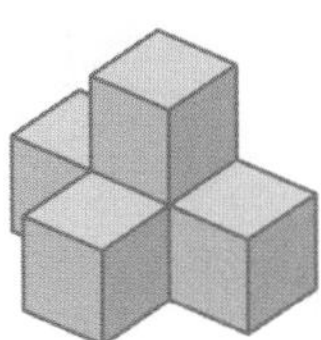

□개

1-6

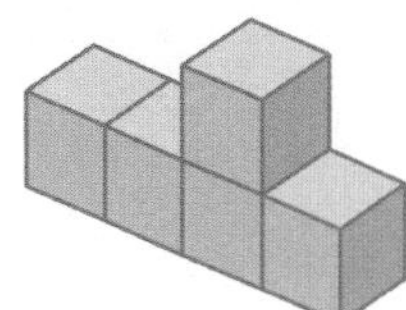

□개

1-7

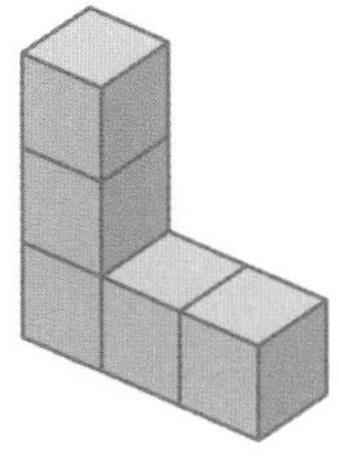

□개

1-8

□개

4주 1일

쌓기나무의 개수

도형 집중 연습

쌓기나무 4개로 만든 모양에 ○표 하세요.

1-1

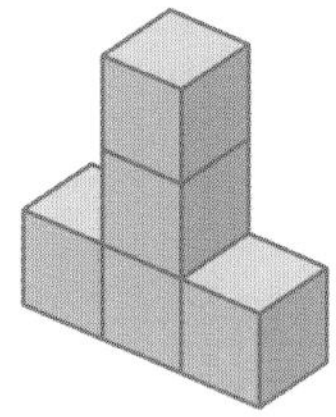

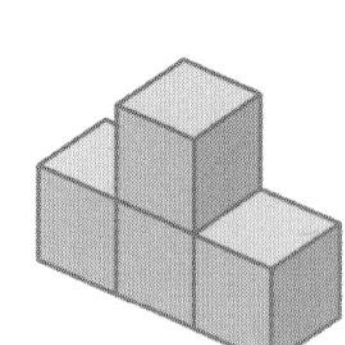

1-2

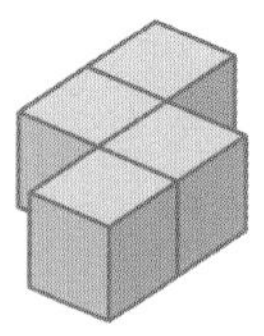

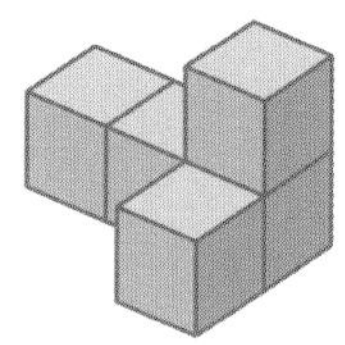

쌓기나무 5개로 만든 모양을 찾아 ○표 하세요.

2-1

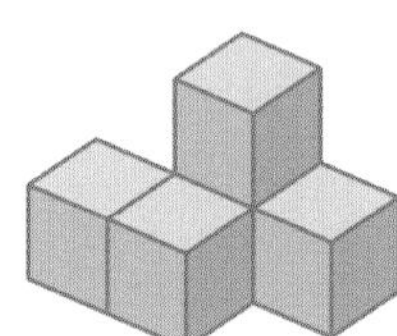

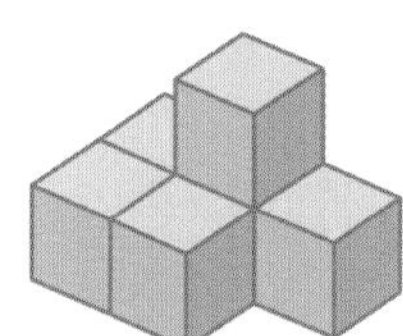

2-2

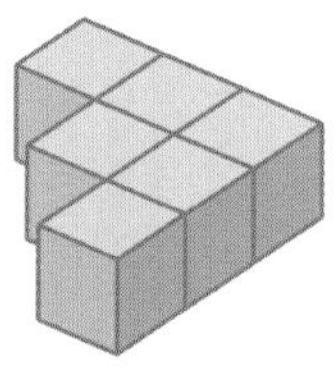

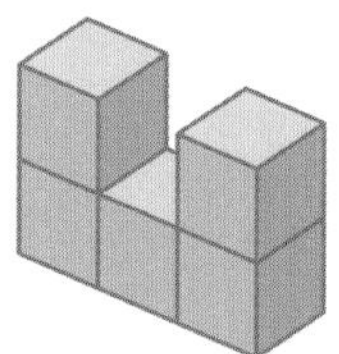

쌓기나무 6개로 만든 모양을 찾아 ○표 하세요.

3-1

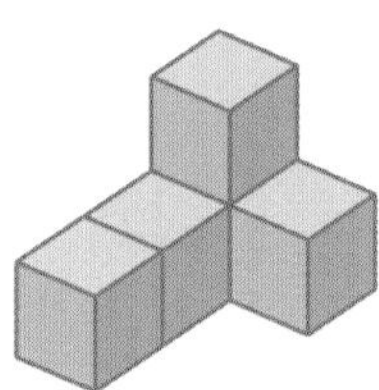

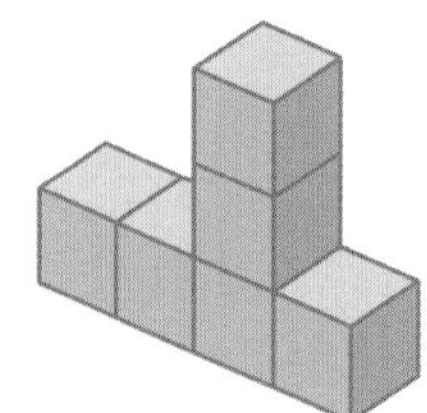

3-2

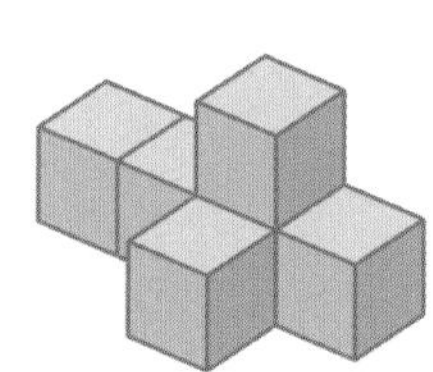

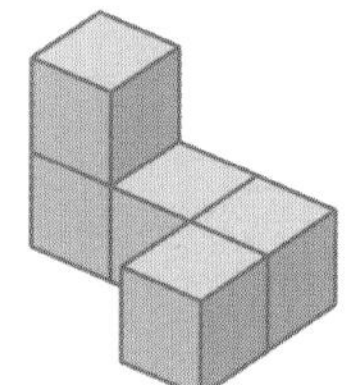

쌓기나무 7개로 만든 모양을 찾아 ○표 하세요.

4-1

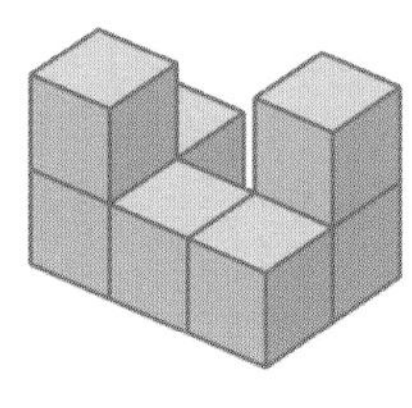

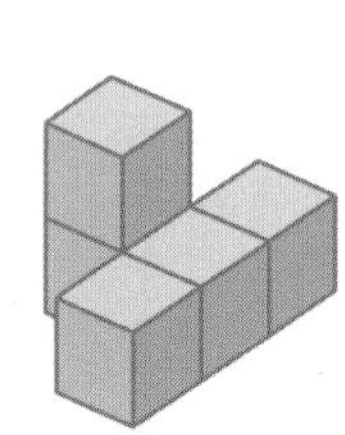

4-2

사용한 쌓기나무의 수가 더 많은 것에 ○표 하세요.

5-1

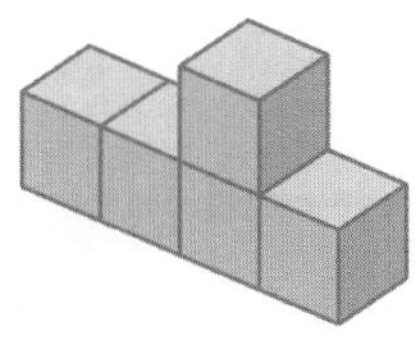

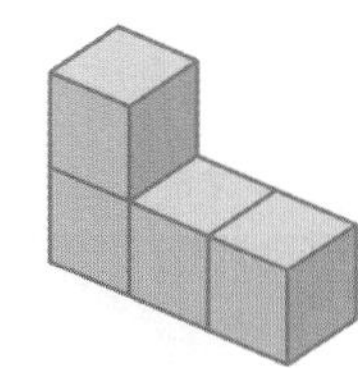

5-2

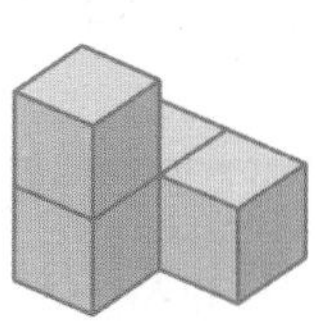

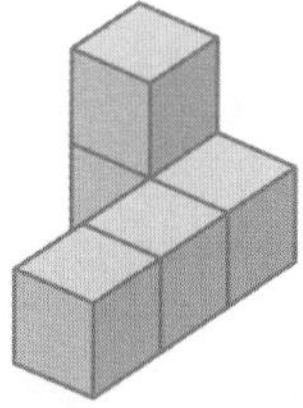

5-3

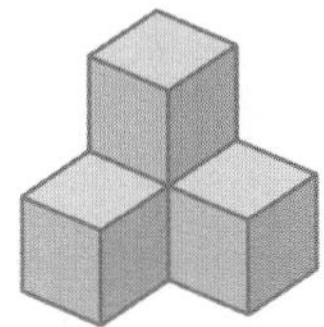

5-4

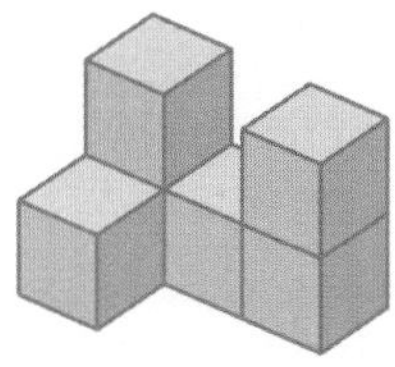

상자를 가장 많이 쌓은 것을 찾아 ○표 하세요.

6-1

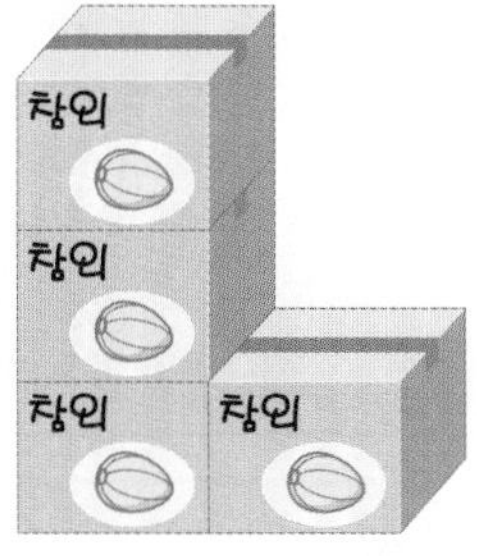

6-2

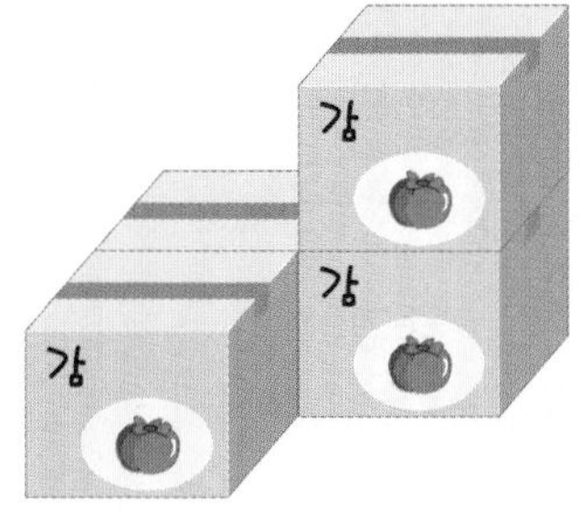

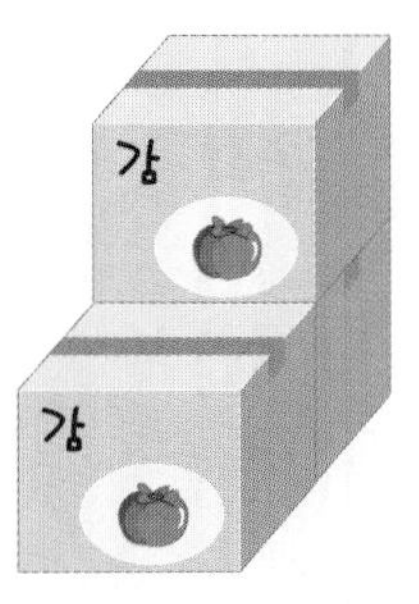

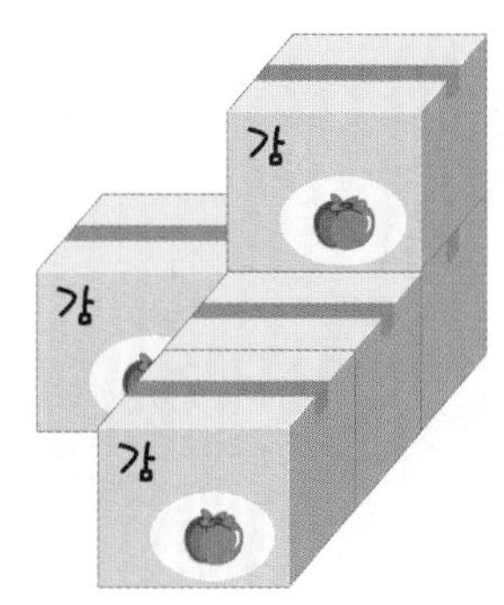

4주 1일

쌓은 모양에서 위치 알아보기

오늘은 무엇을 공부할까요?

블록에 색칠을 할거야.

같이 하자. 우리가 도와줄게.

그래! 그거 좋은 생각이다.

친구들이 곧 올 거야. 우리 비버 친구들과 같이 해보자.

반짝 반짝

우리가 물감을 준비해 올게.

휙

휙

역시 든든한 친구들이야. 자~ 시작 하자고.

여기 3가지 색의 물감을 가져왔어.

내가 먼저 빨간색을 칠해볼게.

좋았어. 다음은 하재가 칠해보도록 해.

쌓기나무를 쌓은 모양에서 위치를 알아보자.

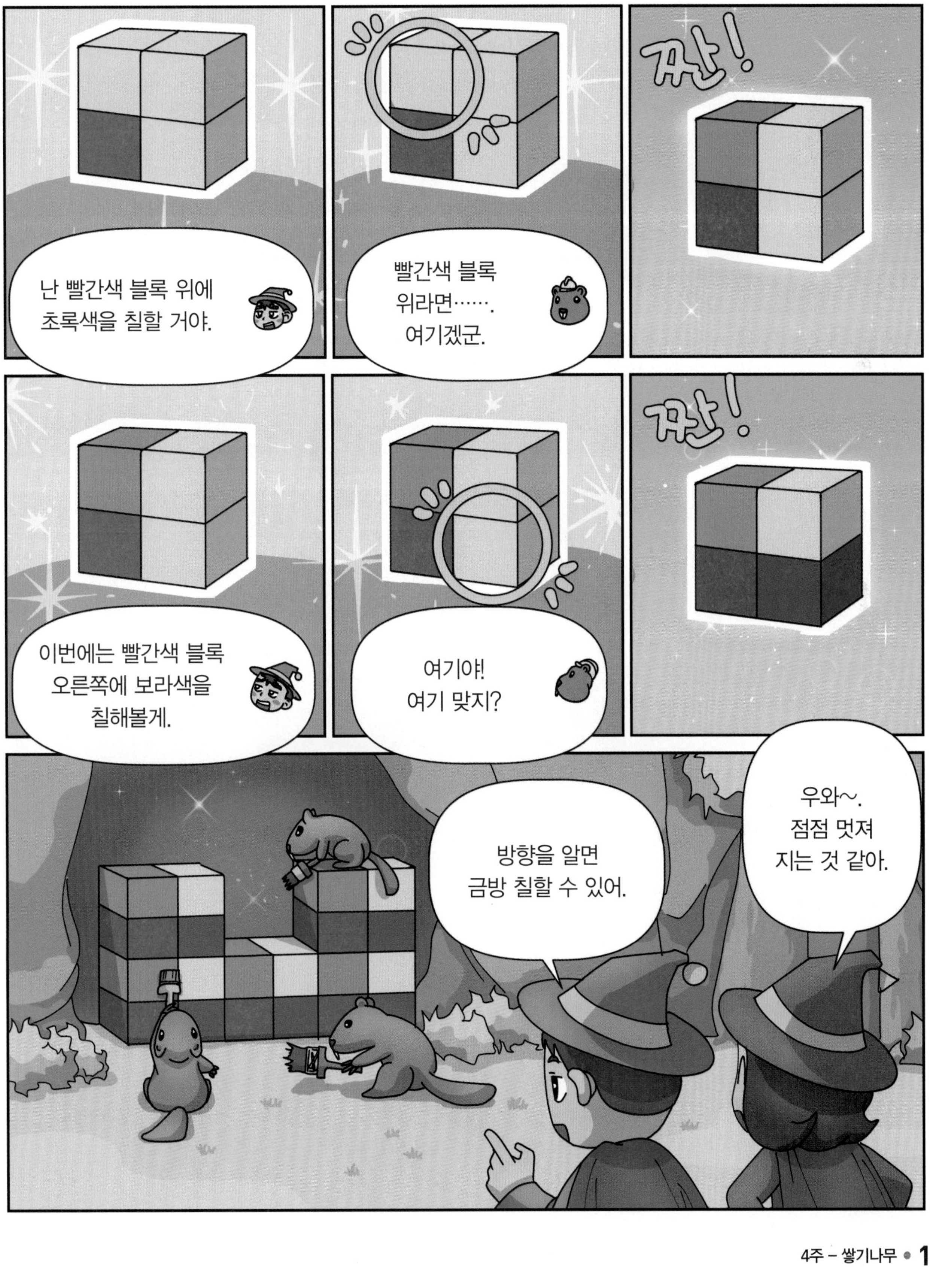

짠!

난 빨간색 블록 위에 초록색을 칠할 거야.

빨간색 블록 위라면……. 여기겠군.

짠!

이번에는 빨간색 블록 오른쪽에 보라색을 칠해볼게.

여기야! 여기 맞지?

방향을 알면 금방 칠할 수 있어.

우와~. 점점 멋져 지는 것 같아.

4주
2일

2일 쌓은 모양에서 위치 알아보기

활동을 통하여 개념을 알아보아요.

알맞은 위치의 쌓기나무에 색칠하기

알맞은 위치의 쌓기나무를 찾아 색칠해 보세요.

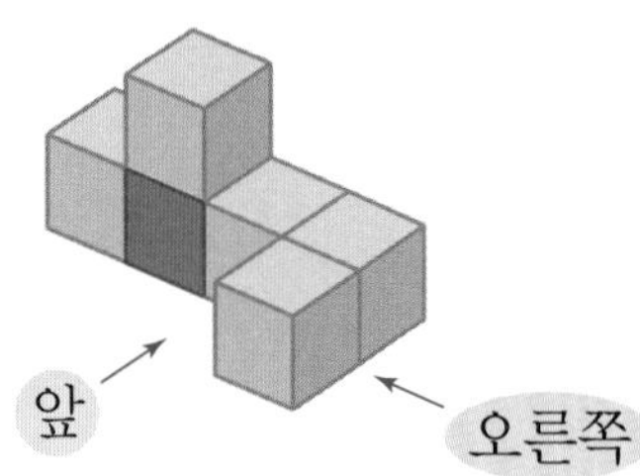

크레파스 : 빨간색 쌓기나무의 위에 있는 쌓기나무에 색칠

크레파스 : 빨간색 쌓기나무의 왼쪽에 있는 쌓기나무에 색칠

활동 1 크레파스 을 색칠하기

빨간색 쌓기나무의 위에 있는 쌓기나무를 찾아 ○표 하기

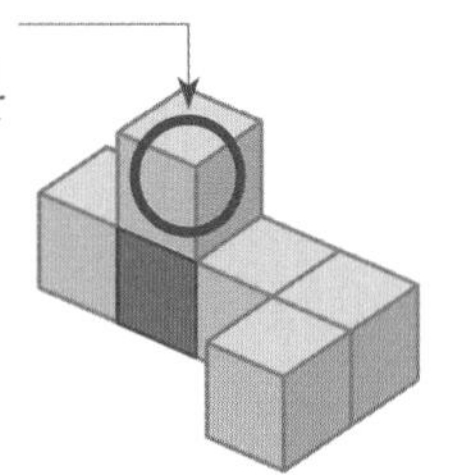

⇨

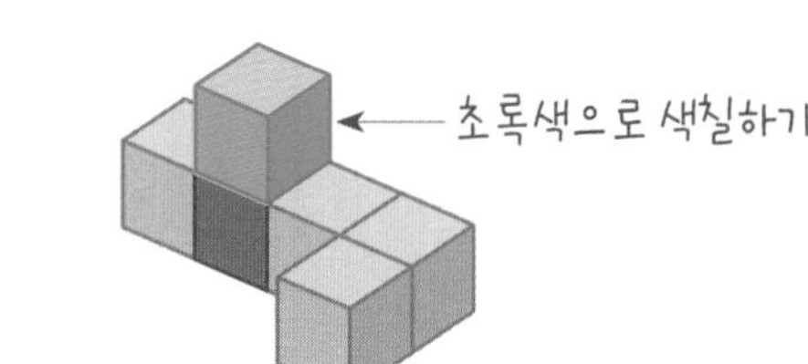

활동 2 크레파스 을 색칠하기

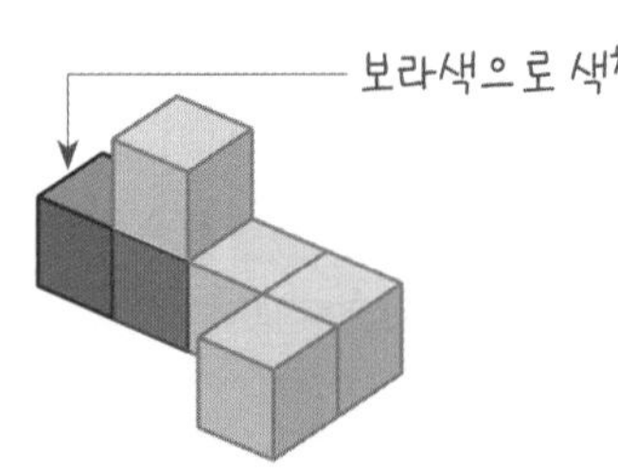

빨간색 쌓기나무의 왼쪽에 있는 쌓기나무를 찾아 ○표 하기

개념 짚어 보기

• **빨간색 쌓기나무를 기준으로 위치 알아보기**

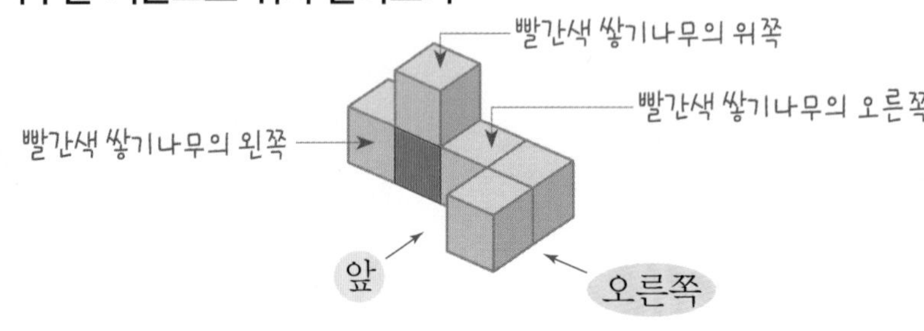

활동 개념 확인

보기 와 같이 초록색 쌓기나무를 기준으로 주어진 방향에 있는 쌓기나무에 색칠하세요.

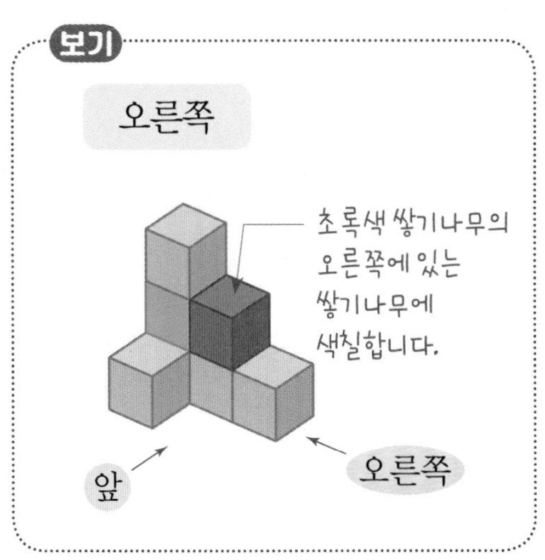

1-1 왼쪽

앞

오른쪽

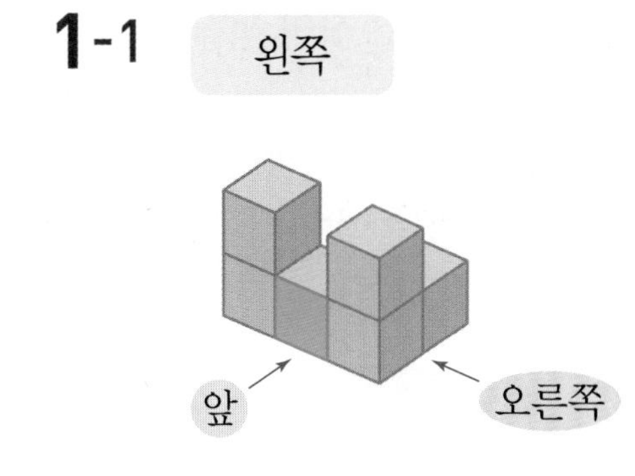

1-2 앞쪽

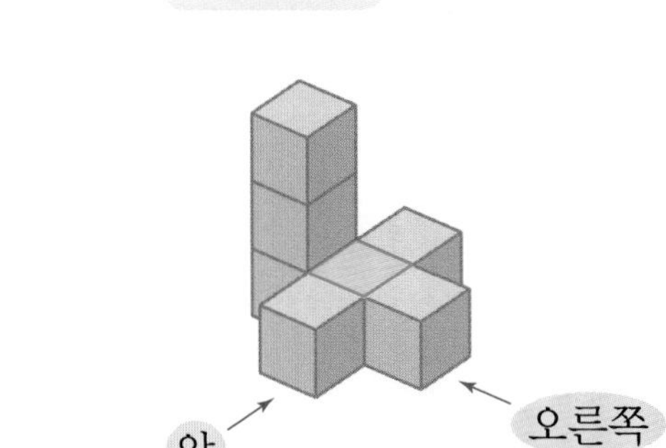

1-3 뒤쪽

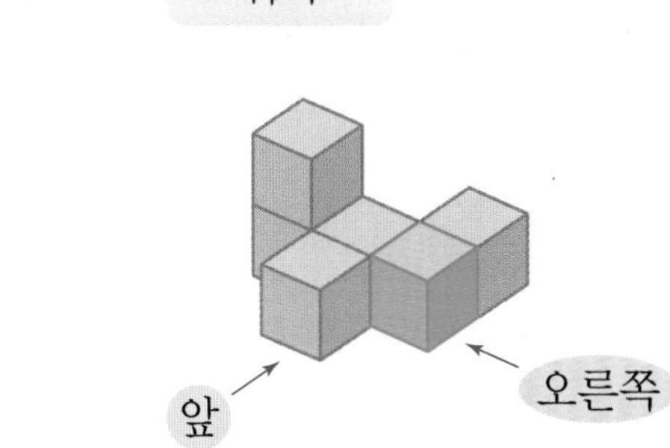

1-4 위쪽

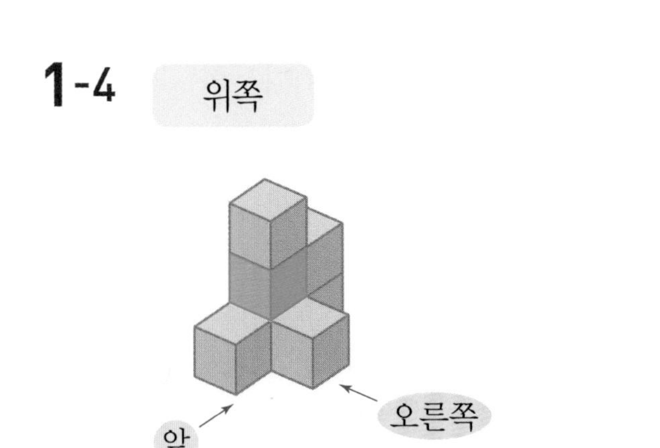

앞

오른쪽

1-5 아래쪽

앞

오른쪽

4주
2일

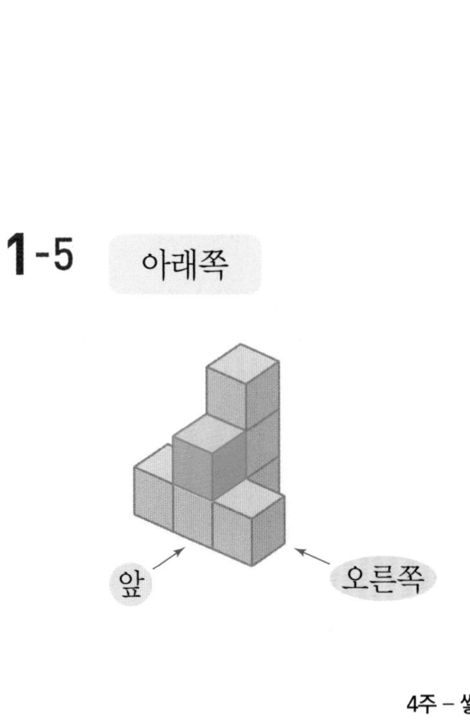

2일 쌓은 모양에서 위치 알아보기

도형 집중 연습

설명하는 쌓기나무를 찾아 색칠하세요.

1-1 초록색 쌓기나무의 오른쪽에 있는 쌓기나무

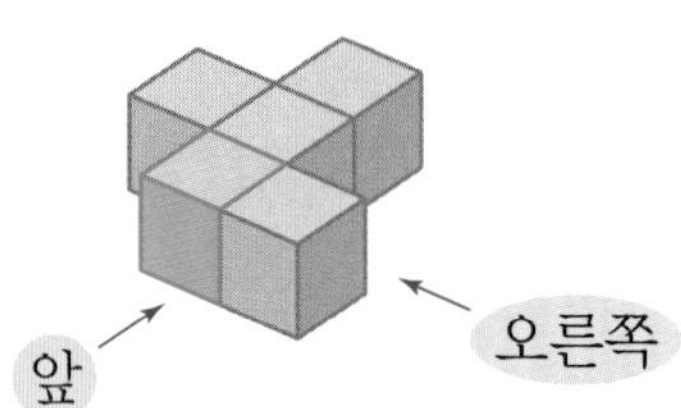

1-2 초록색 쌓기나무의 위쪽에 있는 쌓기나무

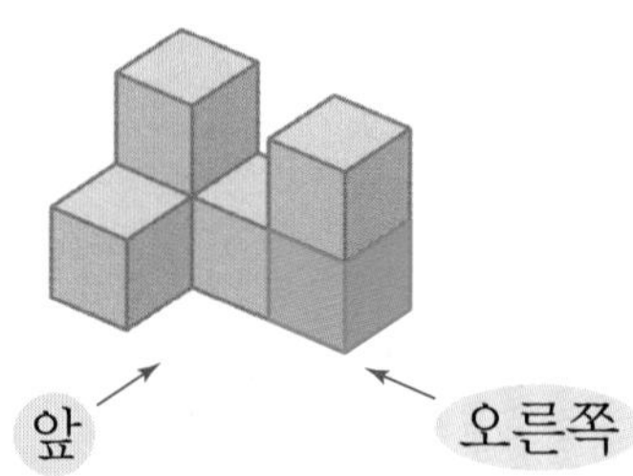

1-3 초록색 쌓기나무의 아래쪽에 있는 쌓기나무

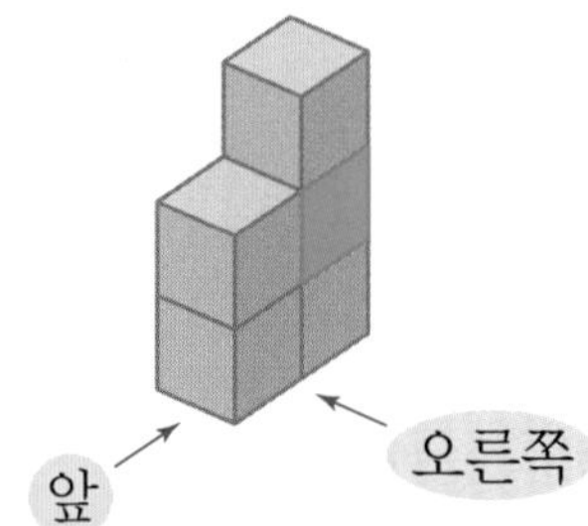

1-4 초록색 쌓기나무의 왼쪽에 있는 쌓기나무

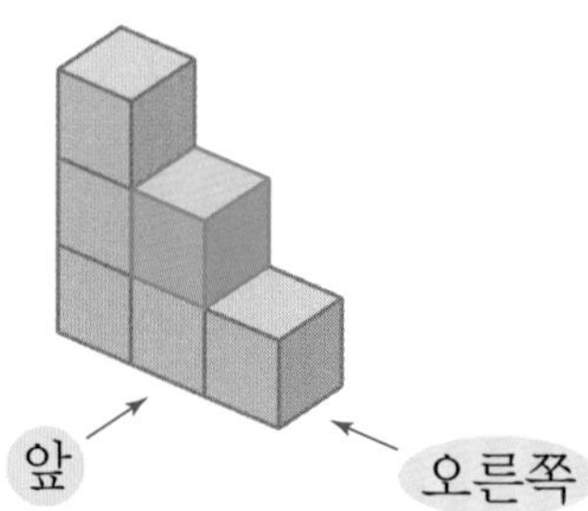

1-5 초록색 쌓기나무의 앞쪽에 있는 쌓기나무

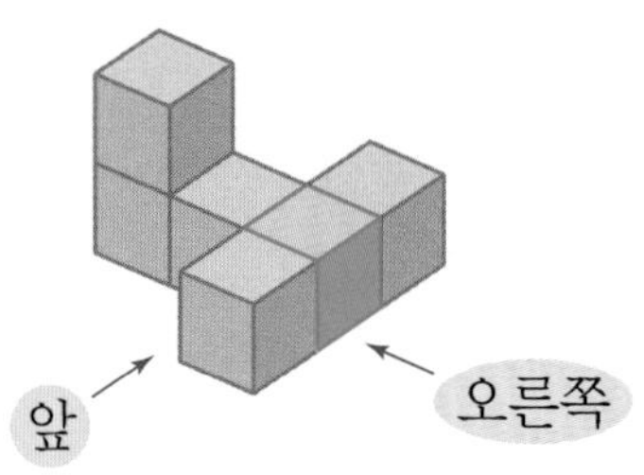

1-6 초록색 쌓기나무의 뒤쪽에 있는 쌓기나무

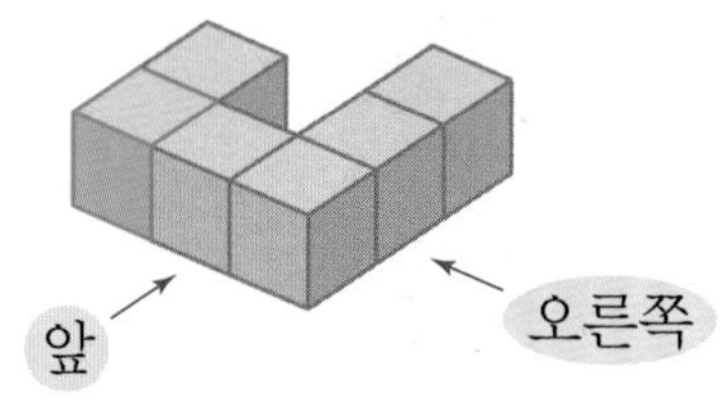

빨간색 쌓기나무 위에 쌓기나무 1개를 더 쌓은 모양에 ○표 하세요.

2-1

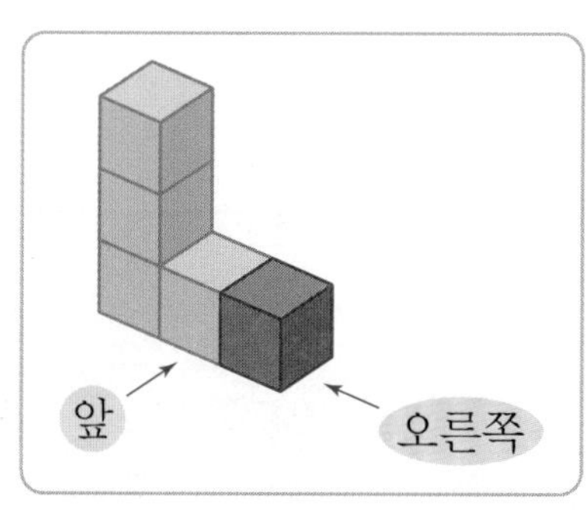

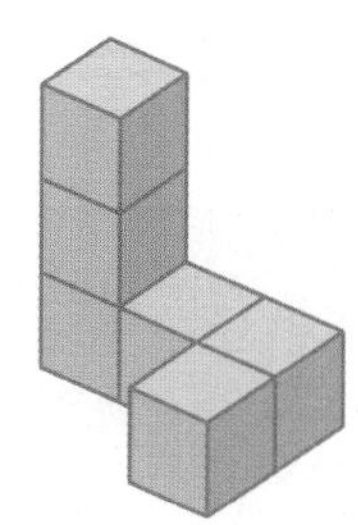

2-2

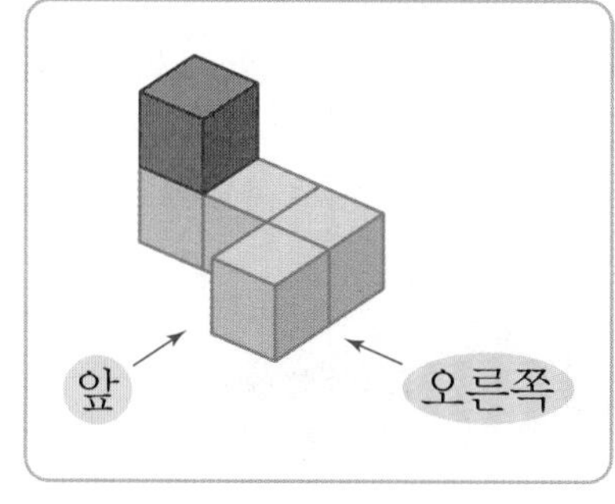

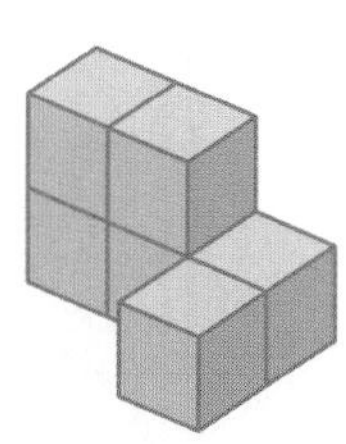

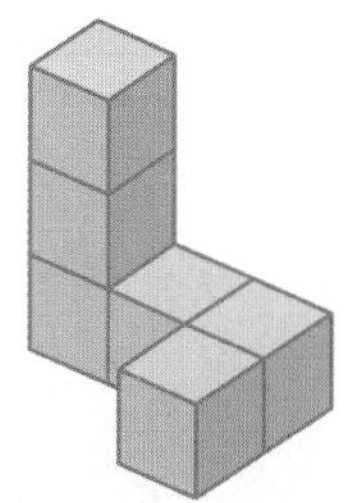

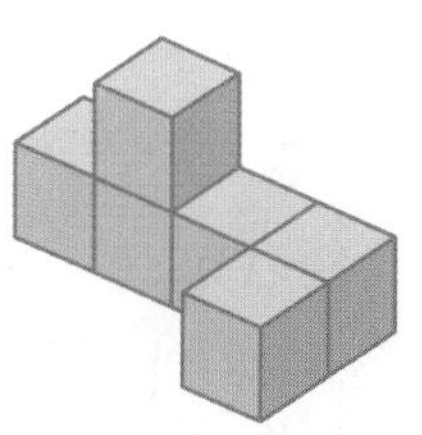

빨간색 쌓기나무 앞에 쌓기나무 1개를 더 쌓은 모양에 ○표 하세요.

3-1

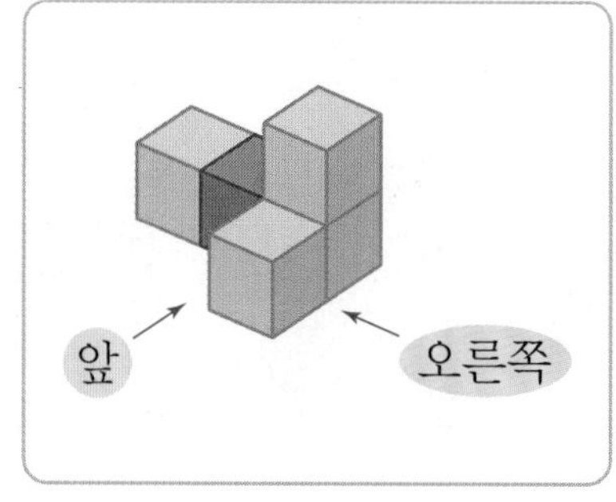

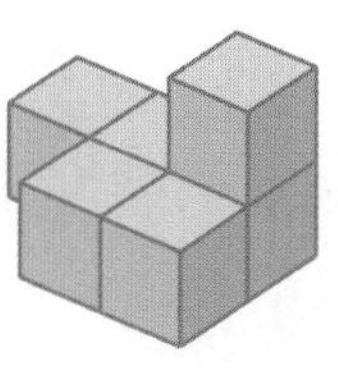

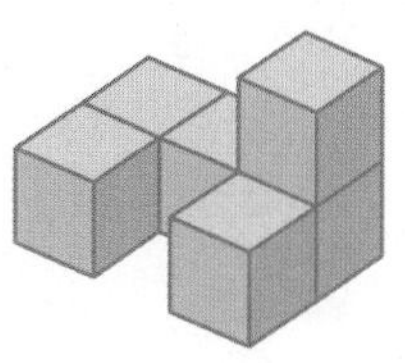

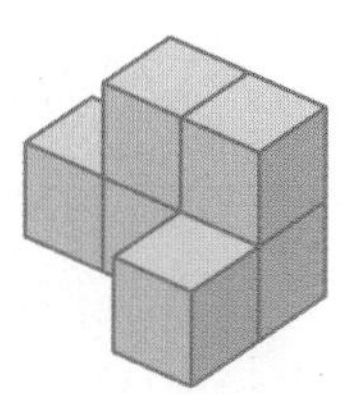

3-2

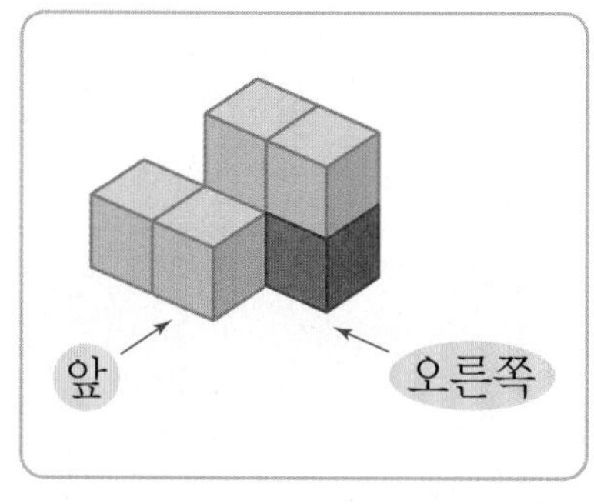

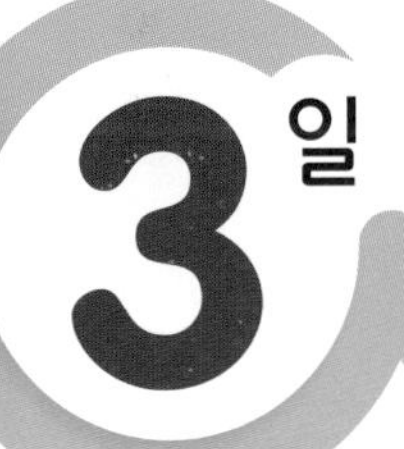

쌓기나무 쌓기

오늘은 무엇을 공부할까요?

척!

친구들이 블록 쌓기 연습 중이야.

보라색 블록 옆에 1개 더 쌓을 차례야.

탁!

쓱

아니야, 이번에는 빨간색 블록 옆이야.

순서도 몰라?

투닥 투닥

내가 쌓은 게 맞다고!

으아아

다투지 말아.

꼭 그렇게 쌓지 않아도 1개를 더 쌓을 수 있는 방법은 여러 가지야.

쌓기나무를 여러 가지 방법으로 쌓아 보자.

3일 쌓기나무 쌓기

활동을 통하여 개념을 알아보아요.

주어진 모양에 쌓기나무 1개를 더 쌓아 여러 가지 모양 만들기

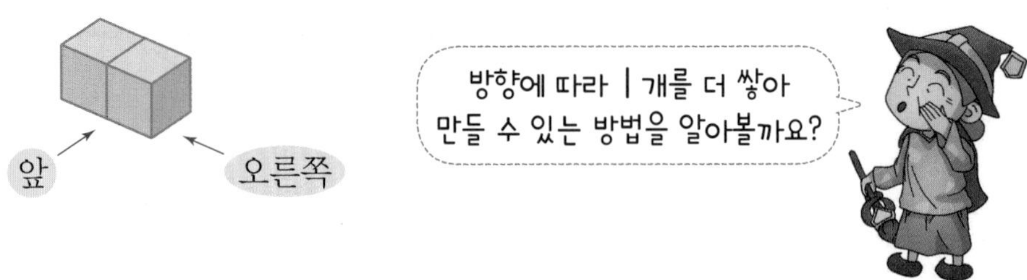

앞
오른쪽
방향에 따라 1개를 더 쌓아
만들 수 있는 방법을 알아볼까요?

활동 1 오른쪽 또는 왼쪽에 1개 더 쌓기

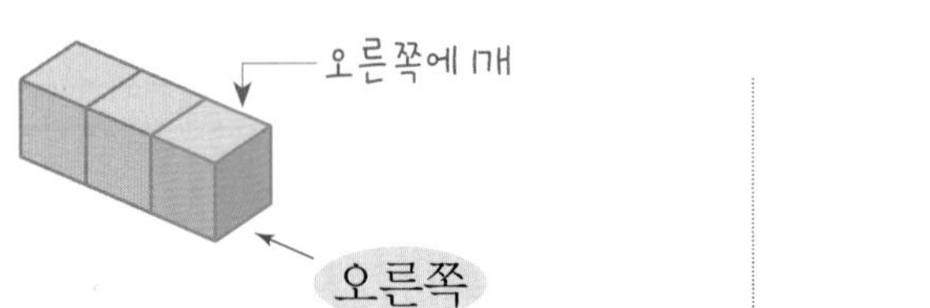

활동 2 앞쪽 또는 뒤쪽에 1개 더 쌓기

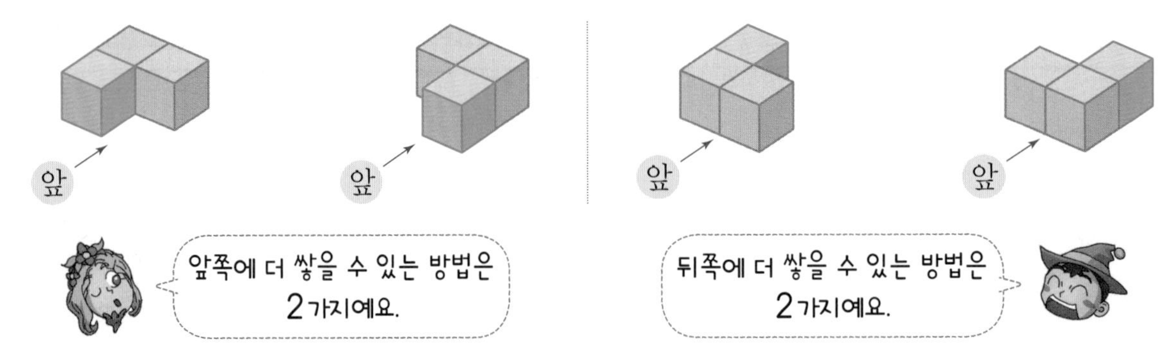

앞
앞
앞
앞
앞쪽에 더 쌓을 수 있는 방법은
2가지예요.
뒤쪽에 더 쌓을 수 있는 방법은
2가지예요.

활동 3 위쪽에 1개 더 쌓아보기

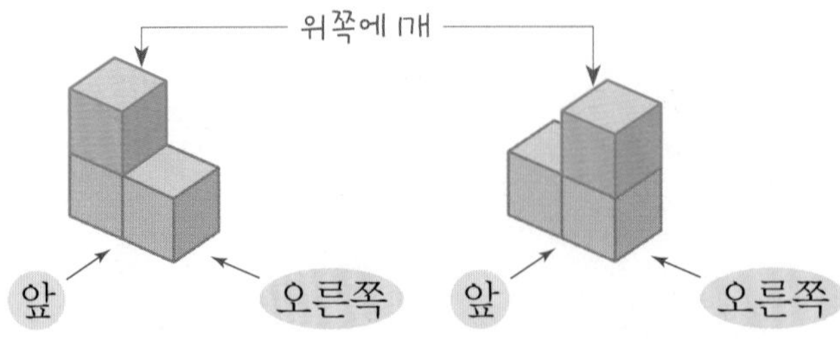

활동 개념 확인

왼쪽 모양에 쌓기나무 1개를 더 쌓은 모양을 찾아 ○표 하세요.

1-1

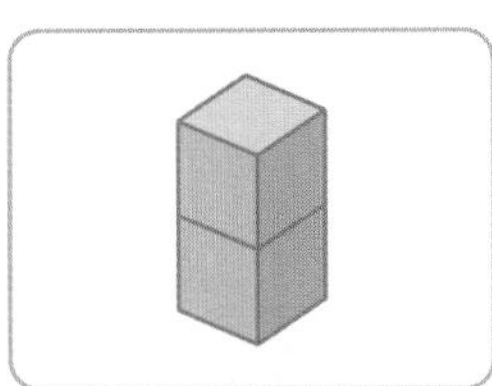 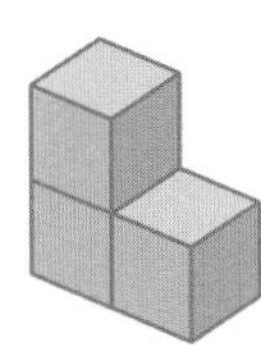 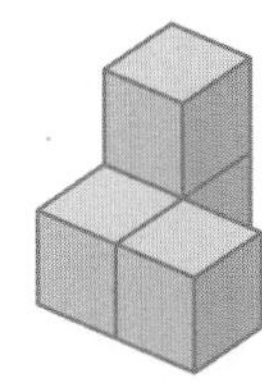 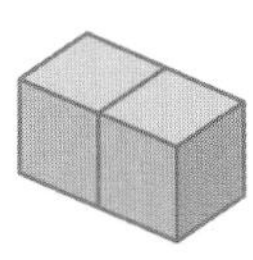

1-2

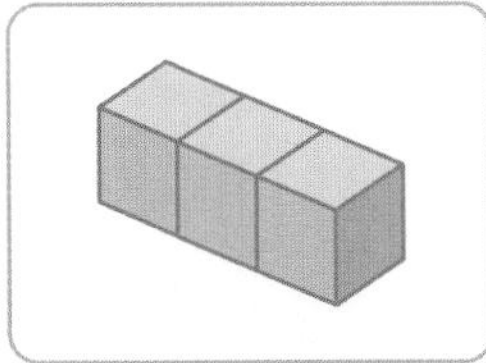 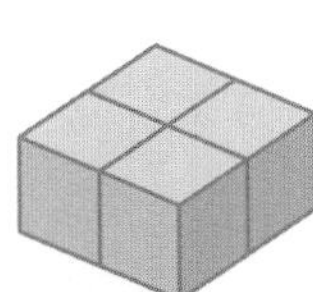 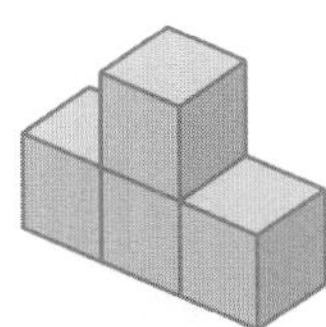 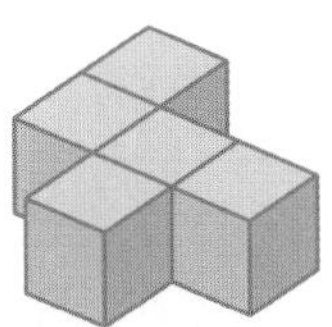

1-3

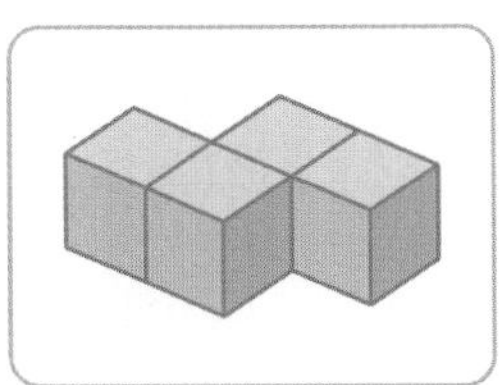 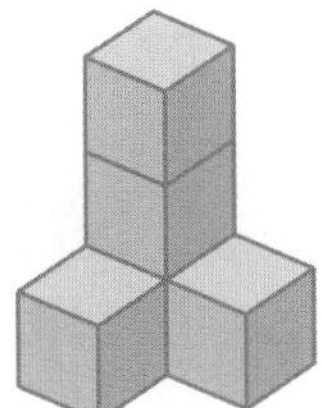 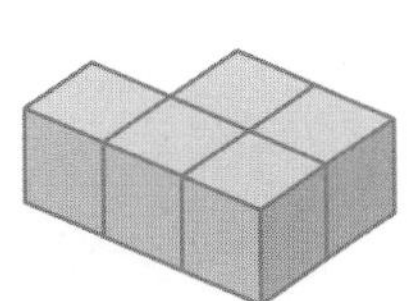 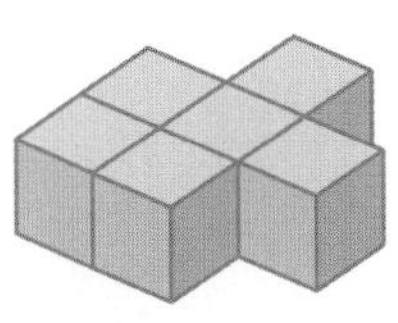

1-4

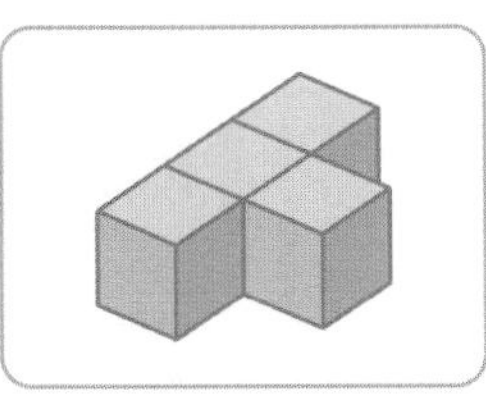 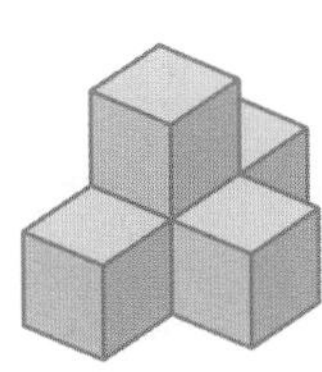  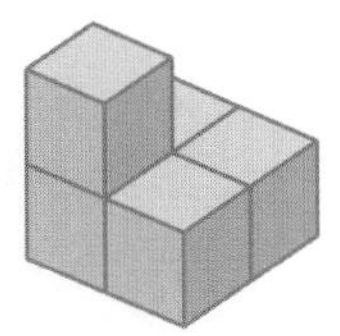

4주
3일

3일 쌓기나무 쌓기

도형 집중 연습

왼쪽 모양에서 쌓기나무 1개를 뺀 모양을 찾아 ○표 하세요.

1-1

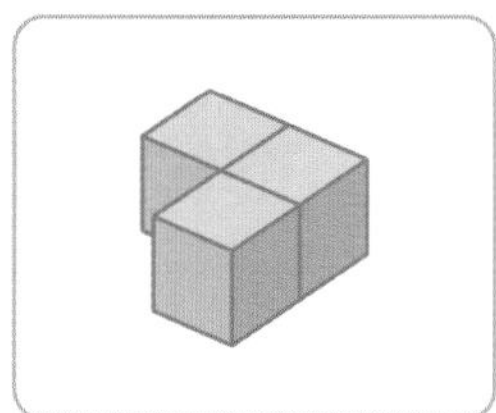
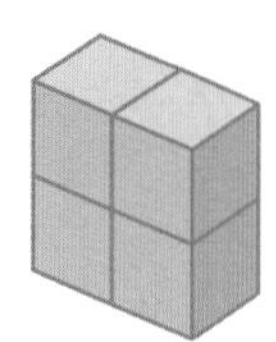
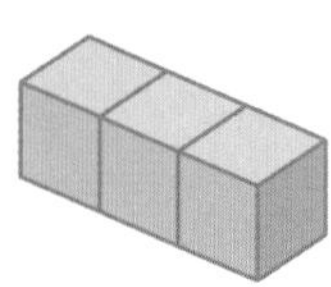
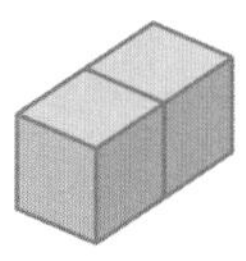

1-2

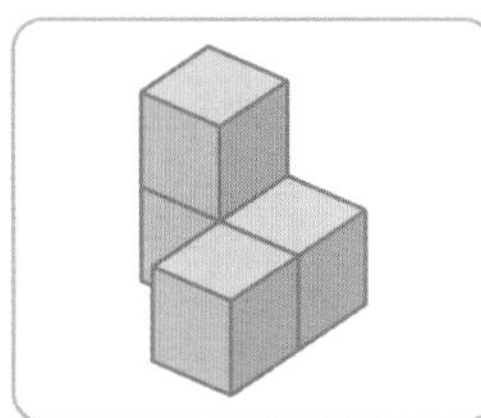
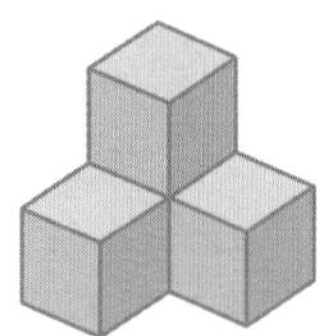
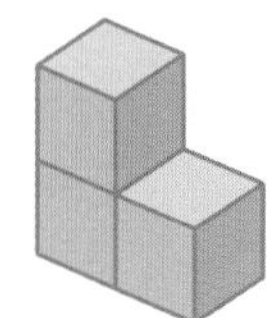
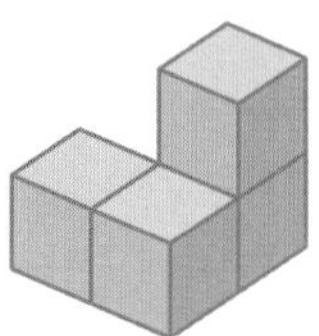

1-3

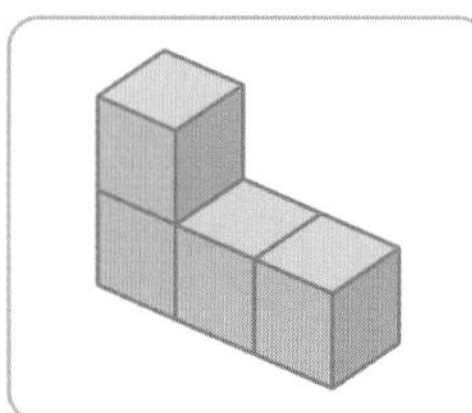
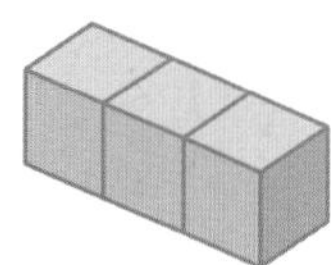
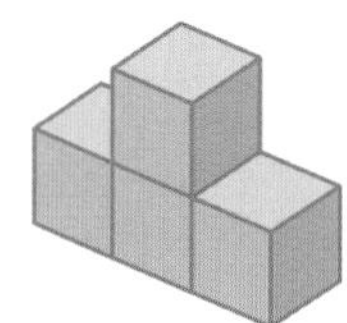
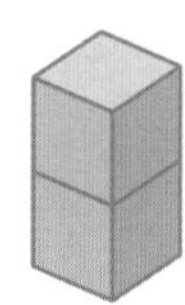

1-4

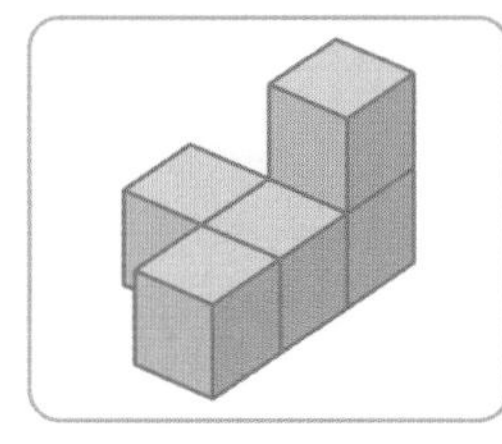
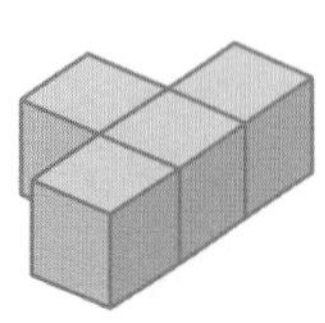
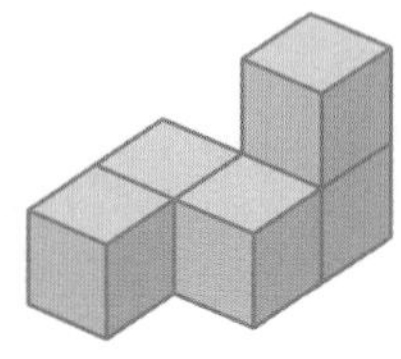
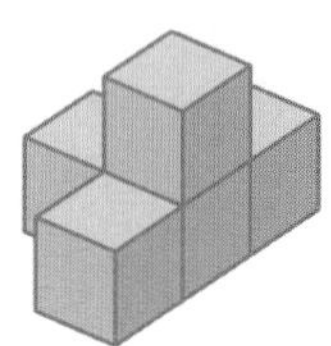

보기 와 같이 왼쪽 모양에서 쌓기나무 1개를 옮겨 오른쪽 모양을 만들었습니다. 옮긴 쌓기나무를 왼쪽 모양에서 찾아 색칠하세요.

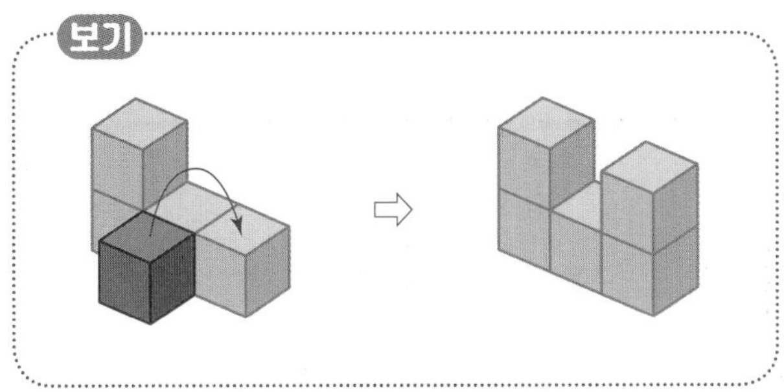

2-1

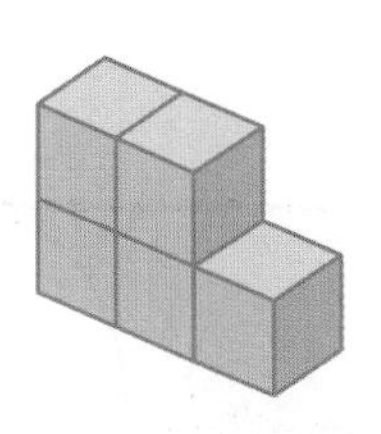

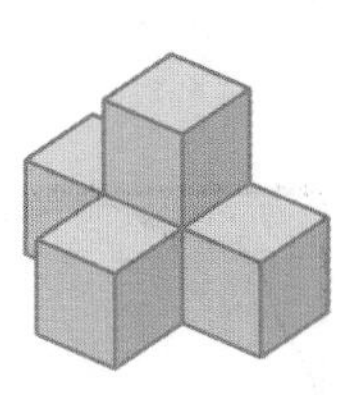

2-2

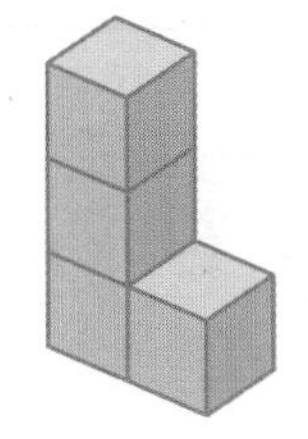

2-3

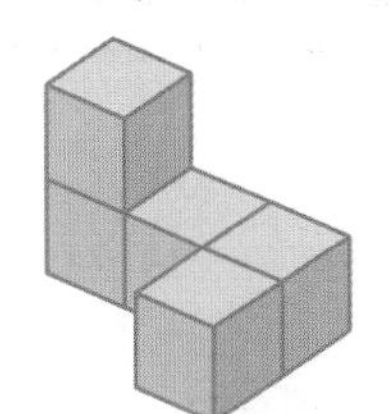

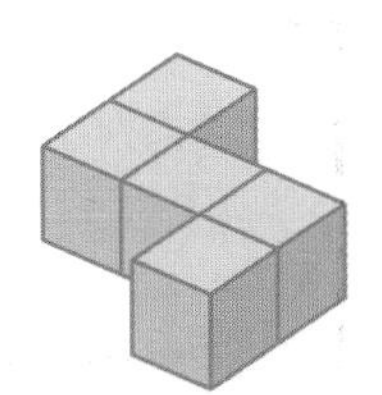

2-4

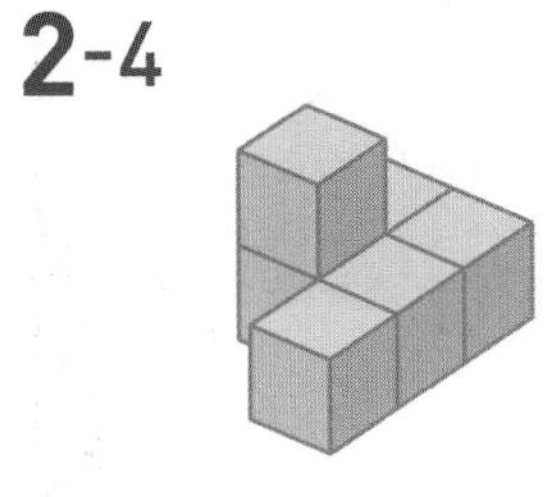

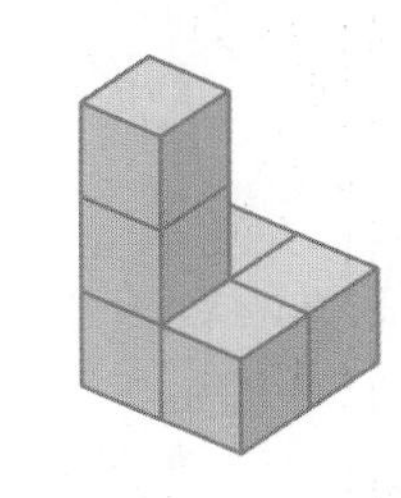

2-5

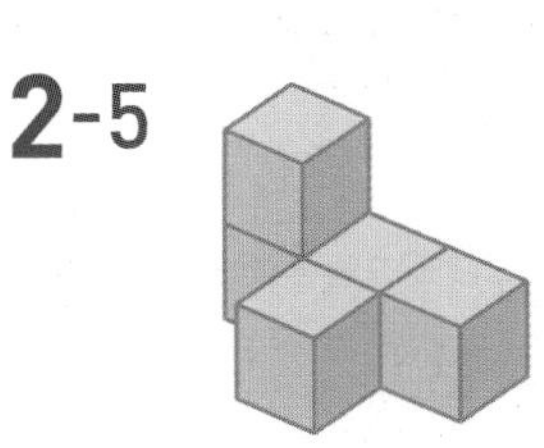

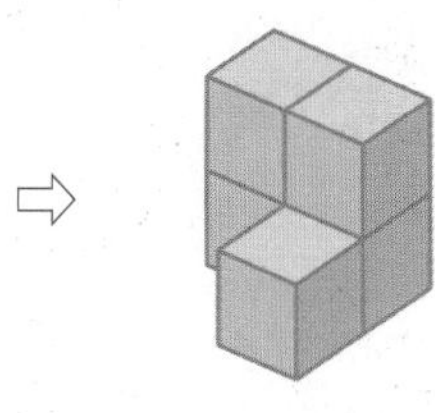

4주
3일

4일 쌓기나무의 그림자 알아보기

오늘은 무엇을 공부할까요?

으아악!
유령이 나타났어!
덜덜
덜덜
유령이라고?
대체 그게
무슨 말이야?

지우야!
친구들이
유령을 봤대.
정말?
유령이라니……

지우야, 유령이
나타난 곳에 가보자!
좀 무섭긴 하지만
나도 갈래.
새앵—

으아악!!
저기 진짜 유령이……

꺄아악!!
여기에도……

앞, 옆에서 비춘 쌓기나무의 그림자를 알아보자.

엥?
이건 그림자잖아.

뭐야?
이것도 그림자야.

저기에도
유령이…… 윽!

또?
어디에?

저것 봐! 저건 진짜야.
그림자가 아니잖아.

블록 모양과
그림자 모양이
달라.

이건 진짜 유령이
틀림없어.

에이~. 저것도 그림자네.
빛이 비치는 방향을 봐야지!

엄청 겁이 많은 비버
친구들이네.

그나저나 누가 이런
곳에 양초를 켜둔 거야?

후

쌓기나무의 그림자 알아보기

활동을 통하여 개념을 알아보아요.

앞에서 비춘 그림자 알아보기

전등을 앞에서 비췄을 때 그림자 모양을 알아볼까요?

그림자의 모양과 앞에서 본 모양이 같아요.

쥬스

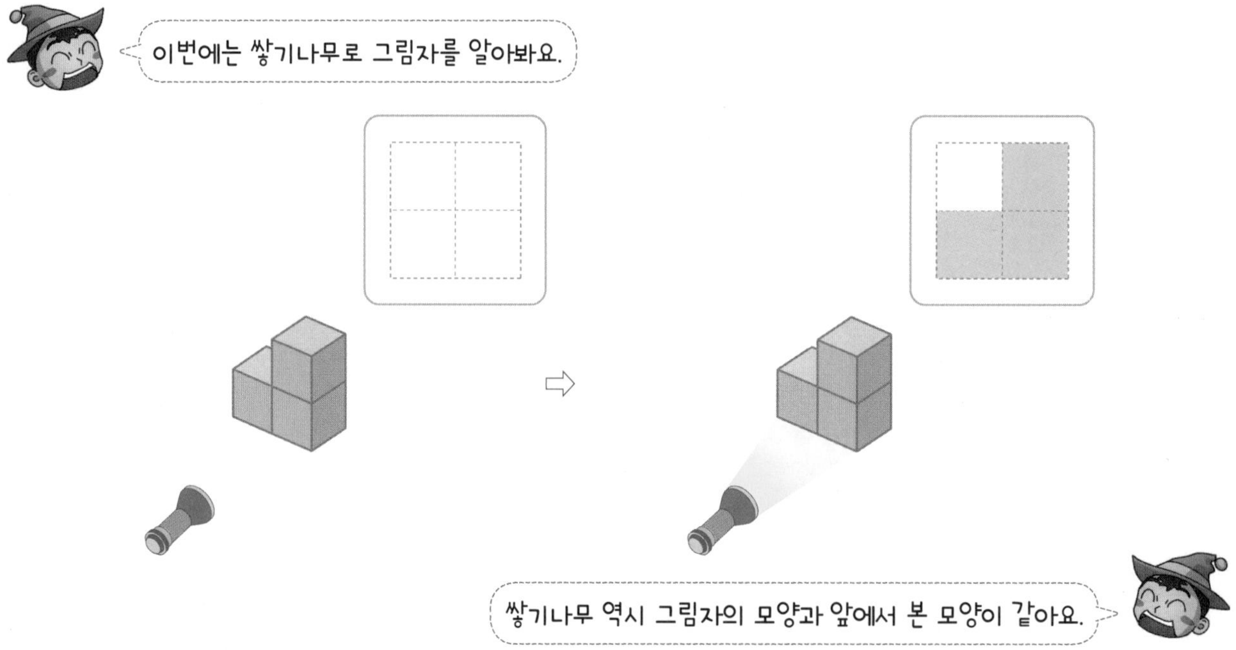

이번에는 쌓기나무로 그림자를 알아봐요.

⇨

쌓기나무 역시 그림자의 모양과 앞에서 본 모양이 같아요.

• 쌓기나무를 앞, 옆에서 비춘 그림자의 모양은 앞, 옆에서 본 모양과 각각 같습니다.

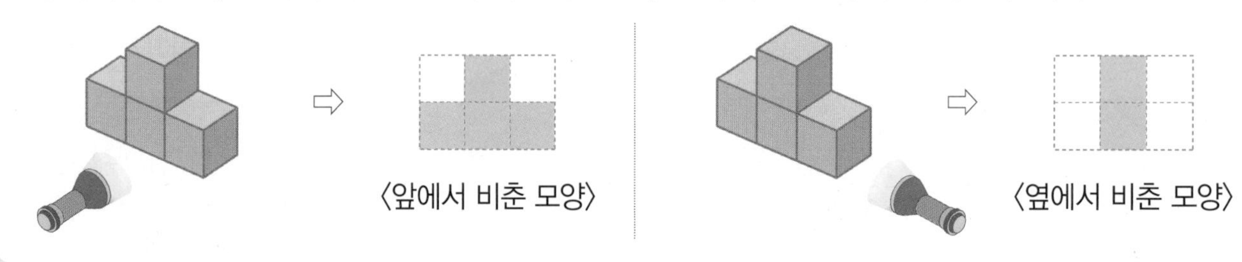

활동 개념 확인

앞에서 비춘 그림자가 맞으면 ○표, 틀리면 ×표 하세요.

1-1

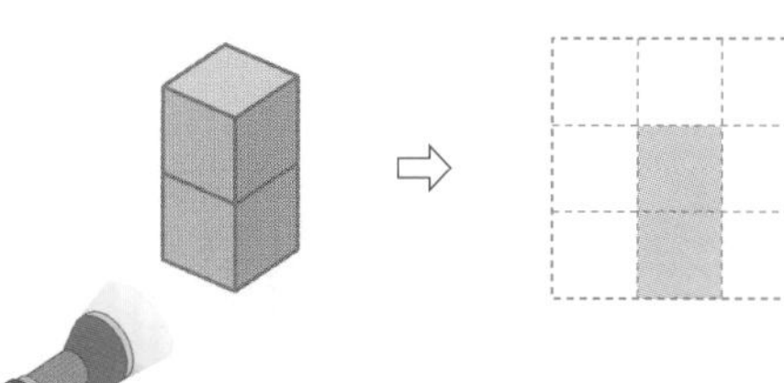

1-2

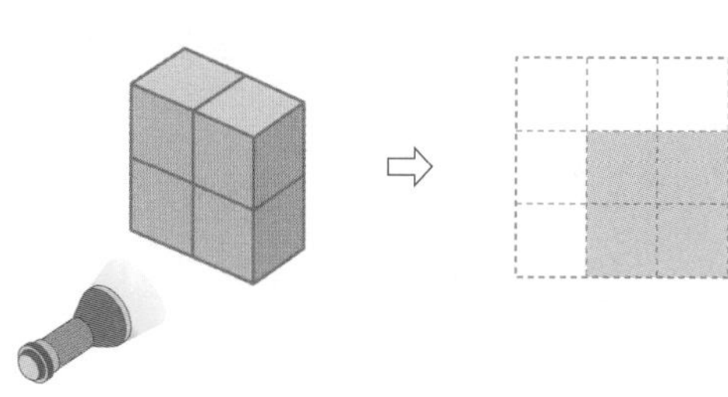

1-3

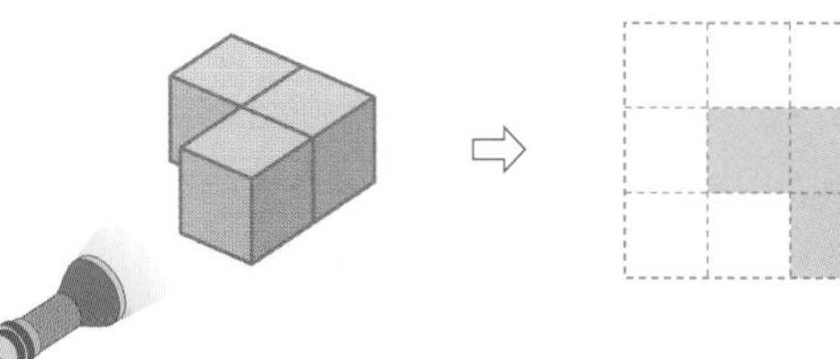

1-4

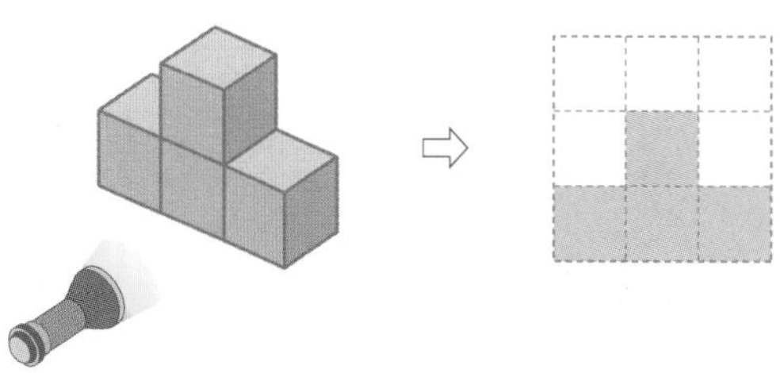

1-5

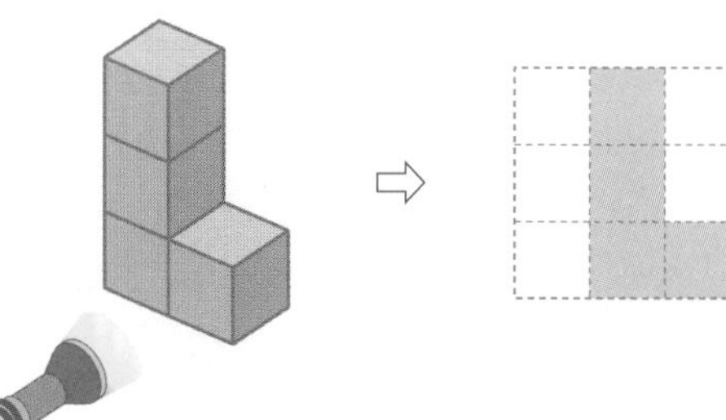

1-6

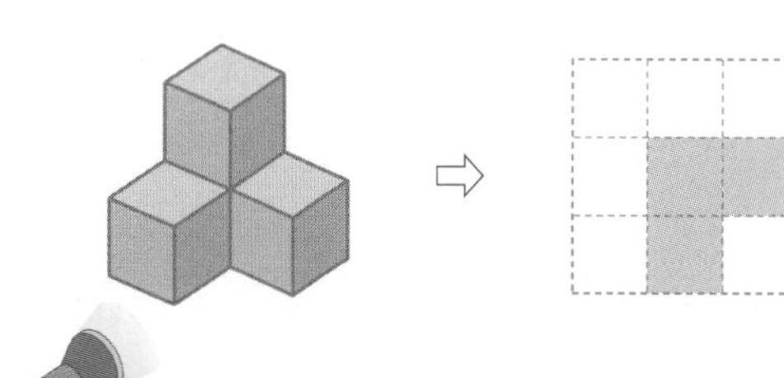

1-7

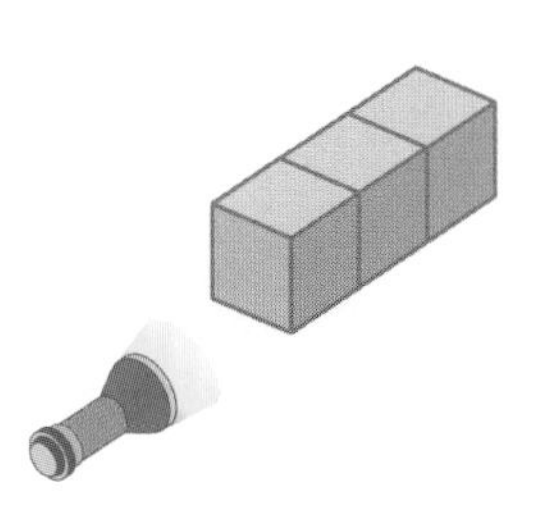

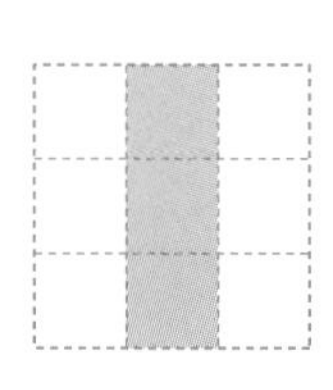

1-8

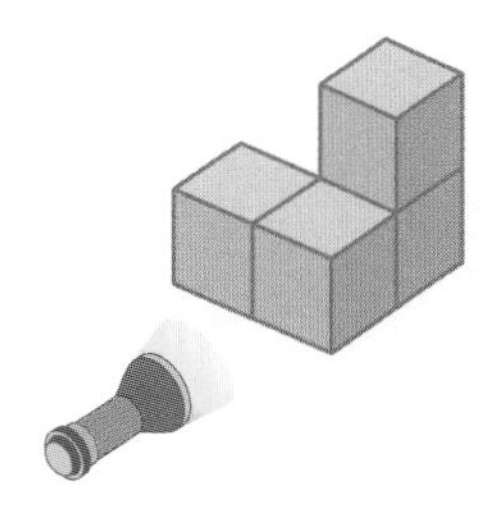

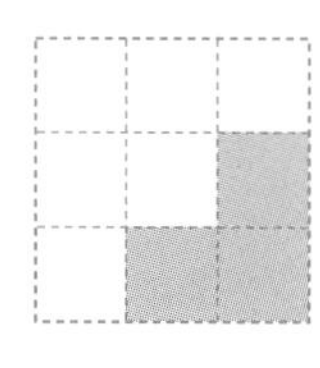

4일 쌓기나무의 그림자 알아보기

도형 집중 연습

옆에서 비춘 그림자를 찾아 ○표 하세요.

1-1

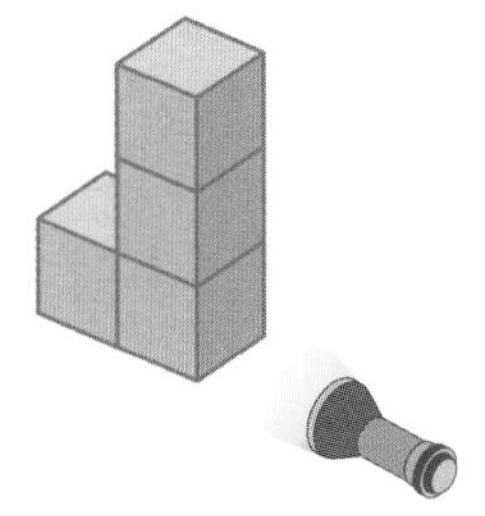

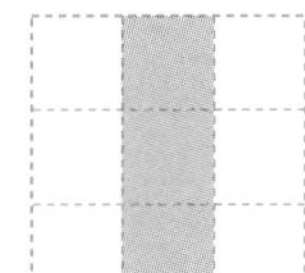 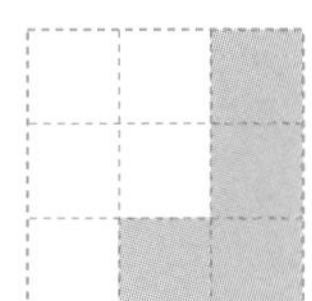 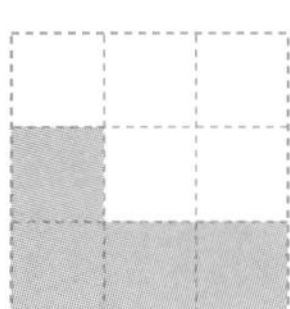

1-2

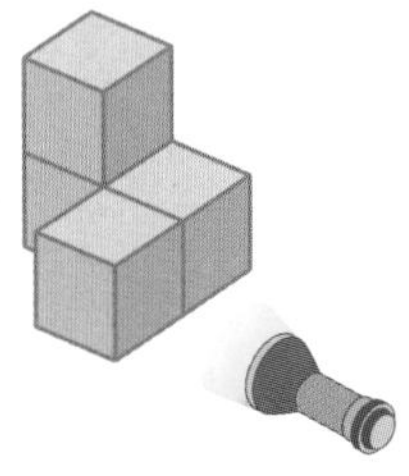

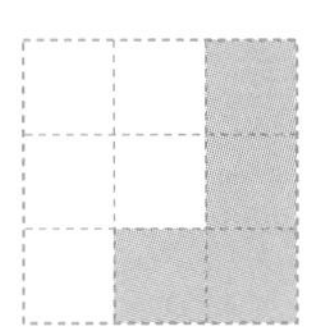 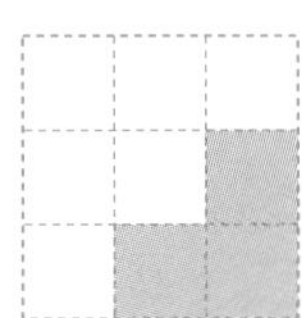 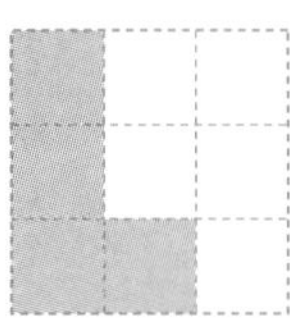

1-3

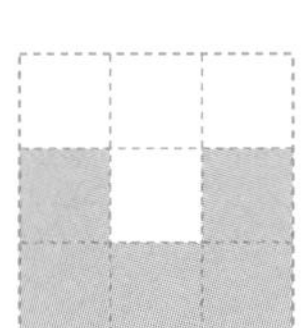  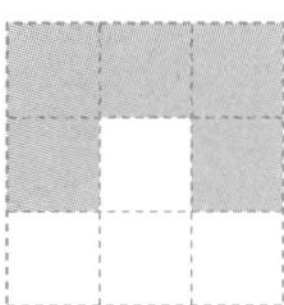

1-4

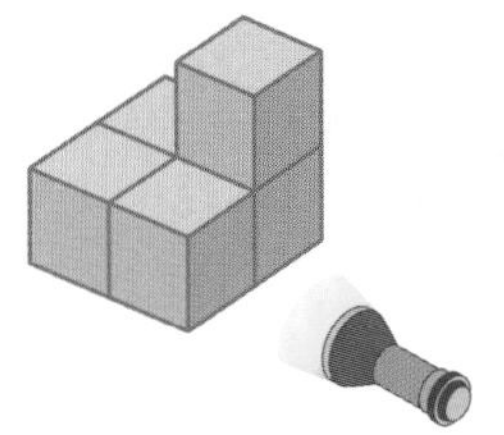

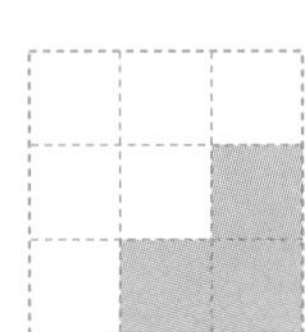 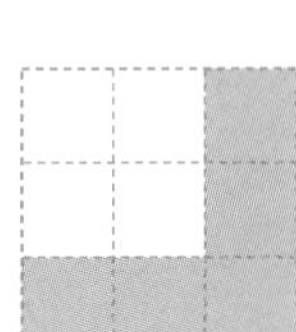 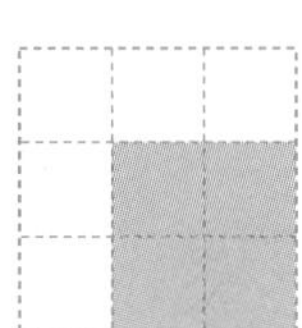

앞에서 비춘 그림자를 그려 보세요.

2-1

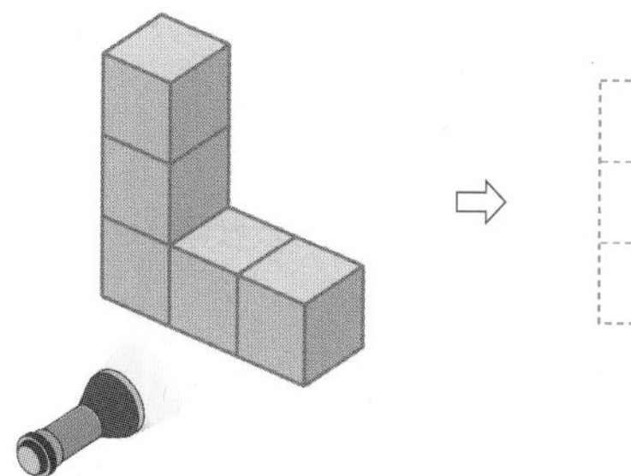

2-2

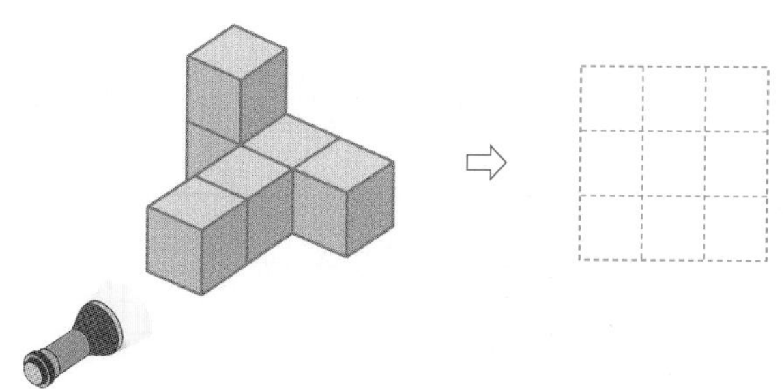

2-3

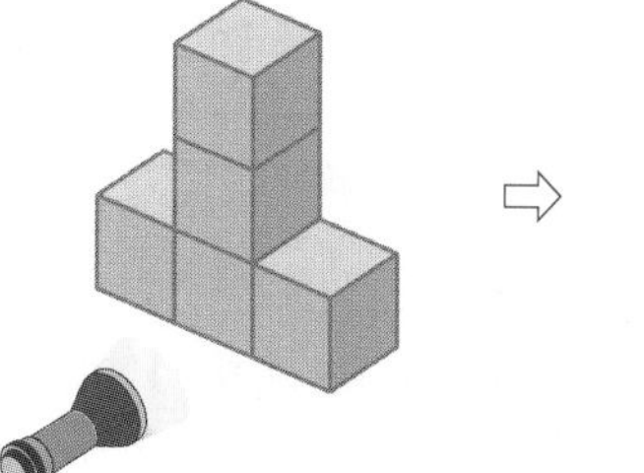

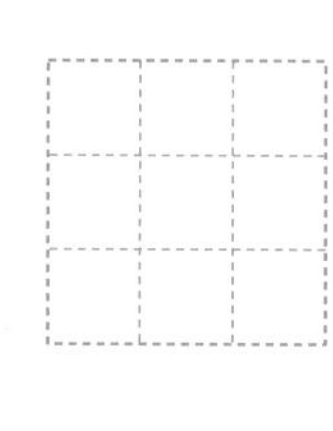

2-4

옆에서 비춘 그림자를 그려 보세요.

3-1

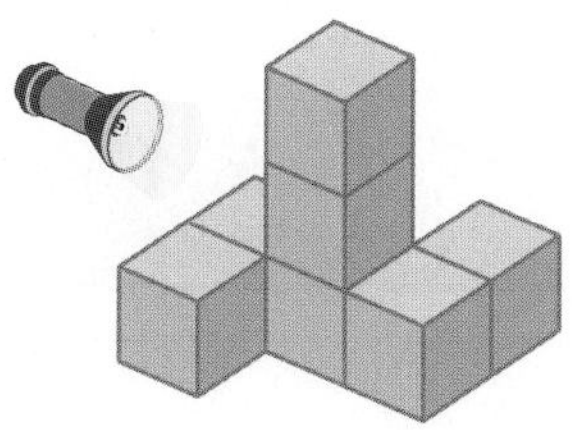

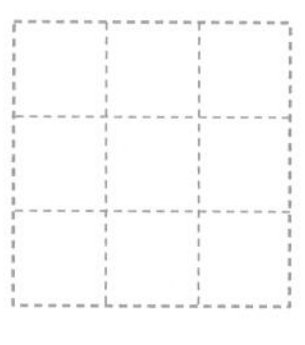

왼쪽 옆에서
비춘 그림자를 그려 봐요.

3-2

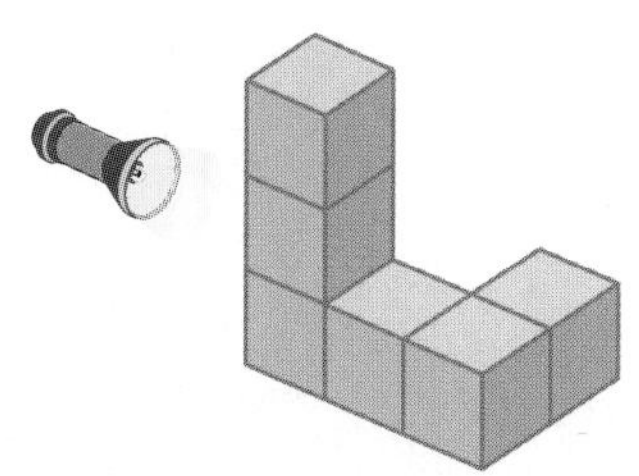

4주
4일

5일 규칙 찾기

오늘은 무엇을 공부할까요?

쌓기나무를 규칙을 이용하여 쌓아보자.

옆쪽은
이렇게 쌓으라는 거지?

척!

그렇지!
규칙을 이용하니
더 멋진 걸?

그리고 앞쪽은
이렇게…….

척!

그렇지. 이제 같이 마무리를 해볼까?

영차

영차

드디어 수영장이
완성되었어.

촤아아아

마법으로 물을
채워 보자.

우리도 같이
놀자.

4주
5일

활동을 통하여 개념을 알아보아요.

주어진 쌓기나무 모양을 보고 규칙을 만들어 쌓기

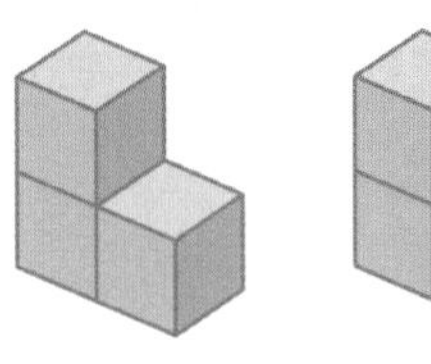
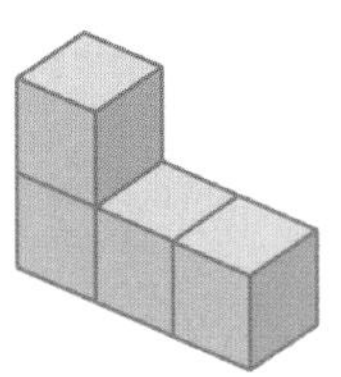

어떤 규칙으로 쌓기나무를 쌓으면 좋을까요?

활동 1 반복되는 규칙으로 쌓기

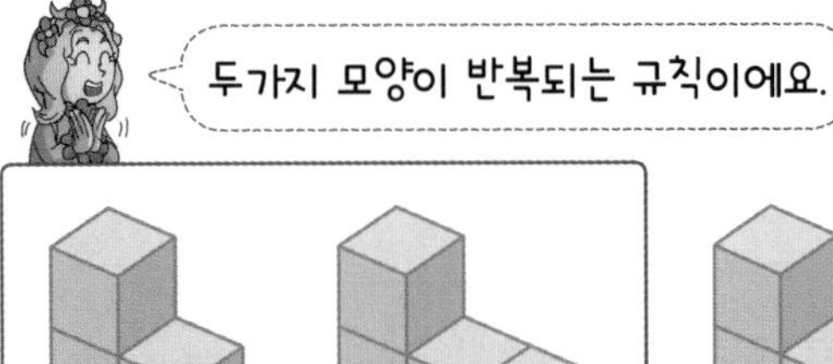

두가지 모양이 반복되는 규칙이에요.

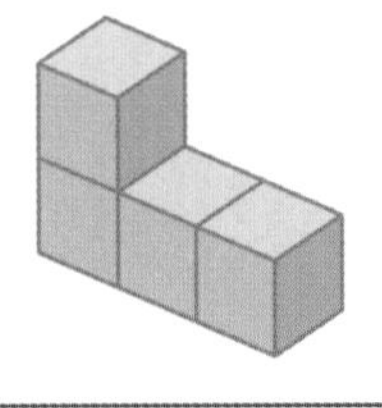
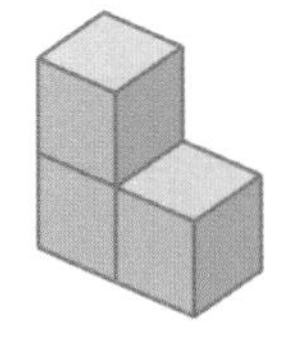
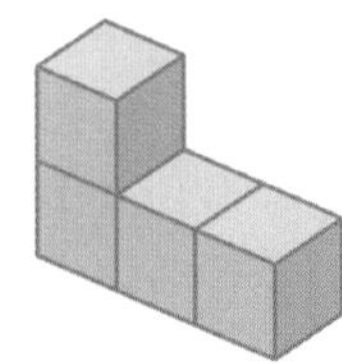
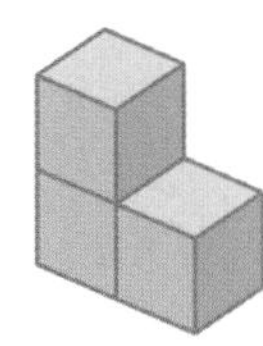
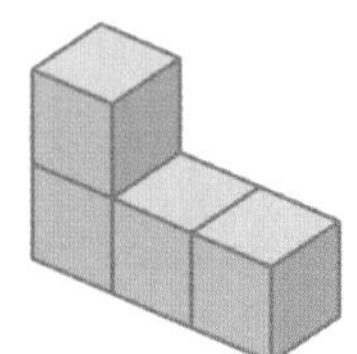

활동 2 1개씩 늘어나는 규칙으로 쌓기

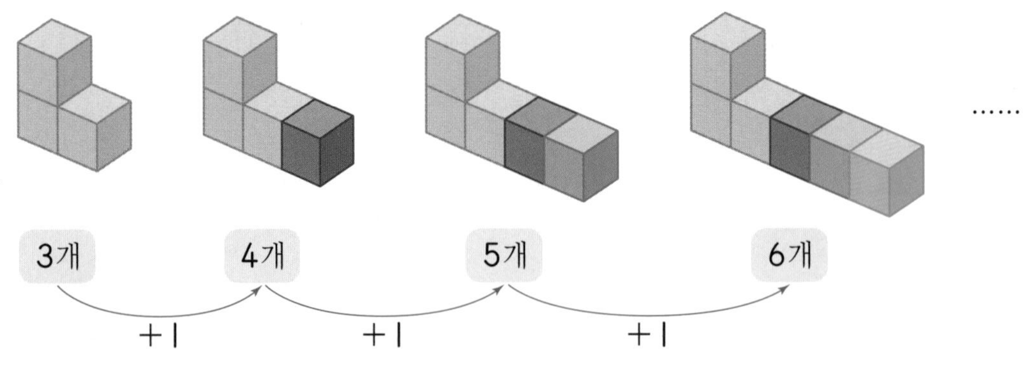

여러 가지 규칙을 만들어 쌓기나무를 다양한 모양으로 쌓을 수 있어요.

활동 개념 확인

보기 와 같이 반복되는 규칙을 찾아 묶어 보세요.

보기

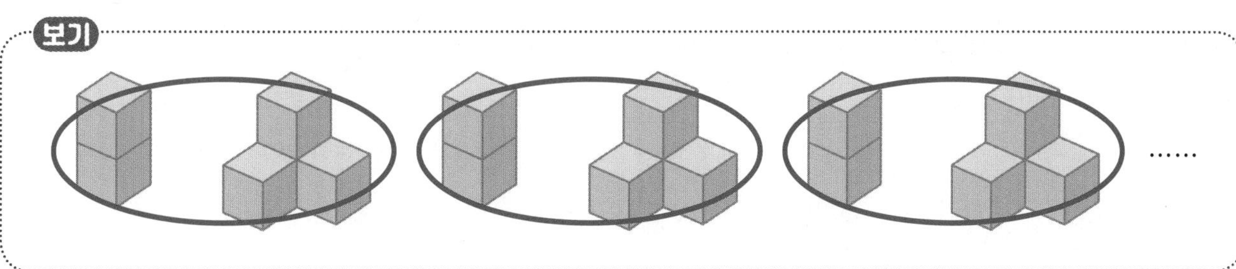

1-1

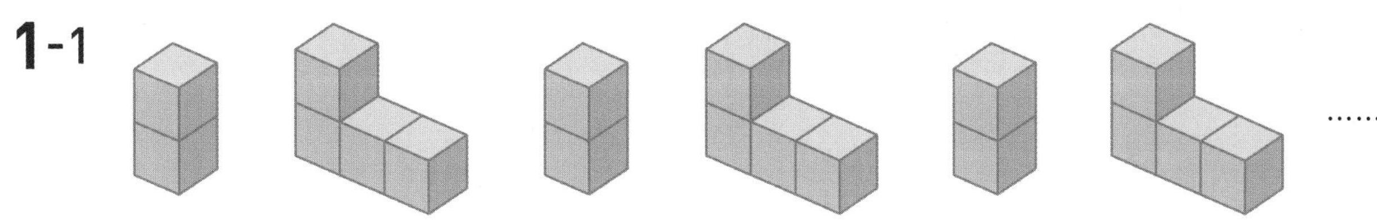

1-2

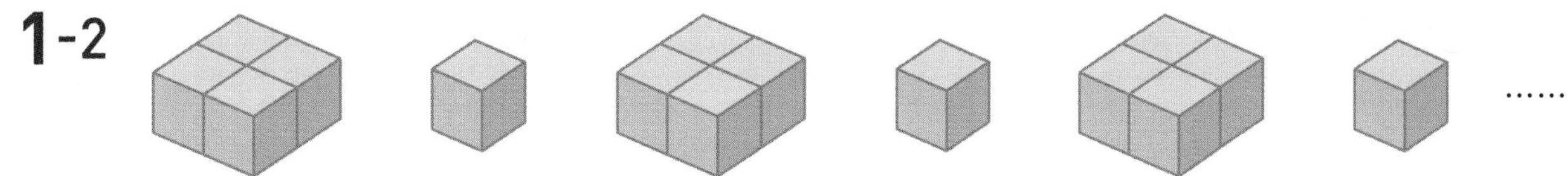

1-3

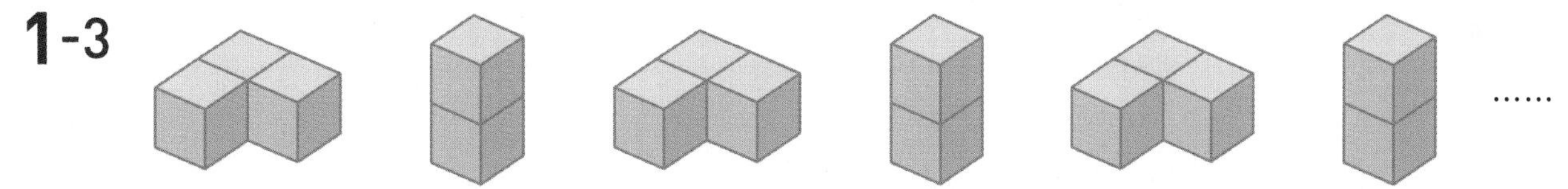

1-4

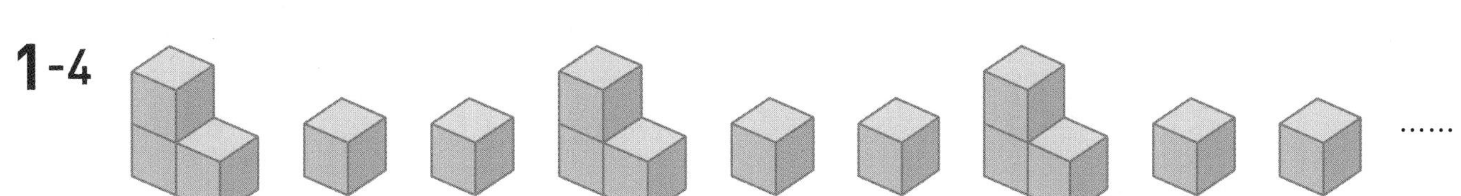

1-5

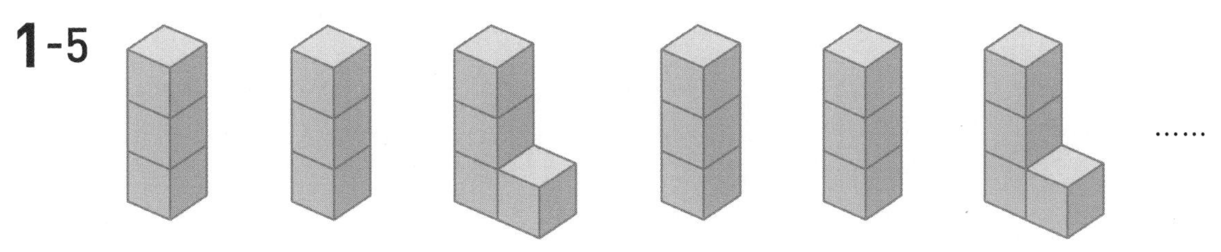

4주 5일

5일 규칙 찾기

도형 집중 연습

규칙에 따라 쌓기나무를 쌓은 것입니다. □ 안에 쌓을 모양을 찾아 ○표 하세요.

1-1

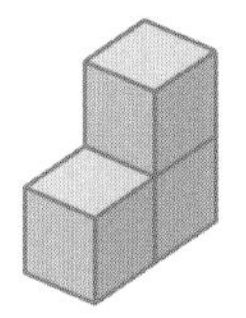 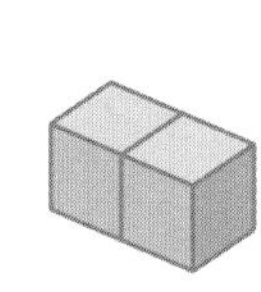 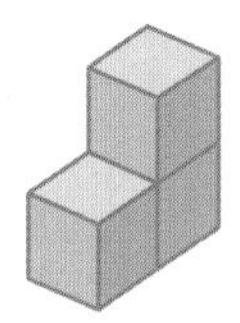 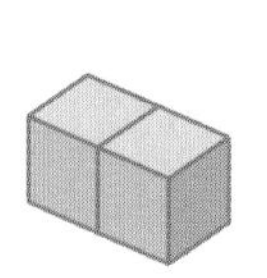 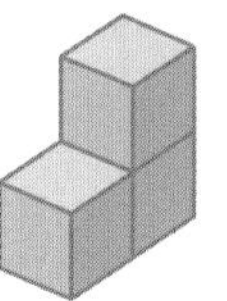 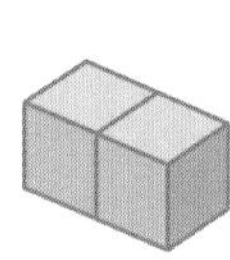 ?

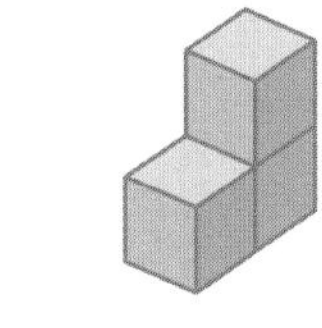 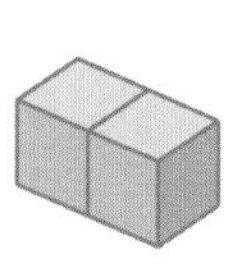 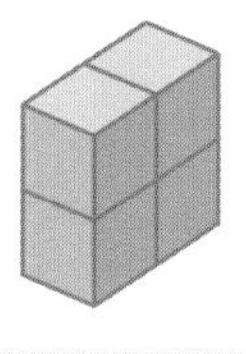

1-2

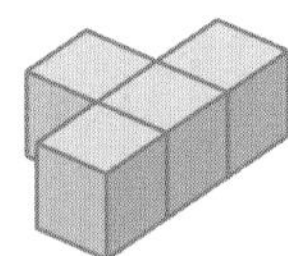 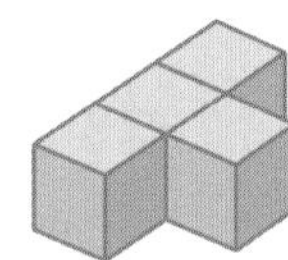 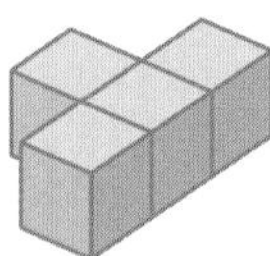 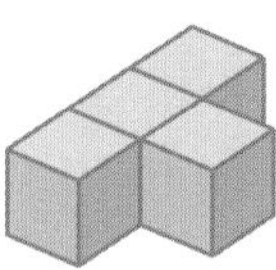 ?

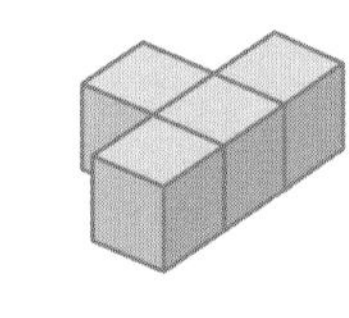 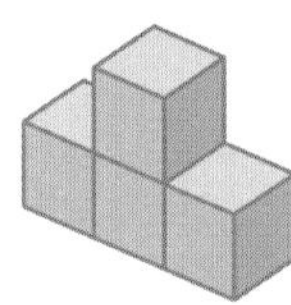 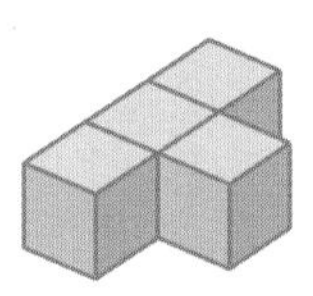

1-3

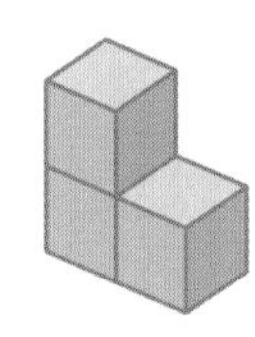    ? 

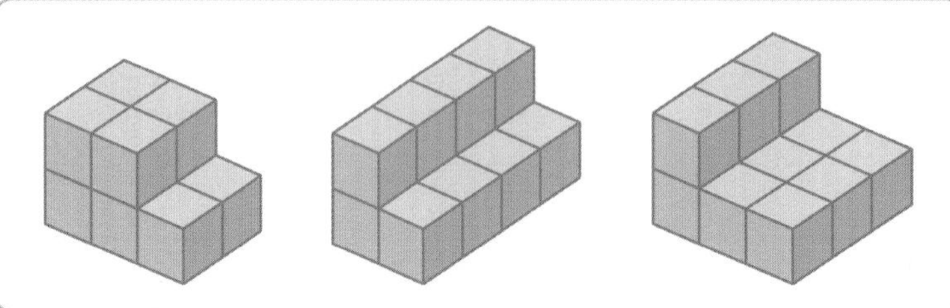

규칙에 따라 쌓기나무를 쌓은 것입니다. □ 안에 쌓을 쌓기나무는 몇 개인지 구하세요.

2-1

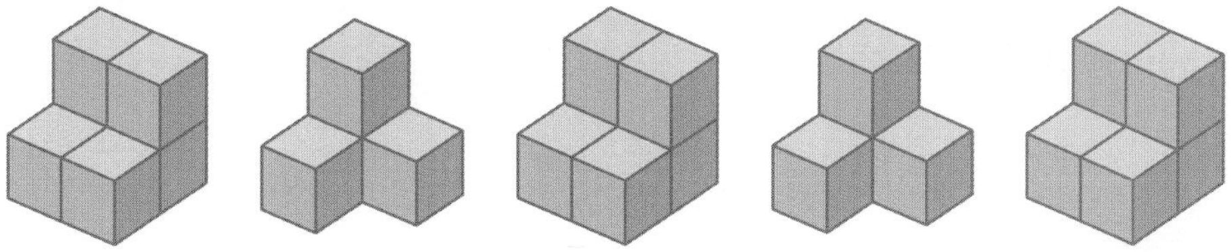

?

□개

2-2

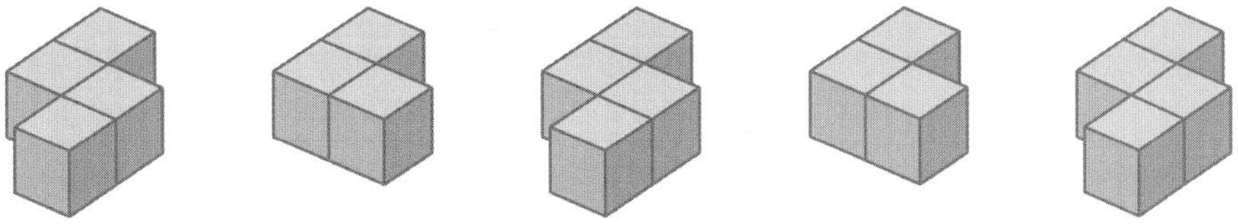

?

□개

2-3

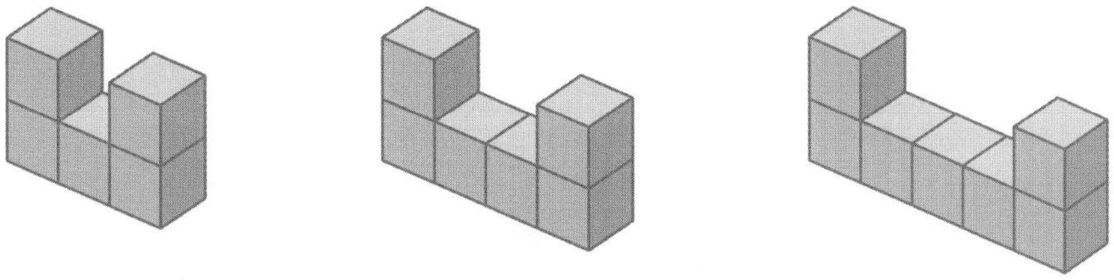

?

□개

2-4

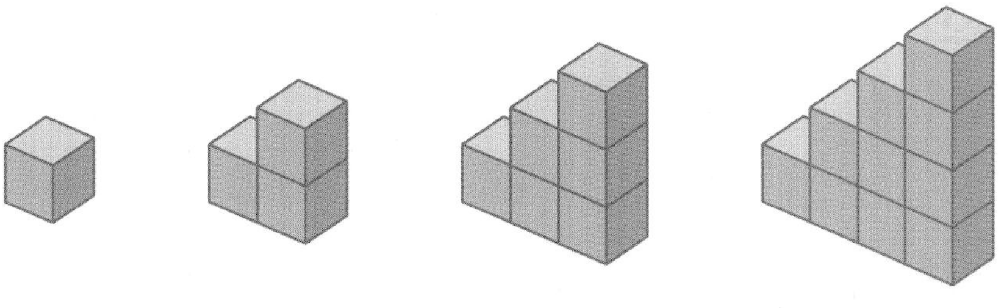

?

□개

4주 5일

누구나 100점 맞는 TEST

01 똑같은 모양으로 쌓으려면 쌓기나무가 몇 개 필요한지 구하세요.

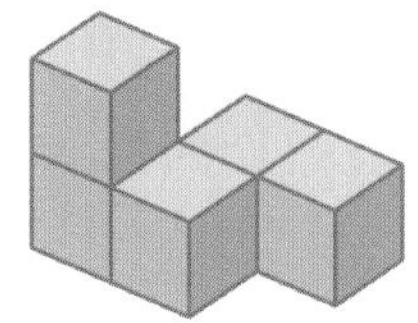

□개

02 사용한 쌓기나무의 수가 더 많은 것에 ○표 하세요.

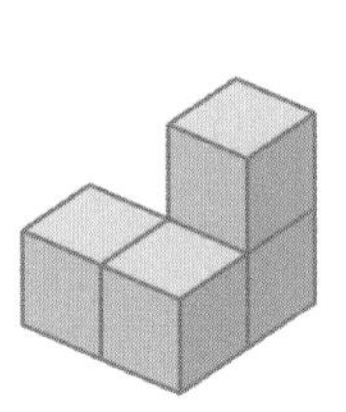

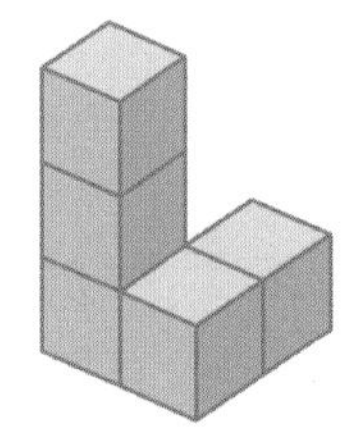

03 초록색 쌓기나무를 기준으로 오른쪽에 있는 쌓기나무에 색칠하세요.

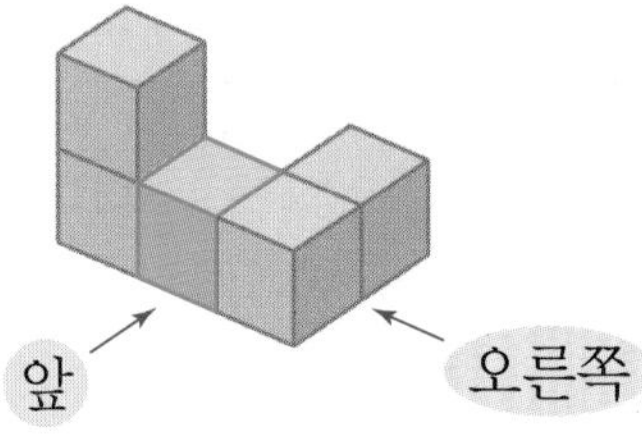

04 빨간색 쌓기나무 위에 쌓기나무 1개를 더 쌓은 모양에 ○표 하세요.

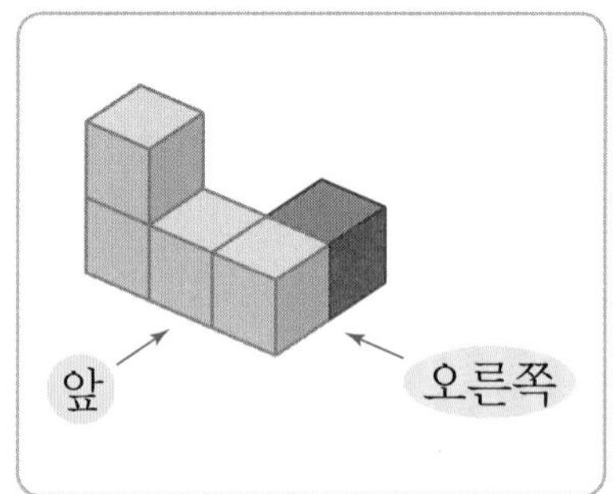

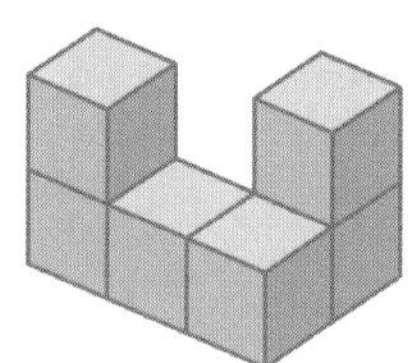

05 주어진 모양에서 쌓기나무 1개를 뺀 모양에 ○표 하세요.

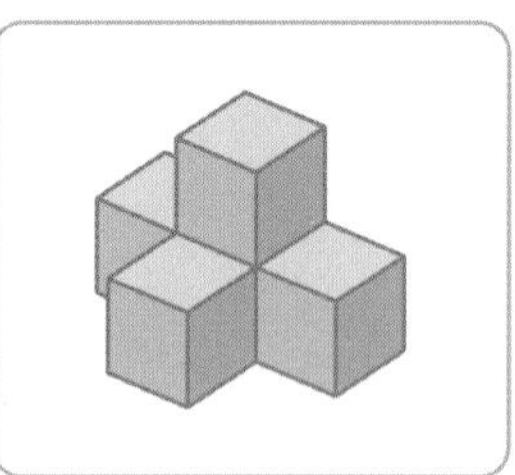

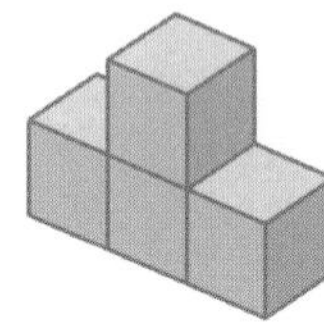

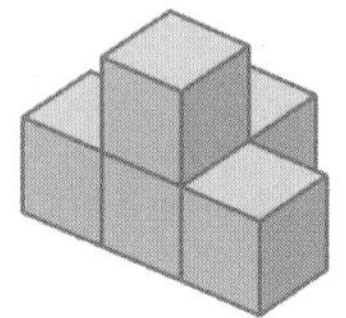

맞은 개수 / 10개

06 왼쪽 모양에서 쌓기나무 1개를 옮겨 오른쪽 모양을 만들었습니다. 옮긴 쌓기나무를 왼쪽 모양에서 찾아 색칠하세요.

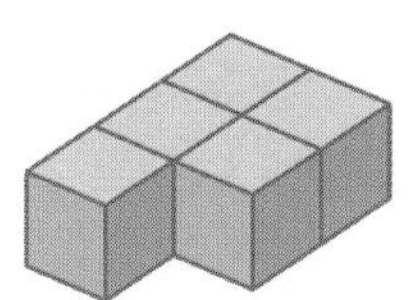

07 옆에서 비춘 그림자를 찾아 ○표 하세요.

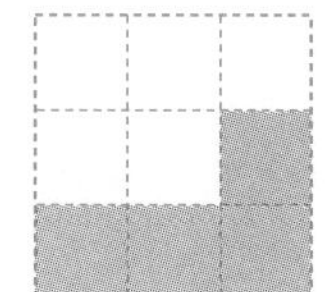
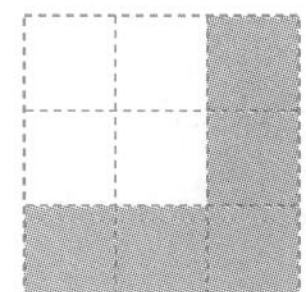
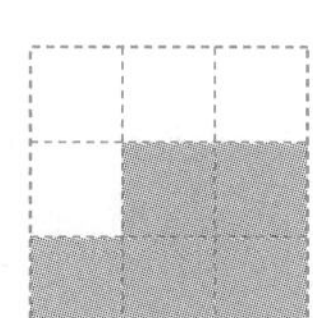

08 앞에서 비춘 그림자를 그려 보세요.

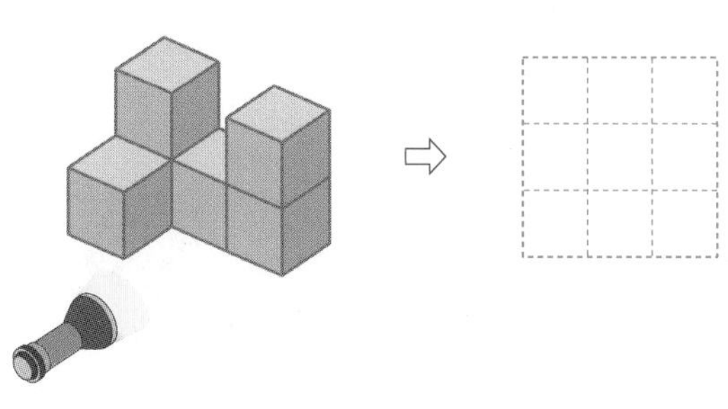

09 규칙에 따라 쌓기나무를 쌓은 것입니다. □ 안에 쌓을 모양을 찾아 ○표 하세요.

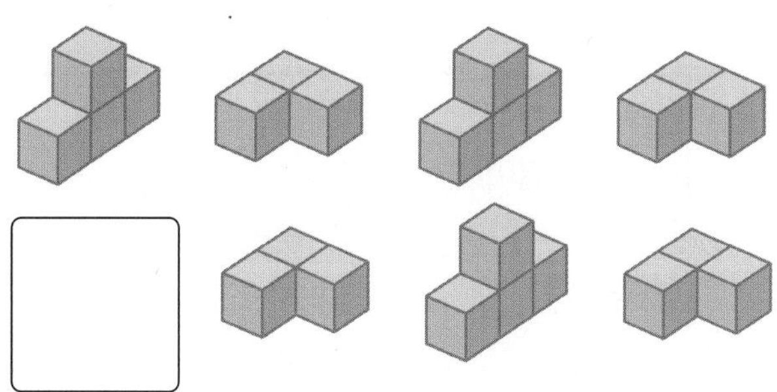

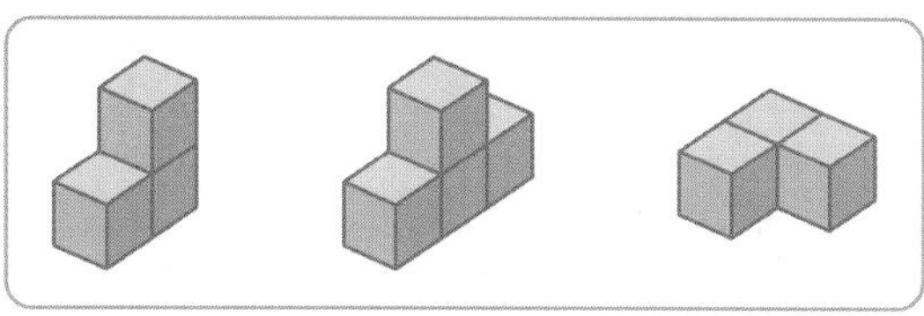

10 규칙에 따라 쌓기나무를 쌓은 것입니다. □ 안에 쌓을 쌓기나무는 몇 개인지 구하세요.

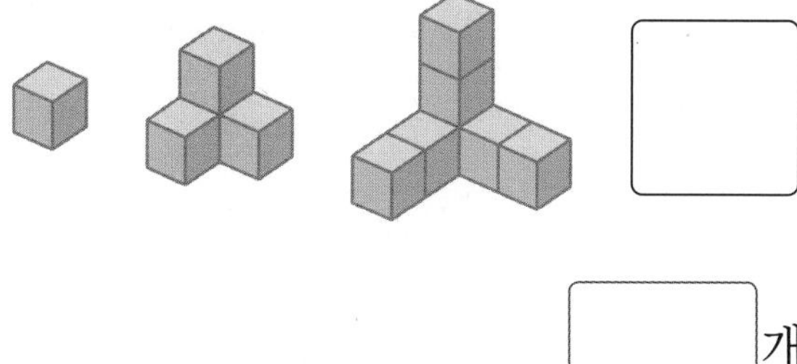

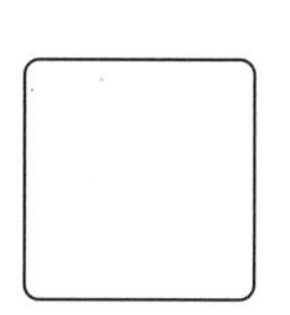

개

쌓기나무의 모양 알아보기

필요한 쌓기나무의 모양을 알아보자.

이제 다른 곳도 해결해 보자.

이 모양은 아니야.

이것도 아니네.

이거야! 딱 맞아.

성공! 완벽해!

드디어 완성되었어.

우와 ~

우리가 해냈어. 비버야~. 잘했어.

너도 잘했어!

완성!

4주 특강

창의 · 융합 · 코딩

사각형을 완성하기 위해 필요한 쌓기나무의 모양 알아보기

쌓기나무 4개를 1층으로 쌓아서 만들 수 있는 모양이에요.

뒤집거나 돌렸을 때 같은 모양은 한 가지로 봅니다.

위의 모양을 여러 개 이용하여 아래와 같이 사각형을 만들 수 있어요.

친구들도 다양하게 만들어 봐요.

오른쪽과 같은 사각형 모양으로 만들기 위해 필요한 쌓기나무 모양을 찾아 ○표 하세요.

❶

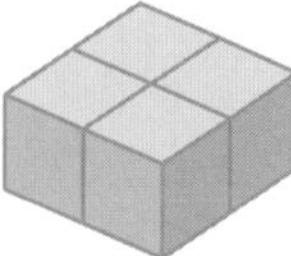

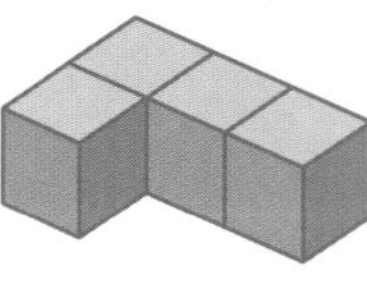

❷

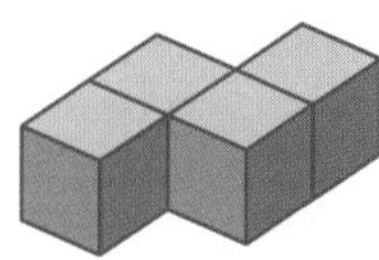

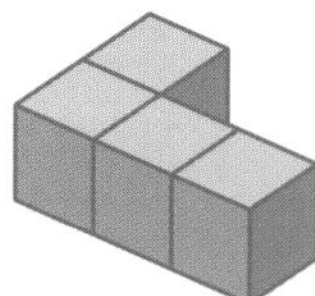

❸

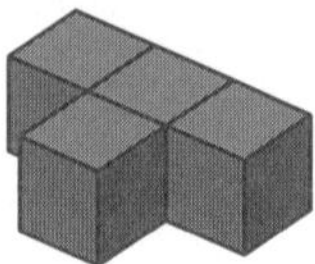

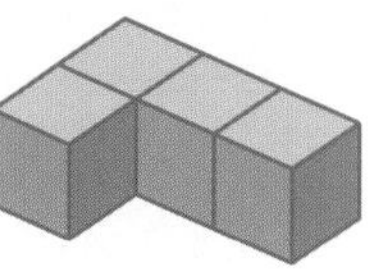

❹

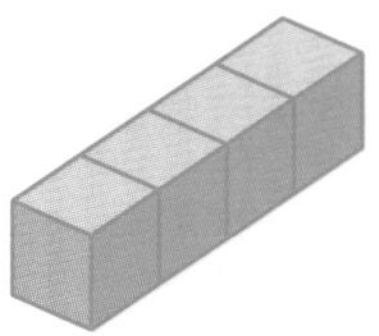

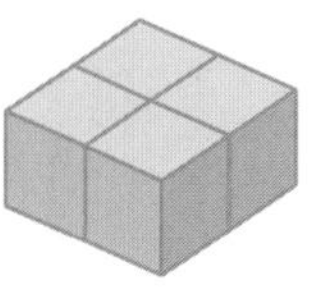

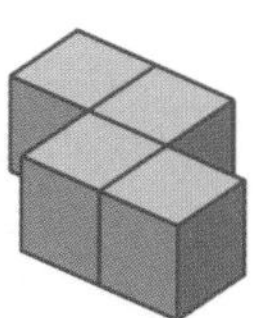

4주 특강

집을 완성하기 위해 필요한 벽돌 모양 알아보기

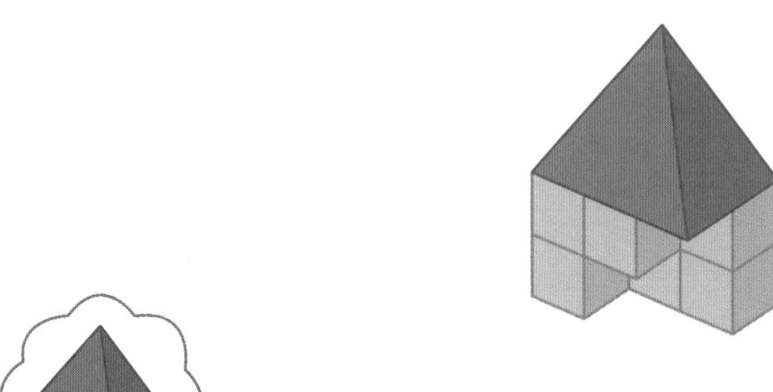

집을 완성하려면 어떤 모양이 필요한지 함께 찾아볼까요?

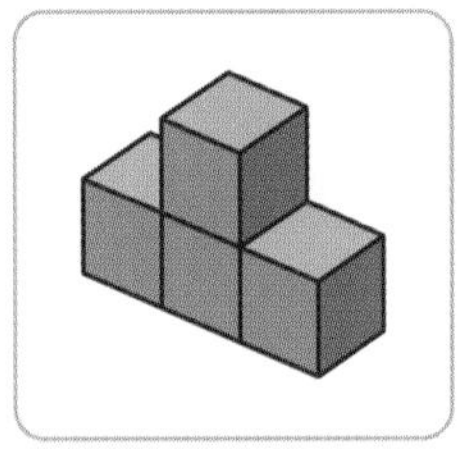

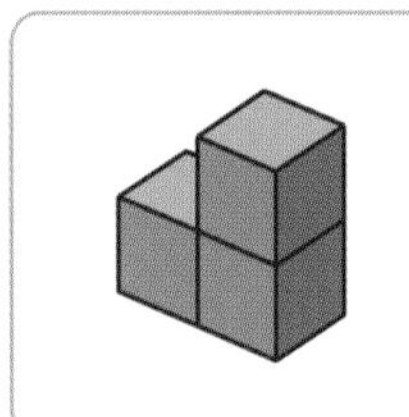

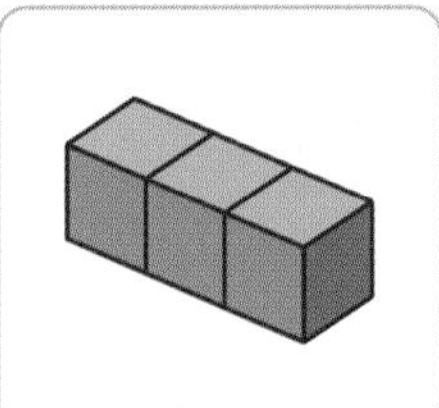

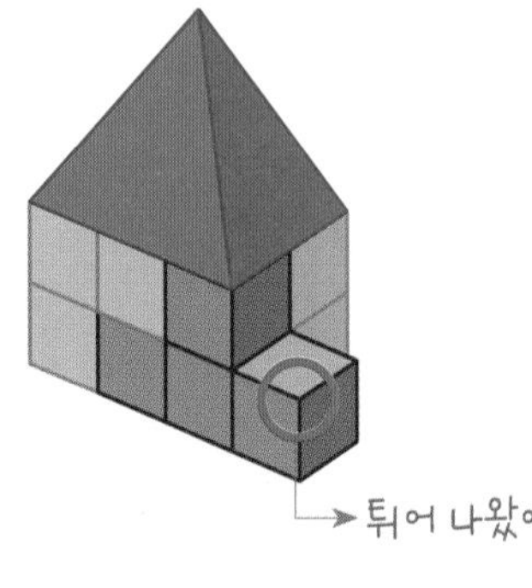
튀어 나왔어요.

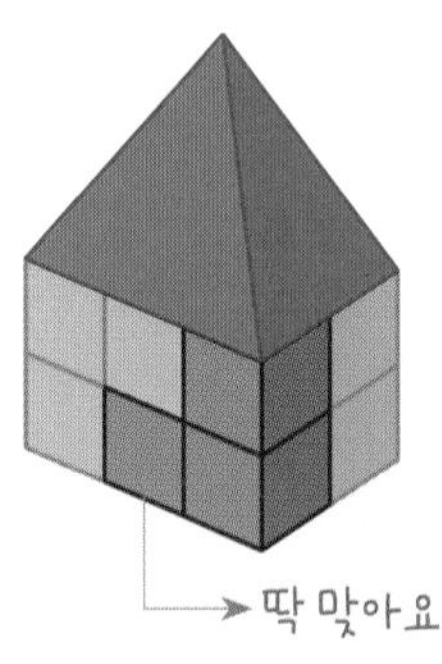
딱 맞아요.

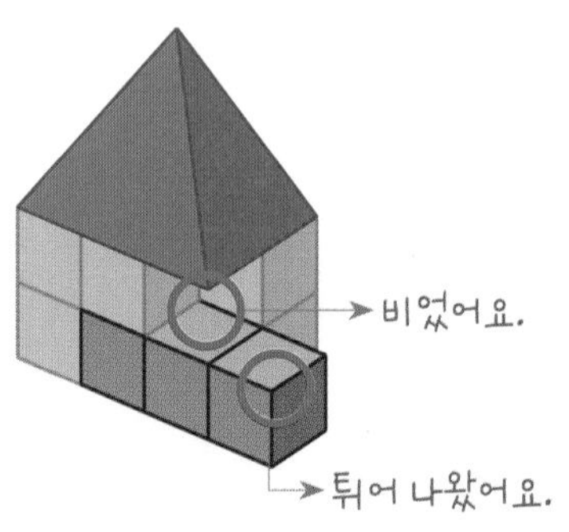
비었어요.
튀어 나왔어요.

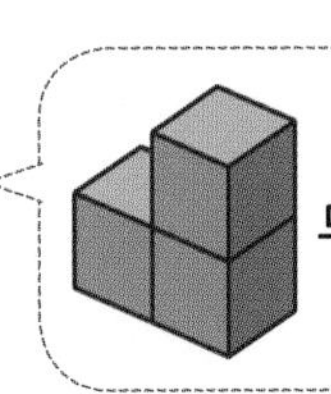 모양으로 집이 완성 되었어요!

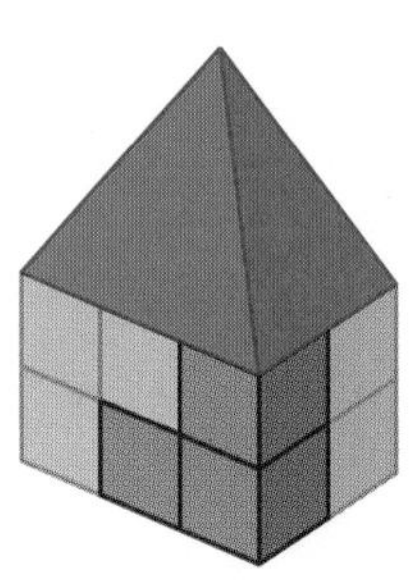

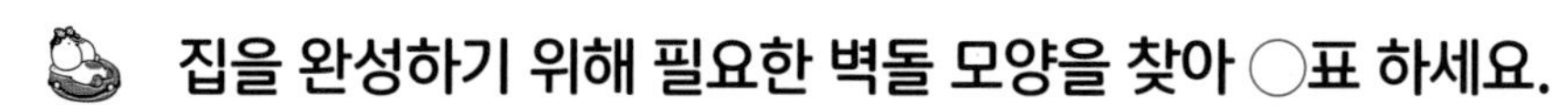

 집을 완성하기 위해 필요한 벽돌 모양을 찾아 ○표 하세요.

5

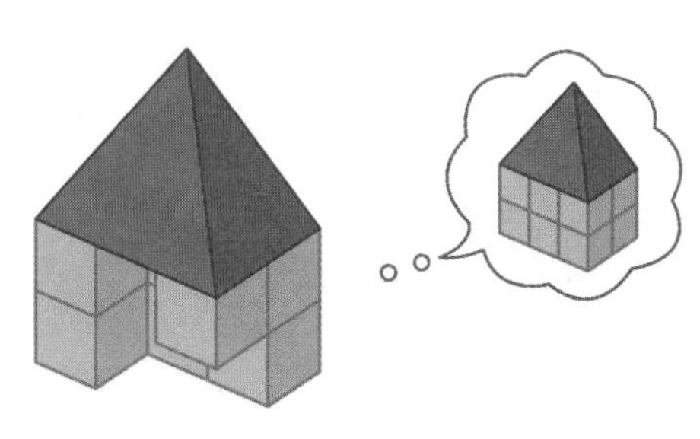

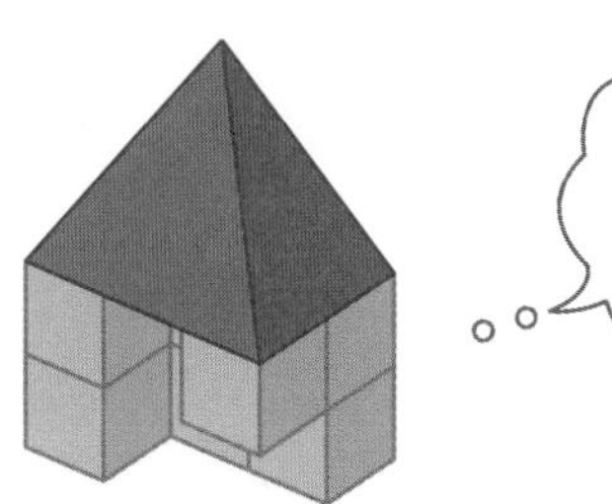

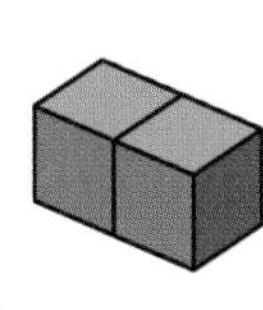
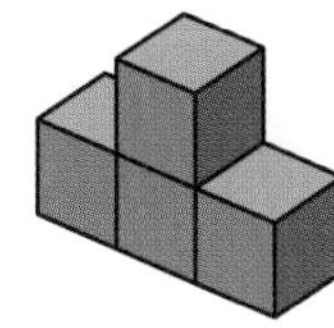
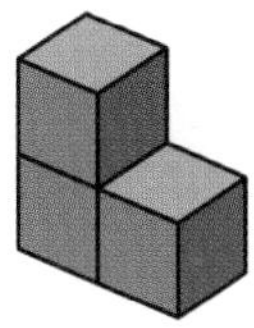
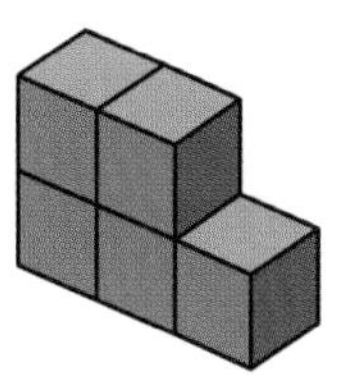

6

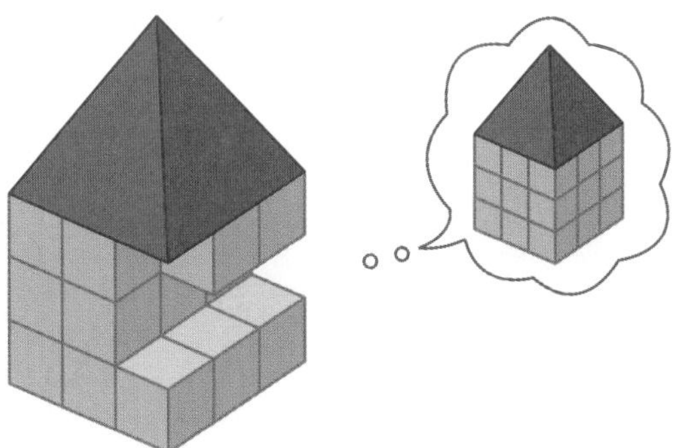

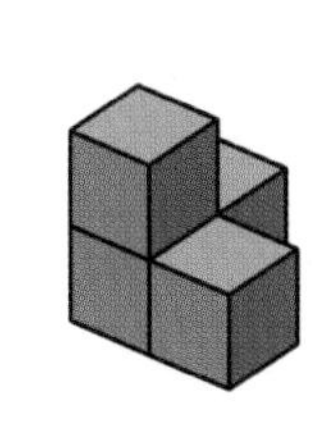
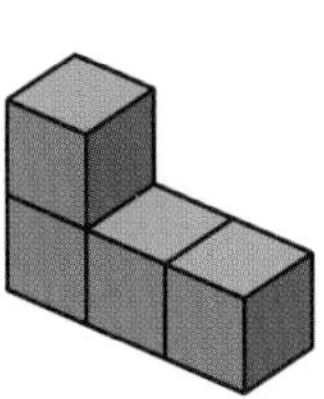

4주 특강

똑 똑 한

하루 시/리/즈

쉽다!

10분이면 하루 치 공부를 마칠 수 있는 커리큘럼으로,
아이들이 초등 학습에 쉽고 재미있게 접근할 수 있도록 구성하였습니다.

재미있다!

교과서는 물론 생활 속에서 쉽게 접할 수 있는 다양한 소재와
재미있는 게임 형식의 문제로 흥미로운 학습이 가능합니다.

똑똑하다!

초등학생에게 꼭 필요한 학습 지식 습득은 물론
창의력 확장까지 가능한 교재로 올바른 공부습관을 가지는 데 도움을 줍니다.

정답과 풀이

똑 똑 한

하루 도형

초등 수학 2단계

2학년 수준

천재교육

정답과 풀이
포인트 3가지

- ▶ 한눈에 알아볼 수 있는 정답 제시
- ▶ 혼자서도 이해할 수 있는 문제 풀이
- ▶ 꼭 필요한 풀이 제시

정답과 풀이

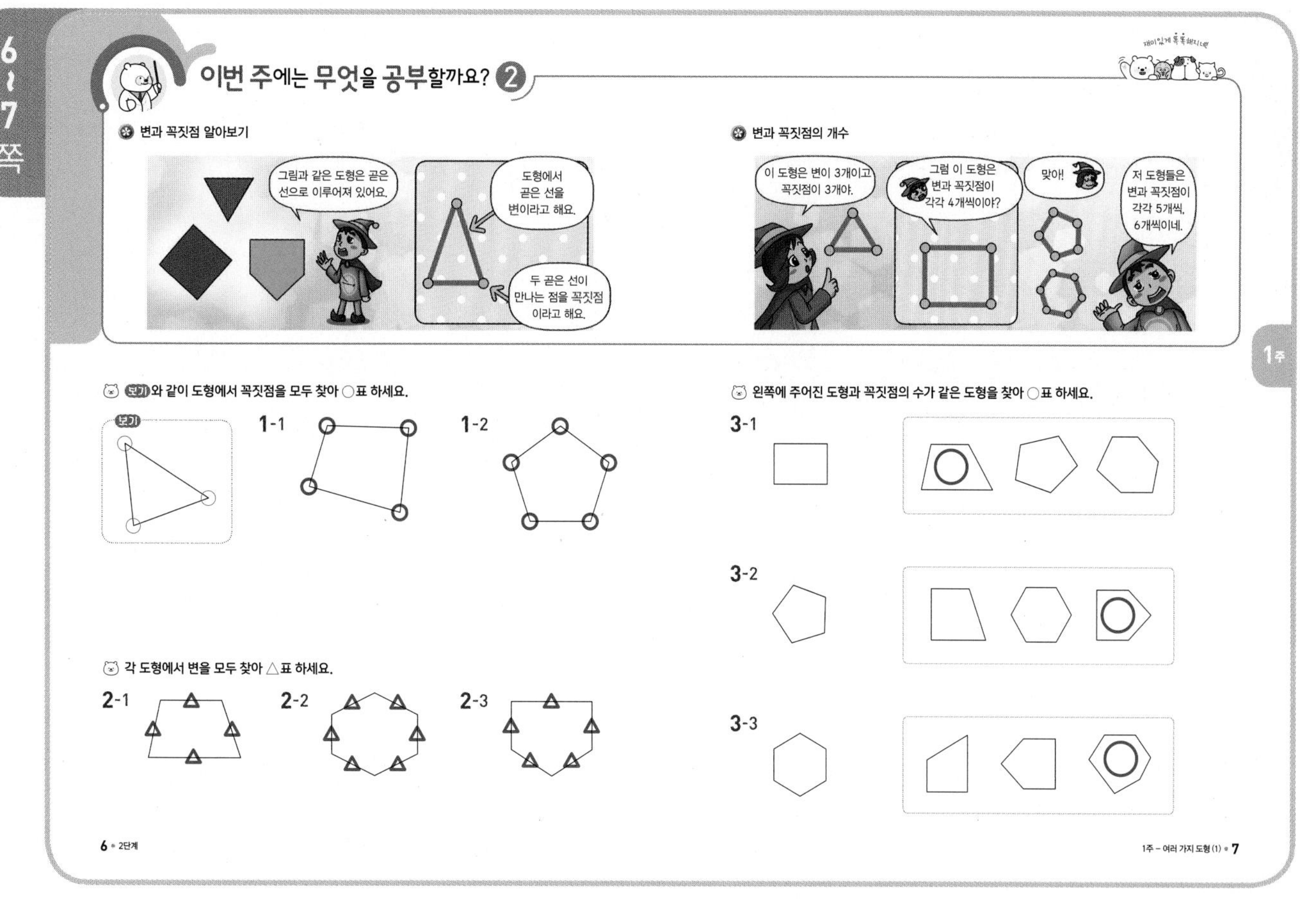
6~7쪽
이번 주에는 무엇을 공부할까요? 2
변과 꼭짓점 알아보기
그림과 같은 도형은 곧은 선으로 이루어져 있어요.
도형에서 곧은 선을 변이라고 해요.
두 곧은 선이 만나는 점을 꼭짓점이라고 해요.
변과 꼭짓점의 개수
이 도형은 변이 3개이고 꼭짓점이 3개야.
그럼 이 도형은 변과 꼭짓점이 각각 4개씩이야?
맞아!
저 도형들은 변과 꼭짓점이 각각 5개씩, 6개씩이네.
보기와 같이 도형에서 꼭짓점을 모두 찾아 ○표 하세요.
보기
1-1
1-2
각 도형에서 변을 모두 찾아 △표 하세요.
2-1
2-2
2-3
왼쪽에 주어진 도형과 꼭짓점의 수가 같은 도형을 찾아 ○표 하세요.
3-1
3-2
3-3
6 • 2단계
1주 – 여러 가지 도형 (1) • 7

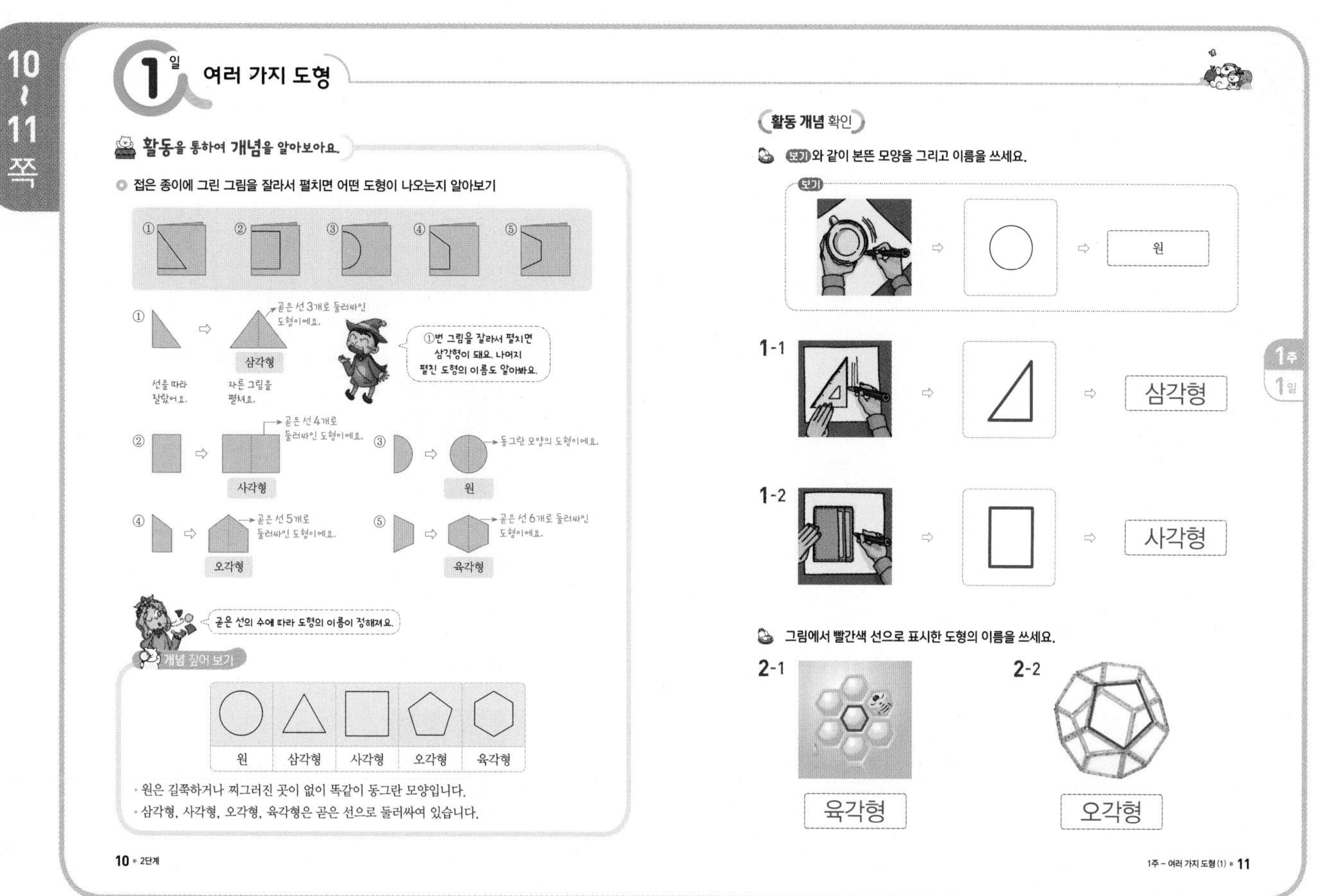
10~11쪽
1일 여러 가지 도형
활동을 통하여 개념을 알아보아요.
접은 종이에 그린 그림을 잘라서 펼치면 어떤 도형이 나오는지 알아보기
①번 그림을 잘라서 펼치면 삼각형이 돼요. 나머지 펼친 도형의 이름도 알아봐요.
삼각형
사각형
원
오각형
육각형
곧은 선의 수에 따라 도형의 이름이 정해져요.
개념 짚어 보기
원 삼각형 사각형 오각형 육각형
• 원은 길쭉하거나 찌그러진 곳이 없이 똑같이 동그란 모양입니다.
• 삼각형, 사각형, 오각형, 육각형은 곧은 선으로 둘러싸여 있습니다.
활동 개념 확인
보기와 같이 본뜬 모양을 그리고 이름을 쓰세요.
보기 원
1-1 삼각형
1-2 사각형
그림에서 빨간색 선으로 표시한 도형의 이름을 쓰세요.
2-1 육각형
2-2 오각형
10 • 2단계
1주 – 여러 가지 도형 (1) • 11

12
~
13
쪽

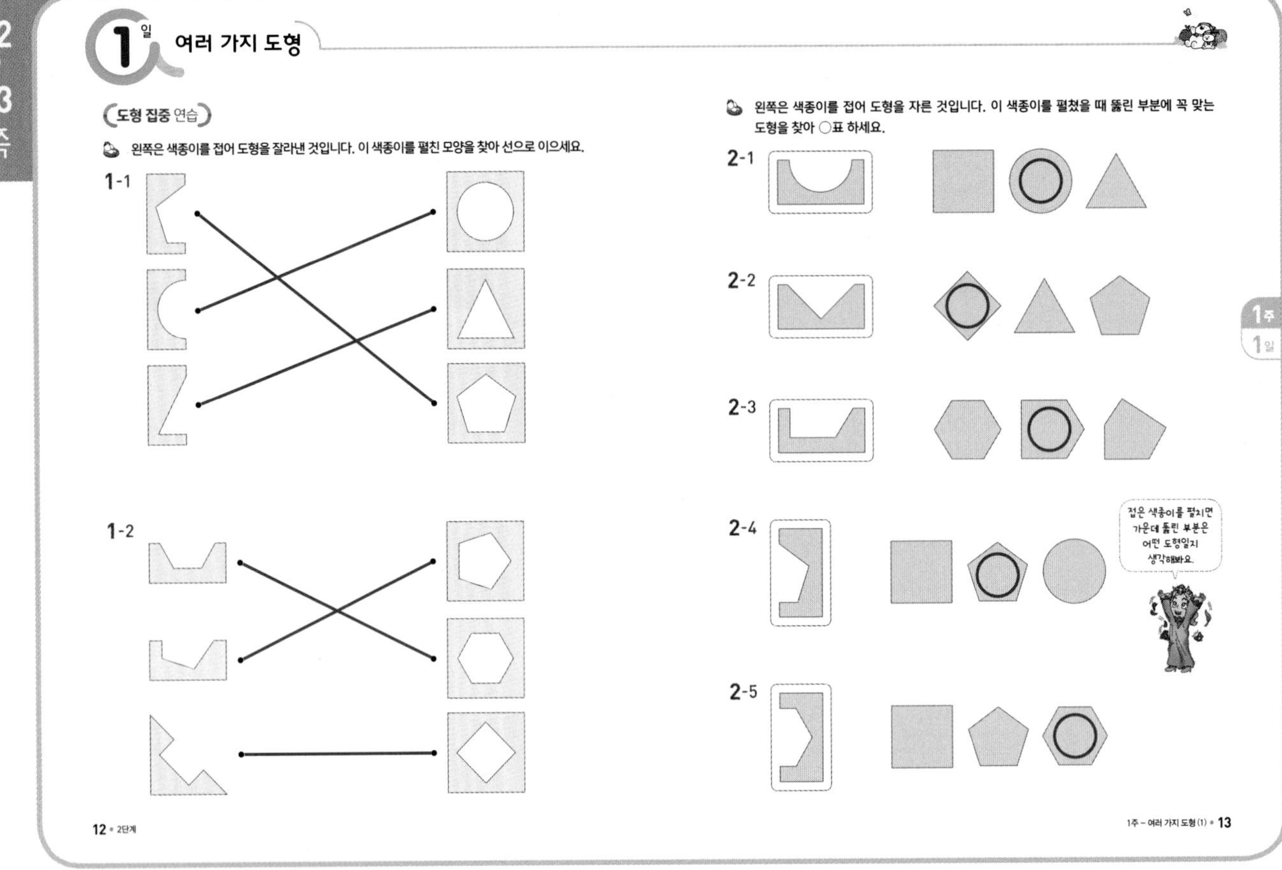

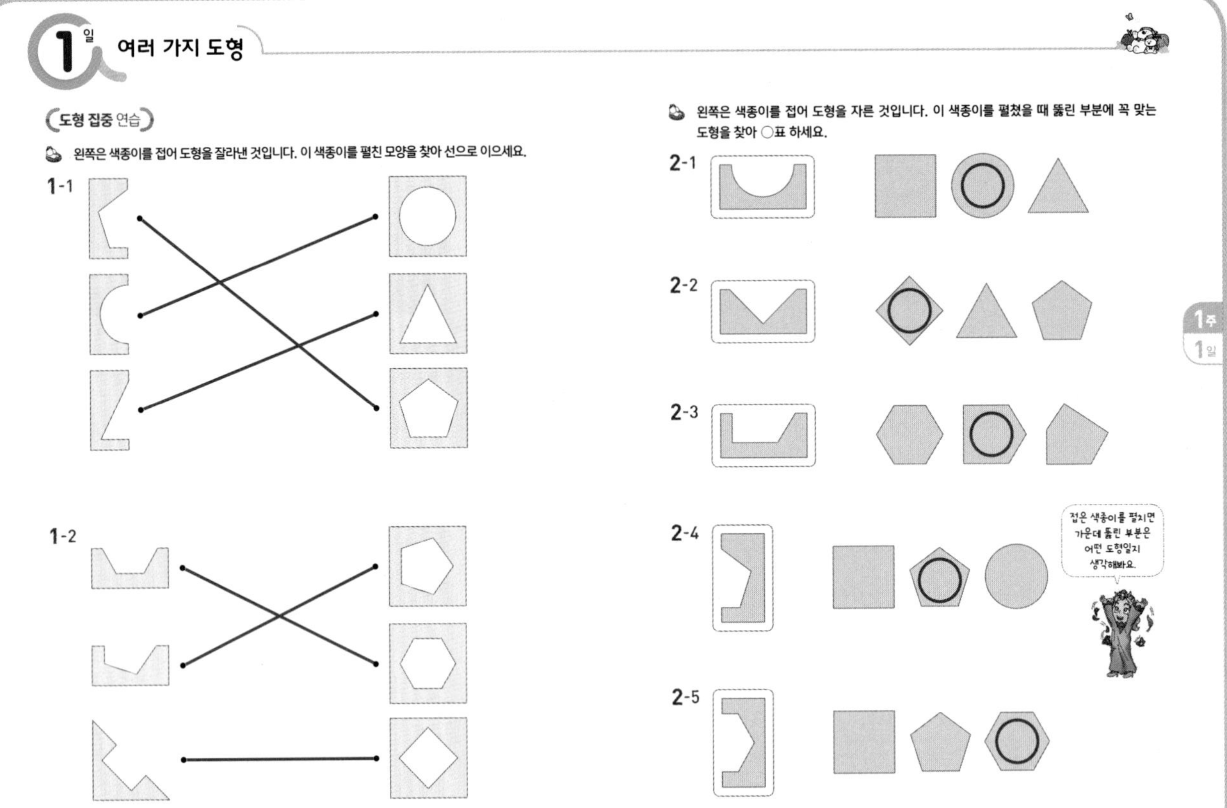
1일 여러 가지 도형
도형 집중 연습
왼쪽은 색종이를 접어 도형을 잘라낸 것입니다. 이 색종이를 펼친 모양을 찾아 선으로 이으세요.
1-1
1-2
왼쪽은 색종이를 접어 도형을 자른 것입니다. 이 색종이를 펼쳤을 때 뚫린 부분에 꼭 맞는 도형을 찾아 ○표 하세요.
2-1
2-2
2-3
2-4
2-5
접은 색종이를 펼치면 가운데 뚫린 부분은 어떤 도형일지 생각해봐요.
1주 1일
12 • 2단계
1주 – 여러 가지 도형 (1) • 13

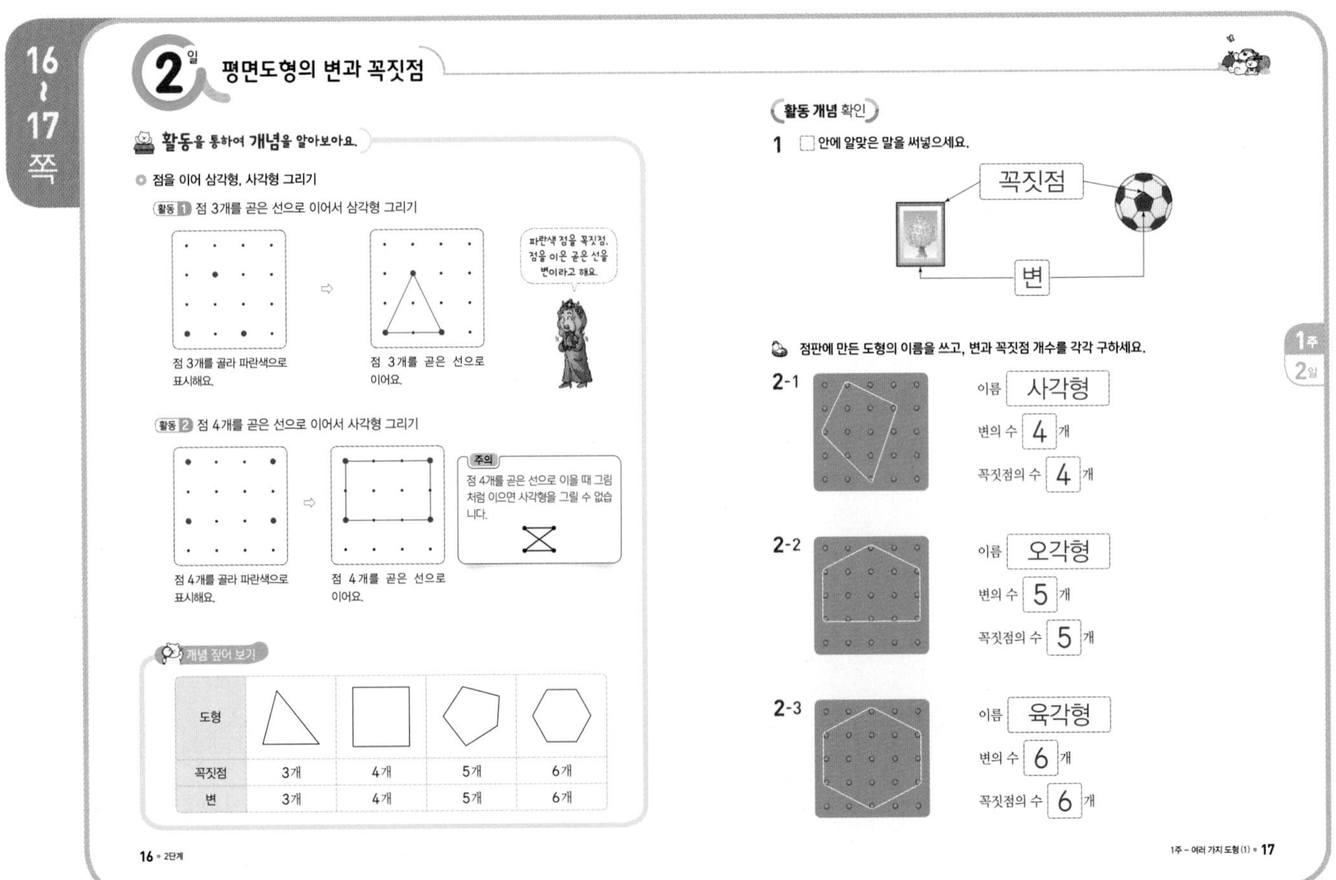
16
~
17
쪽
2일 평면도형의 변과 꼭짓점
활동을 통하여 개념을 알아보아요.
점을 이어 삼각형, 사각형 그리기
활동 1 점 3개를 곧은 선으로 이어서 삼각형 그리기
점 3개를 골라 파란색으로 표시해요.
점 3개를 곧은 선으로 이어요.
파란색 점을 꼭짓점, 점을 이은 곧은 선을 변이라고 해요.
활동 2 점 4개를 곧은 선으로 이어서 사각형 그리기
점 4개를 골라 파란색으로 표시해요.
점 4개를 곧은 선으로 이어요.
주의
점 4개를 곧은 선으로 이을 때 그림처럼 이으면 사각형을 그릴 수 없습니다.
개념 짚어 보기
도형
꼭짓점 3개 4개 5개 6개
변 3개 4개 5개 6개
활동 개념 확인
1 □ 안에 알맞은 말을 써넣으세요.
꼭짓점
변
점판에 만든 도형의 이름을 쓰고, 변과 꼭짓점 개수를 각각 구하세요.
2-1 이름 사각형 변의 수 4 개 꼭짓점의 수 4 개
2-2 이름 오각형 변의 수 5 개 꼭짓점의 수 5 개
2-3 이름 육각형 변의 수 6 개 꼭짓점의 수 6 개
1주 2일
16 • 2단계
1주 – 여러 가지 도형 (1) • 17

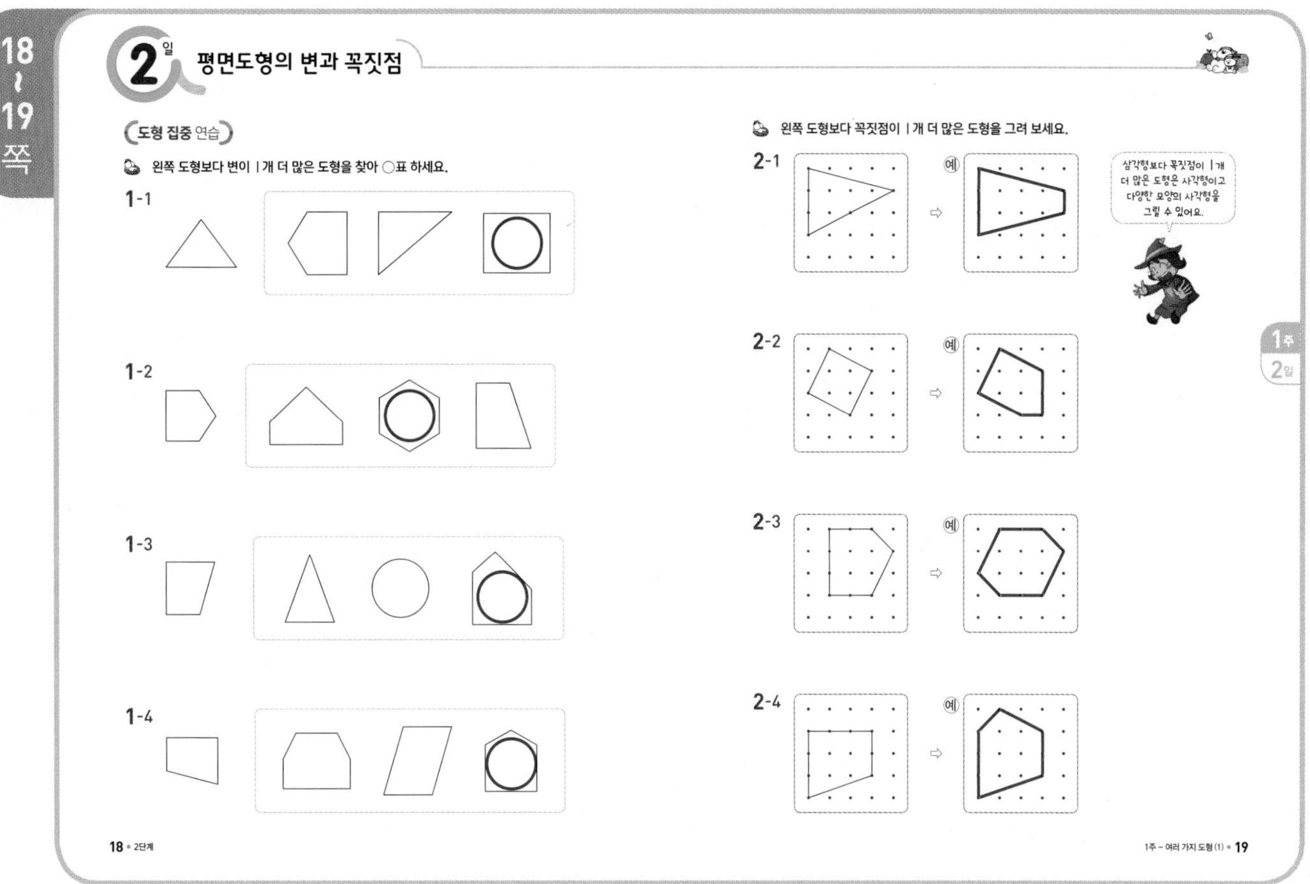

18 ~ 19 쪽

2일 평면도형의 변과 꼭짓점

도형 집중 연습

왼쪽 도형보다 변이 I개 더 많은 도형을 찾아 ○표 하세요.

1-1

1-2

1-3

1-4

왼쪽 도형보다 꼭짓점이 I개 더 많은 도형을 그려 보세요.

2-1 예

2-2 예

2-3 예

2-4 예

18 • 2단계

1주 - 여러 가지 도형 (1) • 19

풀이

1-1 변이 3개인 삼각형보다 변이 I개 더 많은 도형은 변이 4개인 사각형입니다.

1-2 변이 5개인 오각형보다 변이 I개 더 많은 도형은 변이 6개인 육각형입니다.

1-3 변이 4개인 사각형보다 변이 I개 더 많은 도형은 변이 5개인 오각형입니다.

2-1 주어진 왼쪽 도형은 삼각형입니다.
삼각형의 꼭짓점은 3개이고 삼각형보다 꼭짓점이 I개 더 많은 도형은 꼭짓점이 4개인 사각형입니다.

> **참고**
> 모양은 달라도 꼭짓점이 4개인 사각형을 그리면 됩니다.

2-2 주어진 왼쪽 도형은 사각형입니다.
사각형의 꼭짓점은 4개이고 사각형보다 꼭짓점이 I개 더 많은 도형은 꼭짓점이 5개인 오각형입니다.

> **참고**
> 모양은 달라도 꼭짓점이 5개인 오각형을 그리면 됩니다.

2-3 주어진 왼쪽 도형은 오각형입니다.
오각형의 꼭짓점은 5개이고 오각형보다 꼭짓점이 I개 더 많은 도형은 꼭짓점이 6개인 육각형입니다.

> **참고**
> 모양은 달라도 꼭짓점이 6개인 육각형을 그리면 됩니다.

22~23쪽

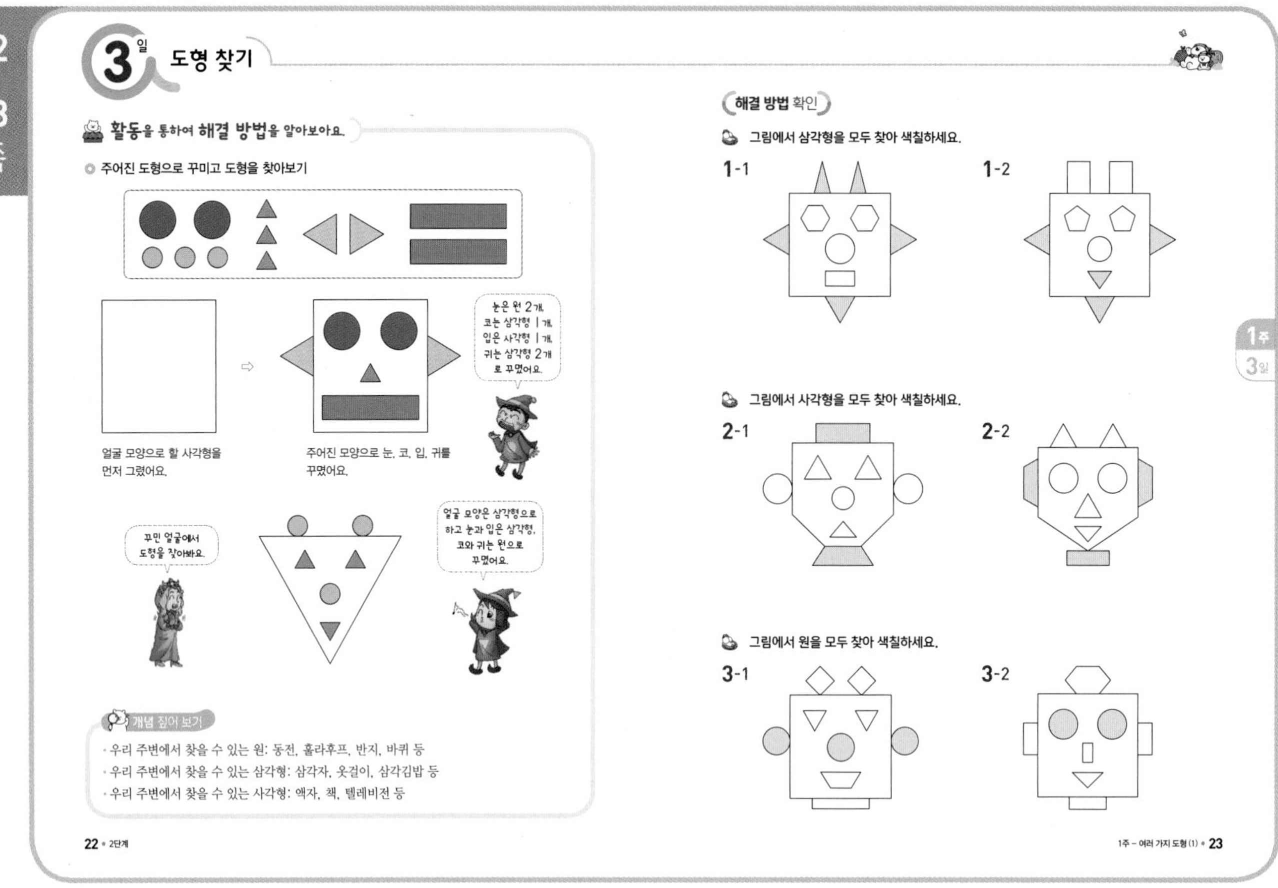
3일 도형 찾기
활동을 통하여 해결 방법을 알아보아요.
주어진 도형으로 꾸미고 도형을 찾아보기
눈은 원 2개, 코는 삼각형 1개, 입은 사각형 1개, 귀는 삼각형 2개로 꾸몄어요.
얼굴 모양으로 할 사각형을 먼저 그렸어요.
주어진 모양으로 눈, 코, 입, 귀를 꾸몄어요.
꾸민 얼굴에서 도형을 찾아봐요.
얼굴 모양은 삼각형으로 하고 눈과 입은 삼각형, 코와 귀는 원으로 꾸몄어요.
개념 짚어 보기
· 우리 주변에서 찾을 수 있는 원: 동전, 훌라후프, 반지, 바퀴 등
· 우리 주변에서 찾을 수 있는 삼각형: 삼각자, 옷걸이, 삼각김밥 등
· 우리 주변에서 찾을 수 있는 사각형: 액자, 책, 텔레비전 등
22 • 2단계
해결 방법 확인
그림에서 삼각형을 모두 찾아 색칠하세요.
1-1
1-2
그림에서 사각형을 모두 찾아 색칠하세요.
2-1
2-2
그림에서 원을 모두 찾아 색칠하세요.
3-1
3-2
1주 3일
1주 - 여러 가지 도형 (1) • 23

24~25쪽

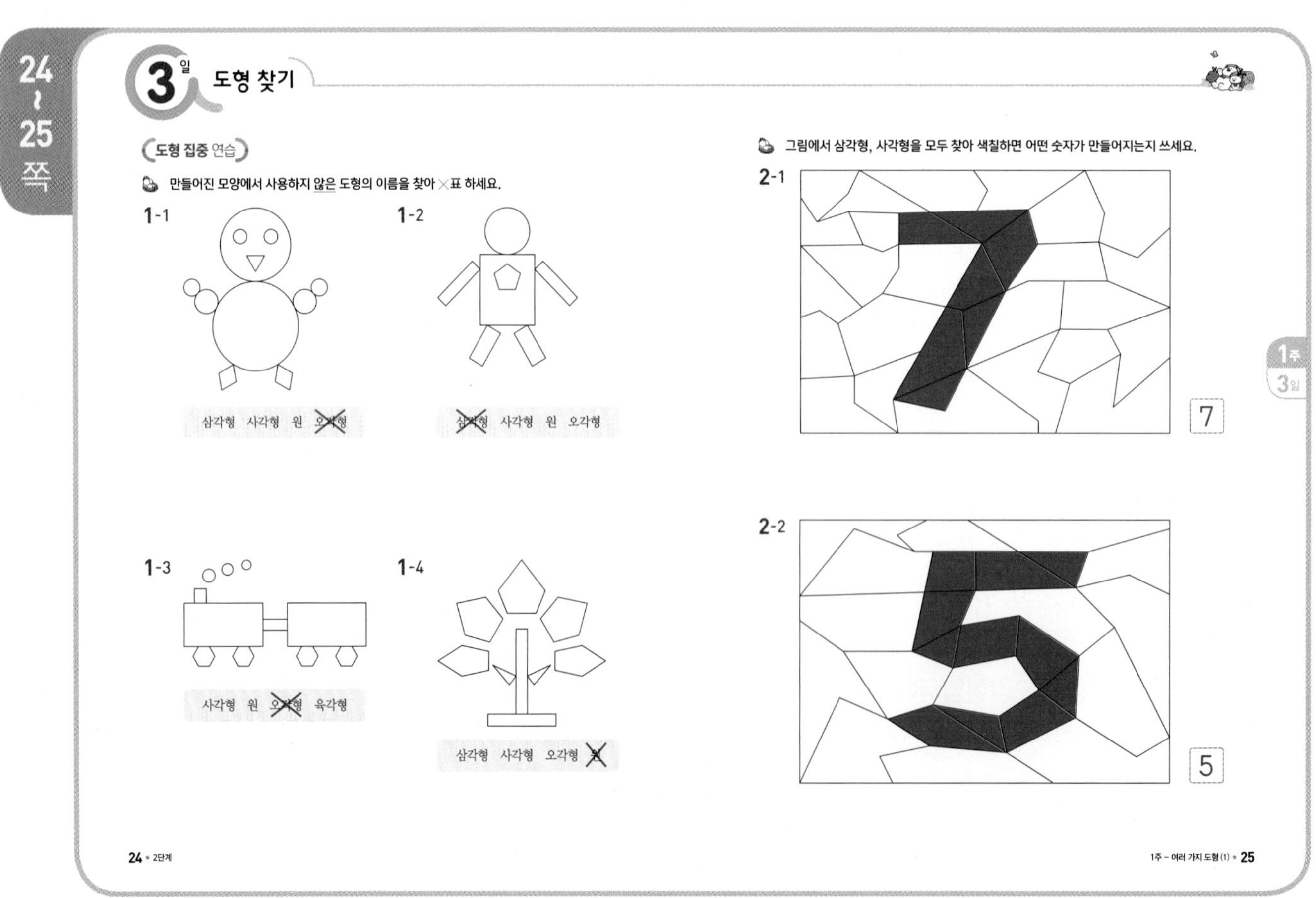
3일 도형 찾기
도형 집중 연습
만들어진 모양에서 사용하지 않은 도형의 이름을 찾아 ×표 하세요.
1-1
삼각형 사각형 원 오각형
1-2
삼각형 사각형 원 오각형
1-3
사각형 원 오각형 육각형
1-4
삼각형 사각형 오각형 원
24 • 2단계
그림에서 삼각형, 사각형을 모두 찾아 색칠하면 어떤 숫자가 만들어지는지 쓰세요.
2-1
7
2-2
5
1주 3일
1주 - 여러 가지 도형 (1) • 25

28~29쪽

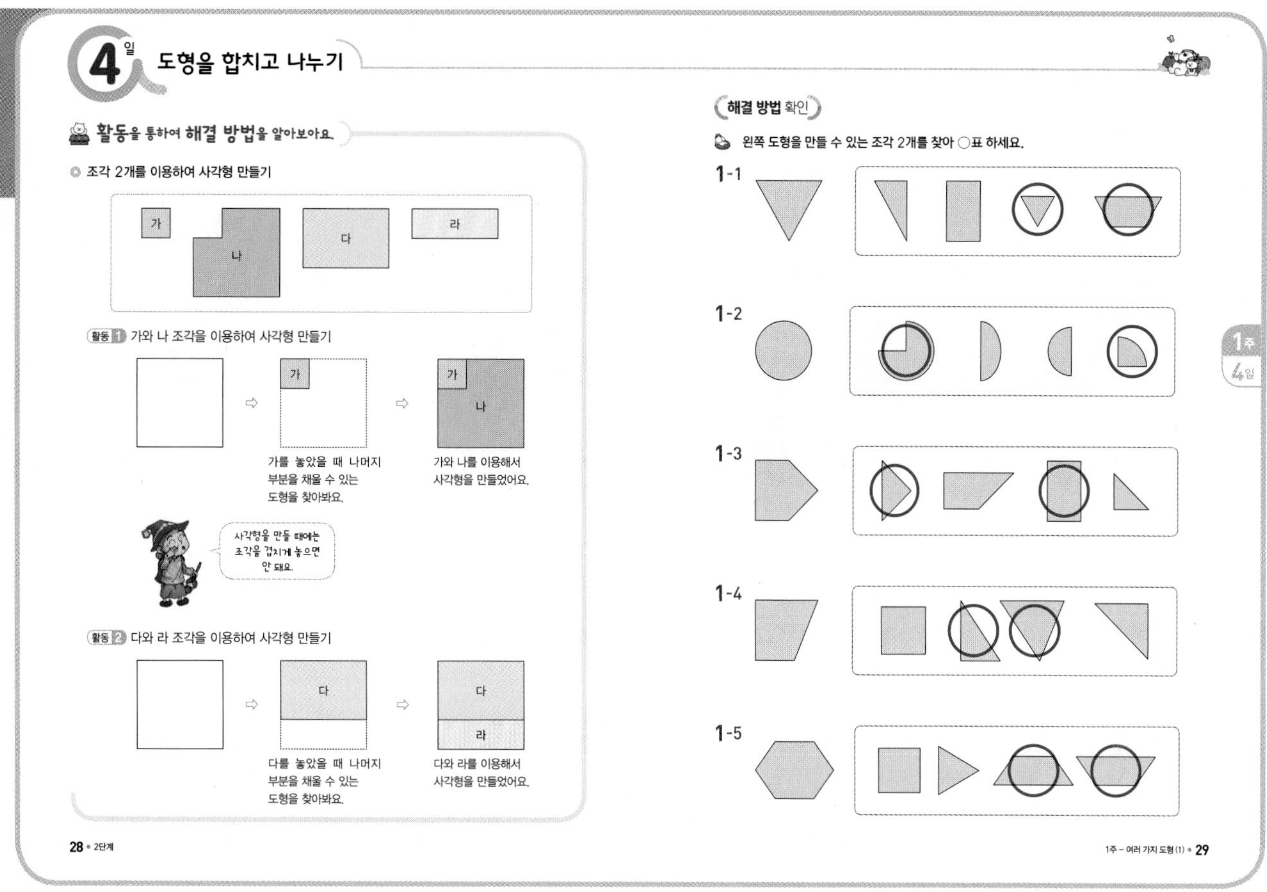
4일 도형을 합치고 나누기
활동을 통하여 해결 방법을 알아보아요.
조각 2개를 이용하여 사각형 만들기
가
나
다
라
활동 1 가와 나 조각을 이용하여 사각형 만들기
가를 놓았을 때 나머지 부분을 채울 수 있는 도형을 찾아봐요.
가와 나를 이용해서 사각형을 만들었어요.
사각형을 만들 때에는 조각을 겹치게 놓으면 안 돼요.
활동 2 다와 라 조각을 이용하여 사각형 만들기
다를 놓았을 때 나머지 부분을 채울 수 있는 도형을 찾아봐요.
다와 라를 이용해서 사각형을 만들었어요.
28 • 2단계
해결 방법 확인
왼쪽 도형을 만들 수 있는 조각 2개를 찾아 ○표 하세요.
1-1
1-2
1-3
1-4
1-5
1주 – 여러 가지 도형 (1) • 29

30~31쪽

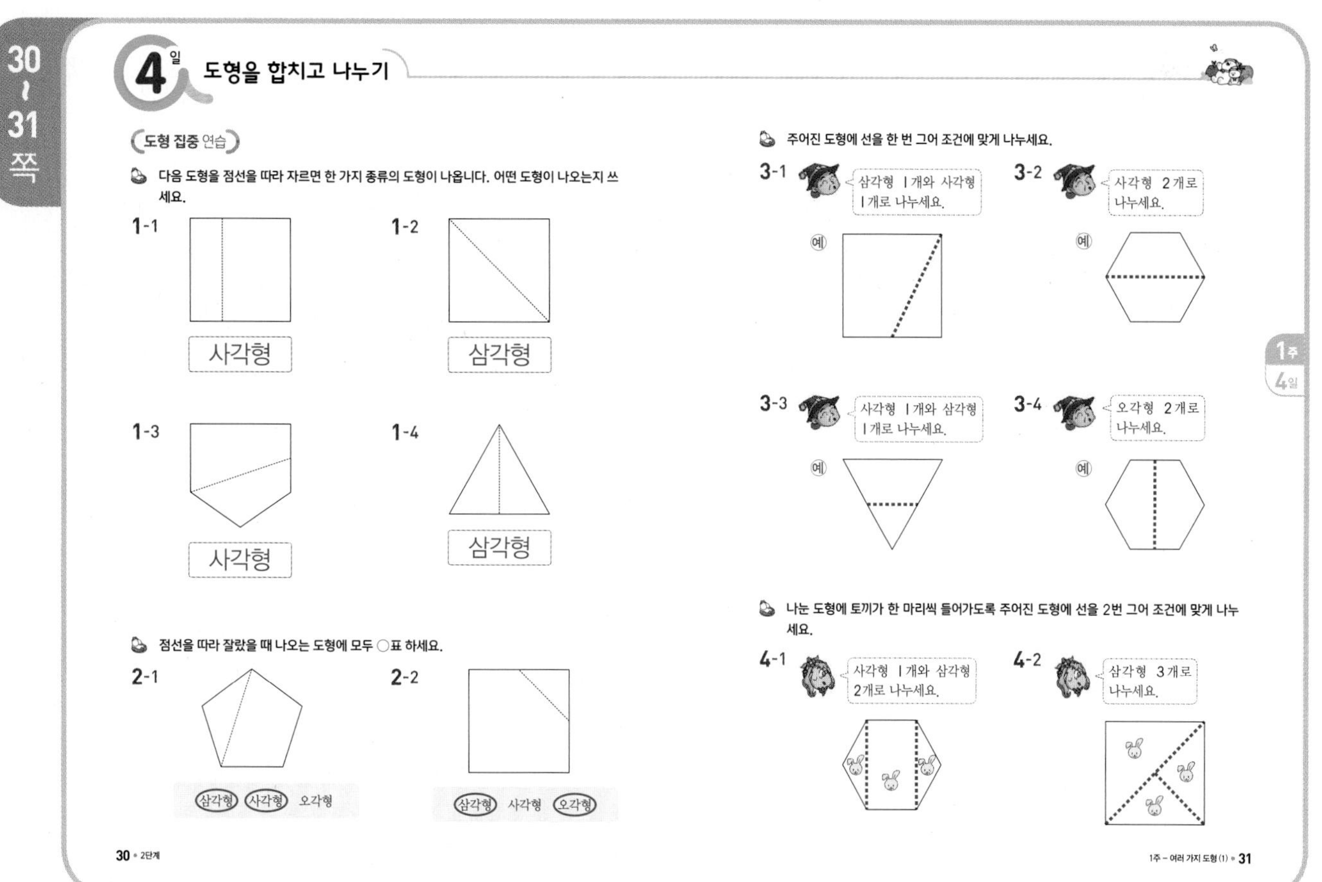
4일 도형을 합치고 나누기
도형 집중 연습
다음 도형을 점선을 따라 자르면 한 가지 종류의 도형이 나옵니다. 어떤 도형이 나오는지 쓰세요.
1-1 사각형
1-2 삼각형
1-3 사각형
1-4 삼각형
점선을 따라 잘랐을 때 나오는 도형에 모두 ○표 하세요.
2-1 삼각형 사각형 오각형
2-2 삼각형 사각형 오각형
30 • 2단계
주어진 도형에 선을 한 번 그어 조건에 맞게 나누세요.
3-1 삼각형 1개와 사각형 1개로 나누세요.
예
3-2 사각형 2개로 나누세요.
예
3-3 사각형 1개와 삼각형 1개로 나누세요.
예
3-4 오각형 2개로 나누세요.
예
나눈 도형에 토끼가 한 마리씩 들어가도록 주어진 도형에 선을 2번 그어 조건에 맞게 나누세요.
4-1 사각형 1개와 삼각형 2개로 나누세요.
4-2 삼각형 3개로 나누세요.
1주 – 여러 가지 도형 (1) • 31

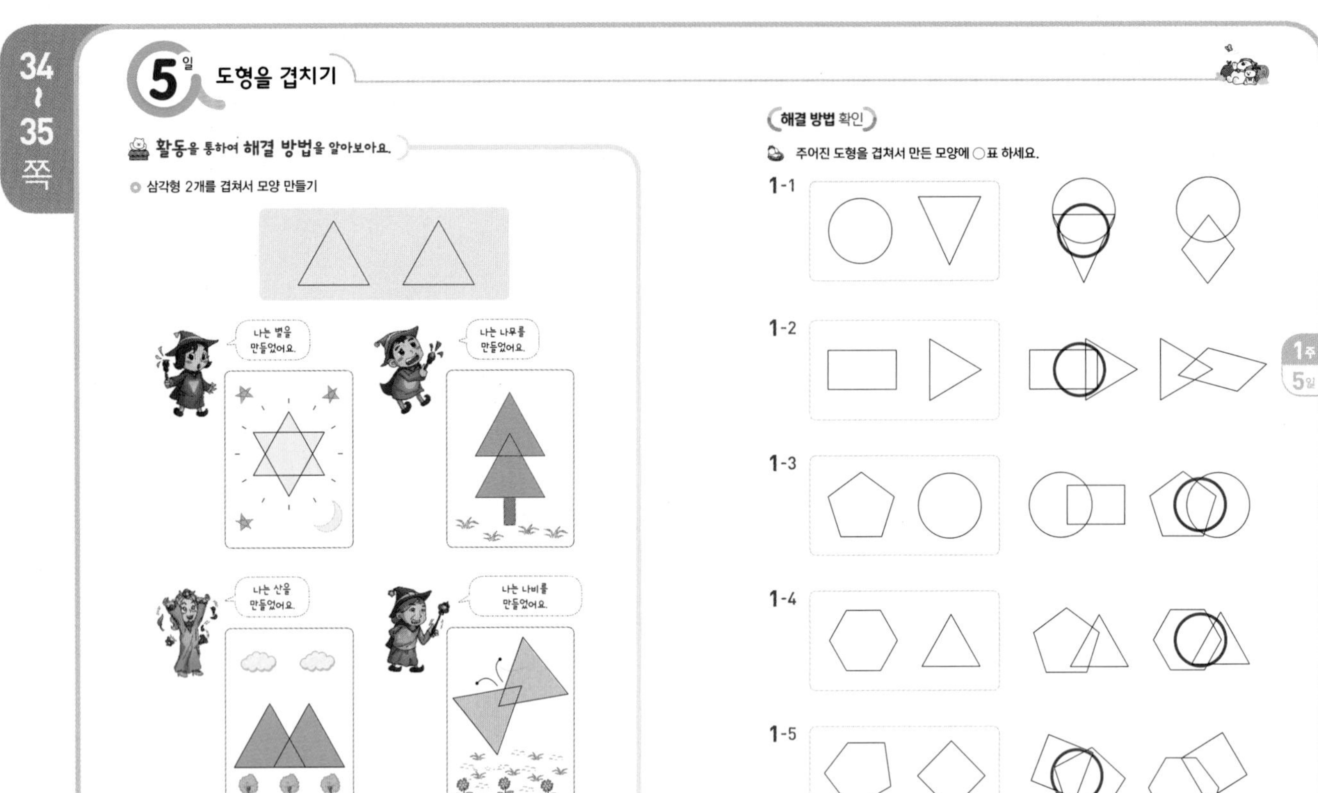
34 ~ 35 쪽
5일 도형을 겹치기
활동을 통하여 해결 방법을 알아보아요.
삼각형 2개를 겹쳐서 모양 만들기
해결 방법 확인
주어진 도형을 겹쳐서 만든 모양에 ○표 하세요.
1-1
1-2
1-3
1-4
1-5
1주 5일
34 ◦ 2단계
1주 - 여러 가지 도형 (1) ◦ 35

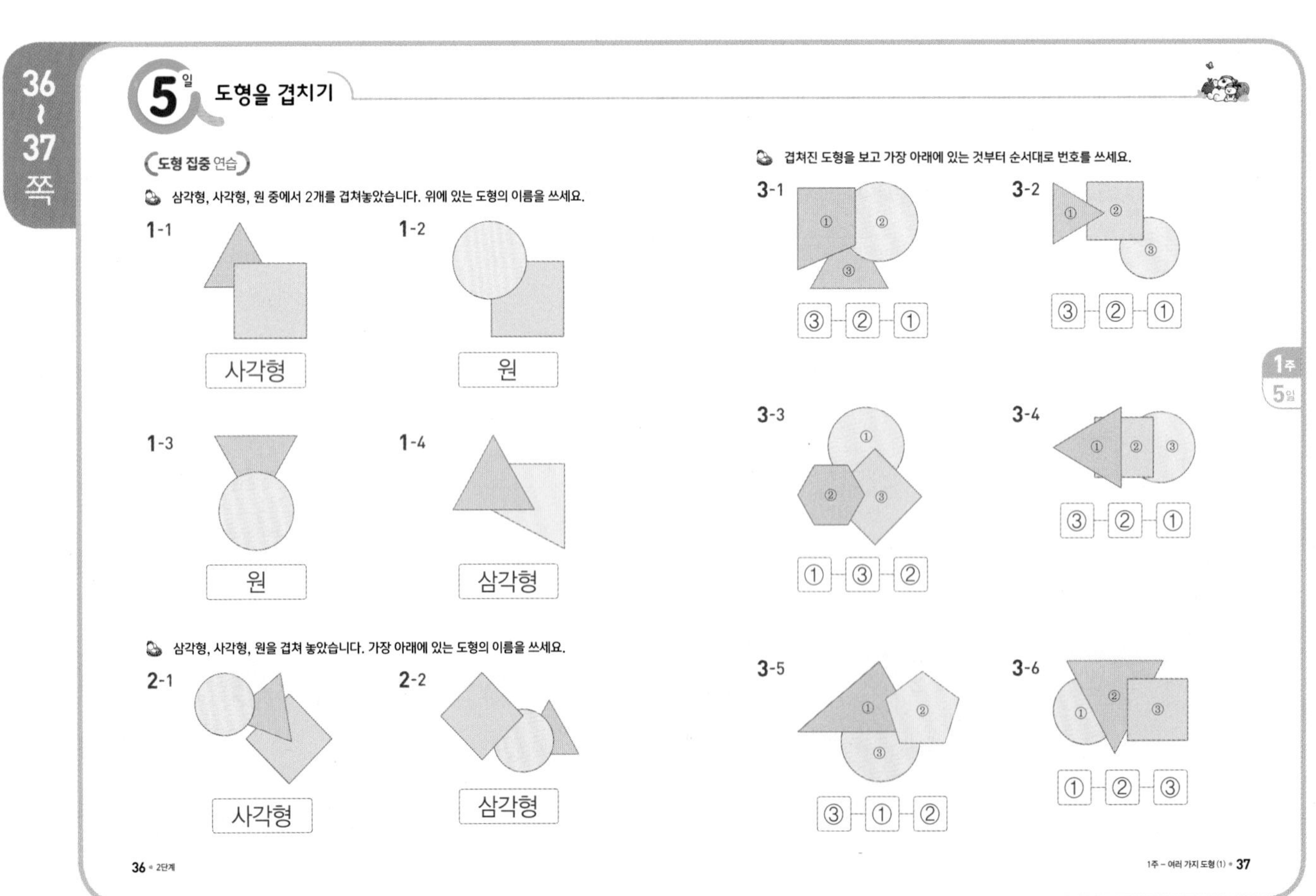
36 ~ 37 쪽
5일 도형을 겹치기
도형 집중 연습
삼각형, 사각형, 원 중에서 2개를 겹쳐놓았습니다. 위에 있는 도형의 이름을 쓰세요.
1-1 사각형
1-2 원
1-3 원
1-4 삼각형
삼각형, 사각형, 원을 겹쳐 놓았습니다. 가장 아래에 있는 도형의 이름을 쓰세요.
2-1 사각형
2-2 삼각형
겹쳐진 도형을 보고 가장 아래에 있는 것부터 순서대로 번호를 쓰세요.
3-1 ③-②-①
3-2 ③-②-①
3-3 ①-③-②
3-4 ③-②-①
3-5 ③-①-②
3-6 ①-②-③
1주 5일
36 ◦ 2단계
1주 - 여러 가지 도형 (1) ◦ 37

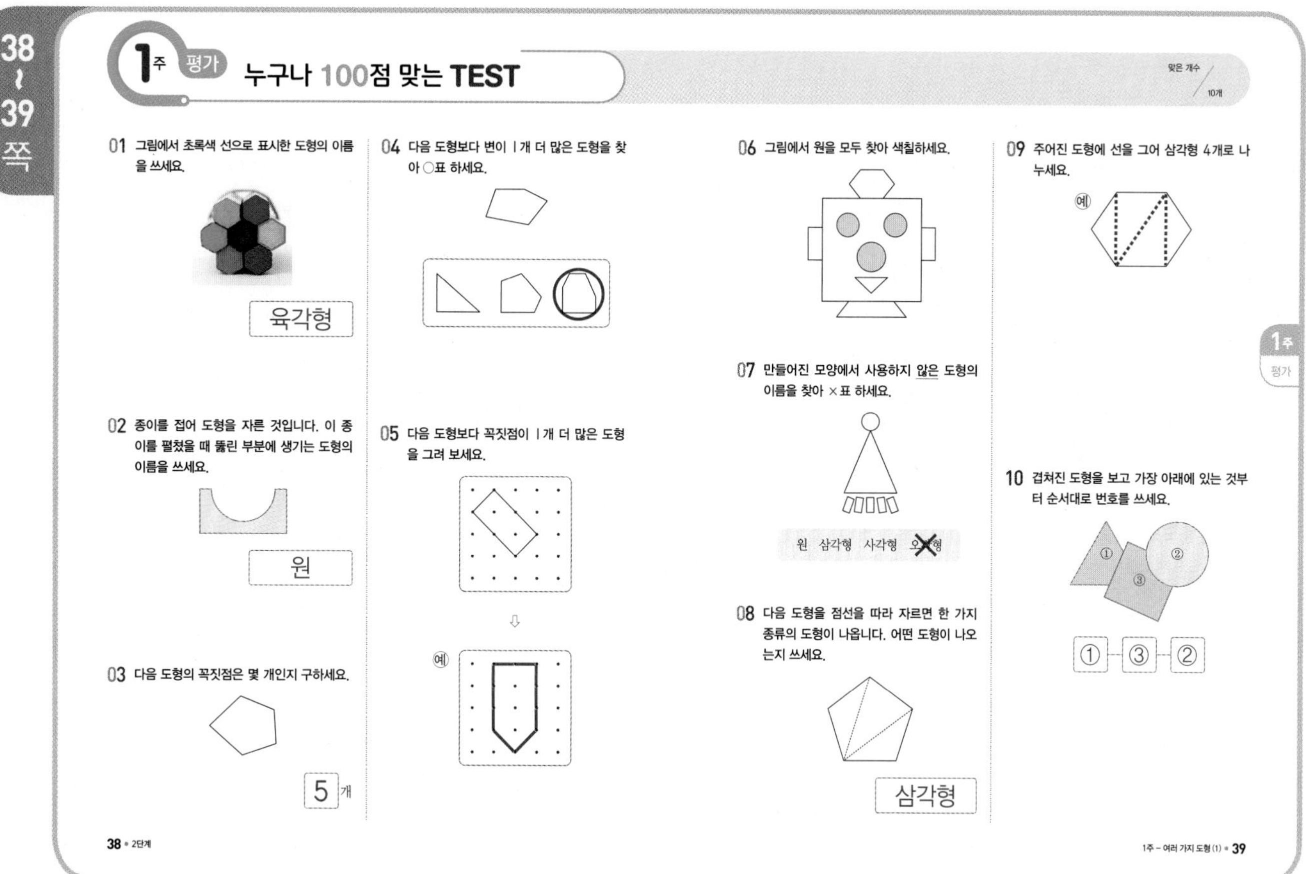

풀이

01 초록색 선으로 표시한 도형은 변이 6개이고 꼭짓점이 6개이므로 육각형입니다.

04 주어진 도형은 변이 5개인 오각형입니다.
이 도형보다 변이 1개 더 많은 도형은 변이 6개인 육각형입니다.

05 주어진 도형은 꼭짓점이 4개인 사각형입니다.
이 도형보다 꼭짓점이 1개 더 많은 도형은 꼭짓점이 5개인 오각형이므로 오각형을 그립니다.

08 점선을 따라 자르면 삼각형이 나옵니다.

10 도형이 가려지지 않은 ②가 가장 위에 있고 ② 아래에 ③, ③ 아래에 ①이 있습니다.
⇨ 가장 아래에 있는 것부터 순서대로 번호를 쓰면 ①, ③, ②입니다.

42~43쪽

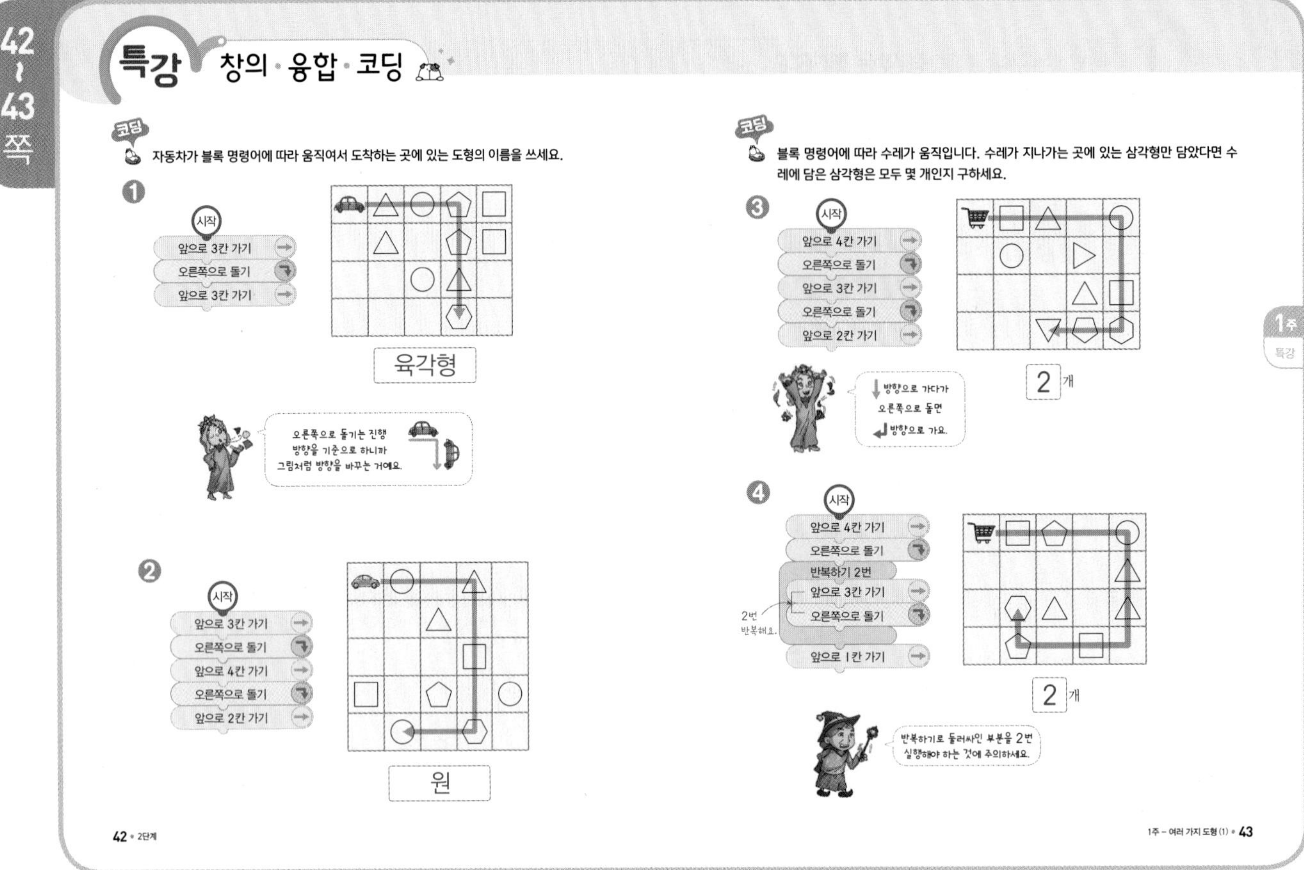

특강 창의·융합·코딩
코딩
자동차가 블록 명령어에 따라 움직여서 도착하는 곳에 있는 도형의 이름을 쓰세요.
1
시작
앞으로 3칸 가기
오른쪽으로 돌기
앞으로 3칸 가기
육각형
오른쪽으로 돌기는 진행 방향을 기준으로 하니까 그림처럼 방향을 바꾸는 거예요.
2
시작
앞으로 3칸 가기
오른쪽으로 돌기
앞으로 4칸 가기
오른쪽으로 돌기
앞으로 2칸 가기
원
코딩
블록 명령어에 따라 수레가 움직입니다. 수레가 지나가는 곳에 있는 삼각형만 담았다면 수레에 담은 삼각형은 모두 몇 개인지 구하세요.
3
시작
앞으로 4칸 가기
오른쪽으로 돌기
앞으로 3칸 가기
오른쪽으로 돌기
앞으로 2칸 가기
2 개
방향으로 가다가 오른쪽으로 돌면 방향으로 가요.
4
시작
앞으로 4칸 가기
오른쪽으로 돌기
반복하기 2번
앞으로 3칸 가기
오른쪽으로 돌기
2번 반복해요.
앞으로 1칸 가기
2 개
반복하기로 둘러싸인 부분을 2번 실행해야 하는 것에 주의하세요.
42 • 2단계
1주 – 여러 가지 도형 (1) • 43

44~45쪽

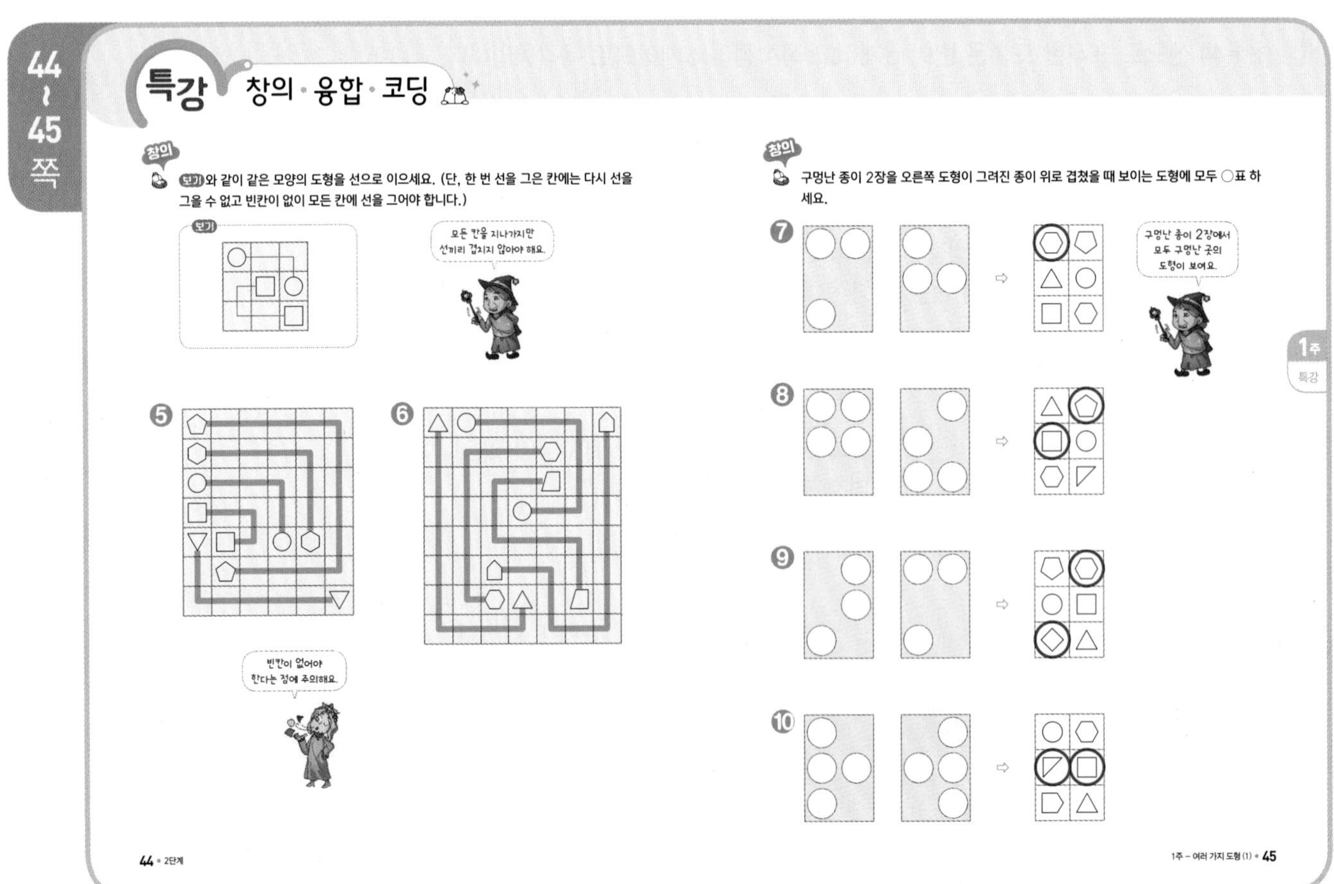

특강 창의·융합·코딩
창의
보기와 같이 같은 모양의 도형을 선으로 이으세요. (단, 한 번 선을 그은 칸에는 다시 선을 그을 수 없고 빈칸이 없이 모든 칸에 선을 그어야 합니다.)
보기
모든 칸을 지나가지만 선끼리 겹치지 않아야 해요.
5
6
빈칸이 없어야 한다는 점에 주의해요.
창의
구멍난 종이 2장을 오른쪽 도형이 그려진 종이 위로 겹쳤을 때 보이는 도형에 모두 ○표 하세요.
7
8
9
10
구멍난 종이 2장에서 모두 구멍난 곳의 도형이 보여요.
44 • 2단계
1주 – 여러 가지 도형 (1) • 45

2주 | 여러 가지 도형(2)

48~49쪽

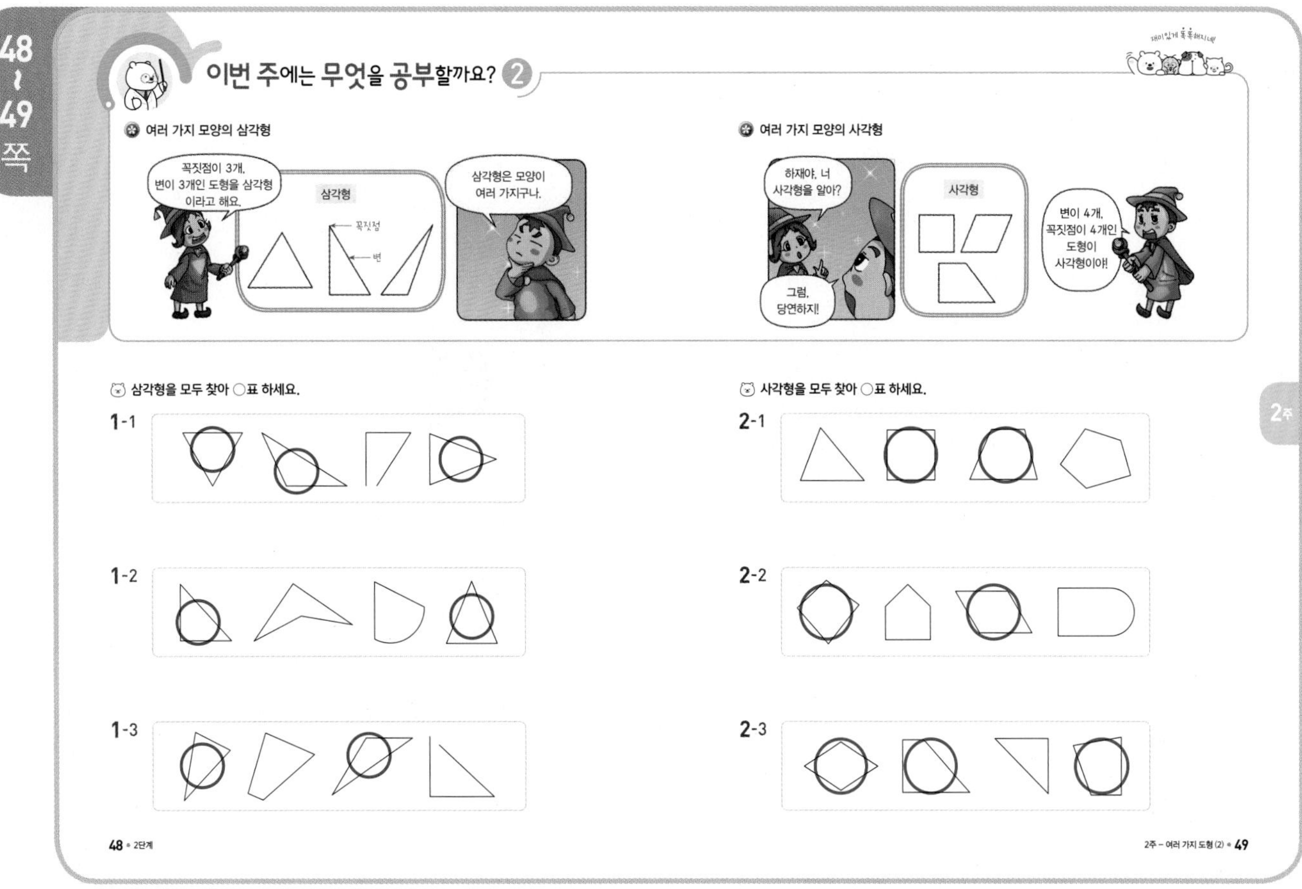

이번 주에는 무엇을 공부할까요? 2
여러 가지 모양의 삼각형
꼭짓점이 3개, 변이 3개인 도형을 삼각형이라고 해요.
삼각형
꼭짓점
변
삼각형은 모양이 여러 가지구나.
여러 가지 모양의 사각형
하재야, 너 사각형을 알아?
그럼, 당연하지!
사각형
변이 4개, 꼭짓점이 4개인 도형이 사각형이야!
삼각형을 모두 찾아 ○표 하세요.
1-1
1-2
1-3
사각형을 모두 찾아 ○표 하세요.
2-1
2-2
2-3
48 • 2단계
2주 – 여러 가지 도형 (2) • 49

52~53쪽

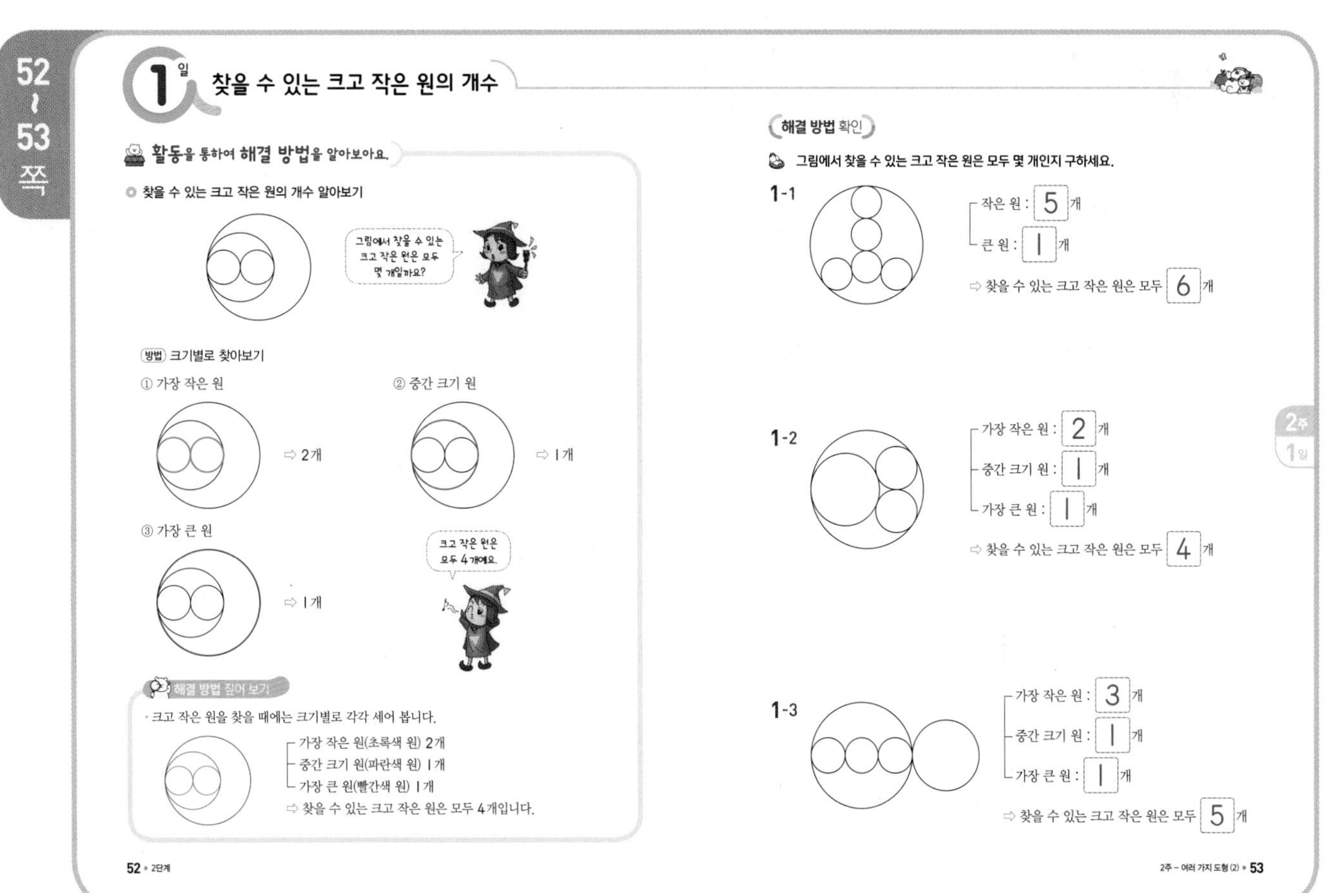

1일 찾을 수 있는 크고 작은 원의 개수
활동을 통하여 해결 방법을 알아보아요.
찾을 수 있는 크고 작은 원의 개수 알아보기
그림에서 찾을 수 있는 크고 작은 원은 모두 몇 개일까요?
방법 크기별로 찾아보기
① 가장 작은 원
⇨ 2개
② 중간 크기 원
⇨ 1개
③ 가장 큰 원
⇨ 1개
크고 작은 원은 모두 4개예요.
해결 방법 짚어 보기
• 크고 작은 원을 찾을 때에는 크기별로 각각 세어 봅니다.
가장 작은 원(초록색 원) 2개
중간 크기 원(파란색 원) 1개
가장 큰 원(빨간색 원) 1개
⇨ 찾을 수 있는 크고 작은 원은 모두 4개입니다.
해결 방법 확인
그림에서 찾을 수 있는 크고 작은 원은 모두 몇 개인지 구하세요.
1-1
작은 원 : 5 개
큰 원 : 1 개
⇨ 찾을 수 있는 크고 작은 원은 모두 6 개
1-2
가장 작은 원 : 2 개
중간 크기 원 : 1 개
가장 큰 원 : 1 개
⇨ 찾을 수 있는 크고 작은 원은 모두 4 개
1-3
가장 작은 원 : 3 개
중간 크기 원 : 1 개
가장 큰 원 : 1 개
⇨ 찾을 수 있는 크고 작은 원은 모두 5 개
52 • 2단계
2주 – 여러 가지 도형 (2) • 53

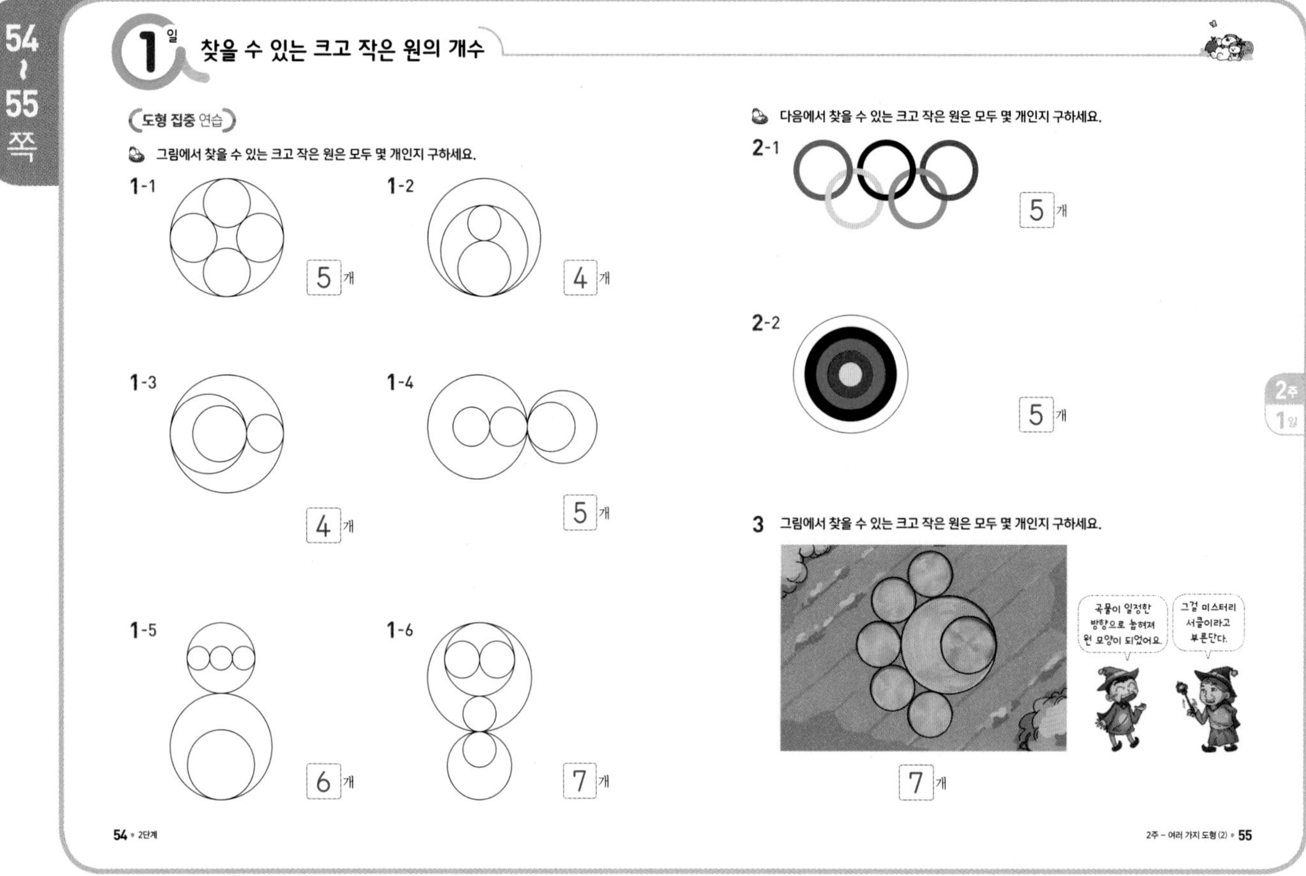

54~55쪽

1일 찾을 수 있는 크고 작은 원의 개수

도형 집중 연습

그림에서 찾을 수 있는 크고 작은 원은 모두 몇 개인지 구하세요.

1-1 5개

1-2 4개

1-3 4개

1-4 5개

1-5 6개

1-6 7개

다음에서 찾을 수 있는 크고 작은 원은 모두 몇 개인지 구하세요.

2-1 5개

2-2 5개

3 그림에서 찾을 수 있는 크고 작은 원은 모두 몇 개인지 구하세요.

7개

54 • 2단계

2주 - 여러 가지 도형 (2) • 55

2주 1일

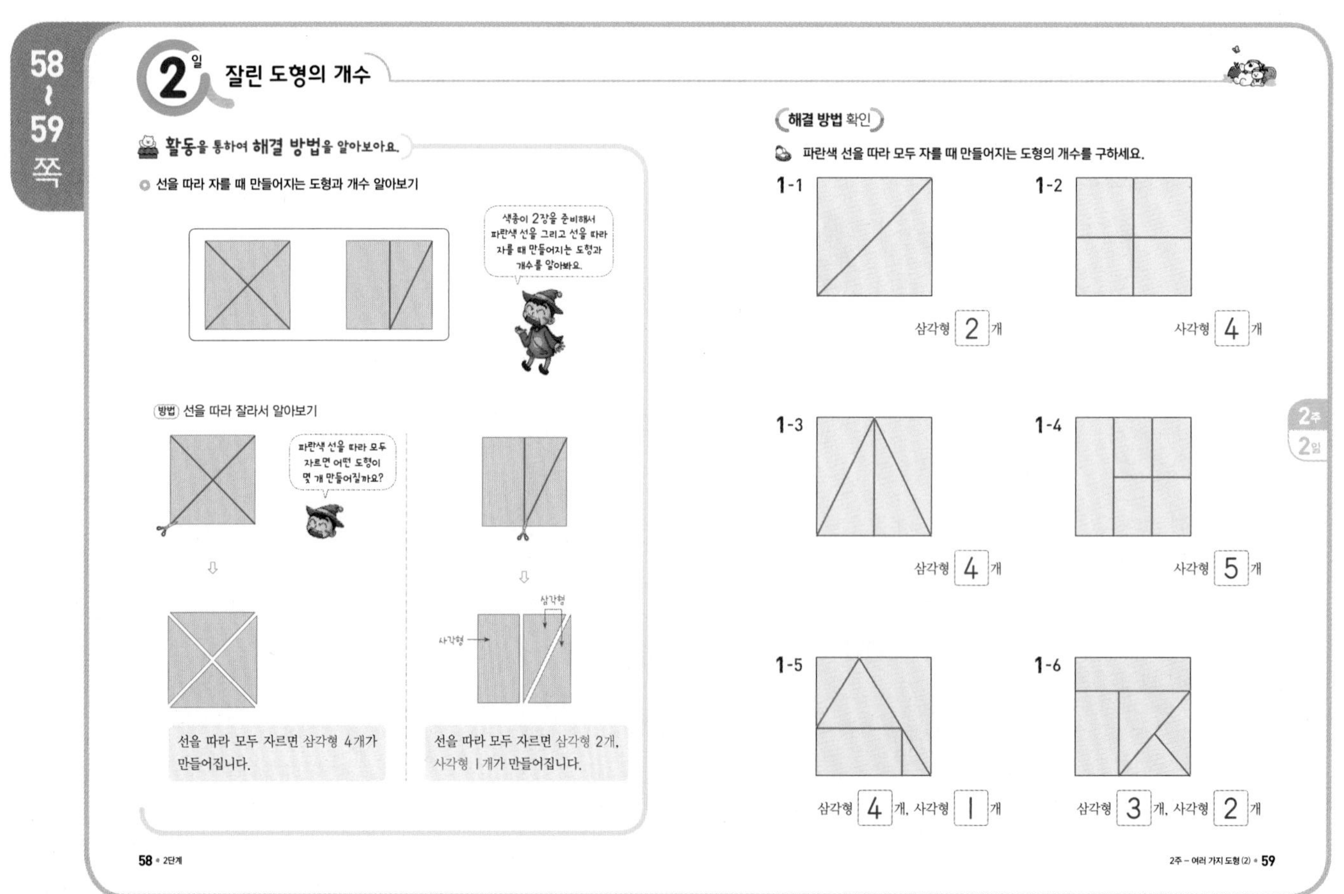

58~59쪽

2일 잘린 도형의 개수

활동을 통하여 해결 방법을 알아보아요.

선을 따라 자를 때 만들어지는 도형과 개수 알아보기

방법 선을 따라 잘라서 알아보기

선을 따라 모두 자르면 삼각형 4개가 만들어집니다.

선을 따라 모두 자르면 삼각형 2개, 사각형 1개가 만들어집니다.

해결 방법 확인

파란색 선을 따라 모두 자를 때 만들어지는 도형의 개수를 구하세요.

1-1 삼각형 2개

1-2 사각형 4개

1-3 삼각형 4개

1-4 사각형 5개

1-5 삼각형 4개, 사각형 1개

1-6 삼각형 3개, 사각형 2개

58 • 2단계

2주 - 여러 가지 도형 (2) • 59

2주 2일

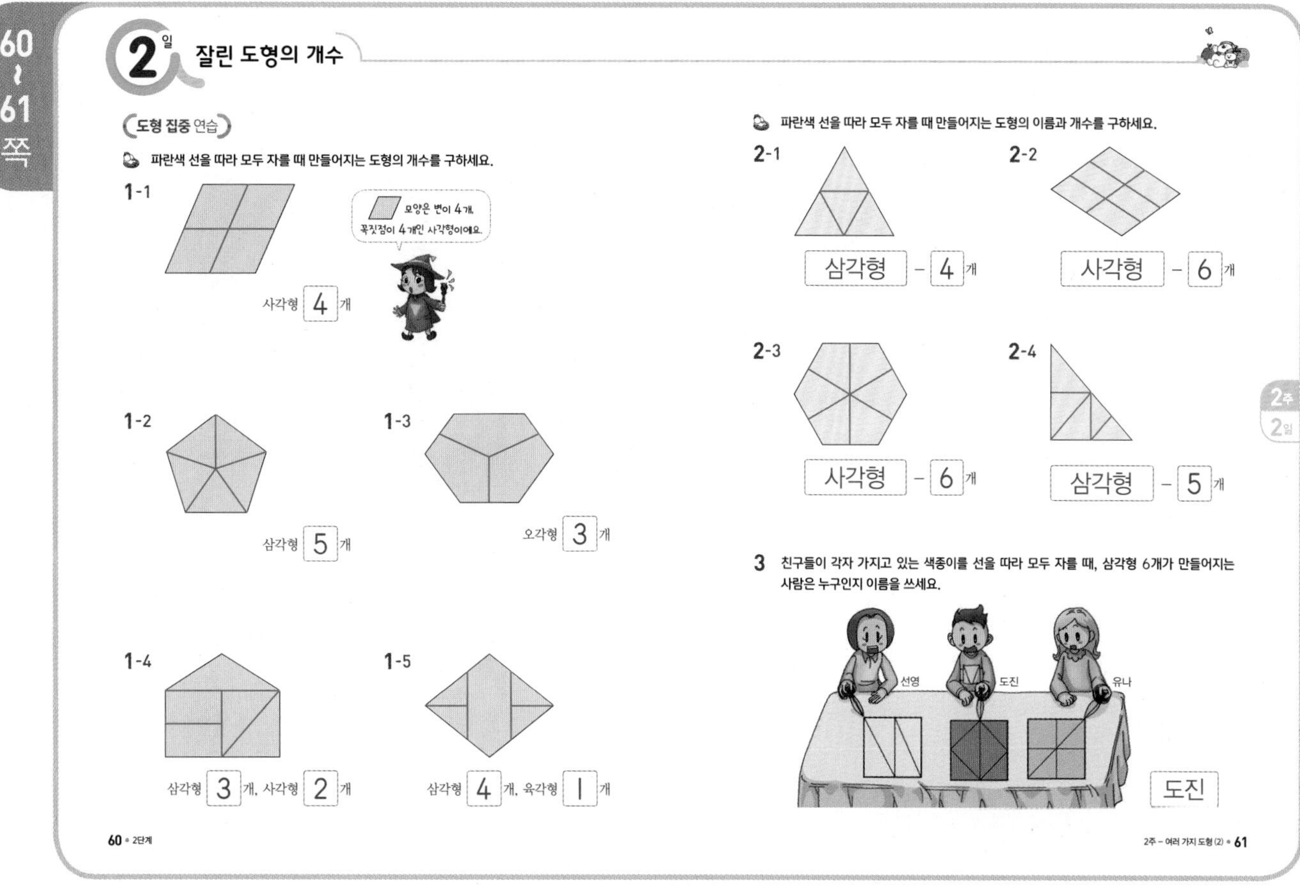
60~61쪽
2일 잘린 도형의 개수
도형 집중 연습
파란색 선을 따라 모두 자를 때 만들어지는 도형의 개수를 구하세요.
1-1 사각형 4 개
모양은 변이 4개, 꼭짓점이 4개인 사각형이에요.
1-2 삼각형 5 개
1-3 오각형 3 개
1-4 삼각형 3 개, 사각형 2 개
1-5 삼각형 4 개, 육각형 1 개
파란색 선을 따라 모두 자를 때 만들어지는 도형의 이름과 개수를 구하세요.
2-1 삼각형 - 4 개
2-2 사각형 - 6 개
2-3 사각형 - 6 개
2-4 삼각형 - 5 개
3 친구들이 각자 가지고 있는 색종이를 선을 따라 모두 자를 때, 삼각형 6개가 만들어지는 사람은 누구인지 이름을 쓰세요.
선영
도진
유나
도진
60 • 2단계
2주 - 여러 가지 도형 (2) • 61

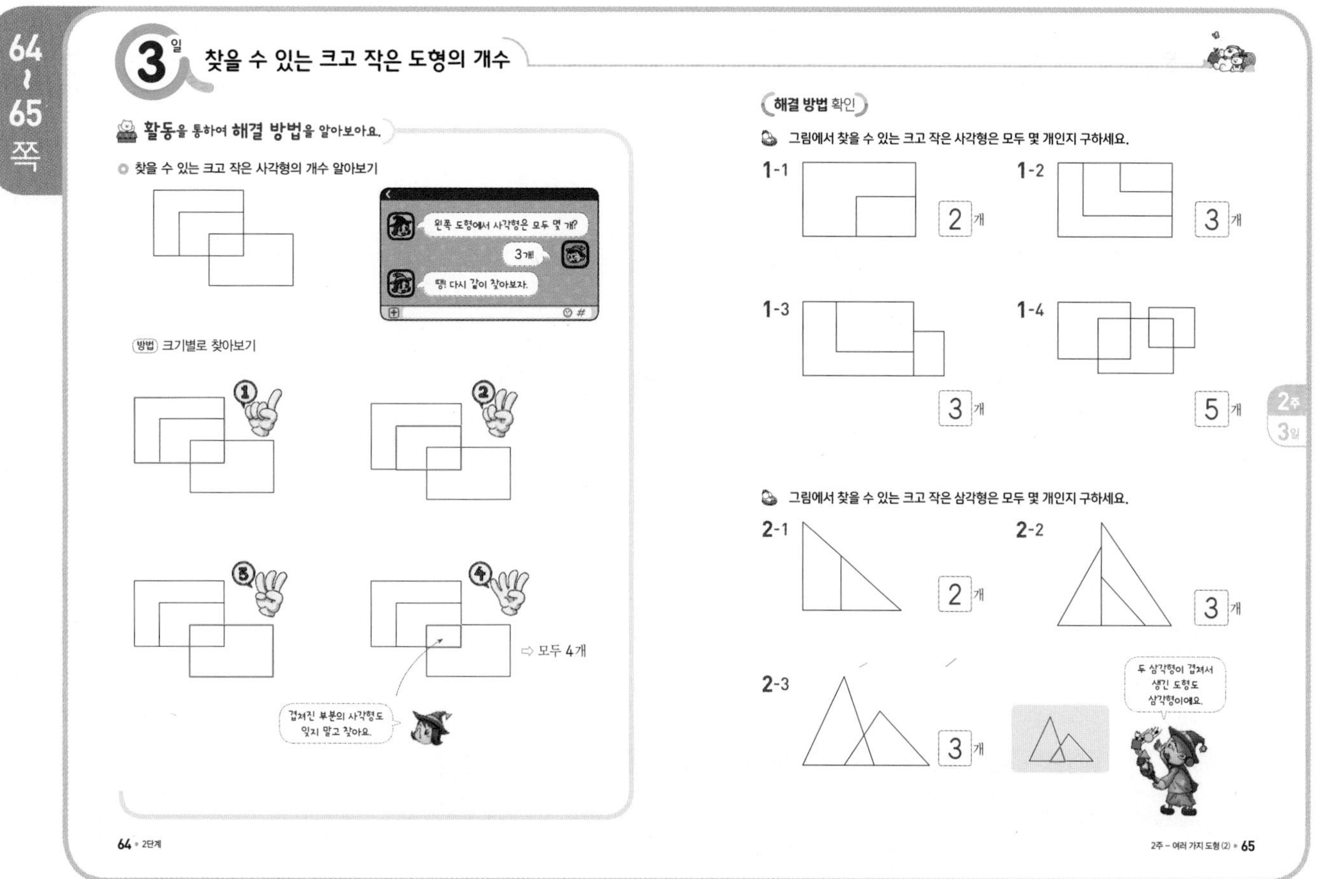
64~65쪽
3일 찾을 수 있는 크고 작은 도형의 개수
활동을 통하여 해결 방법을 알아보아요.
찾을 수 있는 크고 작은 사각형의 개수 알아보기
왼쪽 도형에서 사각형은 모두 몇 개?
3개!
땡! 다시 같이 찾아보자.
방법 크기별로 찾아보기
⇨ 모두 4개
겹쳐진 부분의 사각형도 잊지 말고 찾아요.
해결 방법 확인
그림에서 찾을 수 있는 크고 작은 사각형은 모두 몇 개인지 구하세요.
1-1 2 개
1-2 3 개
1-3 3 개
1-4 5 개
그림에서 찾을 수 있는 크고 작은 삼각형은 모두 몇 개인지 구하세요.
2-1 2 개
2-2 3 개
2-3 3 개
두 삼각형이 겹쳐서 생긴 도형도 삼각형이에요.
64 • 2단계
2주 - 여러 가지 도형 (2) • 65

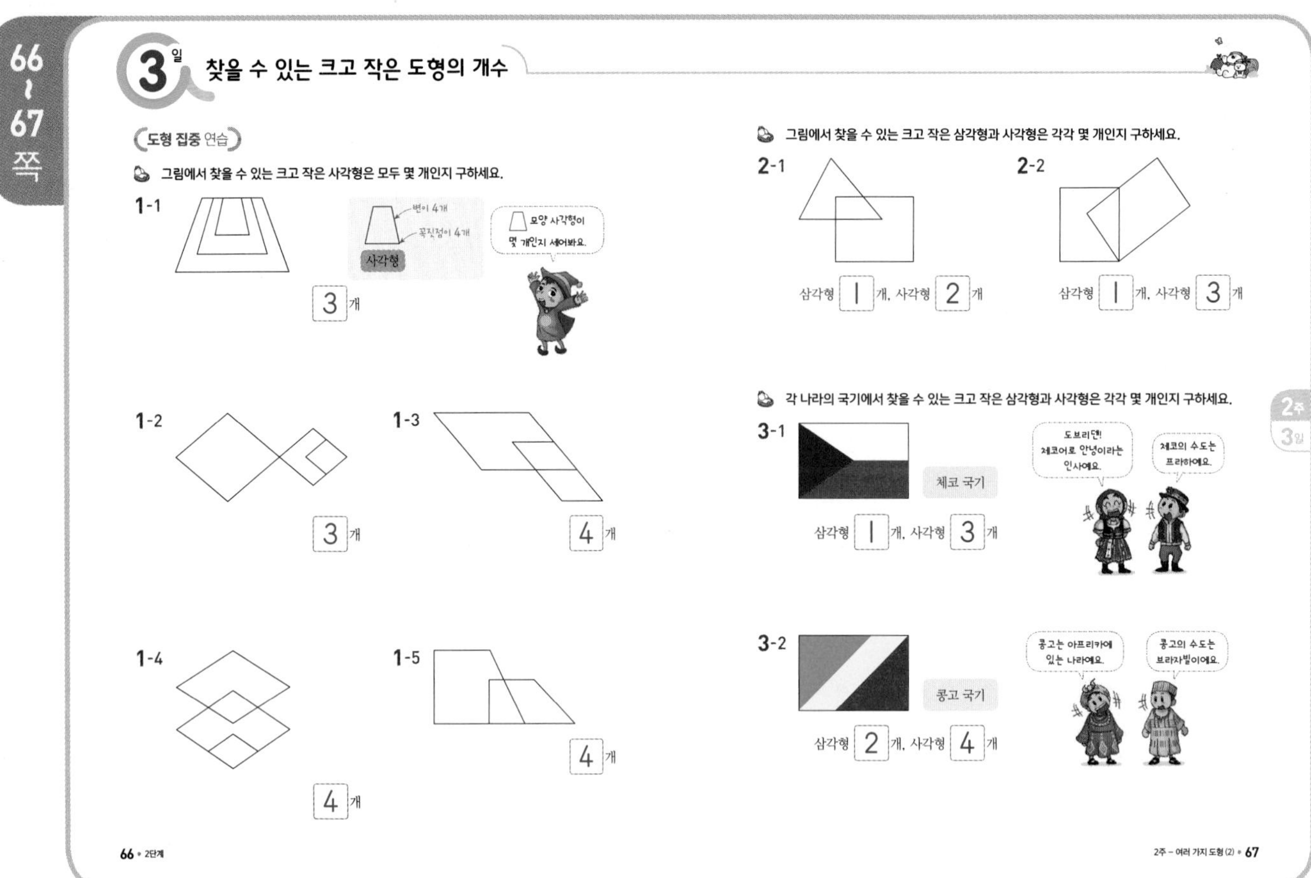
66~67쪽

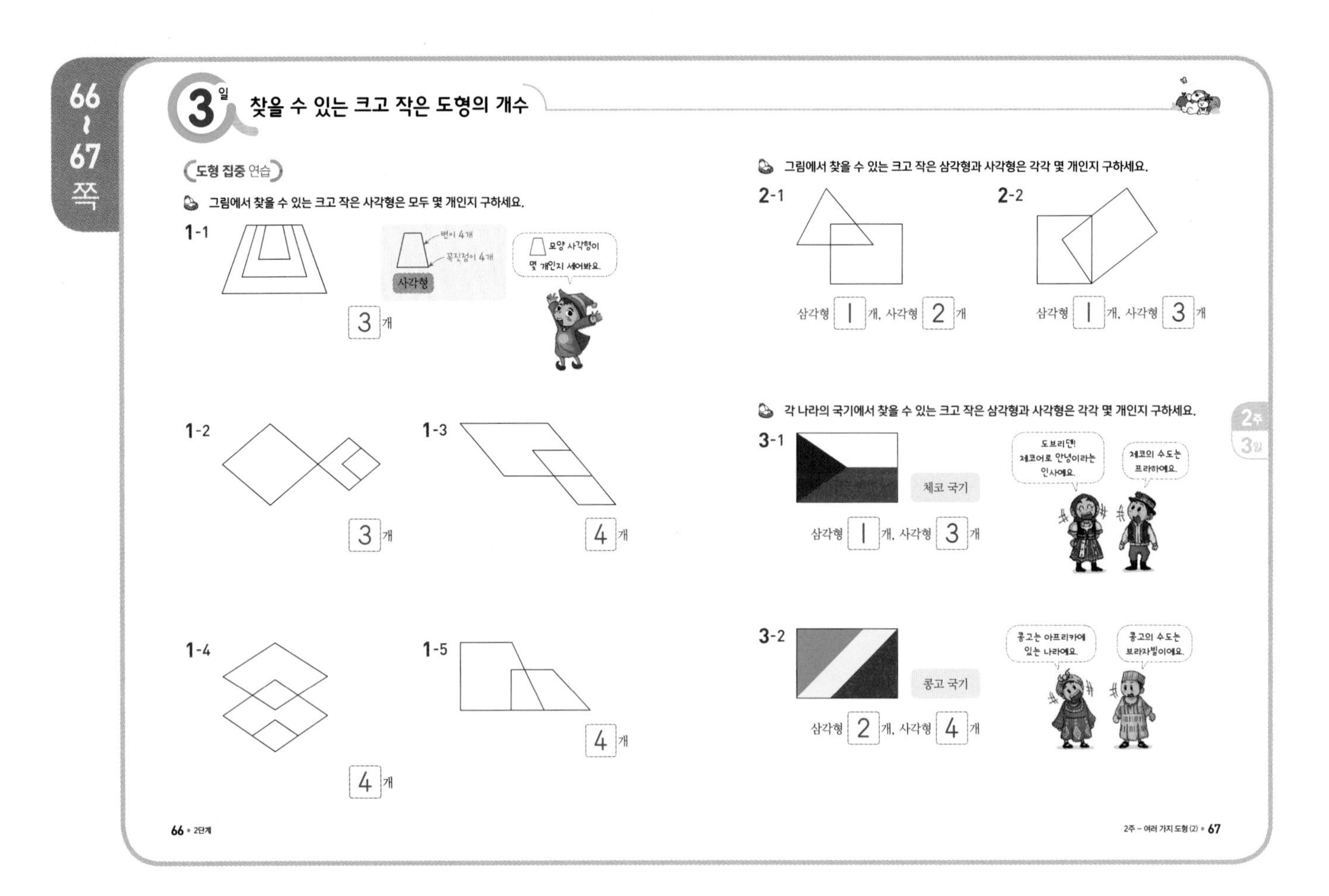

3일 찾을 수 있는 크고 작은 도형의 개수

도형 집중 연습

그림에서 찾을 수 있는 크고 작은 사각형은 모두 몇 개인지 구하세요.

1-1 3개

변이 4개
꼭짓점이 4개
사각형

모양 사각형이 몇 개인지 세어봐요.

1-2 3개

1-3 4개

1-4 4개

1-5 4개

그림에서 찾을 수 있는 크고 작은 삼각형과 사각형은 각각 몇 개인지 구하세요.

2-1 삼각형 1개, 사각형 2개

2-2 삼각형 1개, 사각형 3개

각 나라의 국기에서 찾을 수 있는 크고 작은 삼각형과 사각형은 각각 몇 개인지 구하세요.

3-1 체코 국기
삼각형 1개, 사각형 3개

도브리덴! 체코어로 안녕이라는 인사예요.
체코의 수도는 프라하예요.

3-2 콩고 국기
삼각형 2개, 사각형 4개

콩고는 아프리카에 있는 나라예요.
콩고의 수도는 브라자빌이에요.

66 • 2단계

2주 – 여러 가지 도형 (2) • 67

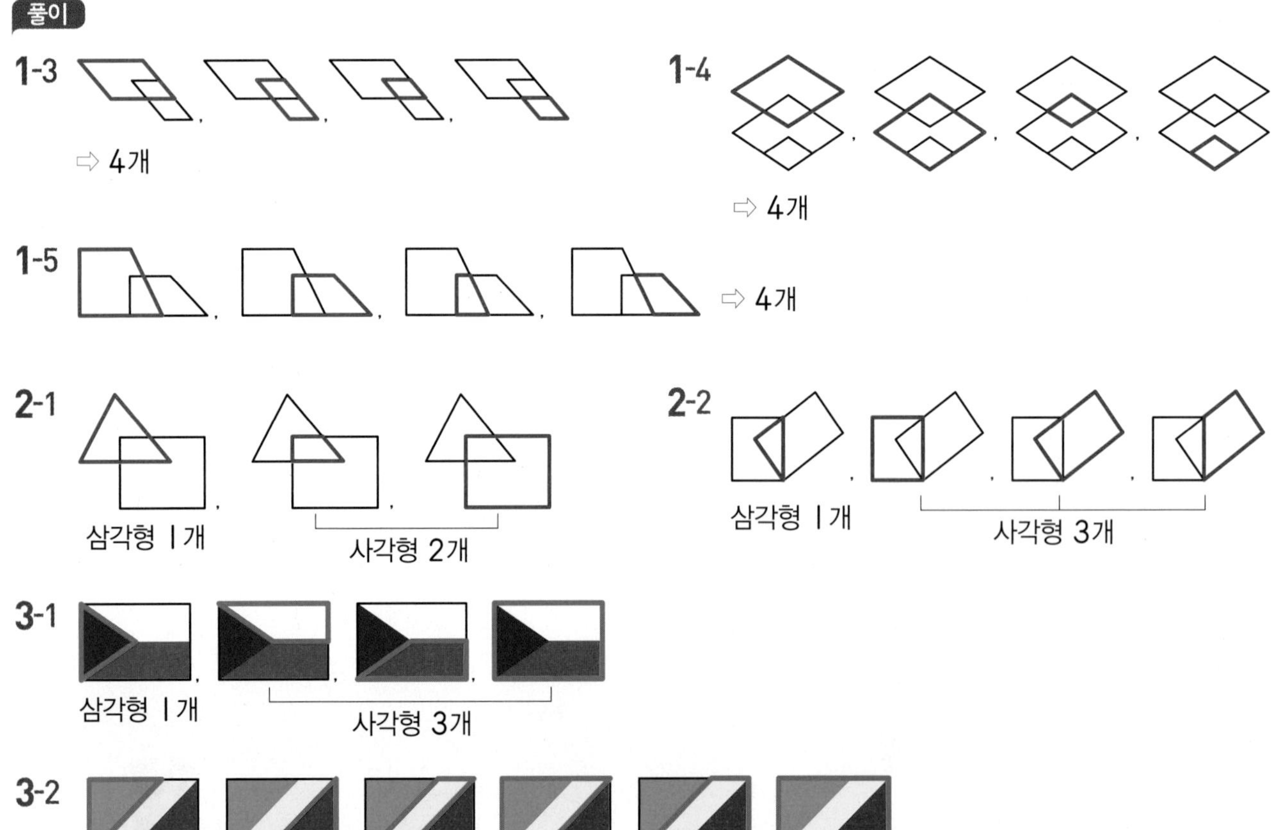

70~71쪽

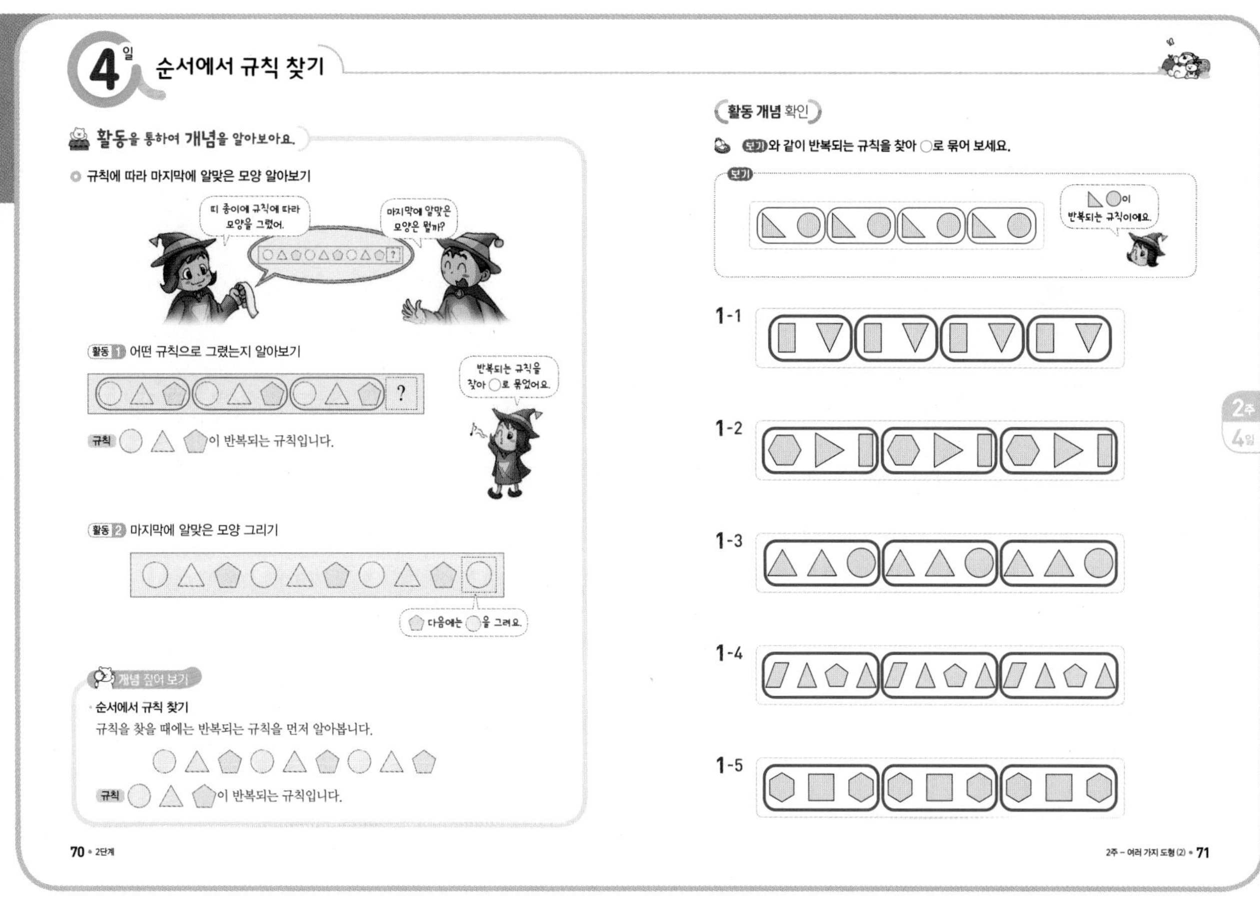
4일 순서에서 규칙 찾기
활동을 통하여 개념을 알아보아요.
규칙에 따라 마지막에 알맞은 모양 알아보기
티 종이에 규칙에 따라 모양을 그렸어.
마지막에 알맞은 모양은 뭘까?
활동 1 어떤 규칙으로 그렸는지 알아보기
반복되는 규칙을 찾아 ○로 묶었어요.
규칙 이 반복되는 규칙입니다.
활동 2 마지막에 알맞은 모양 그리기
다음에는 을 그려요.
개념 짚어 보기
순서에서 규칙 찾기
규칙을 찾을 때에는 반복되는 규칙을 먼저 알아봅니다.
규칙 이 반복되는 규칙입니다.
70 • 2단계
활동 개념 확인
보기 와 같이 반복되는 규칙을 찾아 ○로 묶어 보세요.
보기
이 반복되는 규칙이에요.
1-1
1-2
1-3
1-4
1-5
2주 – 여러 가지 도형 (2) • 71

72~73쪽

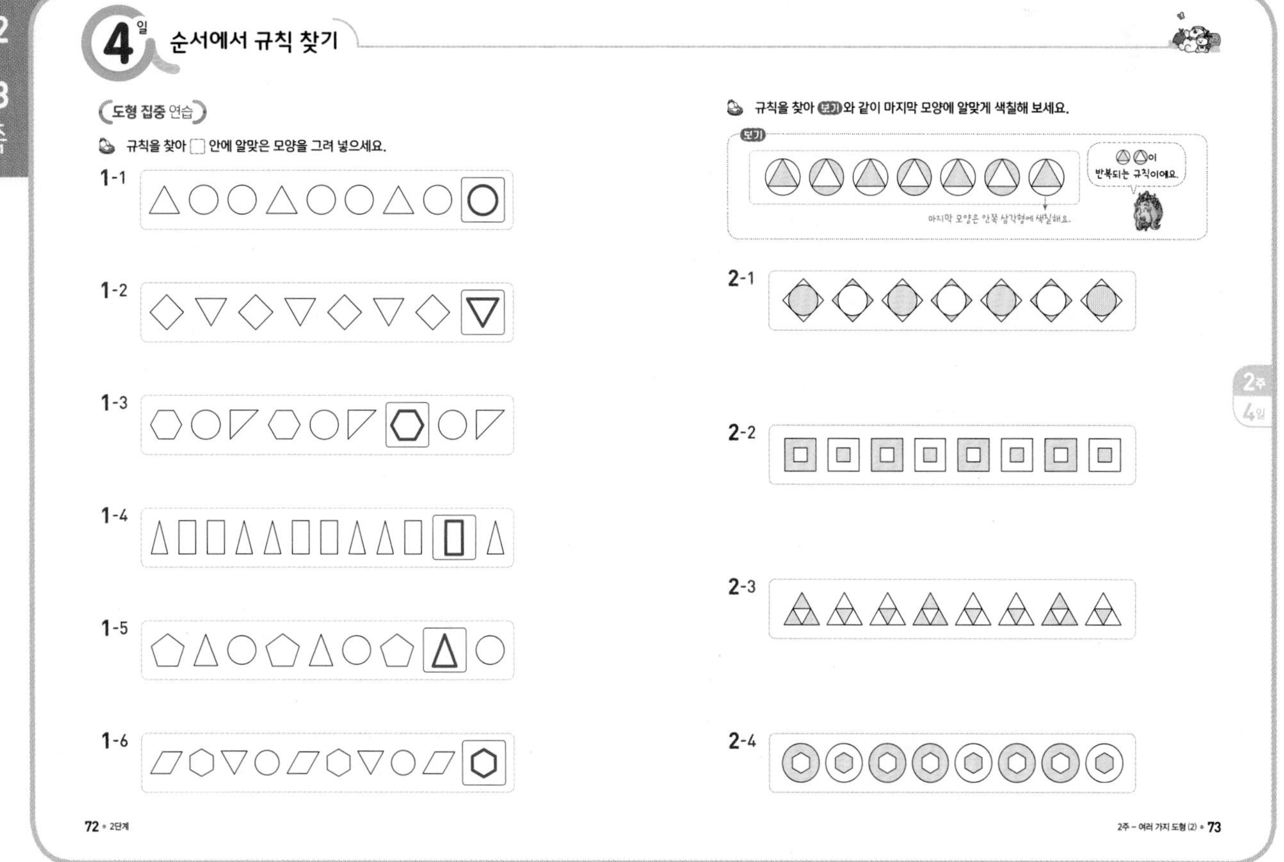
4일 순서에서 규칙 찾기
도형 집중 연습
규칙을 찾아 안에 알맞은 모양을 그려 넣으세요.
1-1
1-2
1-3
1-4
1-5
1-6
72 • 2단계
규칙을 찾아 보기 와 같이 마지막 모양에 알맞게 색칠해 보세요.
보기
이 반복되는 규칙이에요.
마지막 모양은 안쪽 삼각형에 색칠해요.
2-1
2-2
2-3
2-4
2주 – 여러 가지 도형 (2) • 73

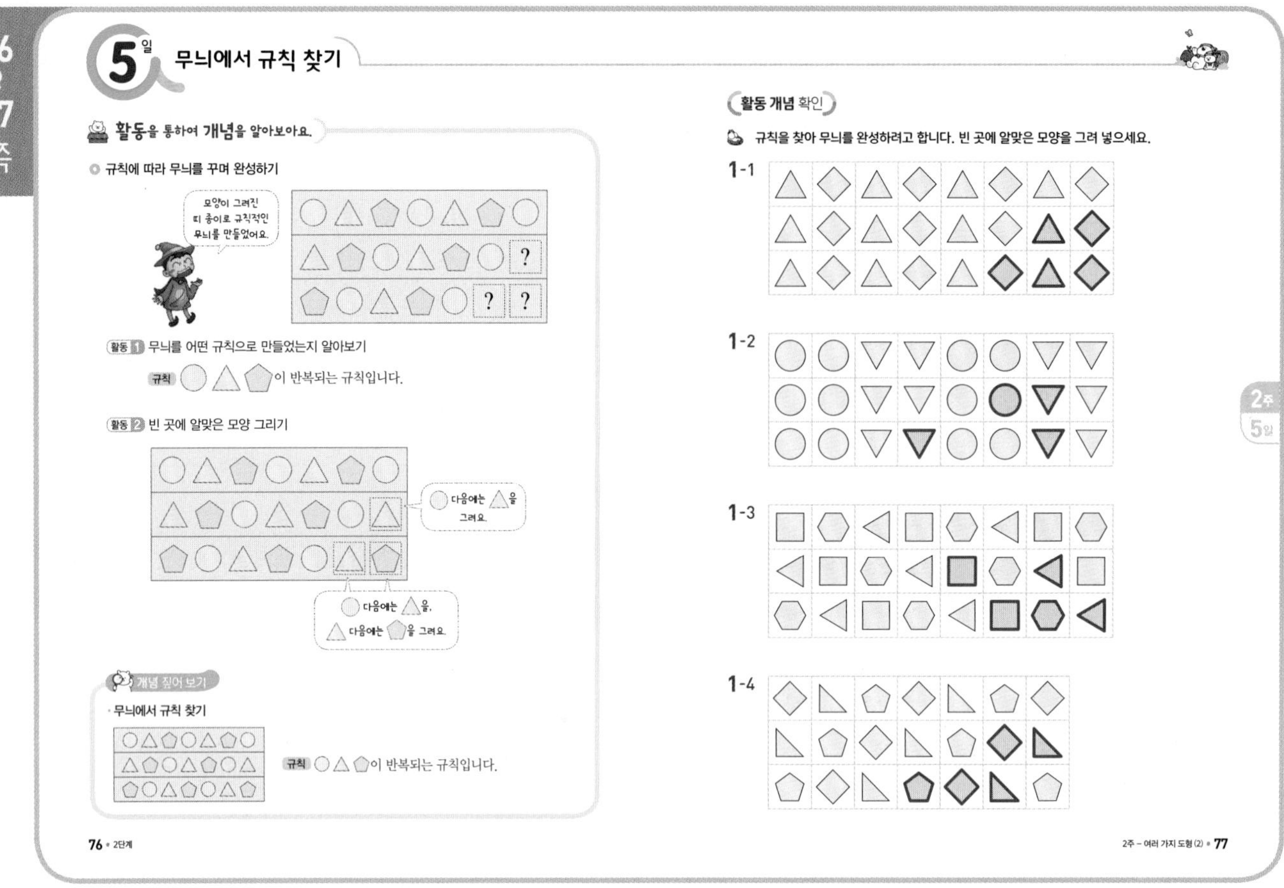
76 ~ 77 쪽
5일 무늬에서 규칙 찾기
활동을 통하여 개념을 알아보아요.
규칙에 따라 무늬를 꾸며 완성하기
모양이 그려진 티 종이로 규칙적인 무늬를 만들었어요.
활동 1 무늬를 어떤 규칙으로 만들었는지 알아보기
규칙 이 반복되는 규칙입니다.
활동 2 빈 곳에 알맞은 모양 그리기
다음에는 을 그려요.
다음에는 을, 다음에는 을 그려요.
개념 짚어 보기
무늬에서 규칙 찾기
규칙 이 반복되는 규칙입니다.
활동 개념 확인
규칙을 찾아 무늬를 완성하려고 합니다. 빈 곳에 알맞은 모양을 그려 넣으세요.
1-1
1-2
1-3
1-4
76 • 2단계
2주 – 여러 가지 도형 (2) • 77

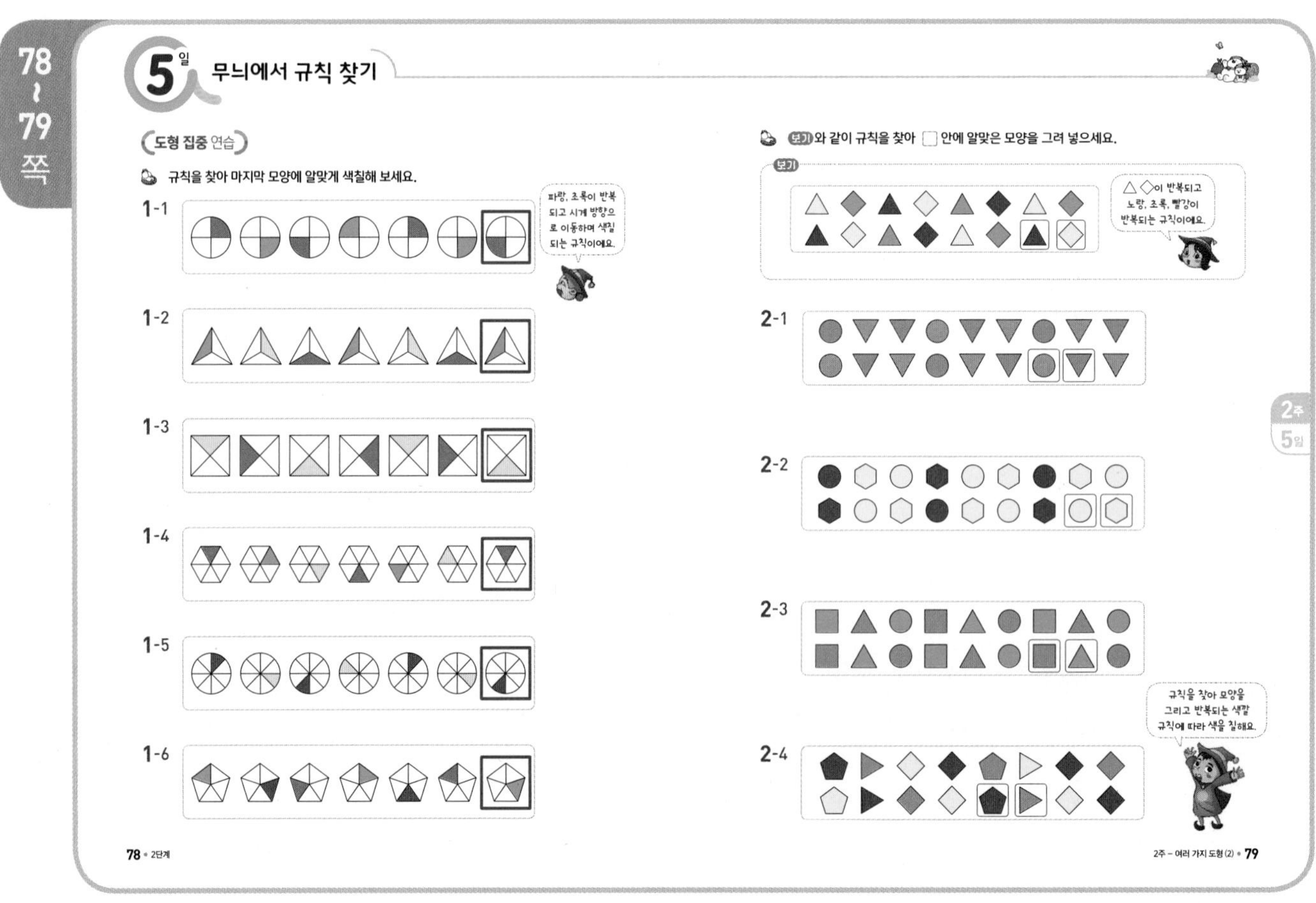
78 ~ 79 쪽
5일 무늬에서 규칙 찾기
도형 집중 연습
규칙을 찾아 마지막 모양에 알맞게 색칠해 보세요.
1-1
파랑, 초록이 반복되고 시계 방향으로 이동하여 색칠되는 규칙이에요.
1-2
1-3
1-4
1-5
1-6
보기와 같이 규칙을 찾아 안에 알맞은 모양을 그려 넣으세요.
보기
이 반복되고 노랑, 초록, 빨강이 반복되는 규칙이에요.
2-1
2-2
2-3
규칙을 찾아 모양을 그리고 반복되는 색깔 규칙에 따라 색을 칠해요.
2-4
78 • 2단계
2주 – 여러 가지 도형 (2) • 79

풀이

1-2 초록, 노랑, 파랑이 반복되고 시계 방향으로 이동하며 색칠되는 규칙입니다.

1-3 노랑, 파랑이 반복되고 시계 반대 방향으로 이동하며 색칠되는 규칙입니다.

1-4 파랑, 초록, 노랑이 반복되고 시계 방향으로 이동하며 색칠되는 규칙입니다.

1-5 빨강, 노랑이 반복되고 시계 방향으로 한 칸씩 건너뛰며 색칠되는 규칙입니다.

1-6 초록, 빨강, 파랑이 반복되고 시계 방향으로 한 칸씩 건너뛰며 색칠되는 규칙입니다.

2-1 ○▽▽이 반복되고 파랑, 분홍이 반복되는 규칙입니다.

2-2 ○⬡이 반복되고 빨강, 노랑, 노랑이 반복되는 규칙입니다.

2-3 □△○이 반복되고 초록, 파랑이 반복되는 규칙입니다.

2-4 ⬠▷◇◇이 반복되고 빨강, 파랑, 노랑이 반복되는 규칙입니다.

80~81쪽

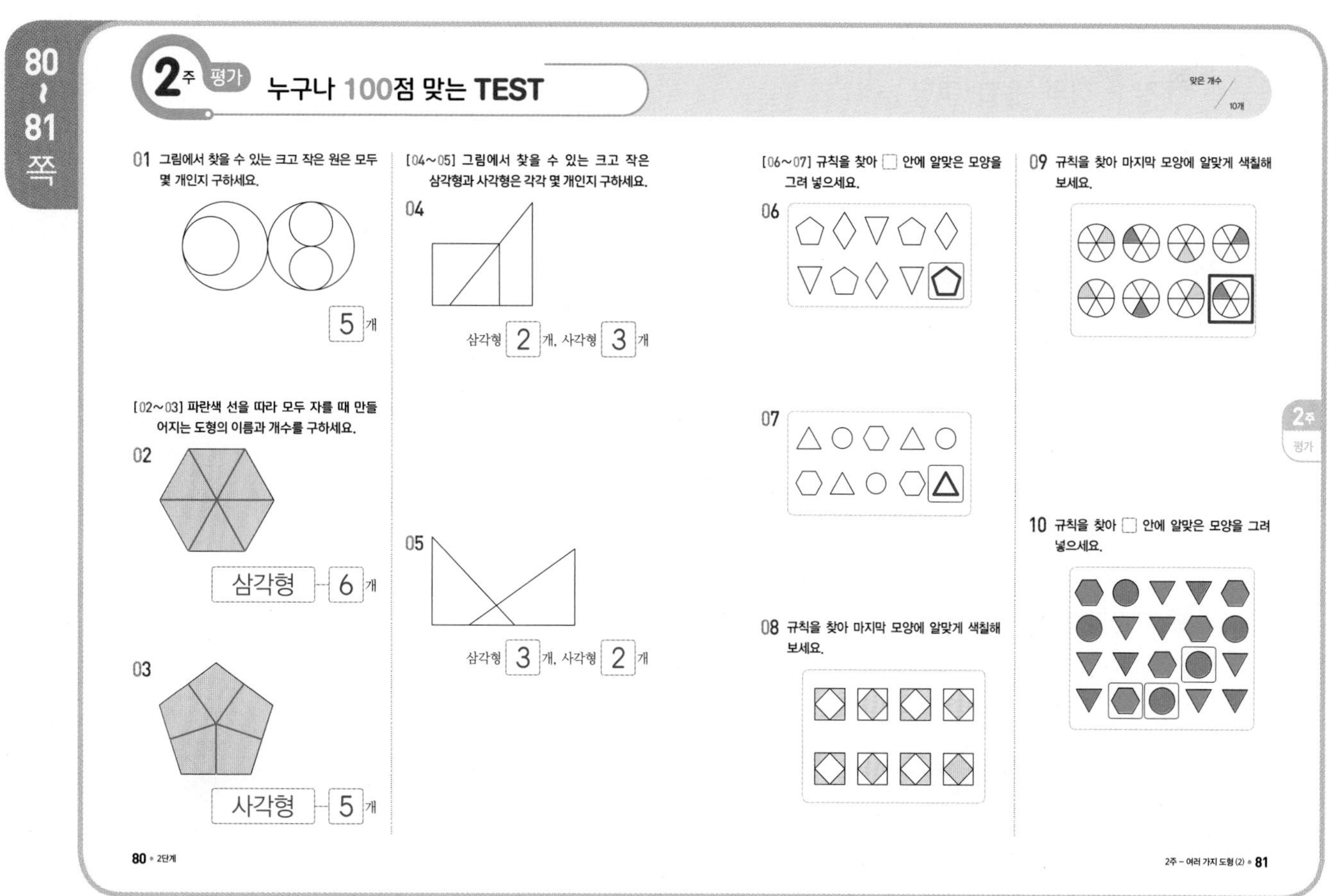

특강 창의·융합·코딩

◎ 사각형 모양의 종이를 한 번 자르고 다시 합쳐 삼각형을 만들려고 합니다. 어떻게 자르면 좋을지 알아볼까요?

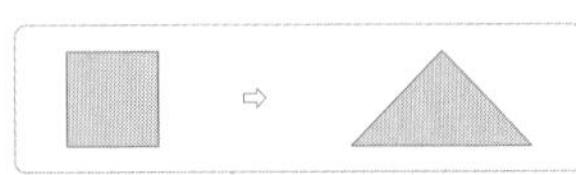

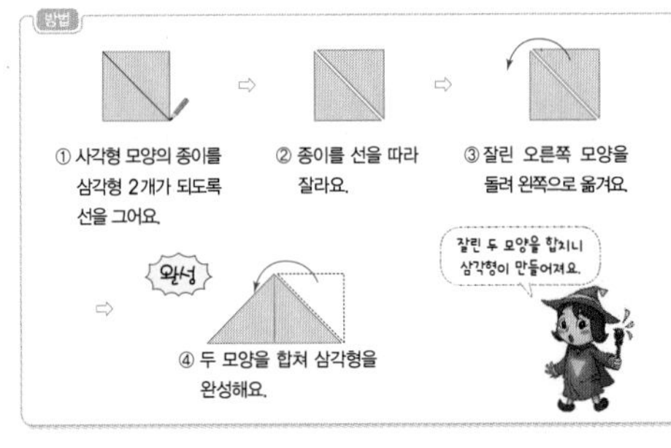

1 왼쪽 사각형을 한 번 자르고 다시 합쳐 오른쪽 도형을 만들었습니다. 다음 중 자를 선을 바르게 그은 것을 찾아 ○표 하세요.

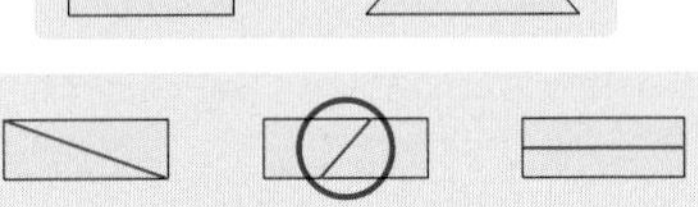

◎ 왼쪽 도형을 한 번 자르고 다시 합쳐 오른쪽 도형을 만들었습니다. 보기와 같이 왼쪽 도형에 자른 선을 그어 보세요.

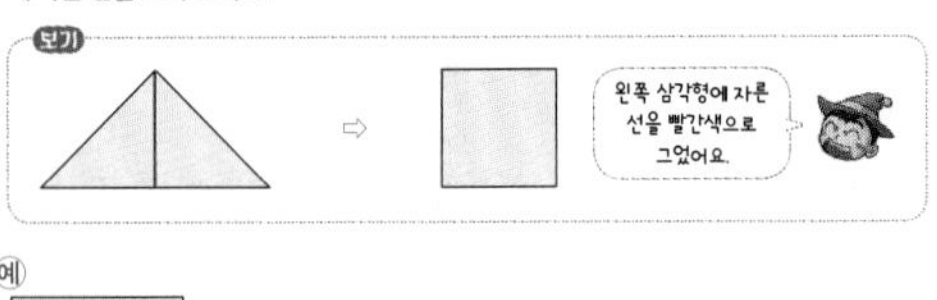

2 예

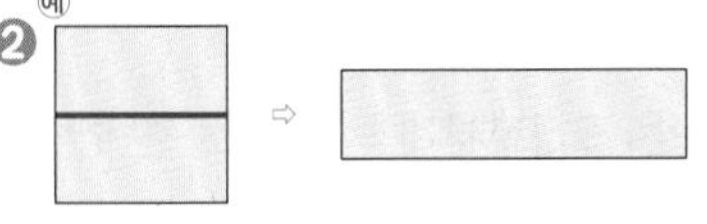

3 예

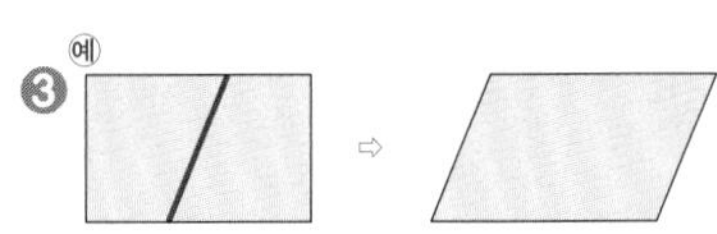

4 예

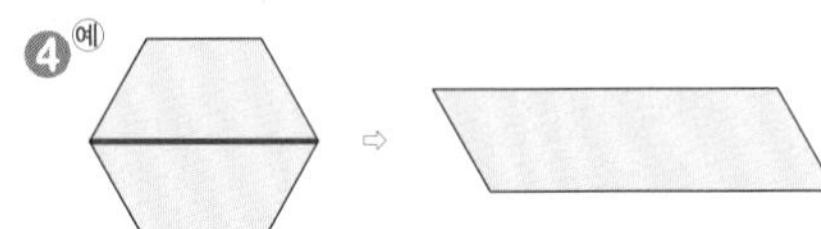

특강 창의·융합·코딩

◎ 사각형 모양의 종이가 있습니다. 무늬의 수가 똑같게 나누어지도록 종이를 한 번 자르려고 합니다. 어떻게 잘라야 하는지 알아볼까요?

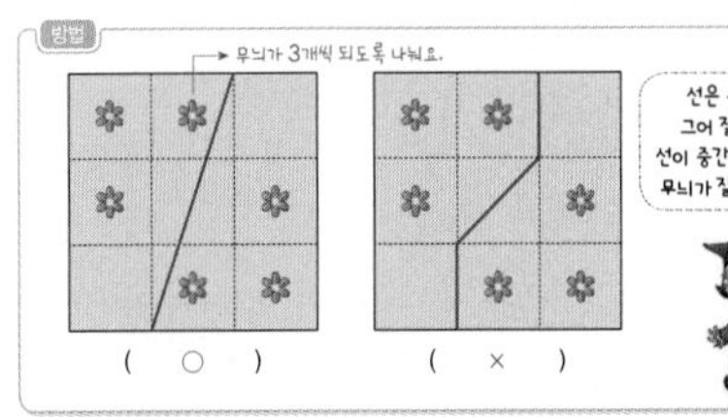

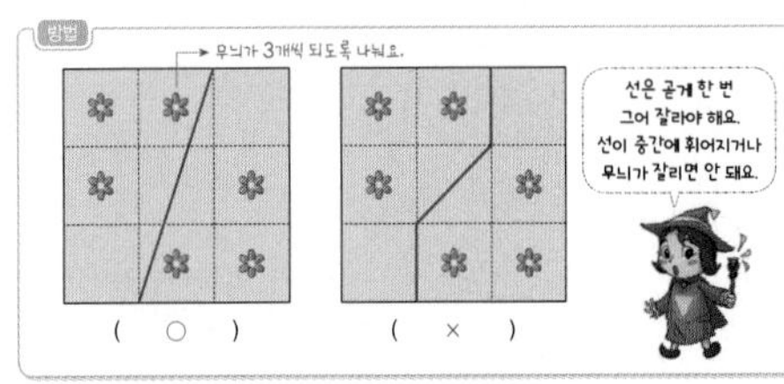

5 위 방법과 다른 방법으로 무늬의 수가 똑같게 나누어지도록 한 번 자를 선을 그어 보세요.
(단, 선이 중간에 휘어지지 않도록 곧은 선으로 긋습니다.)

예

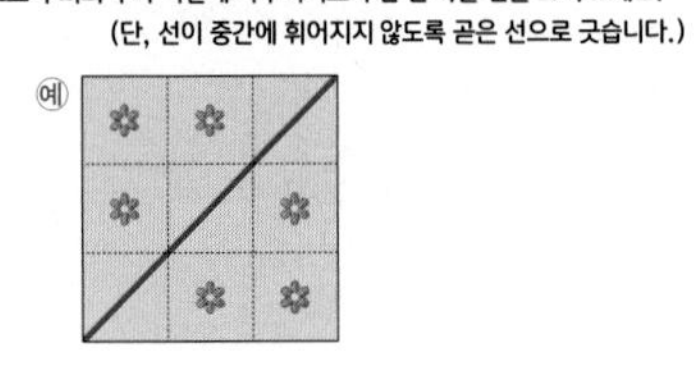

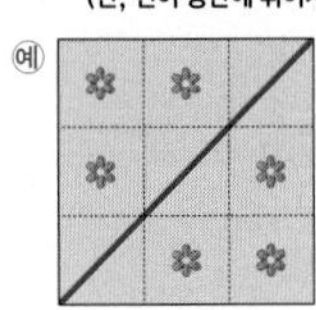

◎ 무늬가 그려진 종이가 있습니다. 종이를 한 번 잘라 무늬의 수가 똑같게 나누어지도록 선을 그어 보세요. (단, 선이 중간에 휘어지지 않도록 곧은 선으로 긋습니다.)

6 예

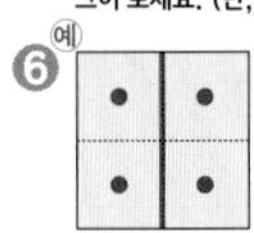

7 예

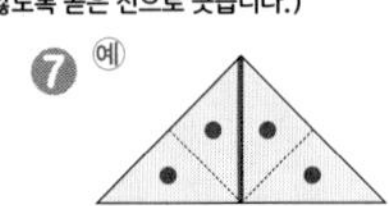

8 예

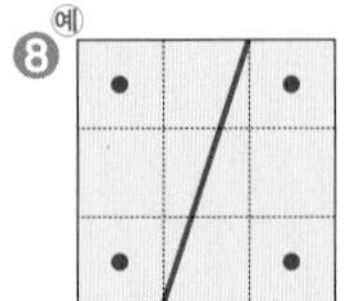

9 예

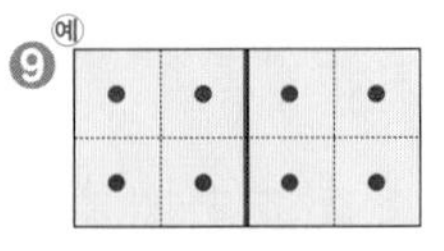

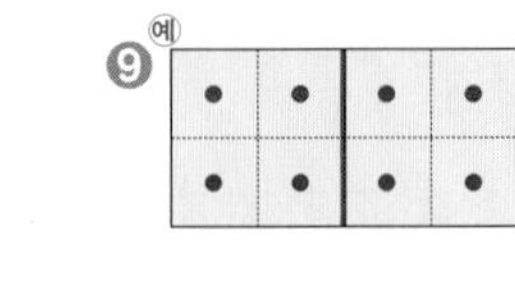

10 예

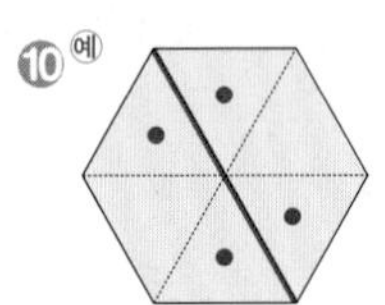

3주 | 칠교판·패턴 블록

90~91쪽

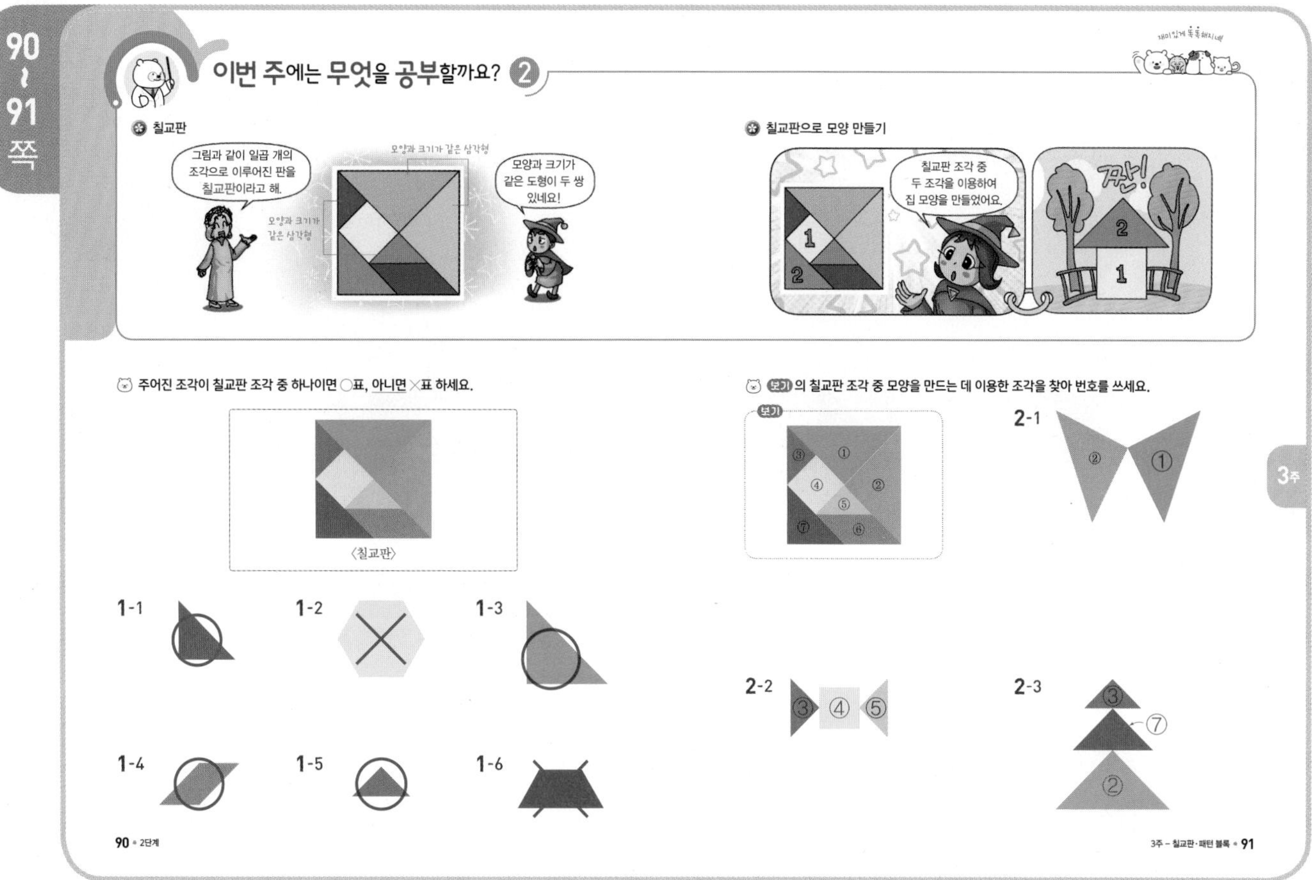

이번 주에는 무엇을 공부할까요? ②
칠교판
그림과 같이 일곱 개의 조각으로 이루어진 판을 칠교판이라고 해.
모양과 크기가 같은 삼각형
모양과 크기가 같은 삼각형
모양과 크기가 같은 도형이 두 쌍 있네요!
칠교판으로 모양 만들기
칠교판 조각 중 두 조각을 이용하여 집 모양을 만들었어요.
짠!
주어진 조각이 칠교판 조각 중 하나이면 ○표, 아니면 ×표 하세요.
〈칠교판〉
1-1
1-2
1-3
1-4
1-5
1-6
보기 의 칠교판 조각 중 모양을 만드는 데 이용한 조각을 찾아 번호를 쓰세요.
보기
2-1
2-2
2-3
90 • 2단계
3주 - 칠교판·패턴 블록 • 91

94~95쪽

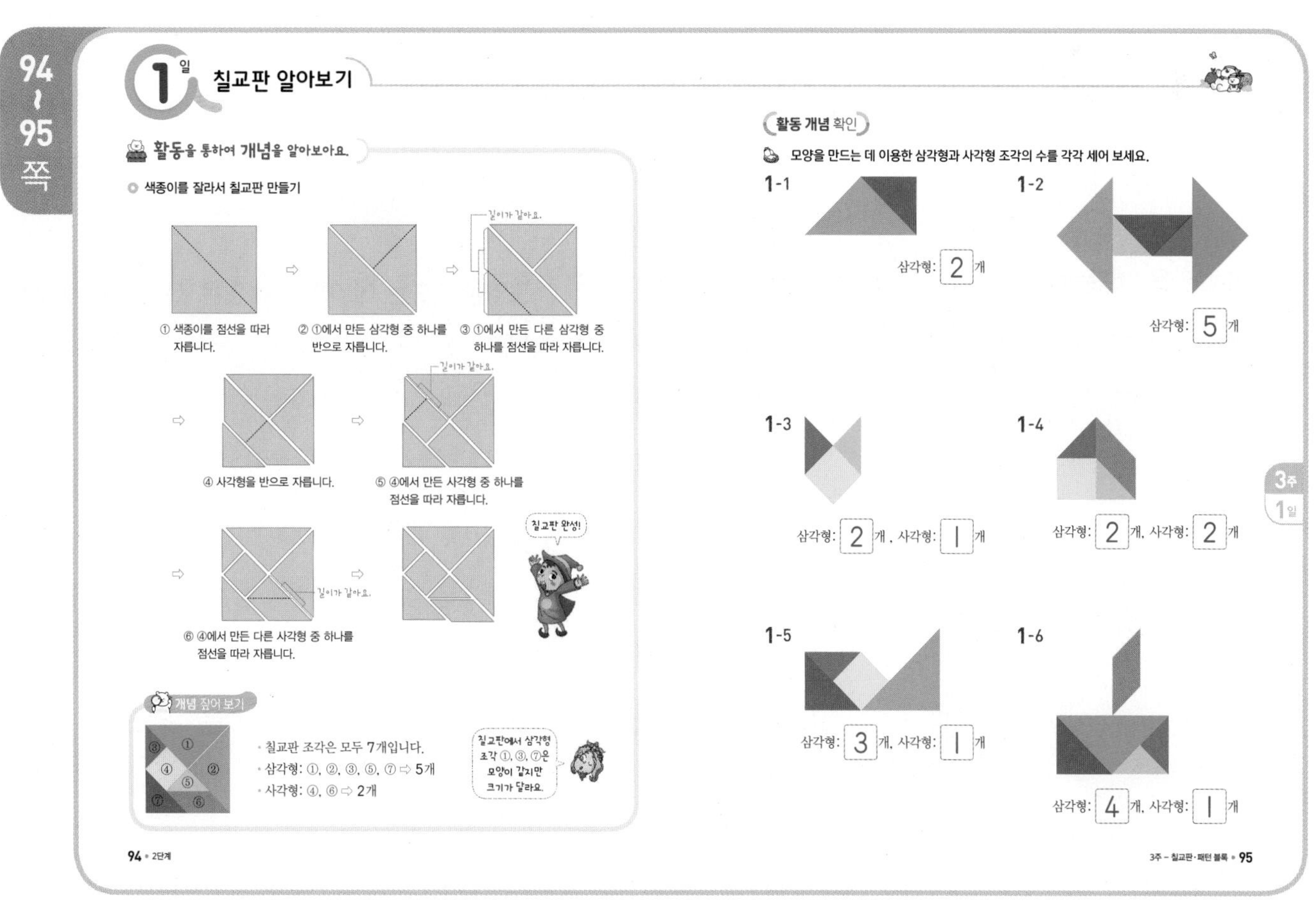

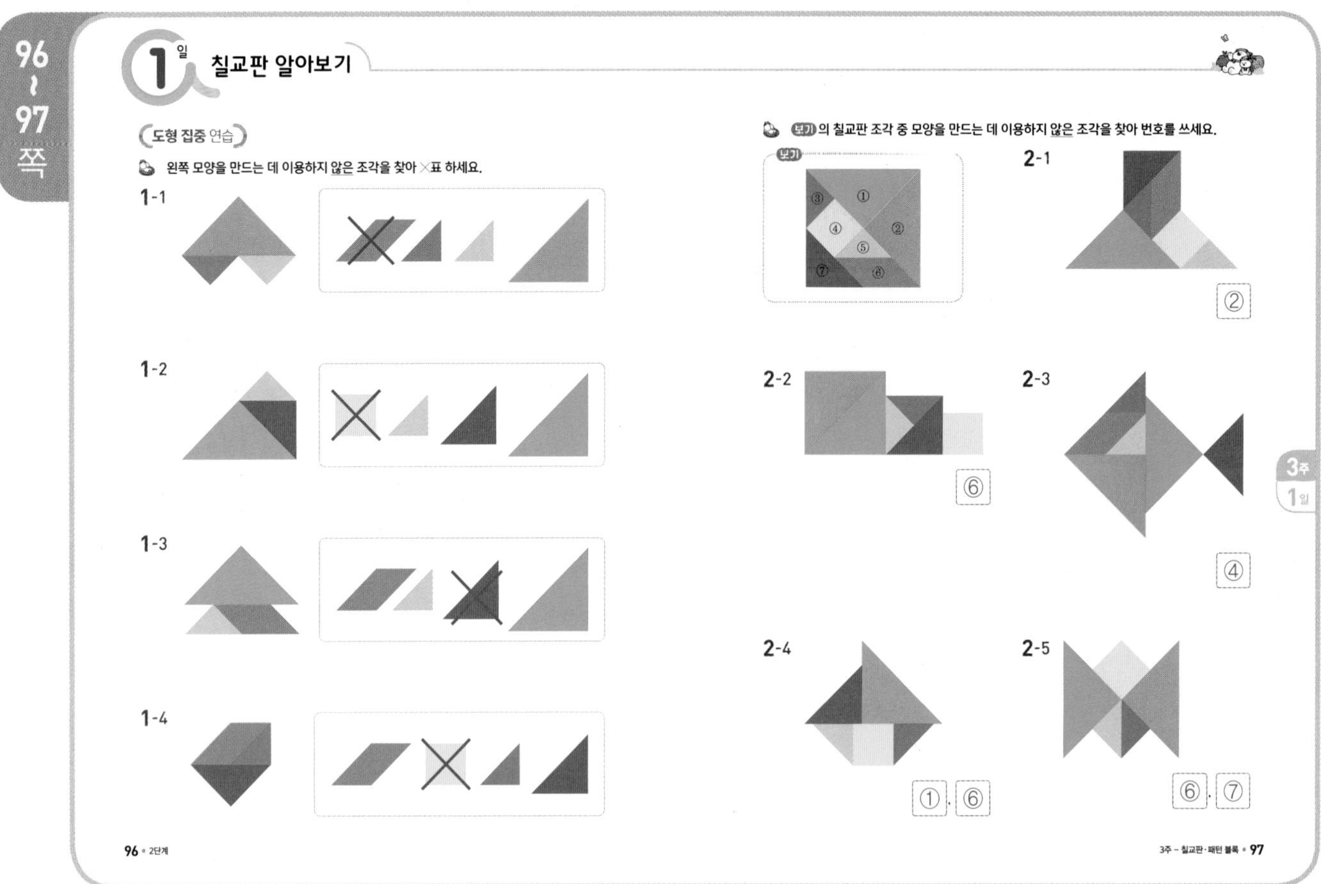

풀이

2-1

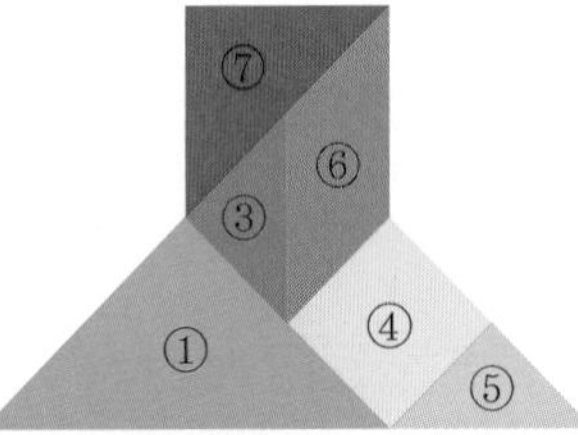

⇨ 모양을 만드는 데 이용하지 않은 조각은 ②입니다.

2-2

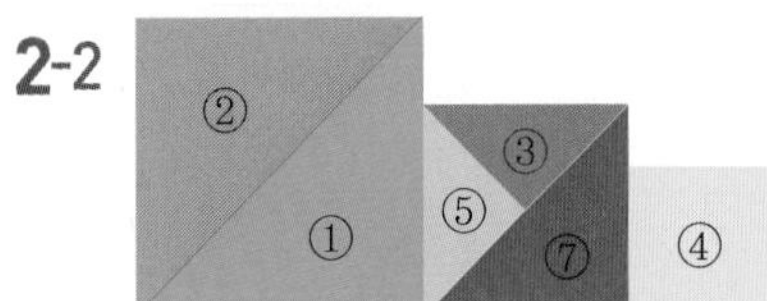

⇨ 모양을 만드는 데 이용하지 않은 조각은 ⑥입니다.

2-3

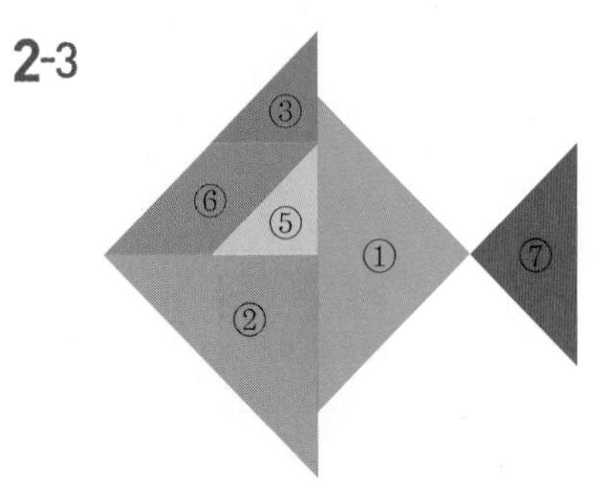

⇨ 모양을 만드는 데 이용하지 않은 조각은 ④입니다.

2-4

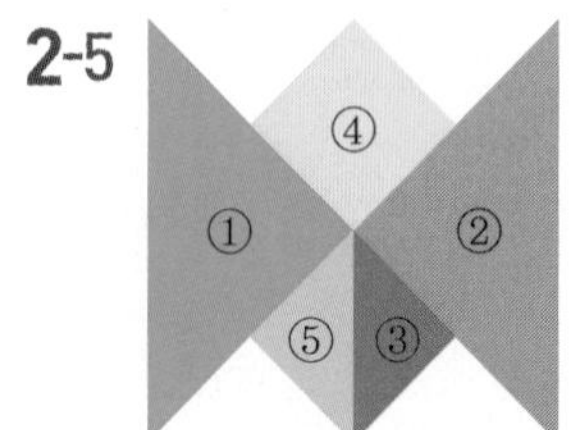

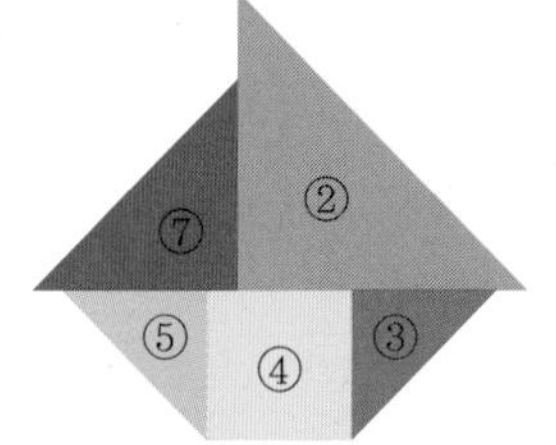

⇨ 모양을 만드는 데 이용하지 않은 조각은 ①, ⑥입니다.

2-5

④
①
②
⑤
③

⇨ 모양을 만드는 데 이용하지 않은 조각은 ⑥, ⑦입니다.

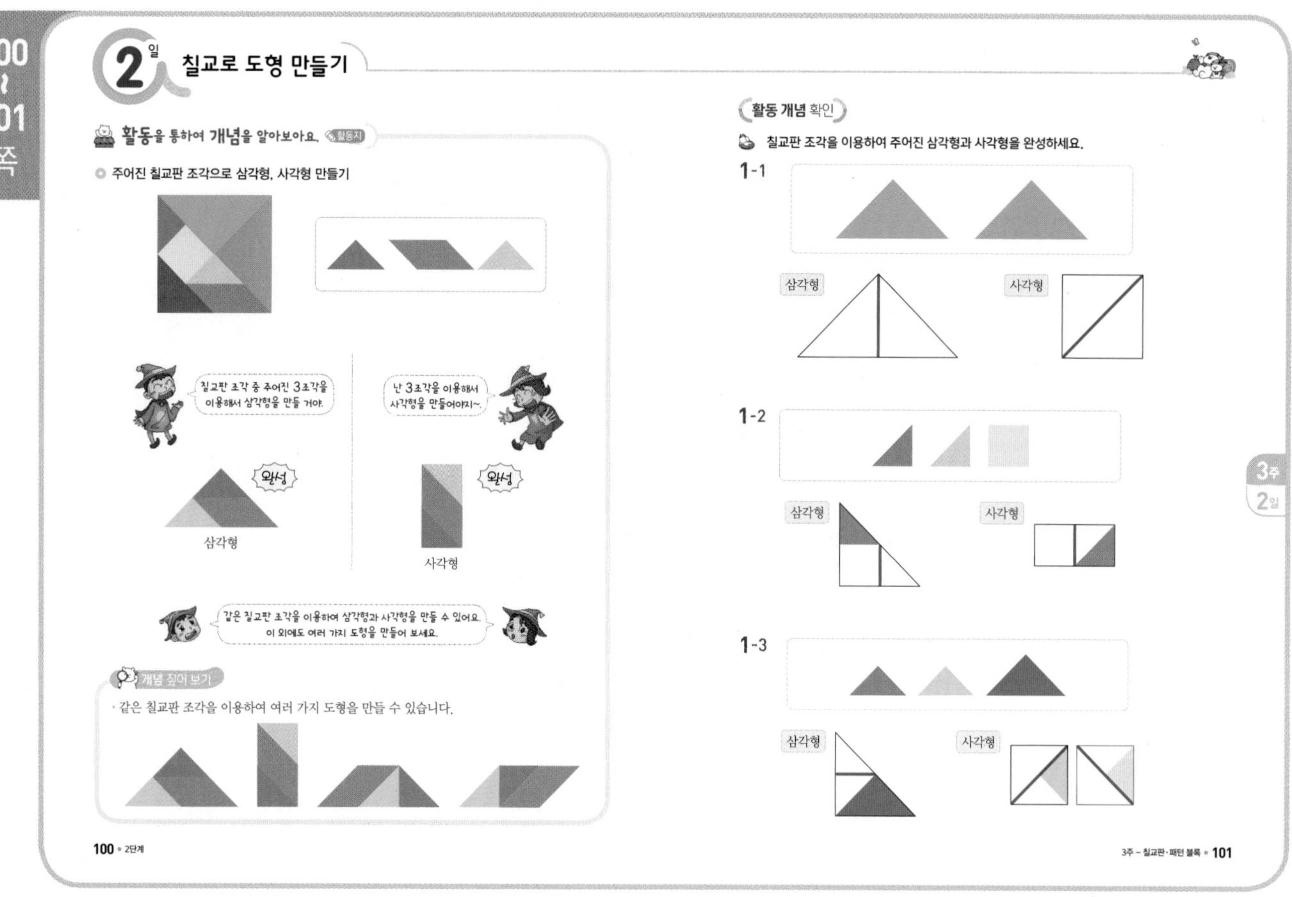
100~101쪽
2일 칠교로 도형 만들기
활동을 통하여 개념을 알아보아요.
주어진 칠교판 조각으로 삼각형, 사각형 만들기
칠교판 조각 중 주어진 3조각을 이용해서 삼각형을 만들 거야.
난 3조각을 이용해서 사각형을 만들어야지~.
완성
삼각형
완성
사각형
같은 칠교판 조각을 이용하여 삼각형과 사각형을 만들 수 있어요. 이 외에도 여러 가지 도형을 만들어 보세요.
개념 짚어 보기
· 같은 칠교판 조각을 이용하여 여러 가지 도형을 만들 수 있습니다.
100 • 2단계
활동 개념 확인
칠교판 조각을 이용하여 주어진 삼각형과 사각형을 완성하세요.
1-1
삼각형
사각형
1-2
삼각형
사각형
1-3
삼각형
사각형
3주 - 칠교판·패턴 블록 • 101
3주 2일

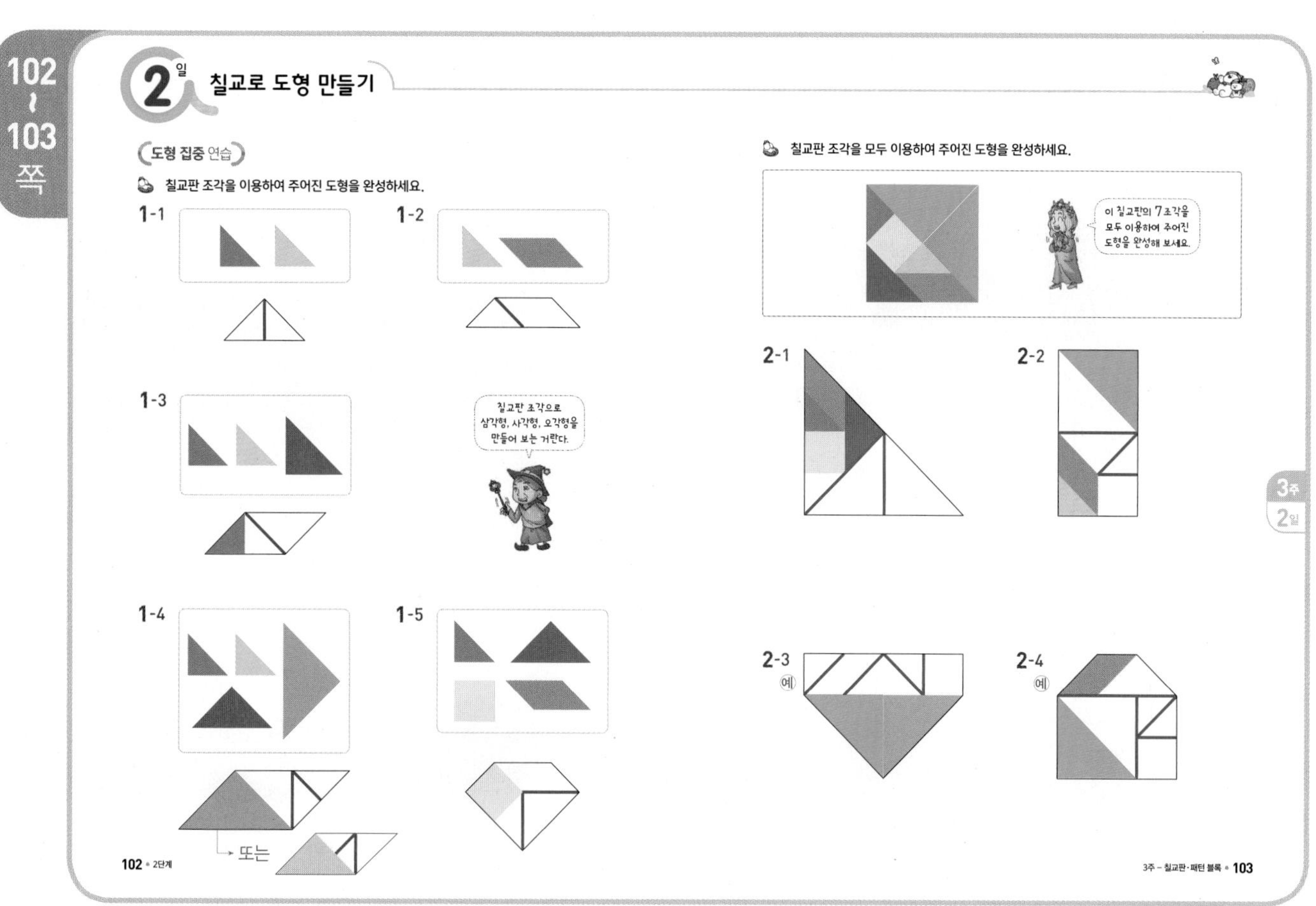
102~103쪽
2일 칠교로 도형 만들기
도형 집중 연습
칠교판 조각을 이용하여 주어진 도형을 완성하세요.
1-1
1-2
1-3
칠교판 조각으로 삼각형, 사각형, 오각형을 만들어 보는 거란다.
1-4
1-5
또는
102 • 2단계
칠교판 조각을 모두 이용하여 주어진 도형을 완성하세요.
이 칠교판의 7조각을 모두 이용하여 주어진 도형을 완성해 보세요.
2-1
2-2
2-3
예
2-4
예
3주 - 칠교판·패턴 블록 • 103
3주 2일

106~107쪽

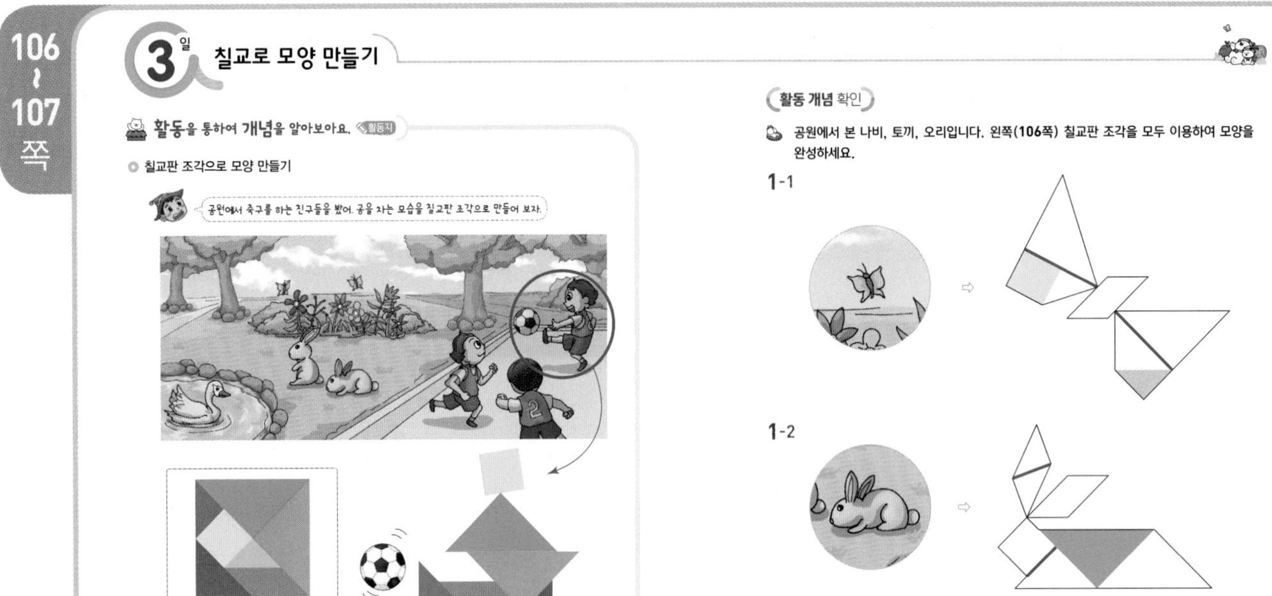

3일 칠교로 모양 만들기
활동을 통하여 개념을 알아보아요. 활동지
칠교판 조각으로 모양 만들기
공원에서 축구를 하는 친구들을 봤어. 공을 차는 모습을 칠교판 조각으로 만들어 보자.
〈칠교판〉
7조각을 모두 사용해서 멋있게 만들었네~. 이제 다른 모양도 만들어 보자~.
활동 개념 확인
공원에서 본 나비, 토끼, 오리입니다. 왼쪽(106쪽) 칠교판 조각을 모두 이용하여 모양을 완성하세요.
1-1
1-2
1-3
106 • 2단계
3주 - 칠교판·패턴 블록 • 107

108~109쪽

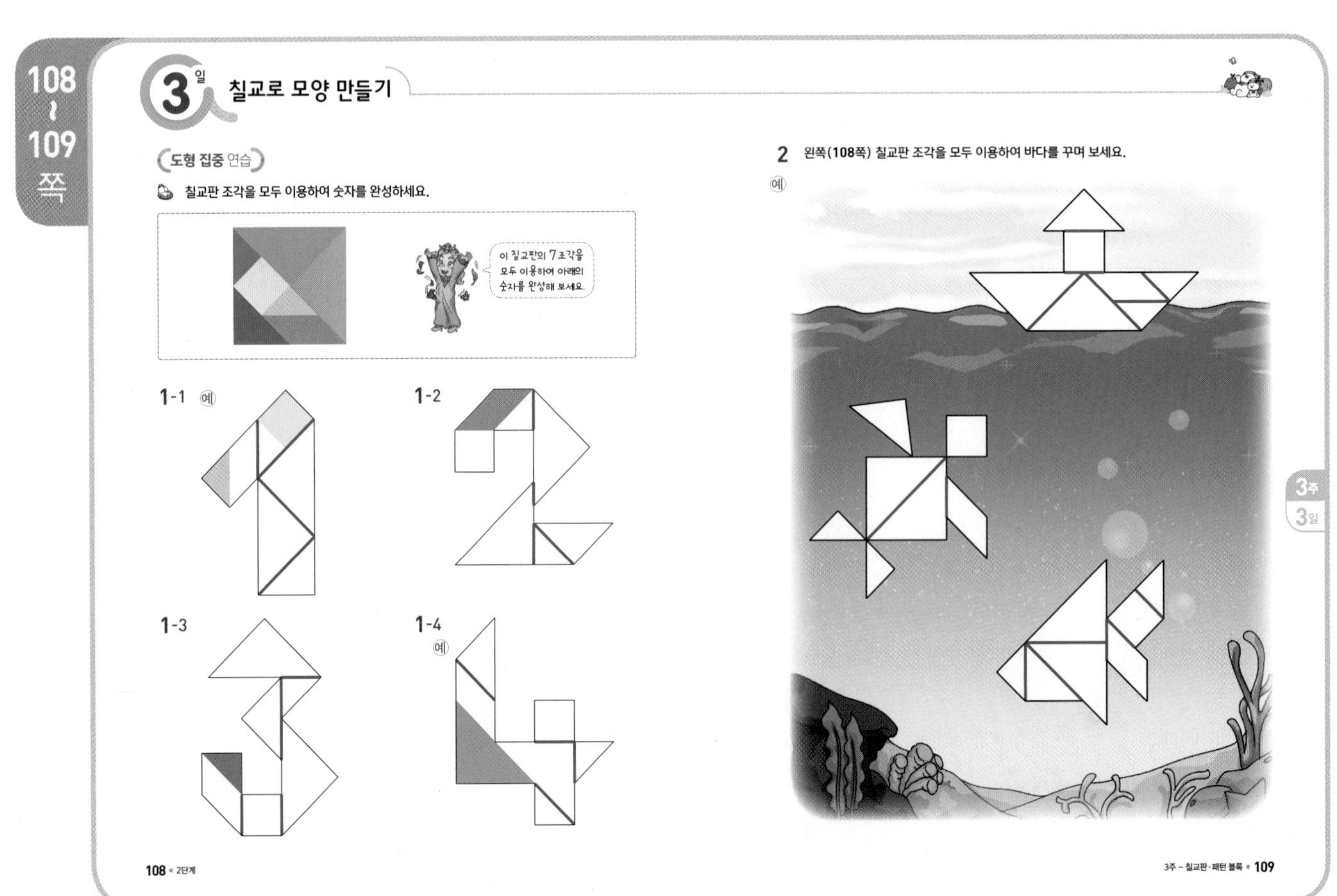

3일 칠교로 모양 만들기
도형 집중 연습
칠교판 조각을 모두 이용하여 숫자를 완성하세요.
이 칠교판의 7조각을 모두 이용하여 아래의 숫자를 완성해 보세요.
1-1 예
1-2
1-3
1-4 예
2 왼쪽(108쪽) 칠교판 조각을 모두 이용하여 바다를 꾸며 보세요.
예
108 • 2단계
3주 - 칠교판·패턴 블록 • 109

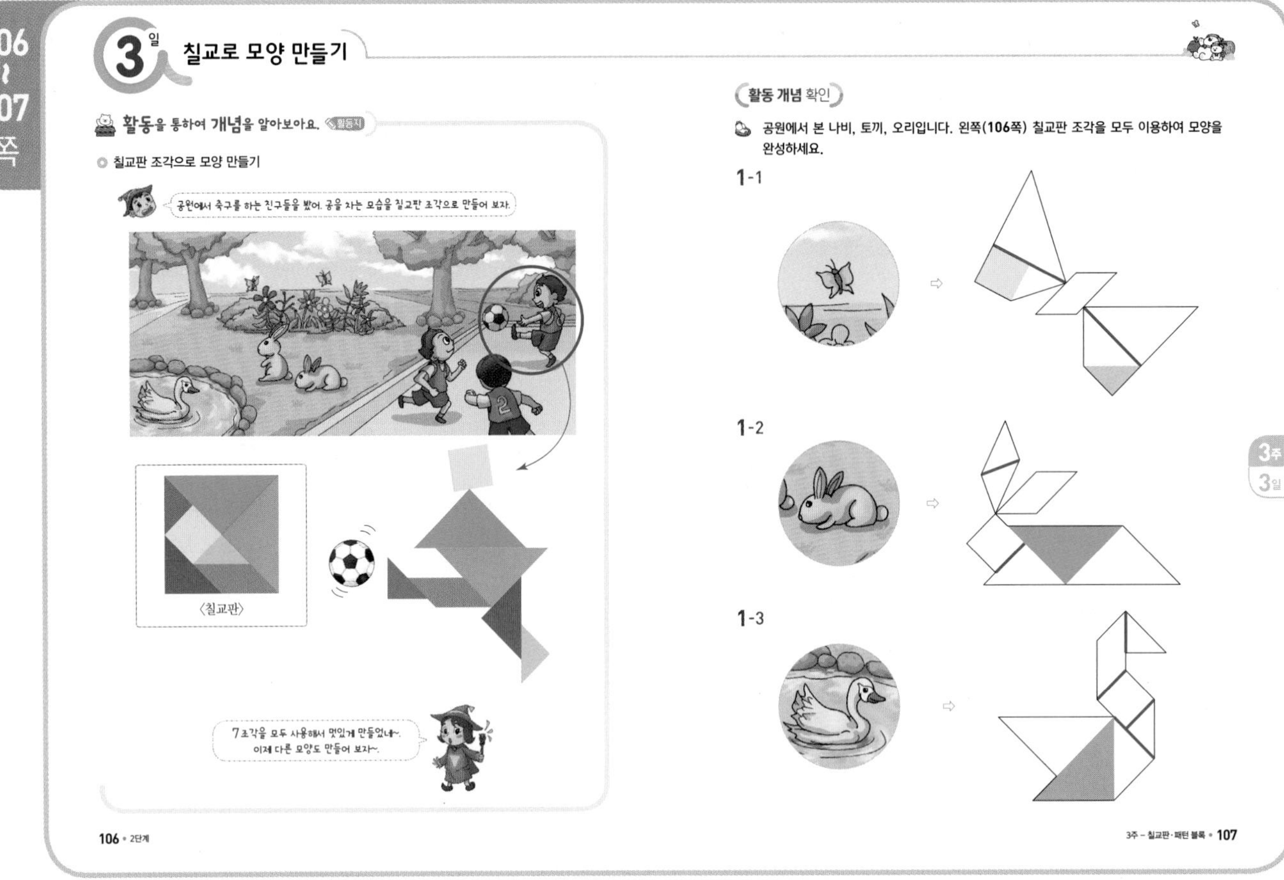

112~113쪽

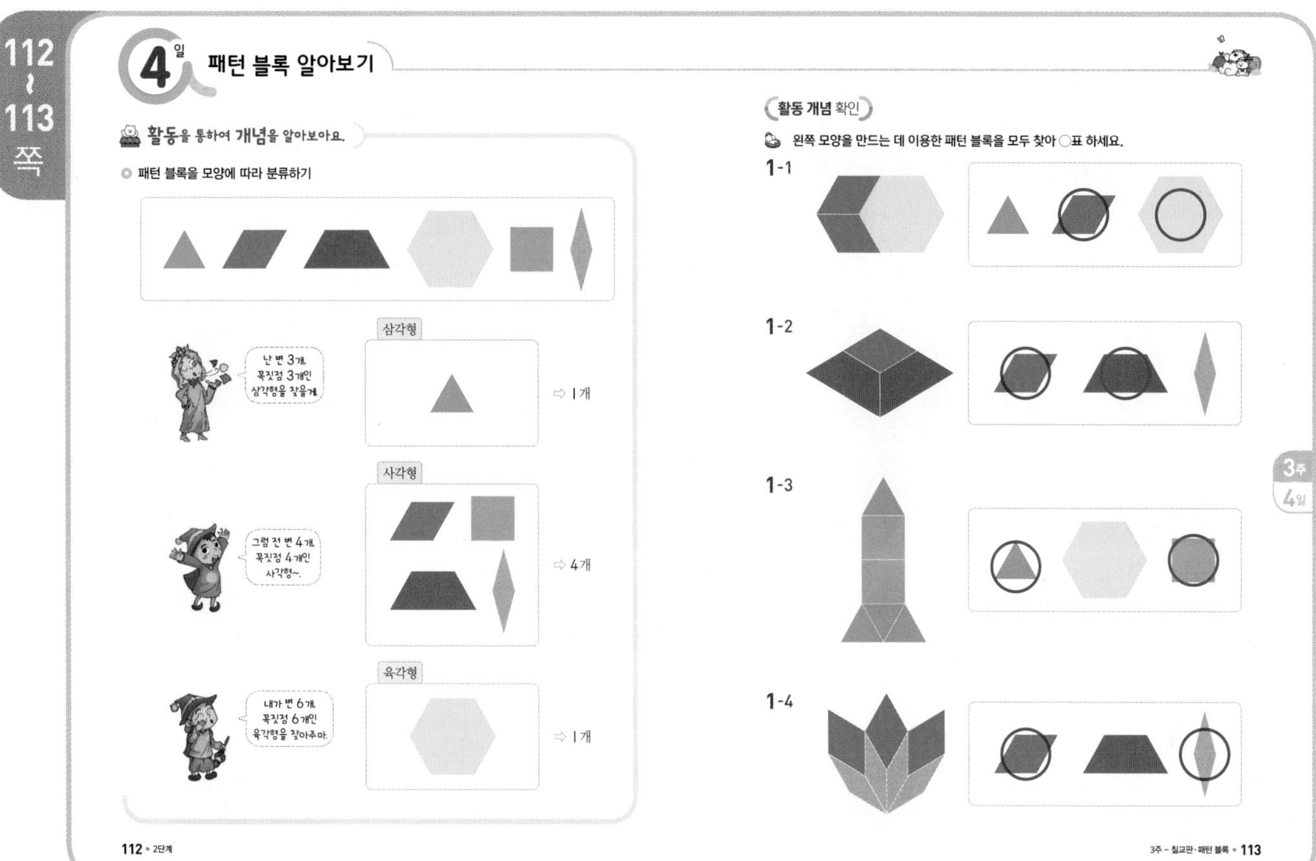

4일 패턴 블록 알아보기
활동을 통하여 개념을 알아보아요.
패턴 블록을 모양에 따라 분류하기
삼각형
난 변 3개, 꼭짓점 3개인 삼각형을 찾을게.
⇨ 1개
사각형
그럼 전 변 4개, 꼭짓점 4개인 사각형~.
⇨ 4개
육각형
내가 변 6개, 꼭짓점 6개인 육각형을 찾아주마.
⇨ 1개
활동 개념 확인
왼쪽 모양을 만드는 데 이용한 패턴 블록을 모두 찾아 ○표 하세요.
1-1
1-2
1-3
1-4
112 • 2단계
3주 - 칠교판·패턴 블록 • 113

114~115쪽

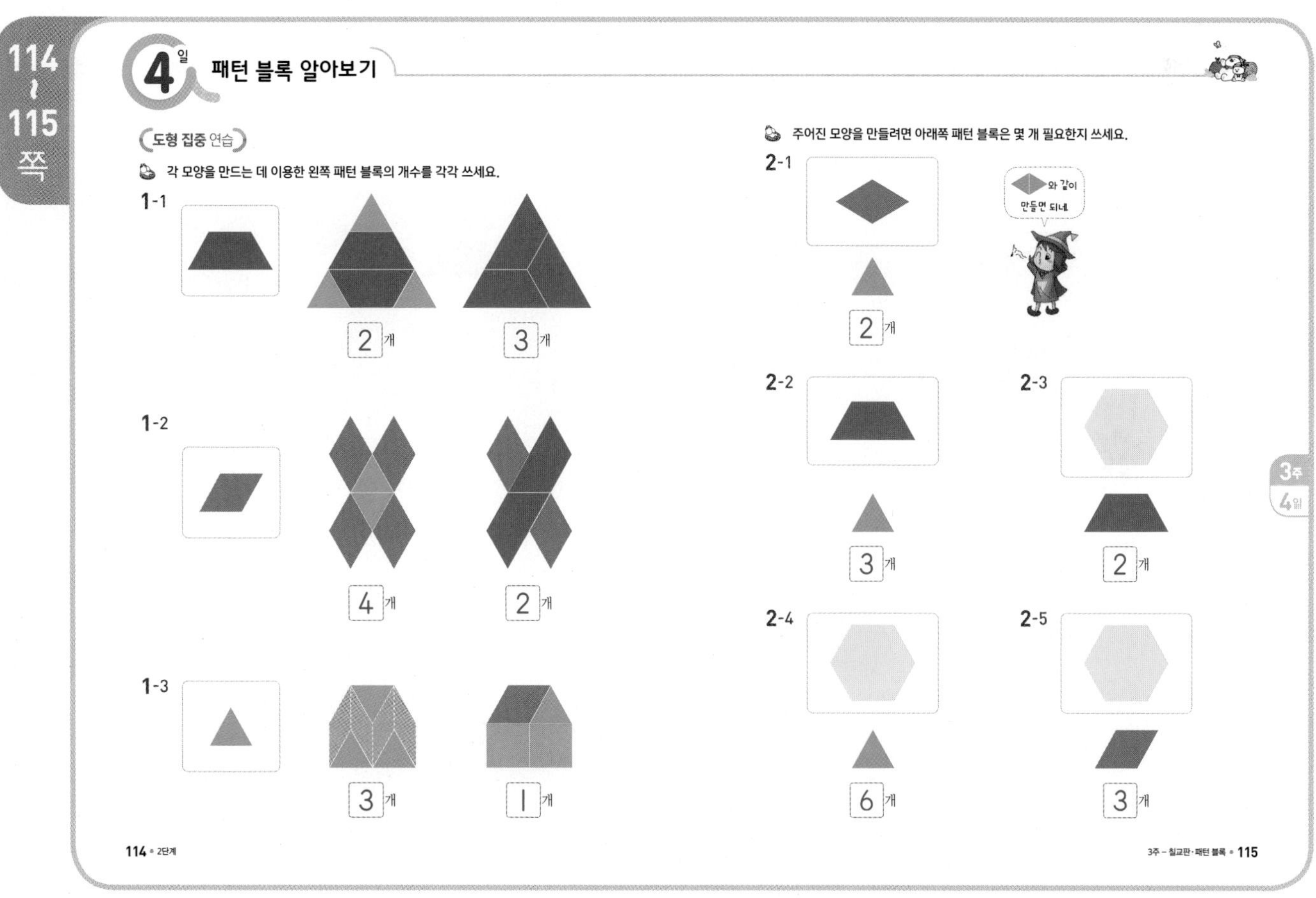

4일 패턴 블록 알아보기
도형 집중 연습
각 모양을 만드는 데 이용한 왼쪽 패턴 블록의 개수를 각각 쓰세요.
1-1
2 개
3 개
1-2
4 개
2 개
1-3
3 개
1 개
주어진 모양을 만들려면 아래쪽 패턴 블록은 몇 개 필요한지 쓰세요.
2-1
와 같이 만들면 되네.
2 개
2-2
3 개
2-3
2 개
2-4
6 개
2-5
3 개
114 • 2단계
3주 - 칠교판·패턴 블록 • 115

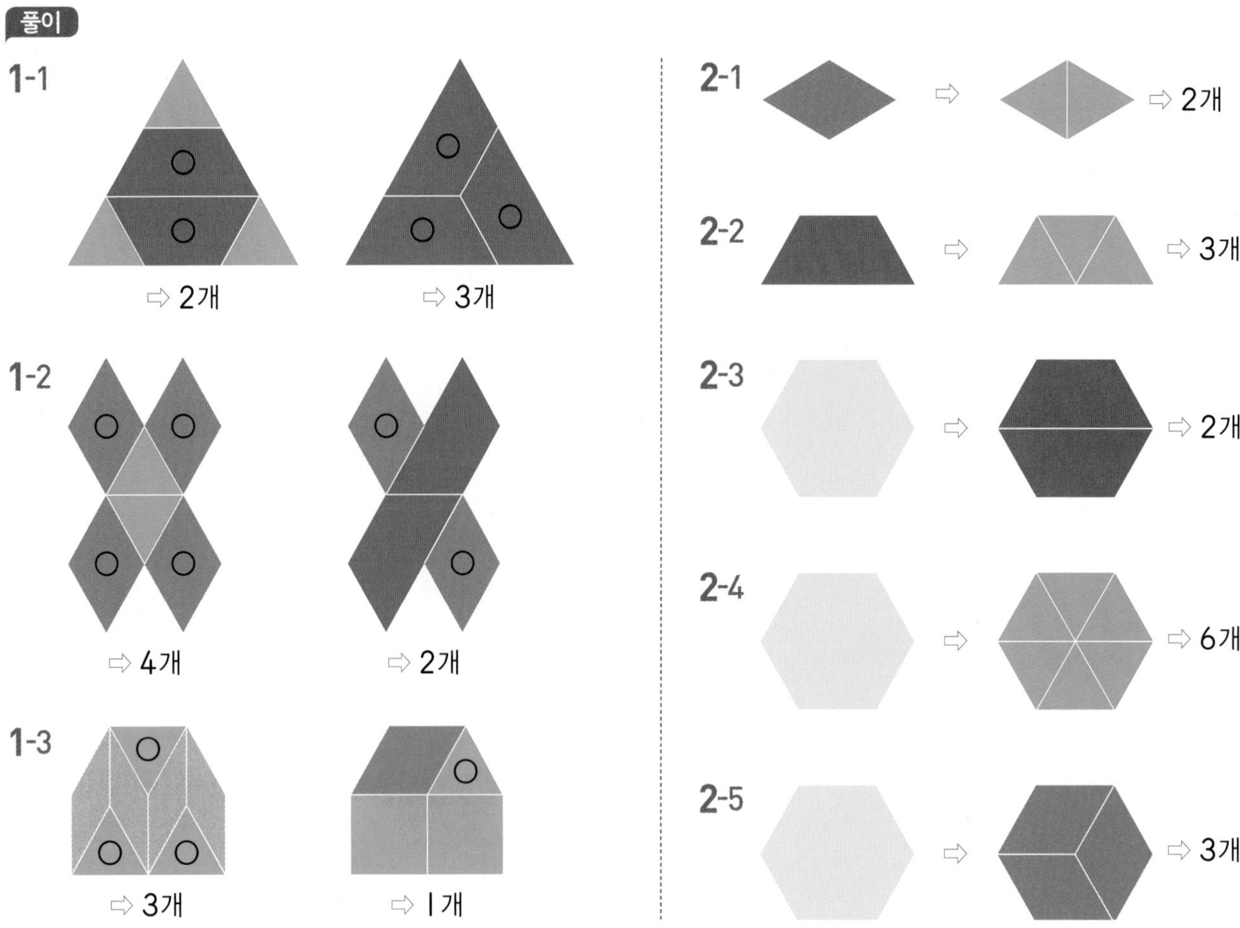

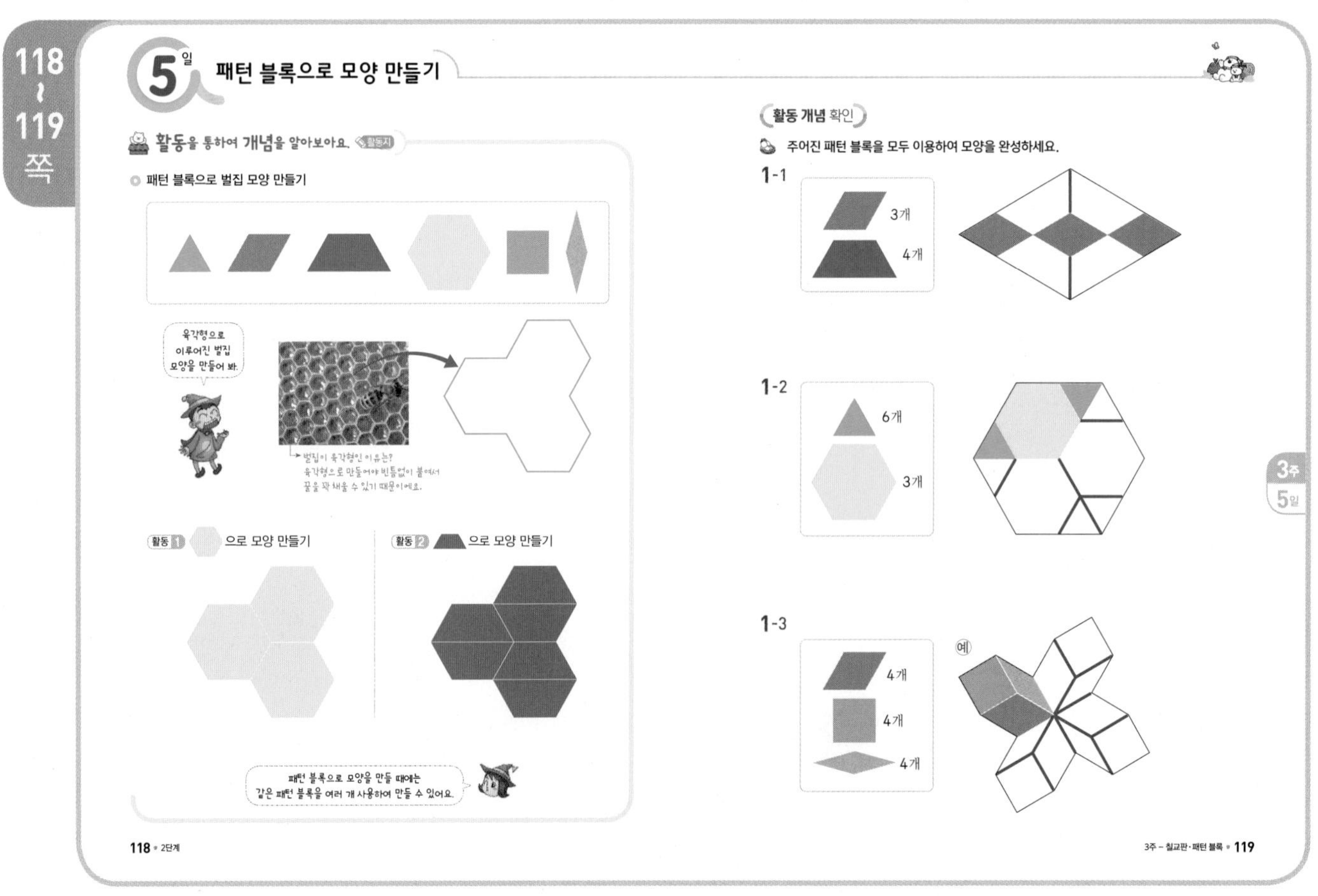

118 ~ 119 쪽

5일 패턴 블록으로 모양 만들기

활동을 통하여 개념을 알아보아요. 활동지

○ 패턴 블록으로 벌집 모양 만들기

육각형으로 이루어진 벌집 모양을 만들어 봐.

벌집이 육각형인 이유는? 육각형으로 만들어야 빈틈없이 붙여서 꿀을 꽉 채울 수 있기 때문이에요.

활동 1 으로 모양 만들기

활동 2 으로 모양 만들기

패턴 블록으로 모양을 만들 때에는 같은 패턴 블록을 여러 개 사용하여 만들 수 있어요.

118 • 2단계

활동 개념 확인

주어진 패턴 블록을 모두 이용하여 모양을 완성하세요.

1-1 3개 4개

1-2 6개 3개

1-3 4개 4개 4개 예

3주 5일

3주 – 칠교판·패턴 블록 • 119

120~121쪽

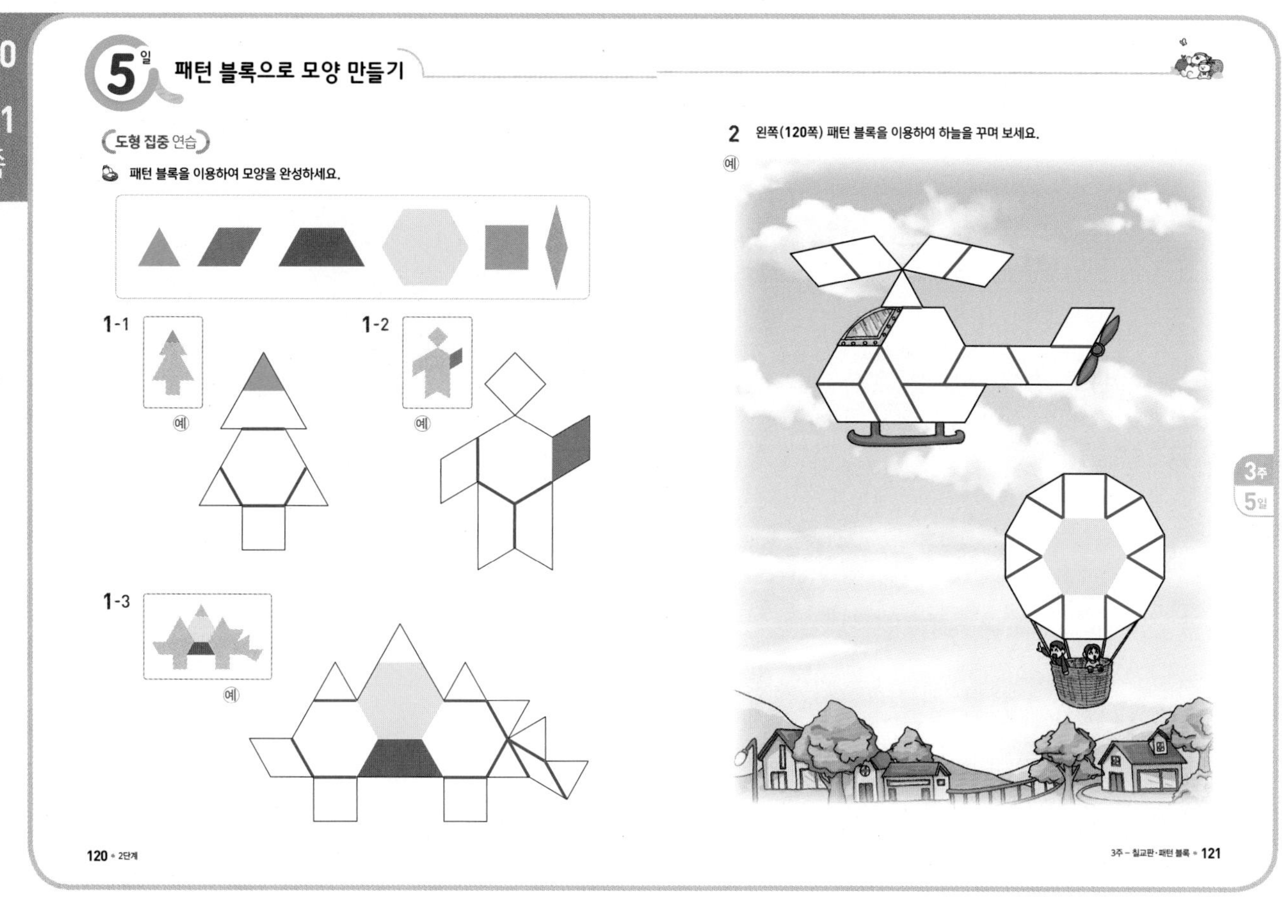

5일 패턴 블록으로 모양 만들기
도형 집중 연습
패턴 블록을 이용하여 모양을 완성하세요.
1-1
예
1-2
예
1-3
예
2 왼쪽(120쪽) 패턴 블록을 이용하여 하늘을 꾸며 보세요.
예
120 • 2단계
3주 – 칠교판·패턴 블록 • 121

122~123쪽

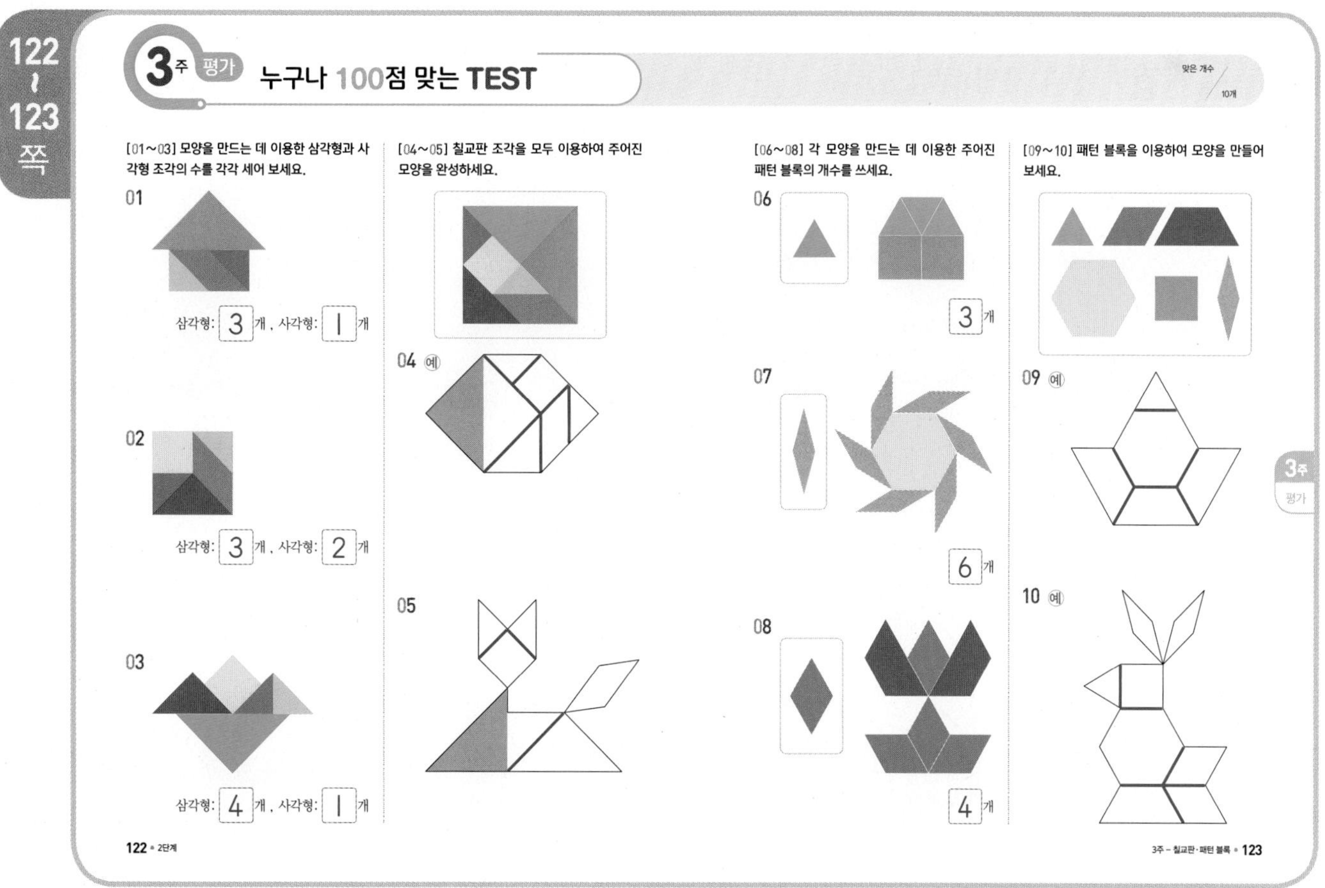

126
~
127
쪽

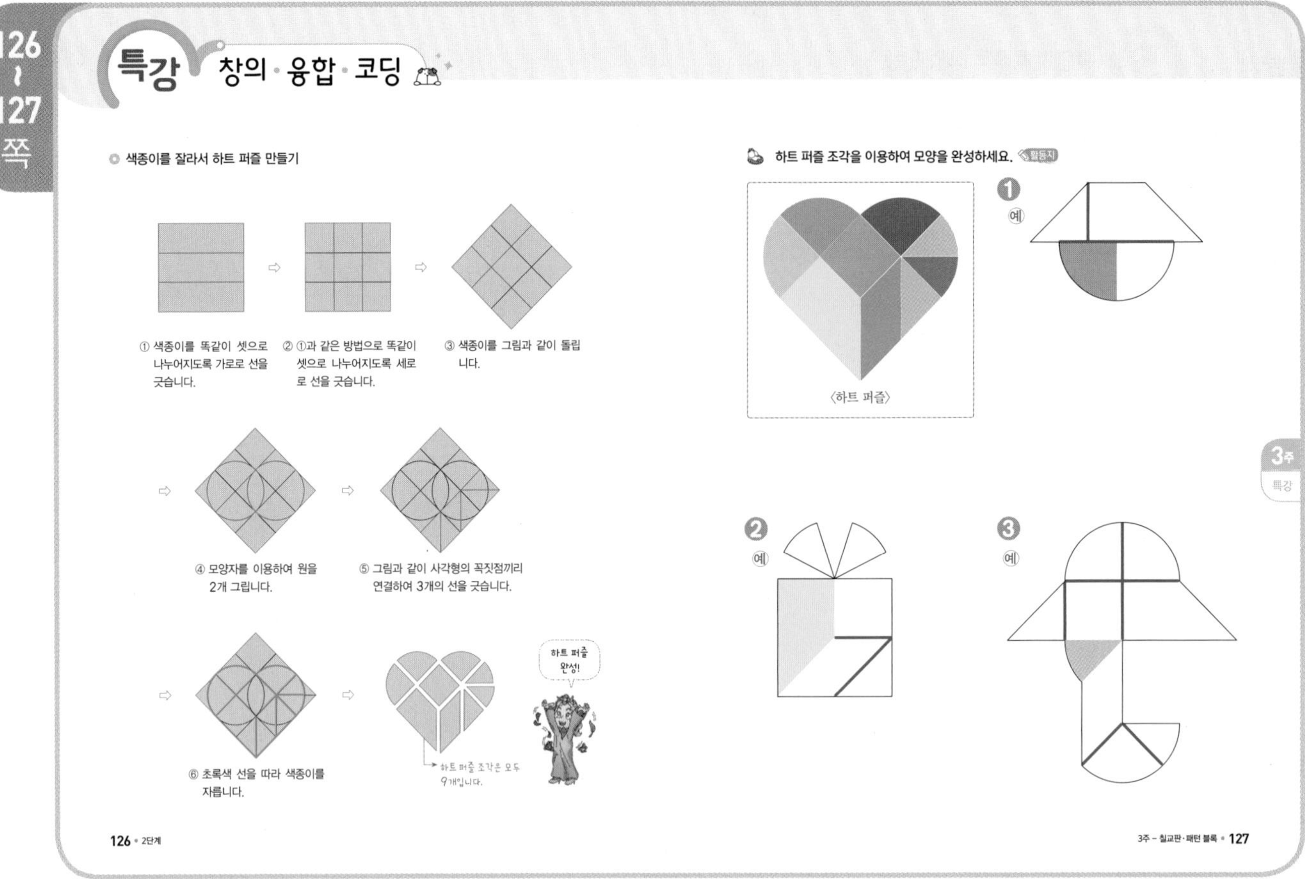
특강 창의·융합·코딩
색종이를 잘라서 하트 퍼즐 만들기
① 색종이를 똑같이 셋으로 나누어지도록 가로로 선을 긋습니다.
② ①과 같은 방법으로 똑같이 셋으로 나누어지도록 세로로 선을 긋습니다.
③ 색종이를 그림과 같이 돌립니다.
④ 모양자를 이용하여 원을 2개 그립니다.
⑤ 그림과 같이 사각형의 꼭짓점끼리 연결하여 3개의 선을 긋습니다.
⑥ 초록색 선을 따라 색종이를 자릅니다.
하트 퍼즐 완성!
하트 퍼즐 조각은 모두 9개입니다.
하트 퍼즐 조각을 이용하여 모양을 완성하세요.
〈하트 퍼즐〉
1 예
2 예
3 예
126 · 2단계
3주 - 칠교판·패턴 블록 · 127
3주 특강

128
~
129
쪽

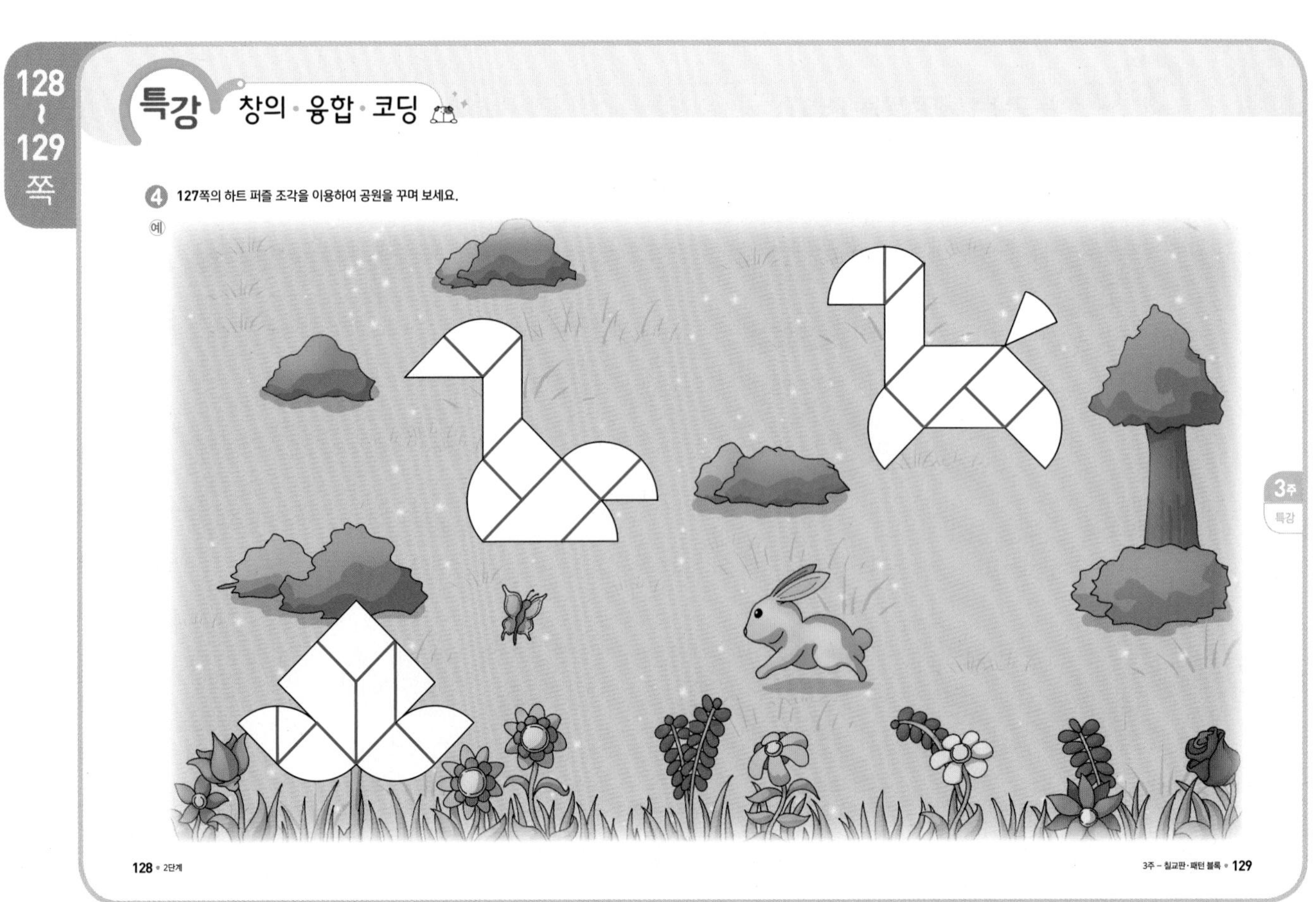
특강 창의·융합·코딩
4 127쪽의 하트 퍼즐 조각을 이용하여 공원을 꾸며 보세요.
예
128 · 2단계
3주 - 칠교판·패턴 블록 · 129
3주 특강

4주 | 쌓기나무

132~133쪽

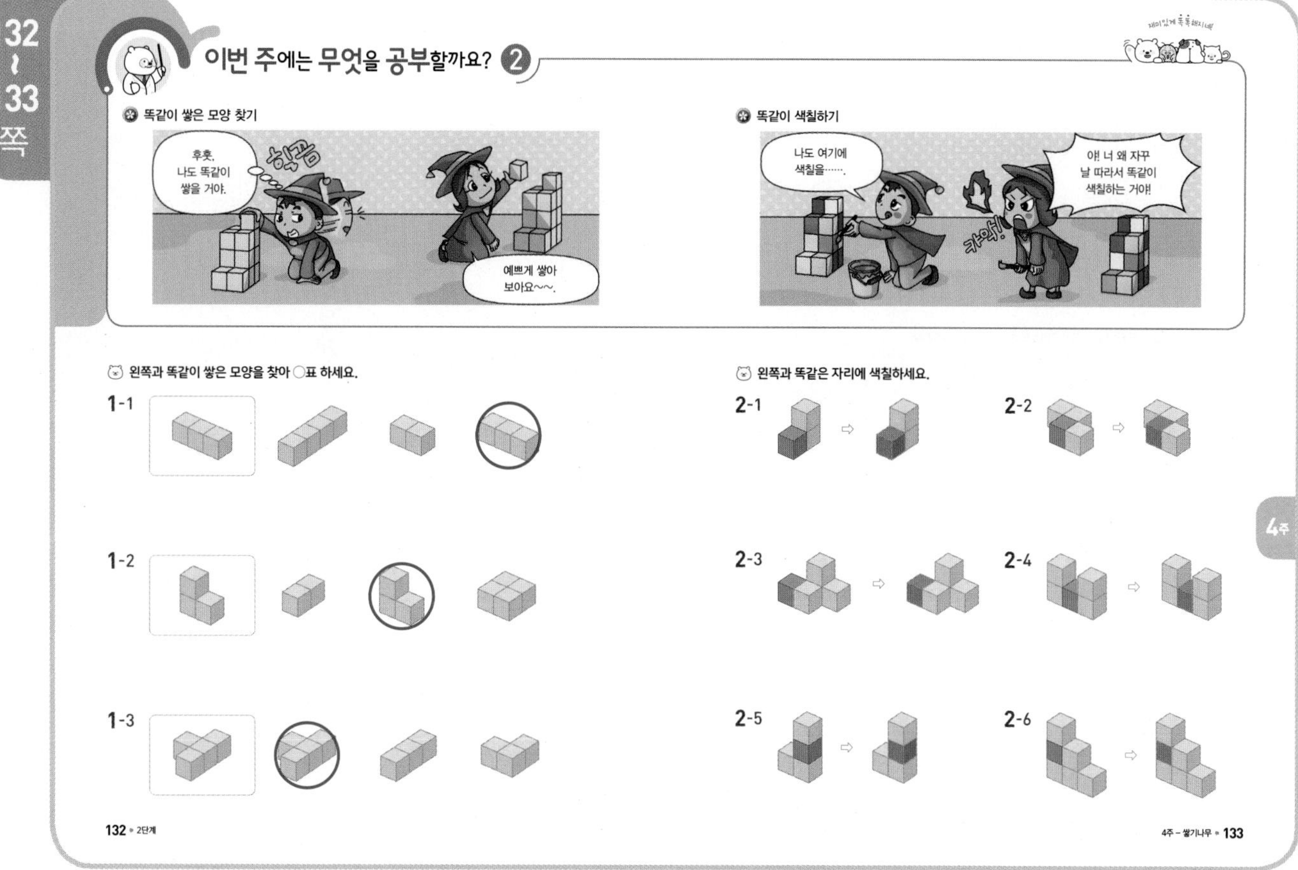

이번 주에는 무엇을 공부할까요? ②
똑같이 쌓은 모양 찾기
후후, 나도 똑같이 쌓을 거야.
헉끔
예쁘게 쌓아 보아요~~.
똑같이 색칠하기
나도 여기에 색칠을…….
야! 너 왜 자꾸 날 따라서 똑같이 색칠하는 거야!
가약!
왼쪽과 똑같이 쌓은 모양을 찾아 ○표 하세요.
1-1
1-2
1-3
왼쪽과 똑같은 자리에 색칠하세요.
2-1
2-2
2-3
2-4
2-5
2-6
132 • 2단계
4주 – 쌓기나무 • 133

136~137쪽

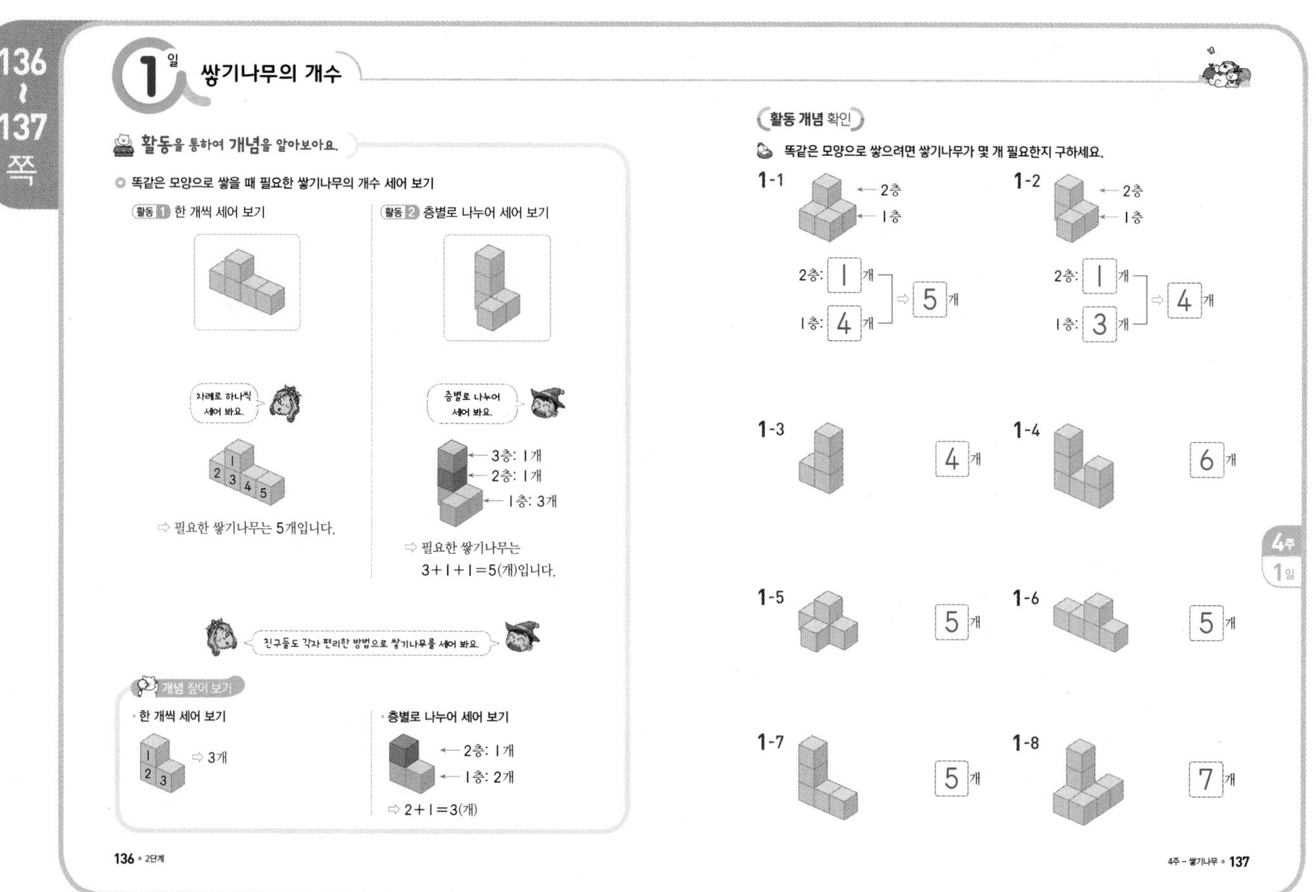

1일 쌓기나무의 개수
활동을 통하여 개념을 알아보아요.
똑같은 모양으로 쌓을 때 필요한 쌓기나무의 개수 세어 보기
활동 1 한 개씩 세어 보기
활동 2 층별로 나누어 세어 보기
차례로 하나씩 세어 봐요.
층별로 나누어 세어 봐요.
3층: 1개
2층: 1개
1층: 3개
⇨ 필요한 쌓기나무는 5개입니다.
⇨ 필요한 쌓기나무는 3+1+1=5(개)입니다.
친구들도 각자 편리한 방법으로 쌓기나무를 세어 봐요.
개념 짚어 보기
• 한 개씩 세어 보기
⇨ 3개
• 층별로 나누어 세어 보기
2층: 1개
1층: 2개
⇨ 2+1=3(개)
활동 개념 확인
똑같은 모양으로 쌓으려면 쌓기나무가 몇 개 필요한지 구하세요.
1-1 2층 1층
2층: 1 개
1층: 4 개
⇨ 5 개
1-2 2층 1층
2층: 1 개
1층: 3 개
⇨ 4 개
1-3 4 개
1-4 6 개
1-5 5 개
1-6 5 개
1-7 5 개
1-8 7 개
136 • 2단계
4주 – 쌓기나무 • 137

138
~
139
쪽

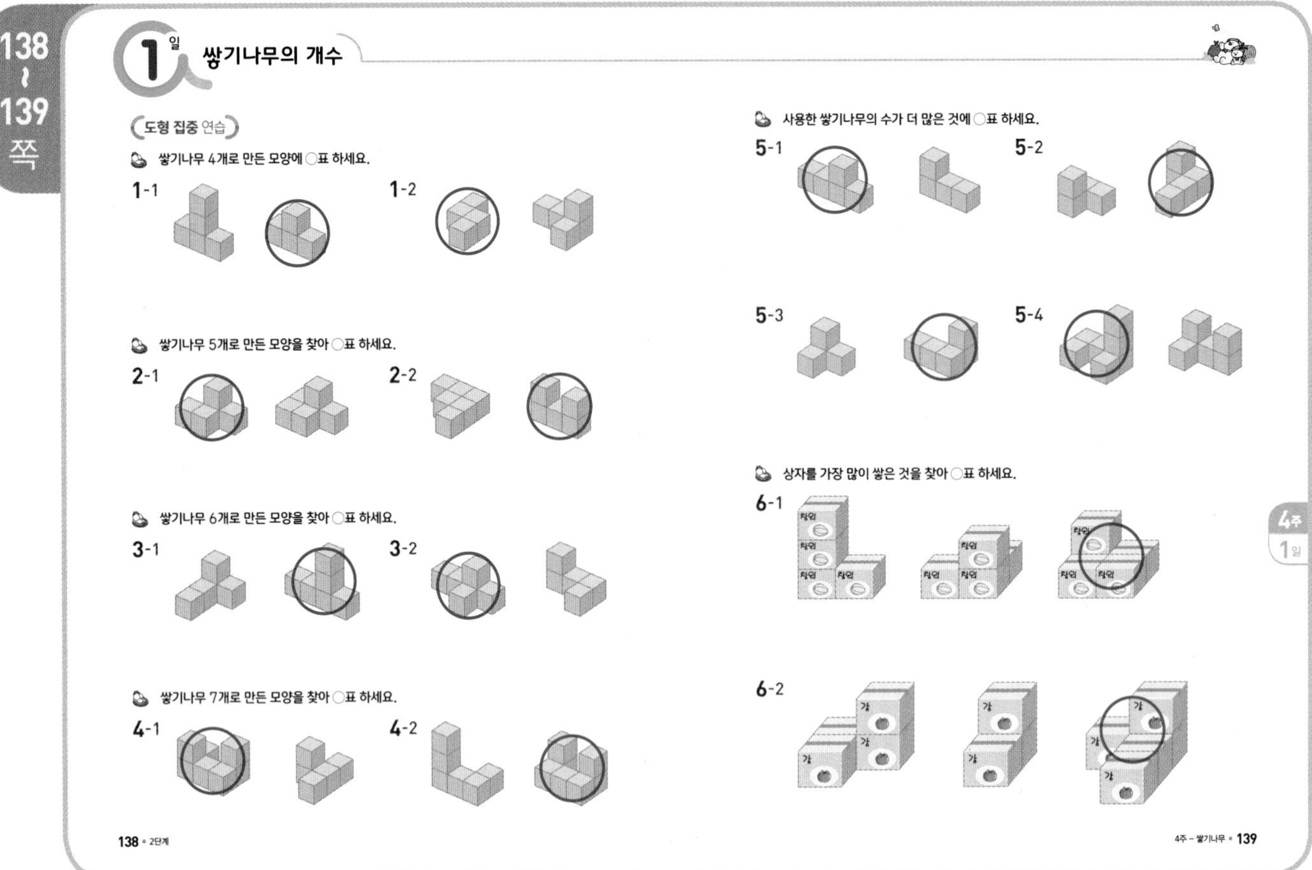
1일 쌓기나무의 개수
도형 집중 연습
쌓기나무 4개로 만든 모양에 ○표 하세요.
1-1
1-2
쌓기나무 5개로 만든 모양을 찾아 ○표 하세요.
2-1
2-2
쌓기나무 6개로 만든 모양을 찾아 ○표 하세요.
3-1
3-2
쌓기나무 7개로 만든 모양을 찾아 ○표 하세요.
4-1
4-2
사용한 쌓기나무의 수가 더 많은 것에 ○표 하세요.
5-1
5-2
5-3
5-4
상자를 가장 많이 쌓은 것을 찾아 ○표 하세요.
6-1
6-2
4주
1일
138 • 2단계
4주 - 쌓기나무 • 139

풀이

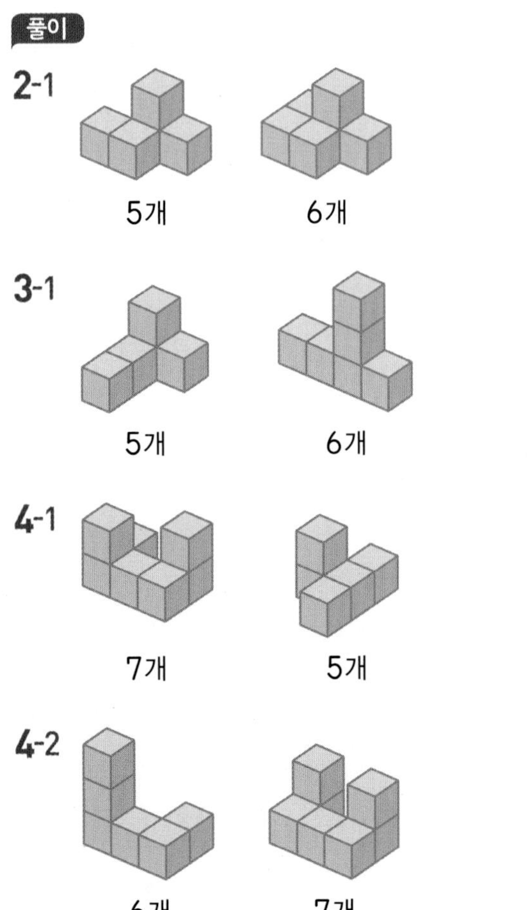
2-1
5개
6개
3-1
5개
6개
4-1
7개
5개
4-2
6개
7개

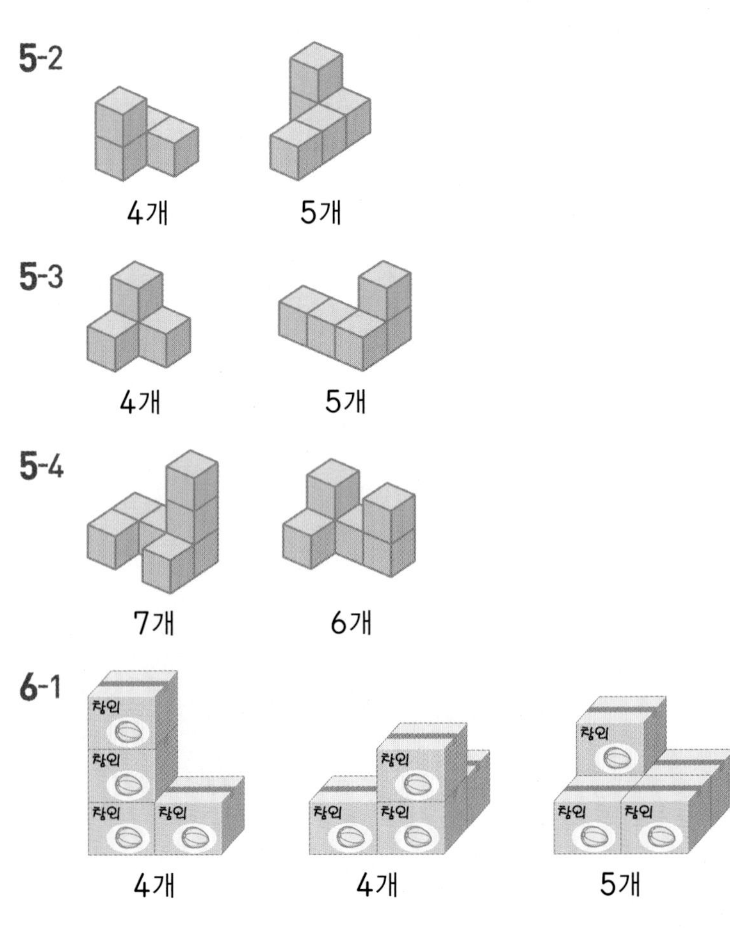
5-2
4개
5개
5-3
4개
5개
5-4
7개
6개
6-1
4개
4개
5개

142~143쪽

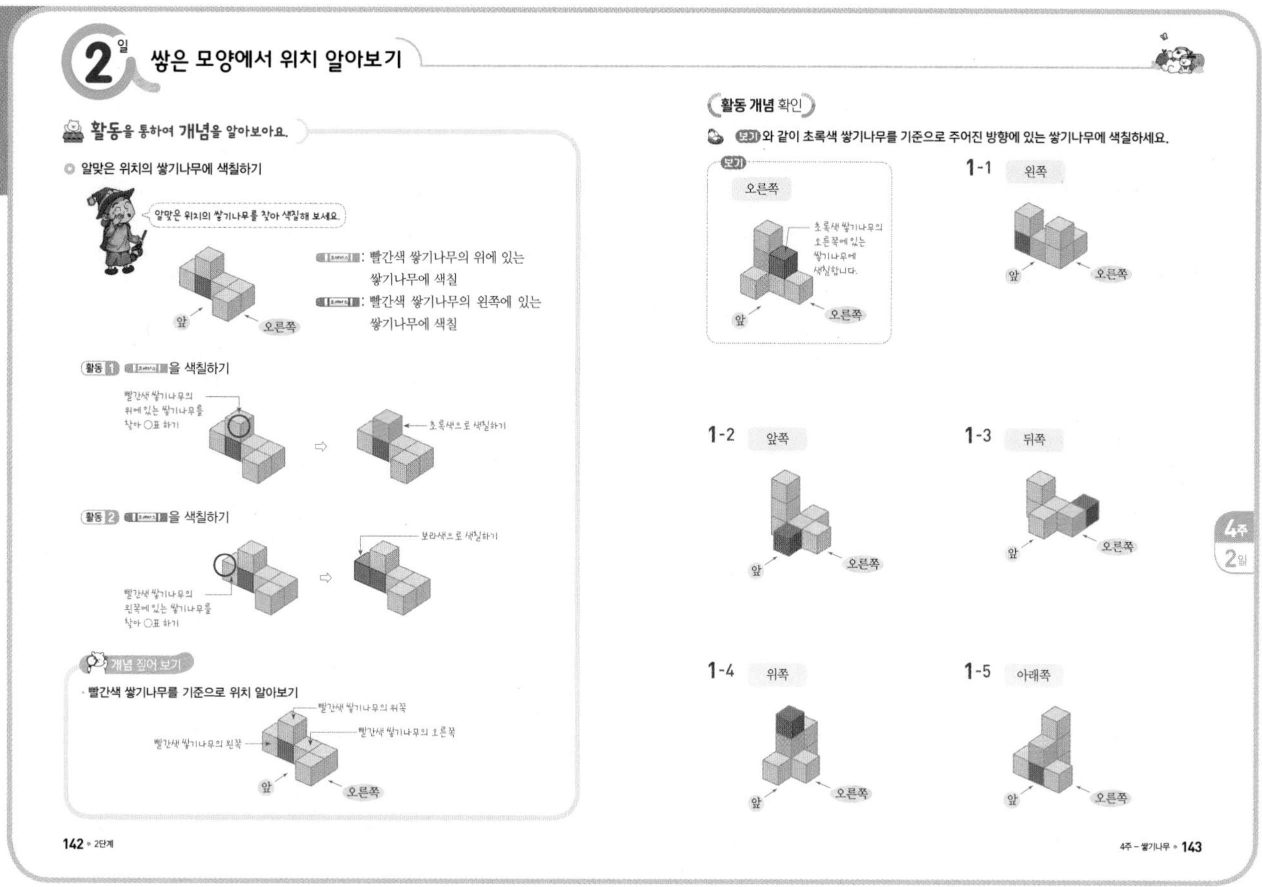

2일 쌓은 모양에서 위치 알아보기
활동을 통하여 개념을 알아보아요.
알맞은 위치의 쌓기나무에 색칠하기
빨간색 쌓기나무의 위에 있는 쌓기나무에 색칠
빨간색 쌓기나무의 왼쪽에 있는 쌓기나무에 색칠
활동 1 을 색칠하기
활동 2 을 색칠하기
개념 짚어 보기
빨간색 쌓기나무를 기준으로 위치 알아보기
활동 개념 확인
보기 와 같이 초록색 쌓기나무를 기준으로 주어진 방향에 있는 쌓기나무에 색칠하세요.
1-1 왼쪽
1-2 앞쪽
1-3 뒤쪽
1-4 위쪽
1-5 아래쪽
142 2단계
4주 - 쌓기나무 143

144~145쪽

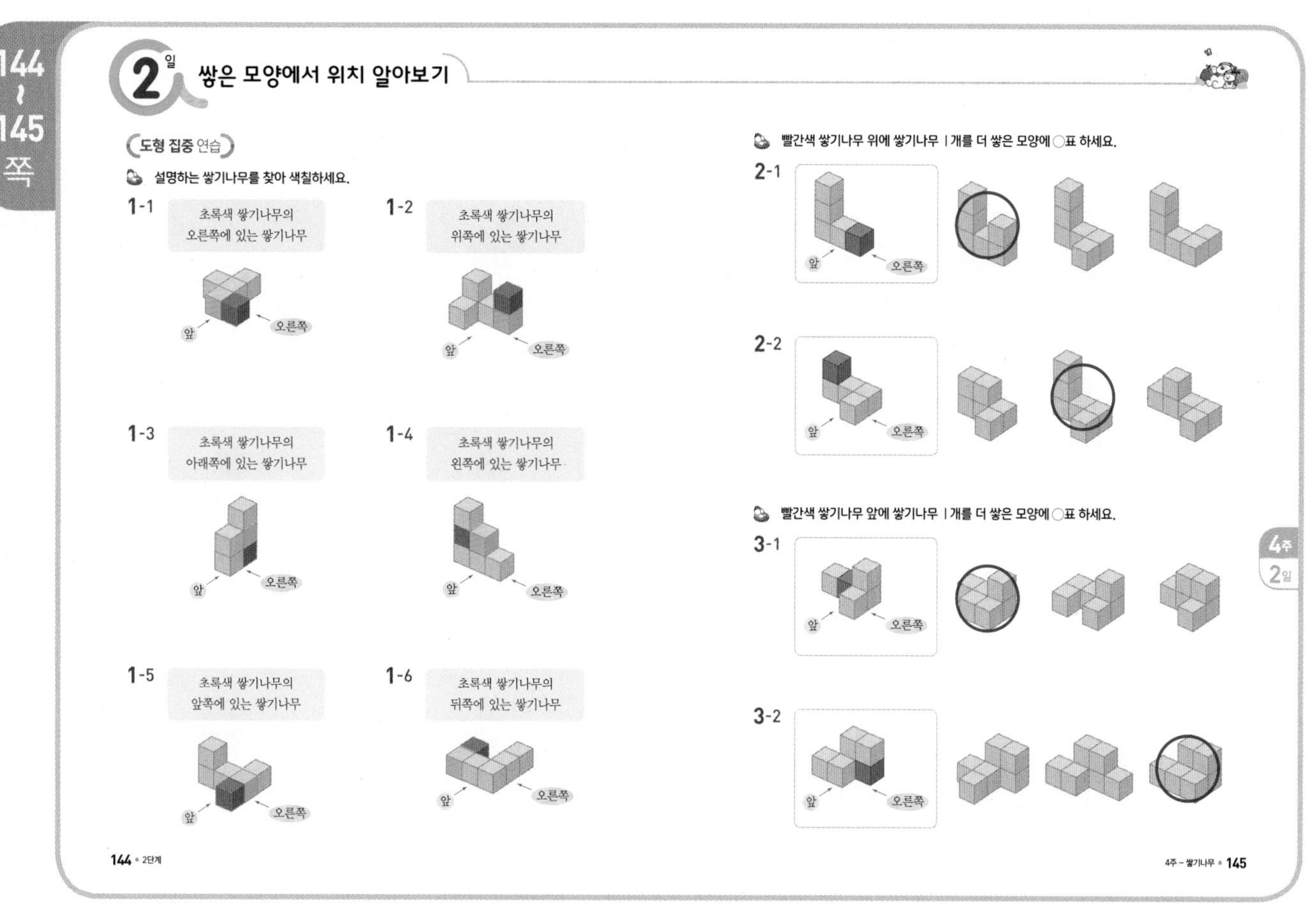

2일 쌓은 모양에서 위치 알아보기
도형 집중 연습
설명하는 쌓기나무를 찾아 색칠하세요.
1-1 초록색 쌓기나무의 오른쪽에 있는 쌓기나무
1-2 초록색 쌓기나무의 위쪽에 있는 쌓기나무
1-3 초록색 쌓기나무의 아래쪽에 있는 쌓기나무
1-4 초록색 쌓기나무의 왼쪽에 있는 쌓기나무
1-5 초록색 쌓기나무의 앞쪽에 있는 쌓기나무
1-6 초록색 쌓기나무의 뒤쪽에 있는 쌓기나무
빨간색 쌓기나무 위에 쌓기나무 1개를 더 쌓은 모양에 ○표 하세요.
2-1
2-2
빨간색 쌓기나무 앞에 쌓기나무 1개를 더 쌓은 모양에 ○표 하세요.
3-1
3-2
144 2단계
4주 - 쌓기나무 145

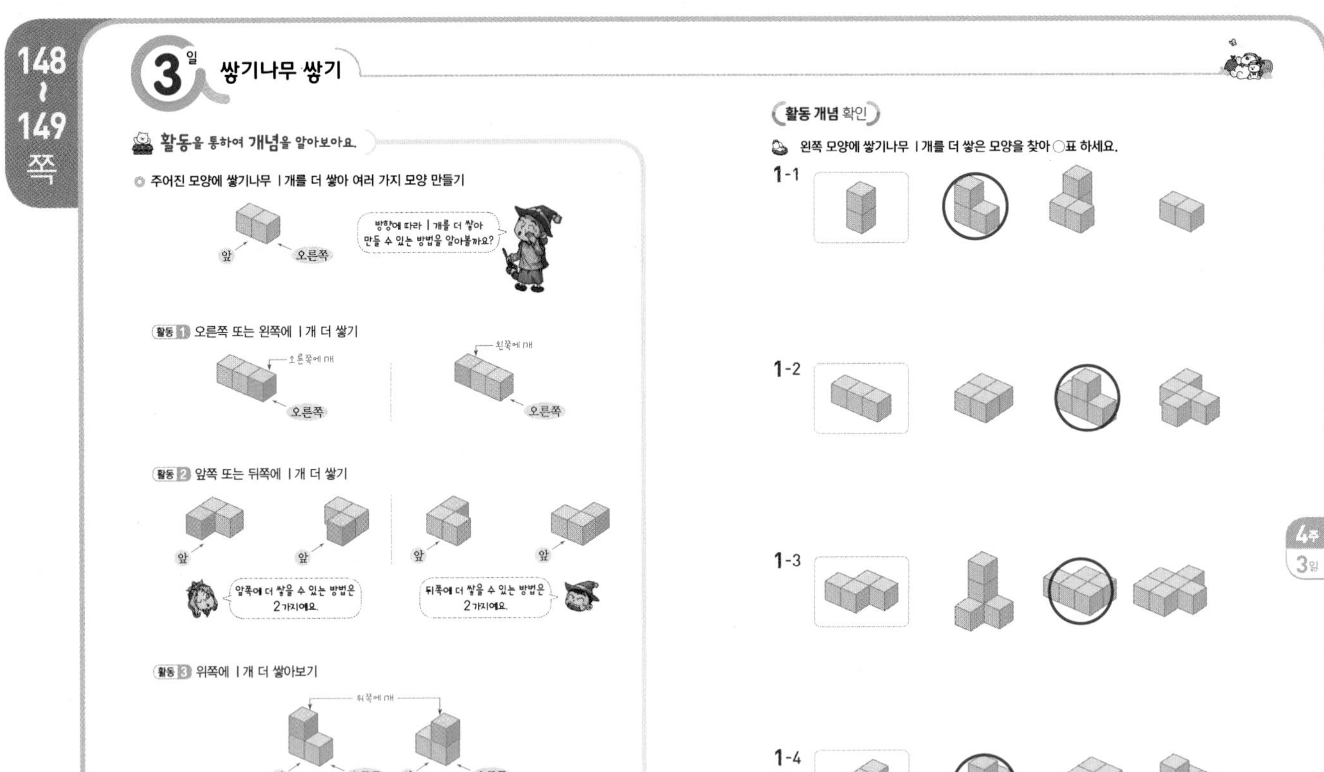
148 ~ 149 쪽
3일 쌓기나무 쌓기
활동을 통하여 개념을 알아보아요.
주어진 모양에 쌓기나무 1개를 더 쌓아 여러 가지 모양 만들기
활동 1 오른쪽 또는 왼쪽에 1개 더 쌓기
활동 2 앞쪽 또는 뒤쪽에 1개 더 쌓기
활동 3 위쪽에 1개 더 쌓아보기
활동 개념 확인
왼쪽 모양에 쌓기나무 1개를 더 쌓은 모양을 찾아 ○표 하세요.
1-1
1-2
1-3
1-4
148 • 2단계
4주 - 쌓기나무 • 149

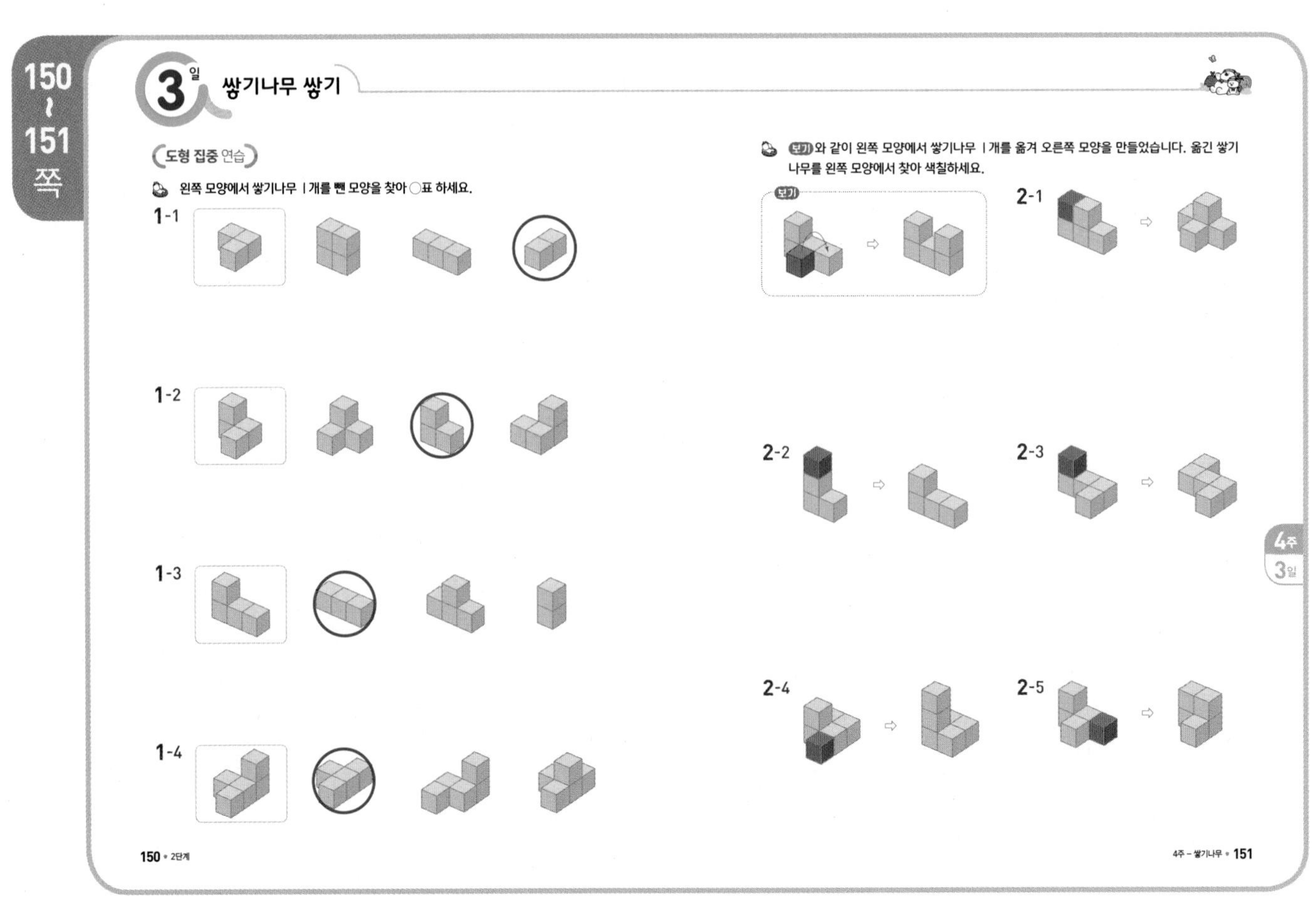
150 ~ 151 쪽
3일 쌓기나무 쌓기
도형 집중 연습
왼쪽 모양에서 쌓기나무 1개를 뺀 모양을 찾아 ○표 하세요.
1-1
1-2
1-3
1-4
보기 와 같이 왼쪽 모양에서 쌓기나무 1개를 옮겨 오른쪽 모양을 만들었습니다. 옮긴 쌓기나무를 왼쪽 모양에서 찾아 색칠하세요.
2-1
2-2
2-3
2-4
2-5
150 • 2단계
4주 - 쌓기나무 • 151

154 ~ 155 쪽

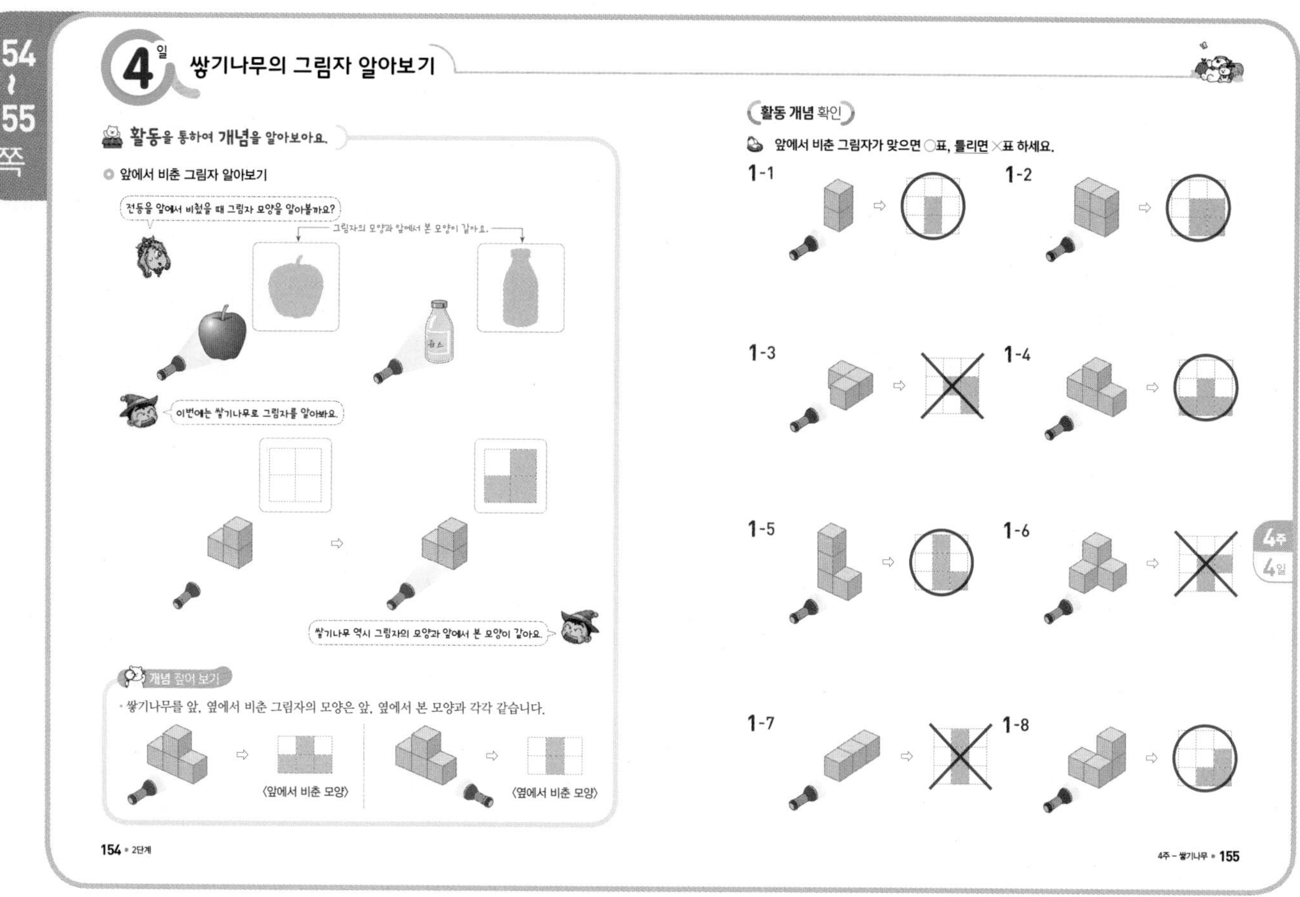

156 ~ 157 쪽

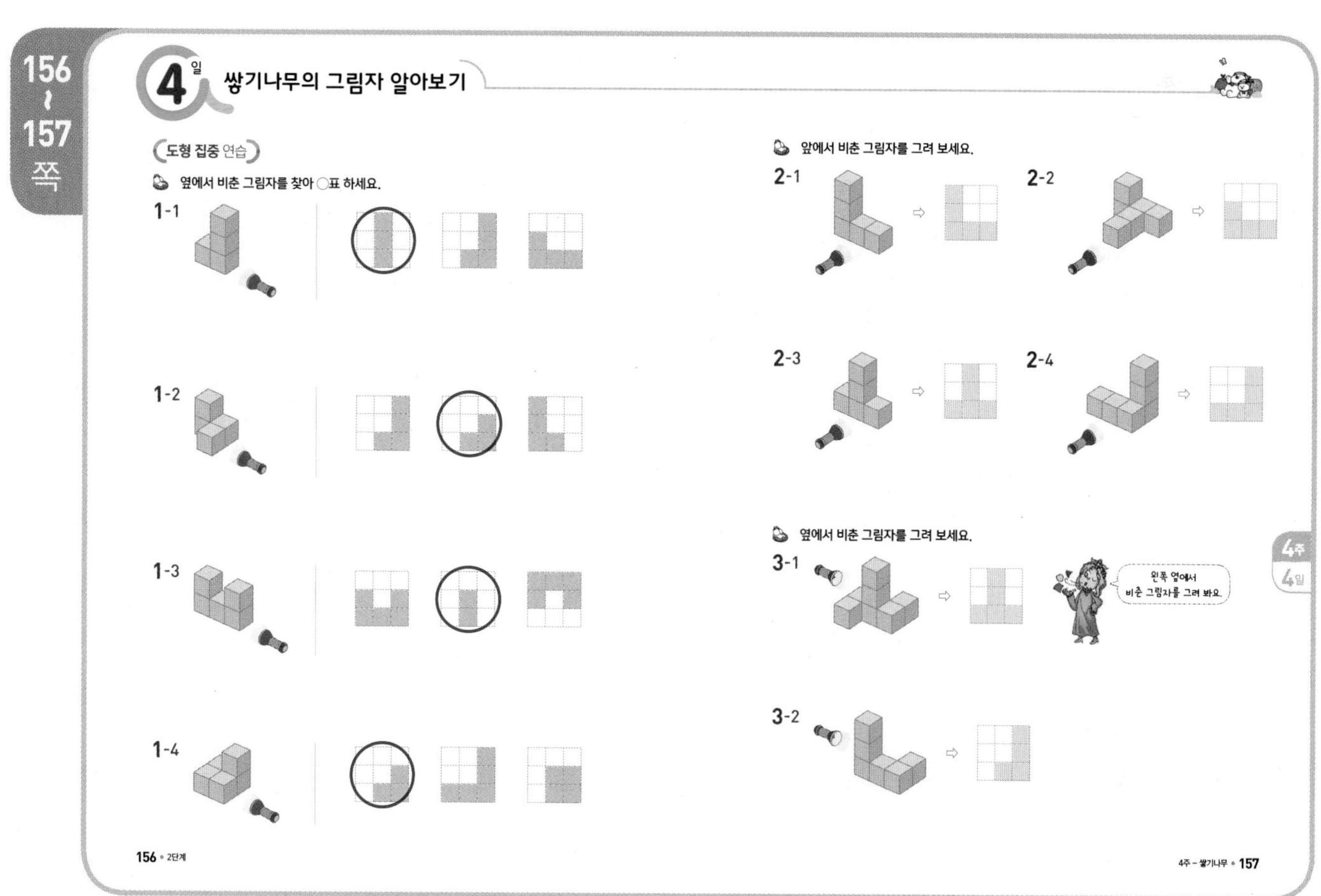

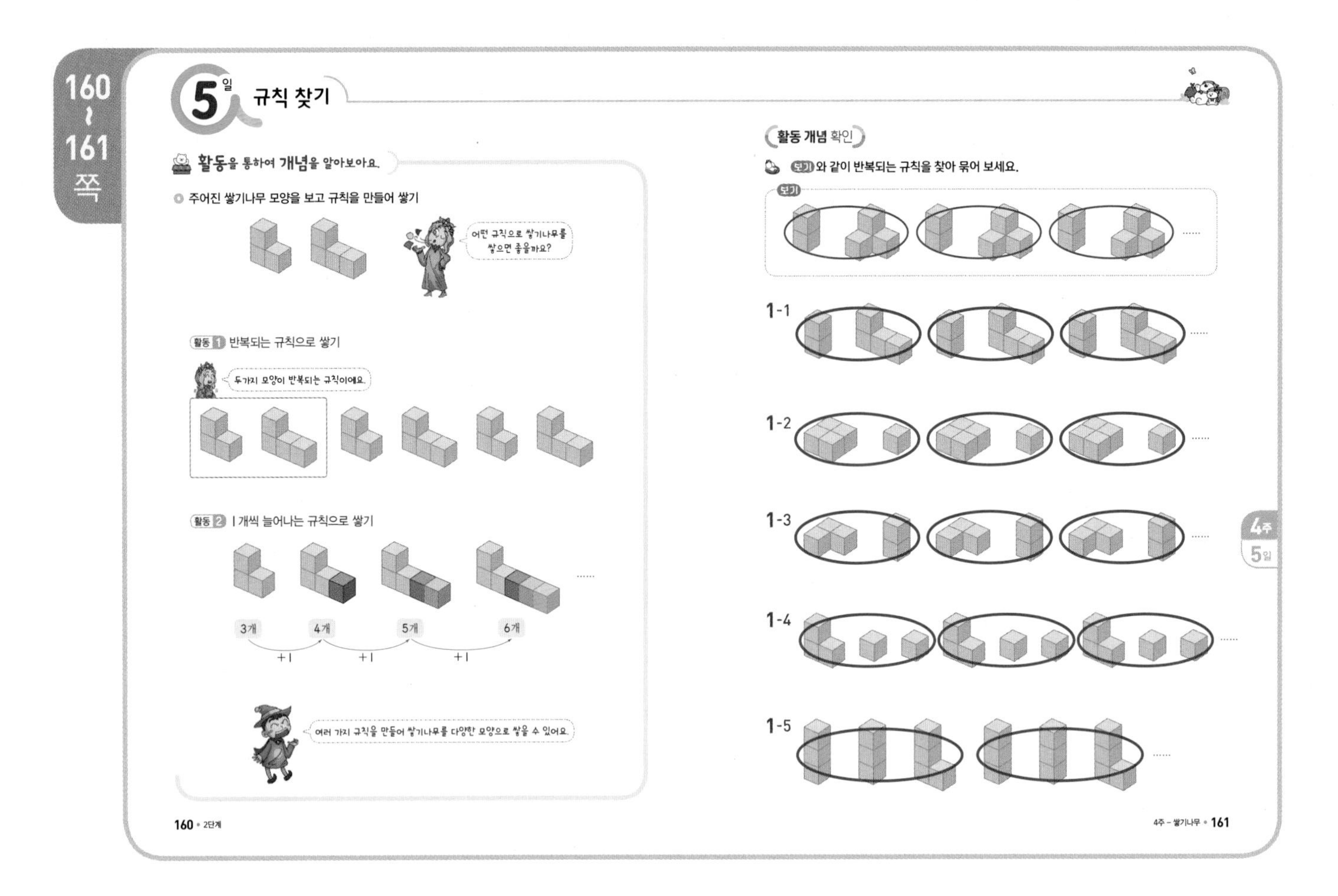

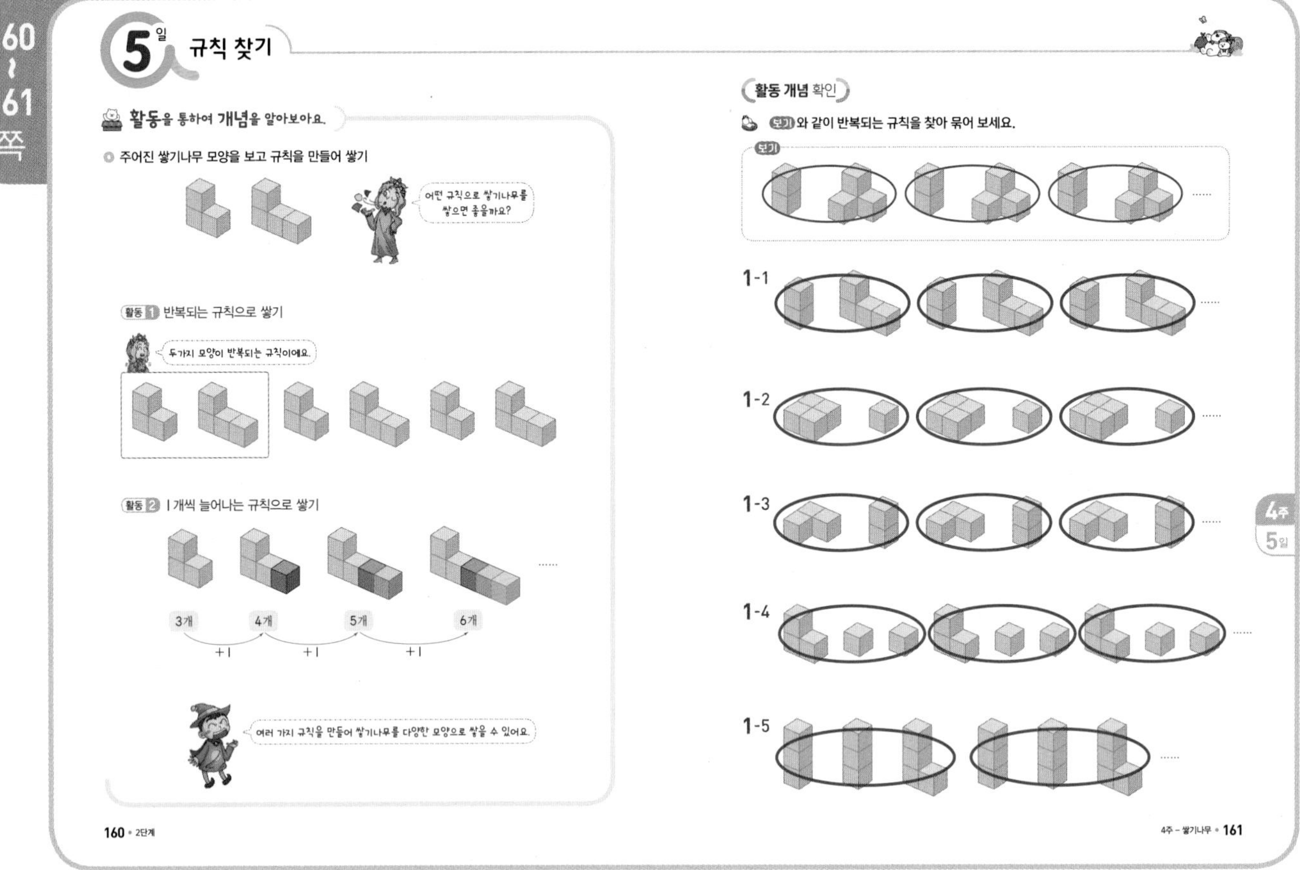
160 ~ 161 쪽
5일 규칙 찾기
활동을 통하여 개념을 알아보아요.
주어진 쌓기나무 모양을 보고 규칙을 만들어 쌓기
활동 1 반복되는 규칙으로 쌓기
활동 2 1개씩 늘어나는 규칙으로 쌓기
3개
4개
5개
6개
+1
+1
+1
활동 개념 확인
보기 와 같이 반복되는 규칙을 찾아 묶어 보세요.
1-1
1-2
1-3
1-4
1-5
160 • 2단계
4주 - 쌓기나무 • 161

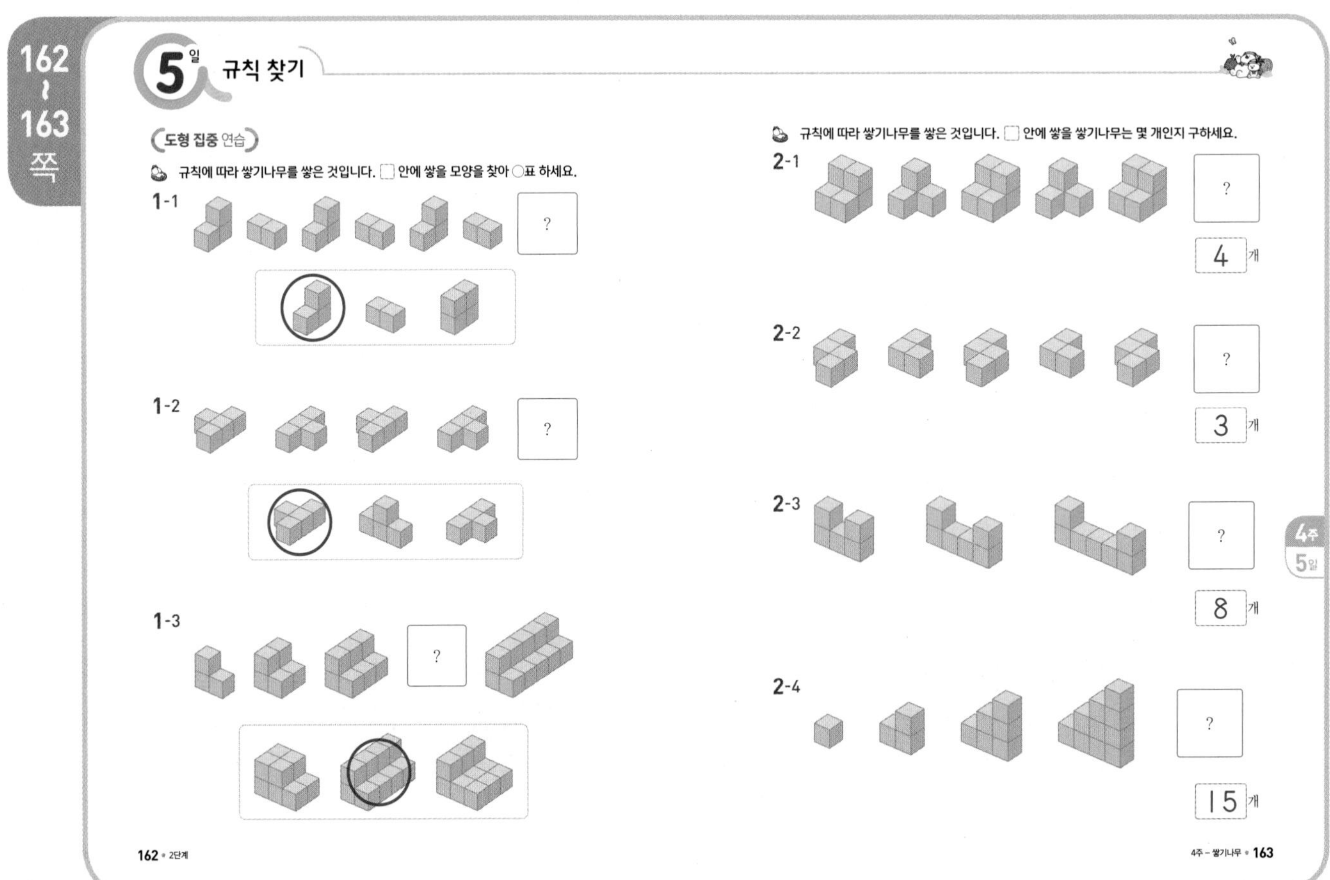
162 ~ 163 쪽
5일 규칙 찾기
도형 집중 연습
규칙에 따라 쌓기나무를 쌓은 것입니다. 안에 쌓을 모양을 찾아 ○표 하세요.
1-1
1-2
1-3
규칙에 따라 쌓기나무를 쌓은 것입니다. 안에 쌓을 쌓기나무는 몇 개인지 구하세요.
2-1
4 개
2-2
3 개
2-3
8 개
2-4
15 개
162 • 2단계
4주 - 쌓기나무 • 163

풀이

1-1 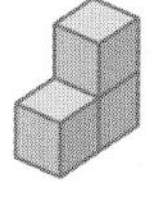 가 반복되는 규칙입니다.

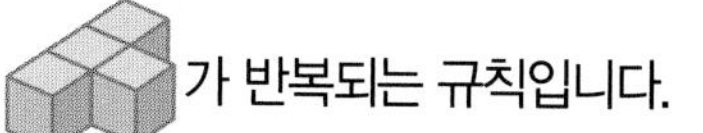

1-2 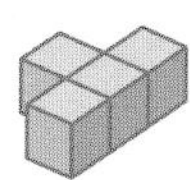 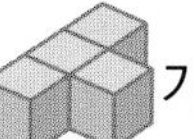가 반복되는 규칙입니다.

1-3

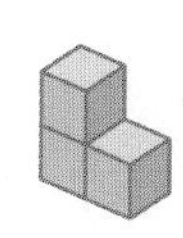    

⇨ 뒤쪽으로 쌓기나무가 3개씩 늘어나는 규칙입니다.

2-3

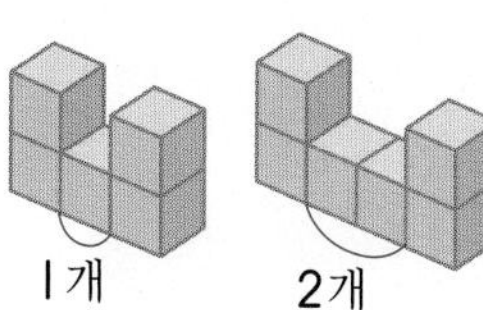 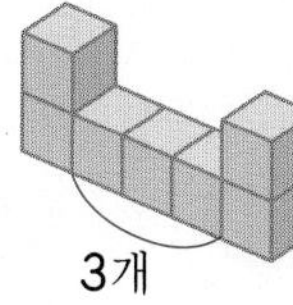 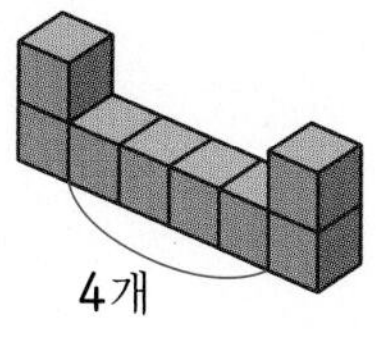

1개 2개 3개 4개

⇨ 1층의 가운데 쌓기나무가 1개씩 늘어나는 규칙이므로 □ 안에 쌓을 쌓기나무는 8개입니다.

2-4

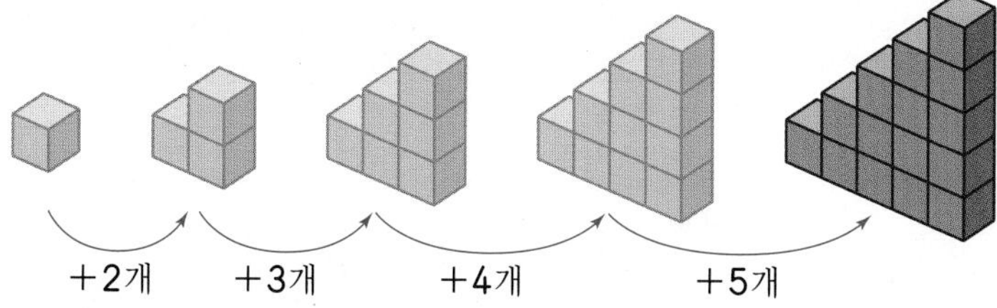

+2개 +3개 +4개 +5개

⇨ 쌓기나무가 오른쪽으로 2개, 3개, 4개……씩 늘어나는 규칙이므로 □ 안에 쌓을 쌓기나무는 1+2+3+4+5=15(개)입니다.

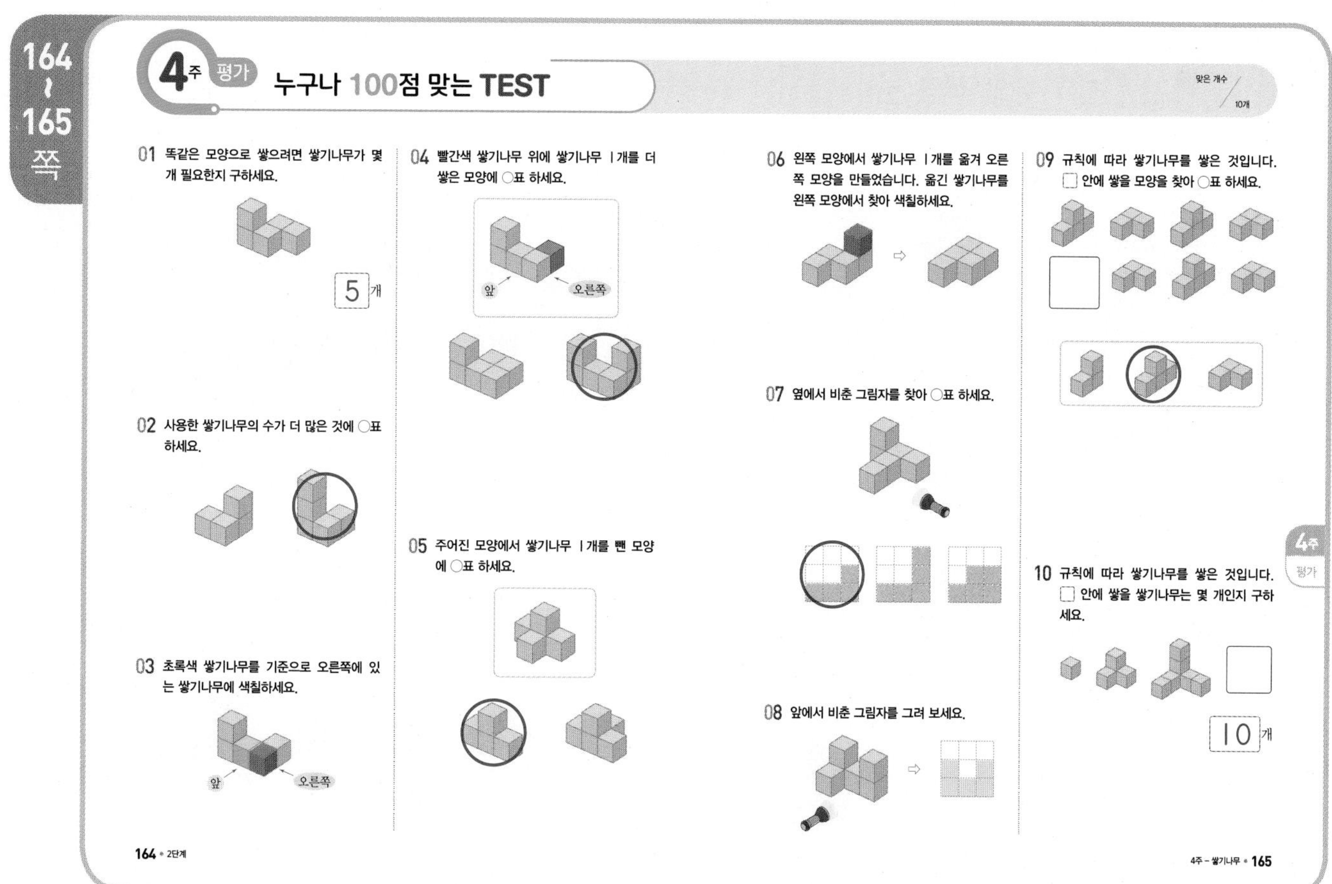

164 ~ 165쪽

4주 평가 누구나 100점 맞는 TEST

맞은 개수 / 10개

01 똑같은 모양으로 쌓으려면 쌓기나무가 몇 개 필요한지 구하세요.

5 개

02 사용한 쌓기나무의 수가 더 많은 것에 ○표 하세요.

03 초록색 쌓기나무를 기준으로 오른쪽에 있는 쌓기나무에 색칠하세요.

앞 오른쪽

04 빨간색 쌓기나무 위에 쌓기나무 1개를 더 쌓은 모양에 ○표 하세요.

앞 오른쪽

05 주어진 모양에서 쌓기나무 1개를 뺀 모양에 ○표 하세요.

06 왼쪽 모양에서 쌓기나무 1개를 옮겨 오른쪽 모양을 만들었습니다. 옮긴 쌓기나무를 왼쪽 모양에서 찾아 색칠하세요.

07 옆에서 비춘 그림자를 찾아 ○표 하세요.

08 앞에서 비춘 그림자를 그려 보세요.

09 규칙에 따라 쌓기나무를 쌓은 것입니다. □ 안에 쌓을 모양을 찾아 ○표 하세요.

10 규칙에 따라 쌓기나무를 쌓은 것입니다. □ 안에 쌓을 쌓기나무는 몇 개인지 구하세요.

10 개

4주 평가

164 • 2단계

4주 - 쌓기나무 • 165

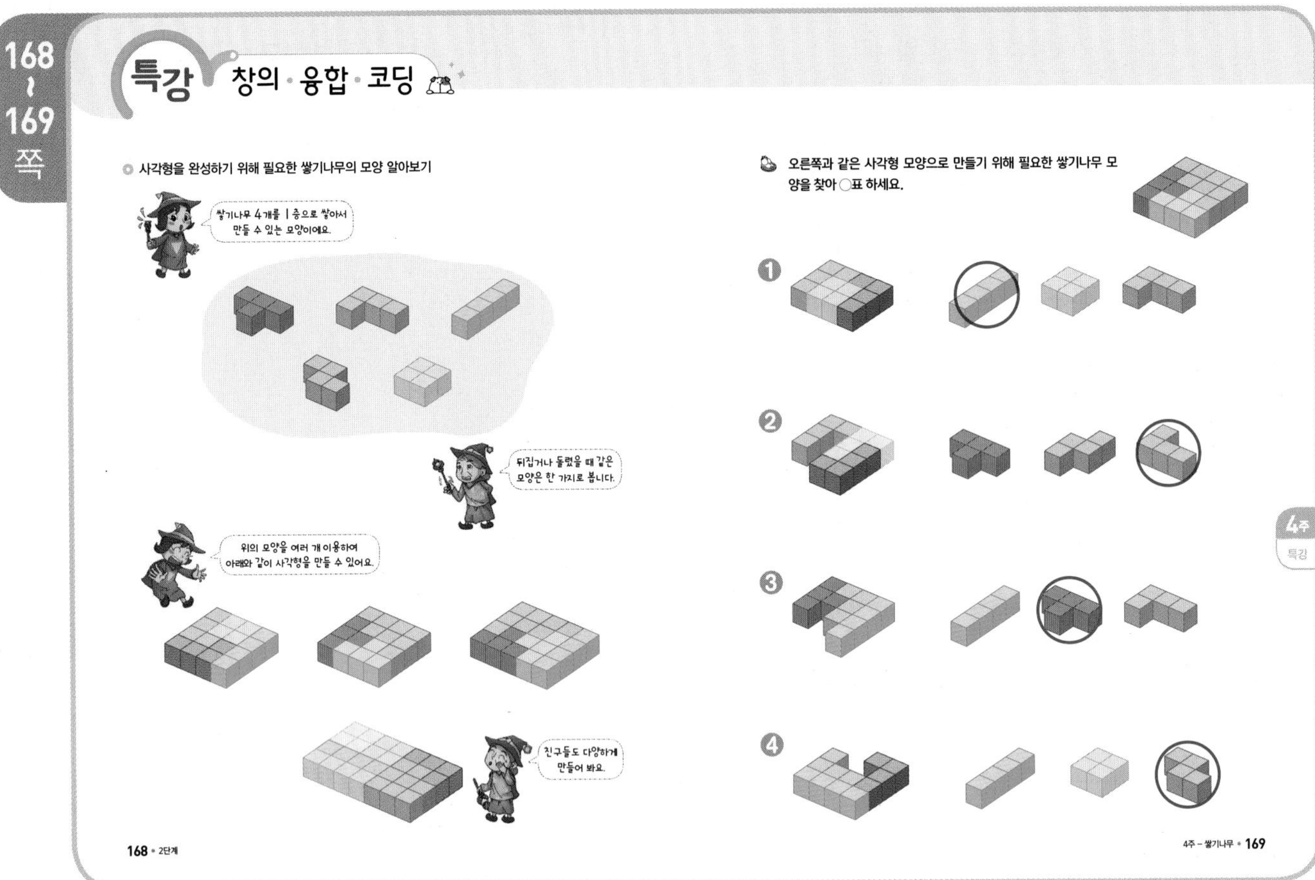
168 ~ 169 쪽
특강 창의·융합·코딩
사각형을 완성하기 위해 필요한 쌓기나무의 모양 알아보기
오른쪽과 같은 사각형 모양으로 만들기 위해 필요한 쌓기나무 모양을 찾아 ○표 하세요.
168 • 2단계
4주 - 쌓기나무 • 169

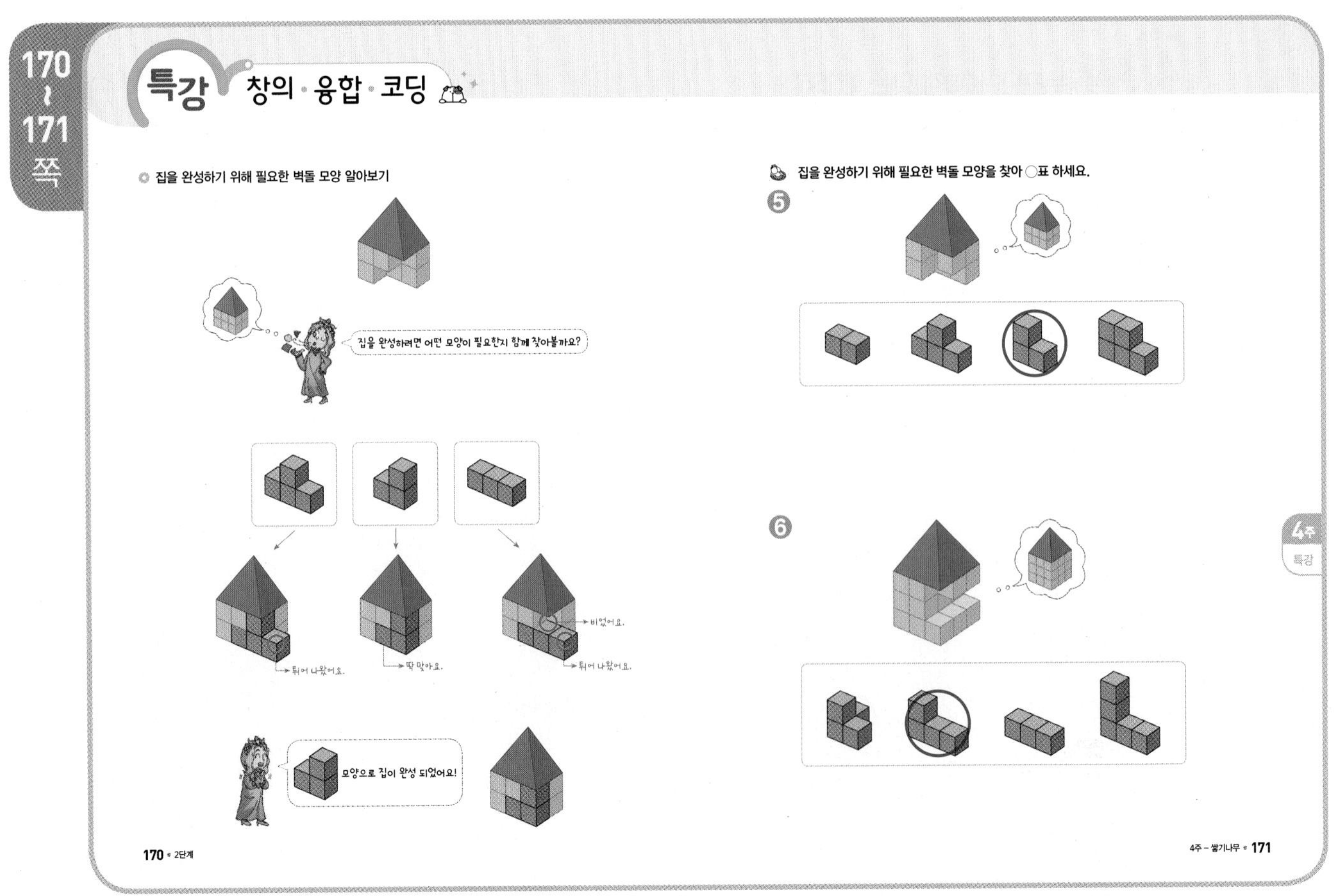
170 ~ 171 쪽
특강 창의·융합·코딩
집을 완성하기 위해 필요한 벽돌 모양 알아보기
집을 완성하기 위해 필요한 벽돌 모양을 찾아 ○표 하세요.
170 • 2단계
4주 - 쌓기나무 • 171

정답은
이안에
있어!

기초 학습능력 강화 프로그램

매일 조금씩 공부력 UP!

하루 독해　　하루 어휘

하루 VOCA

하루 수학　　하루 계산　　하루 도형

과목	교재 구성	과목	교재 구성
하루 수학	1~6학년 1·2학기 12권	**하루 사고력**	1~6학년 A·B단계 12권
하루 VOCA	3~6학년 A·B단계 8권	**하루 글쓰기**	1~6학년 A·B단계 12권
하루 사회	3~6학년 1·2학기 8권	**하루 한자**	1~6학년 A·B단계 12권
하루 과학	3~6학년 1·2학기 8권	**하루 어휘**	예비초~6학년 1~6단계 6권
하루 도형	1~6단계 6권	**하루 독해**	예비초~6학년 A·B단계 12권
하루 계산	1~6학년 A·B단계 12권		

※ 각 교재별 출간 시기는 조금씩 다릅니다.

힘이 되는

좋은 말

나는 그 누구보다도 실수를 많이 한다. 그리고 그 실수들 대부분에서 특허를 받아낸다.

I make more mistakes than anybody
and get a patent from those mistakes.

토마스 에디슨

실수는 '이제 난 안돼, 끝났어'라는 의미가 아니에요.
성공에 한 발자국 가까이 다가갔으니, 더 도전해보면 성공할 수 있다는
메시지랍니다. 그러니 실수를 두려워하지 마세요.

book.chunjae.co.kr

교재 내용 문의 ·························· 교재 홈페이지 ▸ 초등 ▸ 교재상담
교재 내용 외 문의 ······················ 교재 홈페이지 ▸ 고객센터 ▸ 1:1문의
발간 후 발견되는 오류 ················ 교재 홈페이지 ▸ 초등 ▸ 학습지원 ▸ 학습자료실

63410
9 791125 959663
ISBN 979-11-259-5966-3

정가 14,000원

어린이제품 안전 특별법에 의한 품질 표시

My name~

초등학교		
학년	반	번
이름		